經學研究論叢

◆第十九輯◆

林慶彰主編
馮曉庭編輯

臺灣 學生書局 印行

經學研究論叢編輯委員會

編者序

本輯稿件有需特別說明的如下：

中央研究院中國文哲研究所出版《李源澄著作集》後，獲得很大的迴響，根據該書來研究李源澄的學術成就的，也多了起來。其中最令人感到意外的是，2010年12月19－26日我和林登昱先生到重慶師範大學訪問，始知在重慶北碚的西南大學，前身即李源澄任教的西南師範學院，想到圖書館看看有否李源澄的其他資料。由重慶師大文學院陳良中教授陪同到該校拜訪，漢語言文獻研究所的所長喻遂生教授和幾位老師已在學校大門口等著。喻教授告訴我李源澄的姪子李弘毅就在西南大學圖書館工作，喻教授也請他過來一起用午餐，宴席中李弘毅先生告訴大家，他大伯（李源澄）不是病死的，而是自殺死的。我大吃一驚，馬上請他寫一篇文章討論此事，這就是〈李源澄之死〉一文的由來。

浙江大學古籍研究所許建平教授，曾接受《國文天地》的採訪，採訪稿經鄭誼慧、沈明謙整理出來，有一萬八千字之多，《國文天地》的「學林人物」摘取其中五千字，由於文稿未再給許教授校閱一遍，有一些錯誤，經許教授反映，我們同意將全文一萬八千字在本論叢中刊出，一方面向許教授致歉，另方面也可以看出許教授近年來致力敦煌經書卷子研究的成果。

本論叢的「出版資訊」，以前都把刊登經學專門期刊（所謂的「以書代刊」）和經學專著一起寫提要。從本輯開始，我們將這些經學專門期刊獨立成一個專欄，稱為「經學期刊目次」。由於「以書代刊」所收的論文，並沒有收入「中國期刊全文數據庫」（中國期刊網）中，讀者要參考這些論文，就有一定的困難，因此將每年度的經學專門期刊之目次刊載出來，仍有相當的參考價值。

本輯收稿與校對工作，全由馮曉庭學弟來統籌，他為了培養編輯人才，邀請中央大學中國文學系博士班的陳洛嘉同學、中正大學中國文學系博士班的謝智光同學、臺北市立教育大學中國語文學系碩士班陳語唐同學、嘉義大學中國文學系碩士班劉慕真、蔡宜君、陳琇芝同學一起完成本書的校對工作，並核對各篇論文的附註，工作負擔相當繁重，謹表示萬分的謝忱。

2011 年 11 月 **林慶彰** 誌於

中央研究院中國文哲研究所 501 研究室

經學研究論叢 第十九輯

目　次

【2010 年度經學期刊目次】

經　學　研　究　論　叢
第 十 九 輯　　頁1～34
臺灣學生書局　2011 年 11 月

從經學理學化看
儒學經典詮釋思想之演變
——兼論儒學發展的連續性與創新性*

蔡方鹿、陳欣雨**

理學思潮的興起，促進了中國經學及整個中國思想文化的持續發展。可以說，理學是中國經學發展到宋代的必然產物，在中國學術思想史上佔有重要的地位。由於理學是對傳統儒學的創新發展，是經學的理學化，具有內在自身的價值，基本上適應了社會發展的需要，所以經過理學在南宋的大繁榮、大發展，以及理學家的大力宣揚和廣泛傳播，逐步由「偽學」到被確立為官方正統哲學；由民間傳授到成為社會意識形態的指導思想，提高了儒學的社會地位，使新儒學——理學廣泛影響中國社會達幾百年之久。

儒家經學是以經孔子整理的儒家經典為研究對象的學問。儒家經學的發展演變經歷了經學在戰國的起源，在西漢被定為一尊，漢學在漢唐時期的流傳演變，以及宋學興起，理學佔據宋學發展的主導地位，清代新漢學的形成等發展演變的若干階

* 本文係中國大陸國家社會科學基金項目「中國經學與宋明理學研究」（04XZX001）的總結性研究成果。

** 蔡方鹿，四川師範大學首席教授、中國哲學與文化研究所所長。
陳欣雨，四川師範大學中國哲學專業碩士研究生。

段。

戰國時期是經學的產生、起源的階段，孔子弟子、後學對於儒家經學的承傳授受發揮了重要作用。漢以後的經學（漢學）是在戰國經學的基礎上，進一步的發展演變。以義理之學為主導的宋學作為一代學術思潮，造就了一批經學思想家，推動了經學和理學思想的發展。宋學思潮中湧現出在主要方面即認同義理，以義理詮釋經典方面大致相同，而在其他一些方面有所不同（如具體的經學、哲學觀點不同，對訓詁考釋及其與義理的關係的見解不同）的各個流派。這些流派包括理學流派和非理學流派，它們在相互爭鳴中又相互影響，既有理學內部各流派的爭鳴和相互影響，又有非理學流派與理學流派之間的爭鳴、辯難和相互影響，由此促進了學術的繁榮和經學的發展。而宋明理學作為經學史上宋學的大宗，是中國經學發展到宋代的產物，所以應結合中國經學思想發展史、時代思潮來研究探討儒家經學與宋明理學的相互關係，把經學與宋明理學置於中國歷史文化發展的大背景下，以經學家、理學家為點，以宋學、理學思潮為面，以整個中國經學發展史、儒學發展史為線，通過點、面、線三者結合，在相互聯繫中，作縱橫比較，全面、系統、深入地去研究儒家經學與宋明理學的理論構成、特徵及其在中國思想文化發展史上的地位，從宋元明時期經學的理學化來研究探討儒學經典詮釋思想的演變發展，並觀察探討儒學發展的連續性與創新性，以回應割裂儒學發展的連續性，把先秦孔孟儒學與宋明理學等後世新儒學視為互不相干，甚至將其說成是對孔子儒學的異化和背棄的觀點，還思想史發展的本來面貌。

一、經學的理學化

唐宋以降至元明時期，主導中國思想文化發展的經學發生了歷史性的變革，由以「六經」訓詁考釋為主的注疏之學轉向以「四書」義理闡釋為主的理學。「四書」及「四書」性理之學取代了前代經學以「六經」及「六經」訓詁之學為主的地位，完成了理性主義的文化超越。經學的理學化，即理學對經學的改造在中國學術發展史上具有重要意義，而佔有重要的歷史地位，並產生了深遠的影響。探討經學理學化在學術發展史上的意義，這即是促進了經學的轉型和儒學的發展，提高了中國哲學的理論思辨水準，基本適應了中國社會發展的要求，具有一定的歷史必然性，確立了以儒為主，融合三教的學術發展模式。

經學史上的宋學，是指宋代義理之學（後延續到元明，亦包括清代宋學），它是以講義理為主的經學派別。宋學的一般特徵是重義理，輕訓詁，以此與重訓詁注疏，輕義理闡發的漢學相區別。宋學中包括宋代諸多講義理的宋學人物和派別，亦包括在宋學的基礎上發展而來的理學。到後來理學則成為宋學發展的主要內容和表現，以致學者把理學作為宋學的代名詞。然而宋學與理學之間不應劃等號，宋學的內涵大於理學，在時間上宋學早於理學。應該說，宋學包括了理學和非理學的講義理的諸治儒家經學的流派和代表人物。到後來，宋學的發展則體現為以理學的發展為主，尤其南宋以後，理學成為社會意識形態的指導思想，宋學的發展便體現為理學諸派的演變發展。

大體上可以說，宋學形成之時，以疑經惑傳，批評漢唐注疏之學，而大力提倡義理為特徵。諸多宋學代表人物和派別在論學中，批判漢學，提倡義理，反映了時代思潮的轉向，由章句訓詁注疏之學轉向義理之學。在此基礎上，理學得以興起。理學是在宋學的基礎上形成，在宋學的環境下興起，故除有宋學產生的時代背景外，還有著深刻的思想根源，即理學是在吸取了先前有關思想的資料，結合宋代社會思想發展的客觀要求，加以哲學理論的創造而產生的，是經學的哲學化、宋學的哲理化；是在總結中國經學發展的客觀進程中出現的問題，解決當時社會和思想發展進程中所面臨的重大社會和理論問題，回應時代的挑戰而產生，與理性主義時代思潮的興起、發展有密切的關係。理學思潮的產生，完成了中國思想史上理性主義的文化超越，是中國學術文化發展史上的重大轉折，在中國經學史和中國哲學史上佔有十分重要的地位，並對中國文化和中國社會的發展產生了深遠影響。故探討由漢學到宋學到理學的發展過程，與深入探討和全面把握理學興起的思想淵源、理學興起的理論針對性、經學哲學化——理學的形成等密切相關。

㈠宋學的產生——經學義理化

學風的轉變和疑經惑傳風氣的形成，標誌著宋學的興起。所謂宋學，指宋代（後延續到元明，至清代亦有漢學、宋學之爭）義理之學。所謂義理之學，是指與章句訓詁注疏之學相對應的講求儒家經義、探究其道理的學問。「義理」一詞，初見於《禮記‧禮器》：「義理，禮之文也。」即義理是對禮合宜得理的解說。漢晉時指經義名理，故後來學者將其作為一門講求經義，探討名理的學問。宋儒治經，著重探究義理，與漢唐儒者專事訓詁名物、傳注疏釋的治經路數不同，而重在闡發儒家經典中的大義和道理。北宋張載已提出「義理之學」這一概念，他說：「義理之學，亦須深沉方有造，非淺易輕浮之可得也。蓋惟深則能通天下之志，只欲說得便似聖人，若此則是釋氏之所謂祖師之類也。」❶意即義理之學是要深入到儒家經書的內部，探討其大義，只有沉潛深入，才能通天下之志，如果只停留在表面說經，貌似聖人言語，而實則並未領會其精神實質。後來將重義理、輕訓詁的宋學稱為義理之學，而與重章句訓詁、傳注疏釋的漢唐經學相區別。

宋學經唐中葉的萌芽孕育，發展到北宋，產生了一股以講義理為主的學術文化思潮，儘管在宋學內部，有理學和非理學等各派的分野，但宋學之於漢學，從最本質的特徵上講，是以重義理、輕訓詁的義理之學而與重章句訓詁、繁瑣釋經的漢唐訓詁義疏之學相區別。大致可以說，重義理，還是重訓詁，是宋學區別於漢學的顯著特徵。這可以說是宋學與漢學各自的側重點。著名宋史研究專家漆俠先生指出：

> 以義理之學的宋學代替了漢學的章句之學，其主要的、基本的區別在於：漢儒治經，從章句訓詁方面入手，亦即從細微處入手，達到通經的目的；而宋儒則擺脫了漢儒章句之學的束縛，從經的要旨、大義、義理之所在，亦即從宏觀方面著眼，來理解經典的涵義，達到通經的目的。總之，從方法論上說，漢學屬於微觀類型，而宋學則屬於宏觀類型。在我國古代學術發展史上，宋學確實開創了學術探索的新局面，並表現了它獨特的新思路和新方法。❷

以從章句訓詁方面入手和從經的要旨、大義、義理著眼來界定漢學與宋學之別。認為漢儒治經，從章句訓詁方面入手，也就是從細微處入手，來達到通經的目的；而宋儒不受漢儒章句之學的束縛，著眼於從宏觀方面探討經典的要旨、大義、義理，

❶ 張載：《經學理窟・義理》，《張載集》（北京：中華書局，1978 年），頁 273。

❷ 漆俠：《宋學的發展和演變》（石家莊：河北人民出版社，2002 年），頁 5。

以此解經，來達到通經的目的。確實也是這樣，漢學與宋學之別，就在於是重章句訓詁注疏，還是重義理，其方法論的區別也就在於是微觀解經，訓詁文字，還是宏觀探求，闡發義理。肯定在中國經學史上，宋學所開創的新局面、新思路和新方法。

從社會根源、思想根源和歷史文化價值上看，宋學的產生具有時代的必然性和經學發展的內在邏輯，除自唐中葉以來思想領域出現的疑經思潮和懷疑創新精神，是宋學產生的重要背景外，唐宋之際的社會變化；中央集權制強化，民族矛盾尖銳；宋代經濟、自然科學的大發展；文教事業的興盛與變法改革運動的展開；復興儒學、重整綱常之風盛行等成為宋學之所以興起並發展蔚為大觀的時代背景，在這樣的時代背景下，宋代義理之學得以產生。需要指出，由於理學是宋學的重要內涵，代表了宋學發展的趨勢，理學家往往是宋學的代表人物，所以在一定意義上，宋學產生的背景亦是理學思潮之所以興起和發展的時代背景。

唐宋之際社會經濟、政治的變革引起了思想文化領域的變革，重義理的宋學取代重訓詁的漢學，是宋代學術和中國經學發展的趨勢和潮流。自唐中葉以來思想領域出現的疑經思潮和懷疑創新精神，是宋學產生的重要背景。作為主導中國思想文化發展的儒家經學至唐代時，已陷入困境。唐初孔穎達等奉欽命編定的《五經正義》，雖然完成了經學的統一工作，統一了對經義的疏解，但仍沿襲漢學的章句注疏之學，堅守注不駁經，疏不破注的解經原則，學者拘於訓詁，墨守正義，而不重視對經書義理的探討，所以不利於新思想的產生和發揮，束縛了儒學的發展。唐代士人就是在漢代和魏晉舊注的基礎上來疏釋經書和原有的舊注的，普遍採取疏不破注和繁瑣訓詁釋經的方法。這種漢唐經學的傳統缺乏生命力，表明舊的儒家經學已經僵化，顯然不能與盛行於唐代的佛、道精緻的思辨哲學相抗衡。於是宋學學者對箋注經學提出非難。他們發揮經書中的微言大義和義理，全憑己意說經。不僅疑傳、捨傳，而且疑經、改經，蔚然形成疑經惑傳的學術新風。學風的改變，標誌著宋學的興起，義理之學逐步取代漢唐訓詁之學，成為儒家經學乃至中國文化發展史上的重大變革。

宋儒從疑經出發，以義理之學取代漢唐的章句訓詁注疏之學，具有深刻的社會根源和時代必然性。宋代義理之學產生的理論針對性之一就是傳統經學所依傍的經書文本及其解經之說，隨著時代的發展，已顯現出不合時宜之處，一定程度地阻礙了儒學的進一步發展，故唐中葉以來的學者、思想家對以往的經書文本及解經之說產生懷疑，並伴隨著疑經惑傳的流行，新的學術思潮得以產生。

臺灣著名經學研究專家林慶彰先生指出：「宋人懷疑的動機，是要徹底否定漢儒經傳的貢獻，而將傳承聖人之道視為己任，以建立其新的學術傳統。」❸漢儒經傳對於儒家經學的承傳確有貢獻，然其奉行重文字訓詁，輕思想發揮的解經原則，其盛行之後，產生流弊，導致儒學發展停滯，不能有效的應對盛行一時的佛老思想的挑戰，而動搖了儒家文化的主導地位，帶來理論危機和社會危機。宋人之所以對漢儒經傳產生懷疑，是因為在宋儒看來，漢儒未能將儒家聖人之道繼承下來，反而有所失傳，所以他們在懷疑漢儒經傳的基礎上，以傳承聖人之道為己任，企圖建立起一種不同於漢學的以講義理為主的新的學術傳統。

宋學學者以大膽懷疑創新的精神，衝破傳統經學的束縛。其以己意解經的思想，即是這種精神的體現，亦是時代發展和學術變革、學風轉向的反映，這在理學家的思想裏得到集中體現。

邵雍（1011－1077）在對經學和儒家經典的研究中，提出「時有消長，經有因革」的思想。他說：「皇、帝、王、伯者，聖人之時也；《易》、《書》、《詩》、《春秋》者，聖人之經也。時有消長，經有因革。」❹以皇、帝、王、伯為聖人之時，以《易》、《書》、《詩》、《春秋》為聖人之經，認為古今之時在不斷消長變化，聖人之經也應隨時因革損益，而不可固執拘泥。邵雍通過論「經有因革」，而提出心本論哲學，這是對以往漢唐儒家經學重訓詁而輕哲理傾向的修正。邵雍看到了隨著時間的推移、歲月的流逝，古代留下來的書傳等經典材料已是難以考詳。他說：「歲月易遷革，書傳難考詳。」❺在歲月變遷，書傳之載難以詳考的情況下，邵雍重視儒家經典之道的更新，而不停留在論辨紛紛，重文而不重道的階段。他說：「紛紛議論出多門，安得真儒號縉紳。名教一宗長有主，中原萬里

❸ 林慶彰：《清初的群經辨偽學》（臺北：文津出版社，1990年），頁24。

❹ 邵雍：〈觀物篇五十五〉，《皇極經世書》（文淵閣四庫全書本），卷11。

❺ 邵雍：〈書皇極經世後〉，《擊壤集》（文淵閣四庫全書本），卷8。

豈無人。皇王帝霸時雖異，禮樂詩書道自新。觀古事多今可見，不知何者謂經綸。」❻針對當時學術界論辨紛紛，莫衷一是，論出多門的情形，邵雍期望有真儒出現引領風氣之先，而提倡儒家名教，把儒家倫理發揚光大，使學者有所宗主，統一人們思想。這反映了北宋時期社會統一要求思想統一，以對前代統治階級思想失向、全民思想渙散而造成思想理論危機和社會危機的弊端加以修正。在當時宗教衝擊人文、儒家經學發展停滯的時代背景下，邵雍強調儒學之道、經典之道的自我更新，認為聖人的經綸事業就存在於歷久彌新的經典之道之中。而「記問之學，未足以為事業」❼。邵雍重視發掘經書中的道，而不是單純追求對經典的記問之學，認為道的存在是自然而然的，不必引用講解而知道。他以《易》道為例加以闡發，指出：「知《易》者不必引用講解，是為知《易》。孟子之言未嘗及《易》，其間《易》道存焉。俾人見之者鮮耳，人能用《易》，是為知《易》，如孟子可謂善用《易》者也。」❽認為孟子並沒有言及《周易》，但在不言之中就存在著《易》道。推而廣之，經典之道並不一定要言及，在不言之中存在著經典之道。由此，知經典之道不必引用講解而可知。在這裏，邵雍批評單純引用講解而不知道的學風，表現出北宋以降，經學學風的轉向，從以往的凡治經學必引用講解而知經典，到邵雍主張的不必引用講解而知經典之道，這體現了宋學興起之初思想家對漢學學風的揚棄，為新經學詮釋法開了新路。

張載（1020－1077）從重義理輕文字的治學傾向出發，反對以語言文字來輕視義理。他說：「大凡說義理，命字為難，看形器處尚易，至要妙處本自博，以語言復小卻義理，差之毫釐，繆以千里。」❾指出雖然「命字為難」，但卻不能因考證語言而小卻義理，如果是這樣的話，那將是差之毫釐，而繆以千里。並主張以「道」來糾正傳記的疑議。他說：「記有疑議亦且闕之，就有道而正焉。」❿道即義理，如果《禮記》等傳記的前後所出不同而有疑議，則以道來正之，即以義理為

---

❻ 〈偶書〉，《擊壤集》卷 5。

❼ 〈觀物外篇下〉，《皇極經世書》卷 14。

❽ 〈觀物外篇上〉，《皇極經世書》卷 13。

❾ 《經學理窟・義理》，《張載集》（北京：中華書局，1978 年），頁 278。

❿ 同前註。

標準來判斷諸儒所記文字的正誤。既指出傳記有疑議有闕失，又從方法論上提出以道為治經的標準。

不僅如此，張載在對義理的論述中，甚至提出即使孔孟之言有誤亦可改，表現出對孔孟之言的質疑。他說：「人之迷經者，蓋己所守未明，故常為語言可以移動。己守既定，雖孔孟之言有紛錯，亦須不思而改之，復鋤去其繁，使詞簡而意備。」⓫所謂「己守」，指符合義理的主觀認知之心，人之所以迷經，是因為義理之心未明，故使得對語言的解析也不一。如果己守既定，義理之心明，那即使孔孟所說有不明白的錯失之處，也可以不思而改正之。表明在張載看來，義理的權威在聖賢之言的權威之上，這體現了張載以義理為指導而不盲從權威的思想解放精神。

受疑經思潮的影響，程顥、程頤亦疑經惑傳，以己意解經。雖然二程重視經典，以經典作為治經的前提和對象，但被漢學家視為神聖不可侵犯的儒家經典，在二程看來，仍然不過是載道之器、傳道之文，其地位在道之下，聖人之道才是至高無上、天下至尊的。由此出發，二程以不符合聖人之言為由，對若干儒家經典的內容作了大膽的懷疑。程頤指出：「《禮記》之文多謬誤者，〈儒行〉、〈經解〉，非聖人之言也。夏後氏郊鯀之篇，皆未可據也。」⓬《禮記》是儒家經典之一，今本四十九篇相傳為西漢戴聖所輯，東漢時鄭玄為之作注。其內容主要是先秦至漢初儒家的各種禮儀論著，大率是孔子弟子及其後學所記，而不少卻託名於孔子所言。《禮記》經鄭玄作注後獨立成書，逐漸受到漢唐諸儒的重視。唐代孔穎達作《禮記正義》，影響甚大。唐朝設科取士，將《禮記》列為九種儒家經典之一。九經之中，《禮記》又為大經，士子習《禮記》的人很多。程頤站在漢學的對立面，對《禮記》大膽懷疑，認為其內容有不少謬誤之處，指出〈儒行〉、〈經解〉等篇託名孔子所說，而實際並非聖人之言。他說：「《禮記》〈儒行〉、〈經解〉全不是。……煞害義理。」⓭並認為〈祭法〉一篇中，關於「夏后氏亦禘黃帝而郊鯀」的記載是沒有根據，不可信的。程頤拿孟子所言與《禮記．王制》篇作比較，發現

⓫ 《經學理窟．義理》，《張載集》，頁 277。

⓬ 《河南程氏粹言》卷 1，《二程集》（北京：中華書局，1981 年），頁 1201。

⓭ 《河南程氏遺書》卷 19，《二程集》，頁 254。

二者的不同，指出〈王制〉摻雜了漢儒的言論。他說：「孟子言三代學制，與〈王制〉所記不同，〈王制〉有漢儒之說矣。」⓮這體現了程頤對經典的懷疑。

二程不僅疑經，而且改正經文，修改傳注，對漢代經學不以為然。程顥、程頤兩人均改正了《禮記・大學》篇，對《大學》的文字以己意加以前後調整。程頤並改正了《古文尚書》中的〈武成〉篇，不僅把〈武成〉的段落字句加以先後顛倒和調整，而且去掉了個別的字。此外，程頤在對《尚書・舜典》的解釋中，對孔安國傳注也提出批評。二程不僅疑經惑傳，而且提倡以己意解經，認為只要道理通，符合義理，則不必拘泥於經書文字，甚至文義解錯也無害。這就為發揮義理提供了方便。二程說：「善學者，要不為文字所梏。故文義雖解錯，而道理可通行者不害也。」⓯即是說，在解經的過程中，不受經書文字的束縛，應大膽發揮義理，使之通行於世，在道與文字之間，以道為主。應該說，二程提倡的是一種思想解放的精神，是對漢學熱衷於注經、釋經，不注重創新和發揮的流弊的針砭。二程在新形勢下，提倡以己意解經，以義理說經，促進了學風的轉變和新思想的產生，這不僅對中國經學，而且對整個中國文化的發展，產生了重要影響。

以上可見，唐宋之際出現的疑經惑傳思潮，成為宋學興起的重要淵源，對宋代經學的崛起產生了重要影響。理學家作為宋學之重要代表人物，其對經傳的懷疑，對聖人之道的提倡和對儒家經典之道的更新，成為經學義理化的體現。

㈡理學的形成——宋學哲理化、經學哲學化

理學伴隨著經學的哲學化、宋學的哲理化即經學的理學化而產生。它是在當時時代變遷、社會變化，思想也隨之轉化的背景下的產物。理學的興起具有深刻的思想根源和經學發展的內在邏輯，並通過經學哲理化的進程表現出來。理學產生的思想淵源包括先秦孔孟儒學、儒學道統思想、唐中葉以來重視「四書」的思想、唐以來三教互補思想、宋學義理思想等。正是在這樣的思想淵源和時代背景下，理學針對缺乏思辨哲理的漢唐訓詁注疏之學的流行導致儒家經學發展停滯和佛、道二教的盛行對儒學的衝擊和挑戰，做出時代的回應，把經學義理化、將儒學哲理化，走過

⓮ 《河南程氏粹言》卷1，《二程集》，頁1204。

⓯ 《河南程氏外書》卷6，《二程集》，頁378。

了由注疏之學到義理之學，再由義理之學到具有思辨性哲理的性理之學（包括心性之學）的發展過程。並通過對儒家經典的哲學闡釋，建構起由諸多各具特色的理學流派組成的宋明理學思想體系，一步步地完成了由宋學到理學的轉化和發展。

1.經學發展的內在邏輯

從經學發展的內在邏輯來看，從漢唐到宋，經學的發展經歷了由注疏之學到義理之學，由義理之學再到性理之學（包括心性之學）的過程。宋代性理之學（主要指理學）的產生和發展不是偶然的，而是社會歷史發展和經學內在邏輯發展的必然產物。

性理之學源於先秦儒學，在孔、孟、荀思想及儒家經典裏均有對性理、心性問題的表述。孔子對心性問題論述不多，然而其思想卻啟發了孟子。孔子稱：「七十而從心所欲，不逾矩。」（《論語・為政》）其心指人的主觀意志。孔子提出「性相近也，習相遠也」（《論語・陽貨》）的觀點，認為人的本性是接近的，承認有統一的人性。孔子雖沒有把心、性聯繫起來論述，但他提出「為仁由己」（《論語・顏淵》）的命題，強調仁的實現在於人的主觀意志的追求與把握。這啟發了孟子的盡心知性說。

在中國哲學史上，孟子最早給心以高度重視，他提出「心之官則思」（《孟子・告子上》）的著名命題，認為心是思維器官，具有認識事物的功能。並賦予心以道德屬性，指出「仁，人心也。」（《孟子・告子上》）認為心具有先驗的道德本性。孟子首倡性善論，認為人性無有不善，指出性的內涵是仁義禮智四德。孟子並把心、性聯繫起來加以論述，確立了儒家心性之學。不僅仁為人心，而且認為把惻隱、羞惡、辭讓、是非等心之四端「擴而充之」，便是仁、義、禮、智性之四德。可見心性有密切聯繫。進而孟子提出盡心知性知天的思想。他說：「盡其心者，知其性也。知其性，則知天矣。存其心，養其性，所以事天也。」（《孟子・盡心上》）認為盡心即是存心，保持心的完美無缺，這便可以知性。知性即保持善性，由於善的道德本性是天賦的，所以做到了盡心、知性，也就知天了。因而孟子強調，存心、養性的目的，是為了事天。孟子的心性學說對後世包括對佛教產生了重要影響，成為儒家心性哲學的理論基礎和根據。

荀子進一步闡發了心的認知功能，指出了心與耳目感官的區別，心的認識功能是進行思維，對耳目感官起統率支配作用。他說：「心居中虛以治五官，夫是之謂天君。」（《荀子・天論》）認為心的思維活動必須以感覺為基礎，並由此區別事物的同異。與孟子主張相對，荀子首倡性惡論，指出：「人之性惡，其善者偽也。」（《荀子・性惡》）認為人性是自然的，它天生為惡，聖人「化性而起偽」，明禮義以教化之，用法治刑罰來治理，使人性合於善。旨在說明善是後天人為形成的，無人為則性不能自美。荀子雖分別論述了心、性，卻未注意把二者聯繫起來論述，儘管他提出「以仁心說，以學心聽，以公心辨」（《荀子・正名》）的觀點，把心與仁、公等道德原則結合起來，但由於這些道德原則均不是性本身的內涵，故心與性在倫理意義上沒有直接的聯繫。由此，儒家心性之學以孟子的心性論影響較大，而荀子的思想，尤其是他的性惡論，不為理學家所看重。

此外，儒家經書《周易・說卦傳》提出「窮理盡性以至於命」，《中庸》提出「天命之謂性」的命題，雖沒有展開論述，但對後世產生深遠影響。

漢唐時期，儒學的發展主要以經學的形式出現。這一時期，儒家學者對性理問題不甚重視，雖有董仲舒提出性三品說，揚雄提出性善惡混論，韓愈提出性情三品說等觀點，但漢唐儒者的主要注意力是放在對經書的訓詁注疏上，沒有更多地去探討性理、心性問題。而玄學、道家學者則提出了自然人性論，佛教提出了心性本體論和理事說，雖其性理、心性理論與儒家倫理相脫節，但其思辨性哲學形式對後世理學的性理、心性之說還是產生了一定的影響。

理學家繼承先秦儒家的性理、心性之說，既批判佛老不講儒家倫理的出世主義的教旨教義，又借鑒玄、道、佛的自然人性論、心性本體論和理事說等思辨哲學形式，並批評漢唐儒者的重訓詁輕義理的注疏之學，在治經學的過程中，由宋學義理出發，進一步將義理哲理化、經學哲學化。通過探討經書中的字義，即提煉經典中的範疇、概念，提出一系列由範疇、概念組成的命題和理論，著重闡發經書中的義理和哲理，從而發展了經學和宋學。

理學代表人物二程自家體貼出「天理」二字，把宇宙本體論與儒家倫理學統一於理，創天理論哲學思想體系，這對整個宋明理學產生了重大影響。理學以理名學，理成為理學的核心和最高範疇。二程、朱熹等理學家不僅以理釋經，創以天理解經的經典詮釋學，而且發展了宋代義理之學，同時也發展了先秦倫理型的儒學，把先秦儒家性理、心性之學哲理化。

需要指出，儘管理學的興起，是把經學義理化、將儒學哲理化，走過了由注疏之學到義理之學，再由義理之學到具有思辨性哲理的性理之學或心性之學的發展過程。並通過對儒家經典的哲學闡釋，建構起由諸多各具特色的理學流派組成的宋明理學思想體系，一步步地完成了由宋學到理學的轉化和發展。但義理之學哲理化之後，理學家並非不講義理，只講哲理。而是既講哲理亦講義理，通過講義理來批漢學，並在講義理的過程中進一步將義理之學哲理化。

2.經學理學化、哲學化的實現

理學各派對儒家經典的詮釋，把理學與哲學相結合，包含著深厚的哲學意蘊，充分體現了經學的哲學化。這是中國經學發展到宋代的深刻變革，亦是中國哲學發展的歷史性變革。

中國經學在中國哲學發展史上佔有重要地位。經學發展到宋代，形成了以講義理為主的宋學，而理學思潮佔據了宋學的主要成分，代表了宋學發展的主要趨勢。與經學史上的漢學和清學（清代新漢學）相比，宋學對儒家經典的詮釋，具有獨特的自身經學體系形成的深層次的原因，而與漢學、清學有別。宋學之理學的經典詮釋，又包含著豐富而精緻的思辨哲學之意蘊，用注經的形式把經學理學化、哲學化，將經學、理學、哲學三者貫通，代表了當時中國哲學發展的趨向，為中國哲學在宋明時期的發展做出了貢獻。

北宋以前的儒學重道德倫理而疏於哲學論證，難以與建立在本體論哲學基礎上，並以之為依據的佛、道思想相抗衡。而佛、道、玄則精於哲學思辨而流於寂滅空虛，與中國古代宗法社會制度和社會倫理不相適應。漢唐儒家經學限於訓詁注疏，以較為粗糙的「天人感應」神學目的論為理論框架，其抽象思辨能力歷來不強，使儒家倫理學缺乏哲學本體論等思辨哲學為依據，而有待於創新。思想與歷史發展的客觀進程是通過三教互黜、互補，較量其得失，在新形勢下熔鑄改造，加以理論創新。宋學學者以儒家倫理為本位，在北宋慶曆以來疑經思潮的基礎上，進一步疑經，批漢學，反對滯心於章句訓詁之末而無所用；以義理說經，倡「四書」義理之學，逐步以「四書」及「四書」義理之學取代「六經」及「六經」訓詁之學而成為經學發展的主體。二程等理學家又在義理之學的基礎上，把經學理學化、哲學化，將宋代義理之學發展為理學，以最具時代特色的「天理論」哲學開闢了宋學發展的主要方向，對歷史產生了深遠影響。「天理論」哲學在宋學主導地位的確立，經歷了一個逐步發展的過程。宋代義理思想興起之初，「理」並不具有最高哲學範疇的意義，這在歐陽修、邵雍、周敦頤、王安石等人的思想裏得到反映。與理學思潮的興起有密切關係的北宋新學代表人物王安石在治學中提出「天下之理皆致乎一」⑯的觀點，展現出由萬物之理向天下一理演進的軌跡，這是二程天理論哲學產生的前奏，也體現了義理之學向理學的過渡。

理學思潮在北宋中期以後逐步佔據了宋學發展的主導地位，其主要流派有以張載等為代表的氣學，以程朱為代表的理學和以陸王為代表的心學。他們主要通過對儒家經典的詮釋來闡發其理學與哲學思想，是哲理化了的經學。也就是說，他們的哲學思想，往往用注經的形式表現出來。因此，在他們對經典的詮釋中，具有深刻的哲學意蘊，表現出宋明時期經學哲學化的趨向。理學思潮中張載氣學、程朱理學、陸王心學三派的經典詮釋，不論各派有所不同，但均是以注經的形式把經學理學化、哲學化，其共同的特點是把經學哲學化，並從義理之學中闡發其哲理。回顧中國哲學的發展道路，人們可以看到，在思想學說的創新時代，往往會同時出現三種變異現象：一是核心話題隨時代精神偕行而轉向，不存在一成不變的哲學根本問題；二是人文語境隨民族精神及其生命智慧的覺悟而轉移，沒有萬古常住的哲學理論範疇；三是詮釋文本隨時代思潮及學術風尚的變化而轉移，沒有放之四海而皆準的文本。如果說，中國哲學發展到漢代，隨著秦漢之際的社會轉型，人們討論的核心話題是關注「天人之際」，側重解決天人關係理論問題，其依傍的文本主要是儒家經典而有今、古文經學之爭；而隋唐時期佛教盛行，哲學依傍佛典，集中探討「佛性」並及心、性、情問題，推本「性情之原」最能反映時代精神的話，那麼，中國哲學發展到宋代，隨著三教的互黜、互補，面臨信仰失落、道德淪喪和價值觀念的重建等問題，人們討論的核心話題落入對天理人欲的關注，如何為儒家倫理學尋找哲學本體論的依據問題，其依傍的文本則由「六經」轉化為「四書」，通過

⑯ 王安石：〈致一論〉，《王文公文集》（上海：上海人民出版社，1974 年），卷 29，頁 340。

「四書」闡發義理及哲理，而有別於漢唐對「六經」的訓詁注疏之學。

宋明理學的經典詮釋學之所以包含著豐富而精緻的思辨哲學意蘊，是因為以理學為發展主體和趨向的新儒學者面臨時代的挑戰，把哲學本體論與儒家倫理學統一於「天理」，並以之為綱領，用「天理」論之「理一分殊」、「一本萬殊」的觀點來看待社會、自然和人生，並將理學思想體系貫徹到對經典的詮釋之中，成為新經學的指導原則和經典詮釋的標準，一改前代以訓詁注疏為主的經典詮釋特點，而注重新經學理論體系的建構和經典詮釋理論的創新。他們克服唐代儒學停滯不前的缺陷，既批判佛老，又融會和吸取佛、道精緻的思辨哲學形式，轉換漢唐儒家章句訓詁的漢學詮釋方法，而代之以闡發義理和哲理的宋學之理學的詮釋方法；不以聖人及經典本身為最高權威，而是代之以「天理」（或心、良知）為終極價值，強調治經學的目的是為了求道、明理、致良知，用注經的形式把經學理學化、哲學化，將經學、理學、哲學三者貫通。新的詮釋方法的開出，蘊涵著新思想、新觀念、新價值的形成，創造出超越前代的新思潮、新學說，代表了當時中國哲學發展的趨向。新學術理論形態的出現，為中國哲學在宋明時期的發展做出了貢獻。其對人們的啟示是，作為中國經學發展的重要階段和環節，宋學之理學的經典詮釋學包涵著深刻的哲學意蘊，經學的哲學化、宋學的哲理化，標誌著理學的形成。它是中國經學發展到宋代的內在邏輯和必然趨勢。

北宋思想家大都繼承了唐代韓愈批佛老，興儒學的傳統。面對儒家倫常掃地帶來的社會危機，重整儒家倫理綱常、道德名教的問題客觀地擺在了思想家的面前。二程在以理釋經，創建理學的過程中，總結前人的思想，以儒家倫理為本位，既批判佛教不講儒家倫理的出世主義思想，又吸取華嚴宗「萬理歸於一理」的理本論哲學形式，提出「天者，理也」的命題，認為「萬物皆只是一個天理」[17]，把天理作為最高哲學範疇，獨立於萬物之上，又加進儒家倫理的內涵，從而使儒家倫理學與哲學本體論結合起來，完成了自宋初以來思想家們致力於建立一種直接把本體論與倫理學統一起來的哲學體系的嘗試，既為儒家的倫理原則提供了本體論的哲學依據，以抗衡精緻的佛教哲學，又從本體的高度論證了封建社會統治秩序和道德規範

---

[17] 《河南程氏遺書》卷2上，《二程集》，頁30。

的合理性。宋代理學的最終確立，就在於二程把儒家的綱常倫理原則與哲學本體論統一到天理那裏，這代表了宋代理學發展的主要趨勢。從而把儒家倫理提升到本體的高度，等同於天理，提高了儒家倫理的地位，強化了儒家倫理的價值。

天理人欲之辨成為理學家討論的核心話題，二程朱熹等理學家為了在價值觀上糾正社會上的人尤其是統治者過分放縱物質欲望而違背公共道德和公眾利益的行為，提倡存天理，去人欲的理欲觀，目的是為了端正社會風氣，對包括皇帝在內的統治者加以一定程度的倫理約束，同時對普通民眾提出道德自律的要求；亦是在核心價值觀上，對先秦儒家義利之辨的承傳和在新的社會歷史背景下的發展。理學家總結歷史經驗教訓，明於天理人欲之分，其理論針對性正是唐統治者的「閨門無法不足以正天下」⓲。體現了在新形勢下，新儒學者復興儒學，重整綱常，糾正前代綱常失序，人無廉恥的價值取向。目的是為了維護社會統治秩序，以維持社會生活的正常運轉。

理學家宣導存理去欲或存心去欲，其理性主義哲學強調理性自覺，以理性控制感性，提出「心統性情」、「心能盡性」、「盡心」、「致良知」說等重要理論。主張以人的理智之心控制和把握人的本性和情感，以義理之心統率性情和萬物，從而實現內在的自我超越，達到成聖的最高目的。這對中華社會倫理產生深遠影響，使道德理性終究能夠主導感性欲望，超越感性直觀，使整個社會在一個有序的、理性世界的指導下正常運轉，避免因感性欲望的過度氾濫而造成社會生活失序。這加強了中華民族重理性，重內在自覺，節制感性欲望的自律精神，以此排除宗教的干擾和感性的影響（亦不離感性），形成了與西方民族不同的特點。在現代社會，隨著生產力的發展和社會的進步，既要充分、合理地滿足人們的物質利益需求和感性欲望，更應把理性置於優先於感性欲望的位置，把理性、理智與人的本能，包括欲望有機地結合起來。要求人們不斷地超越自己，做一個高尚的人，完善的人。這正是一個民族延續和發展的基本準則。

理學在對經學作哲理化的改造，把經學詮釋與哲學詮釋相結合的過程中，提高了中國哲學的理論思辨水準，同時亦對中國哲學的發展產生了重要影響。

⓲ 范祖禹：〈昭宗〉，《唐鑒》（文淵閣四庫全書本），卷24。

張載作為理學中氣學流派的創始人和理論代表，其氣本論哲學在中國哲學史上影響很大。但他的氣本論哲學則主要是通過對《易傳》的解析並加以理論創造而提出來的，把經學與氣本論哲學相結合，這體現了張載經學的氣學特色。受其影響，羅欽順提出「蓋通天地，亙古今，無非一氣而已」⑲的氣本論思想，認為氣是宇宙萬物的根本，並在理氣問題上批評了程朱理學，而在心性問題上批判了佛教和陸王心學。其對程朱陸王的批評，成為理本論和心本論哲學解體的重要因素。王廷相亦堅持氣一元論哲學，反對以理為本的理本論思想。認為「氣為造化之宗樞」⑳，「天地未生，只有元氣。元氣具則造化人物之道理即此而在。故元氣之上無物、無道、無理」㉑。強調「元氣為道之本」㉒。在理氣關係問題上，他明確地提出「理生於氣」的命題，批判程朱的「理為氣本」的觀點。氣學家們在對經學作哲理化改造的過程中，提出並發展了氣一元論哲學，這對中國哲學在宋元明時期的發展具有重要意義。

理學思潮的主流派程朱理學，通過對儒家經典的詮釋而提出並發展了天理論哲學，這不僅體現了理學的本質特徵，而且對中國哲學的創新發展具有重大意義。二程創造性地自家體貼出「天理」來，以天理為最高範疇，把哲學本體論與儒家倫理學統一於天理，這對儒家哲學的建構具有劃時代的價值。朱熹在二程天理論哲學的基礎上，以說經的形式，提出並論證了中國哲學的一系列範疇、命題和重要理論，使得哲學本體論與儒家倫理政治思想緊密結合。朱熹提出的本體論哲學範疇有理、道、性、太極等，基本上是通過對儒家經典的注解而提出，並論證了本體的內涵及諸範疇之間的相互關係。其中天理論是論證的中心，朱熹在理論的完備性、精緻性方面進一步發展了二程的天理論哲學，並以太極論發展了理本論哲學。二程很少論太極，對太極範疇不予重視，朱熹則通過論述《周易・繫辭》之太極說，以闡發其太極論哲學。朱熹把太極等同於天理，認為總天地萬物之理即為太極，無極則是形

---

⑲ 羅欽順：《困知記》（北京：中華書局，1990年），卷上，頁4。

⑳ 王廷相：〈答何柏齋造化論十四首〉，《內台集》卷4，《王廷相集》（北京：中華書局，1989年），頁964。

㉑ 《雅述》上篇，《王廷相集》，頁841。

㉒ 《雅述》上篇，《王廷相集》，頁835。

容太極的無形狀而言，「無極而太極」即指無形而有理，把宇宙本體之理提高到天下「極至」的高度。並由太極之「理一」，「自一而二，自二而五，即推至於萬物」㉓，即由太極而陰陽，陰陽而五行，五行而萬物，推導出宇宙生成、萬物演化的模式。將此與「《易》有太極，是生兩儀，兩儀生四象，四象生八卦」的《易傳》之太極說統一起來，認為太極之理為一，發見萬物則有詳略，最終是以太極作為宇宙萬物的本體。這是在哲學本體論上，朱熹通過注解《周易》，為儒家思想哲理化所做出的努力。

陸王心學作為理學思潮中的重要流派，儘管不受儒家經典的束縛，以「六經」為我心的註腳，但也借用了經學的形式，從心學的角度發展了中國哲學。陸九淵以「心」為最高原則，他在闡發其心學思想時，便著重依據了《孟子》一書，而提出「先立乎其大」即先立乎其心的思想。並發揮孟子「萬物皆備於我」的觀點，指出：「此心此理，我固有之，所謂萬物皆備於我，昔之聖賢先得我心之所同然者耳。」㉔認為「宇宙便是吾心，吾心即是宇宙」㉕，以心為宇宙萬物之本原；並提出「心即理」的命題，把心與理合一，主體本體化，發展了中國哲學的主體性原則。王陽明繼承陸九淵心學，把經學納入心學的範疇。認為儒家經典只是為了說明心體的。在經典與良知的關係上，王陽明突出良知的重要性，認為經典為良知服務，看經書的目的是為了致良知。他說：「聖賢垂訓，固有書不盡言，言不盡意者。凡看經書，要在致吾之良知，取其有益於學而已，則千經萬典，顛倒縱橫，皆為我之所用。一涉拘執比擬，則反為所縛。」㉖強調把致吾心之良知擺在治經的首要位置，使儒家經典為我所用。陸王從心學的角度發展了經學，又以經學的形式提出心本論哲學和「致良知」說，體現了經學與哲學的結合，亦對中國哲學的發展產生了重要影響。

㉓ 朱熹：《朱子語類》（北京：中華書局，1986年），卷94，頁2386。

㉔ 陸九淵：〈與侄孫濬〉，《陸九淵集》（北京：中華書局，1980年），卷1，頁13。

㉕ 陸九淵：〈雜說〉，《陸九淵集》卷22，頁273。

㉖ 王陽明：〈答季明德〉，《王陽明全集》（上海：上海古籍出版社，1992年），卷6，頁214。

二、儒學經典詮釋思想之演變

經學的理學化使得儒學經典詮釋思想發生了歷史性的演變和轉化。經學是中國文化史上一種特有的文化現象，對中國哲學與文化及中國社會的發展產生了重要影響。與經學的發展演變相適應，中國有兩千多年注解詮釋儒家經典的傳統，有許多關於詮釋學的思想資料，並形成了較有代表性的若干詮釋方法和理論。理學家對經典的詮釋，體現了儒學經典詮釋思想之演變，具有深刻的時代和思想背景，打下了深刻的時代烙印，是在化解當時與傳統經學解釋學的衝突、價值觀念的衝突以及與外來文明的衝突中得以演變和產生的。從經學理學化的進程看，儒學經典詮釋思想之演變主要體現在：

㈠經典詮釋所依傍的文本重心由六經（實則五經）系統轉向四書系統

先秦時期是儒家經學的形成和奠基時期，儒家經典有《詩》、《書》、《禮》、《樂》、《易》、《春秋》六經。秦統一天下後，實行嚴刑峻法和思想統治，於秦始皇三十四年（西元前 213 年）採納丞相李斯之建議，「焚書坑儒」，使得六經典籍遭到嚴重損壞，不少通經的儒生也被坑殺。「秦火」之後留存的少量典籍又在隨後不久進行的楚漢戰爭中，遭到進一步的損毀。如此使得戰國時期流傳的六經典籍，在經歷了「秦火」和戰亂的浩劫後，所剩無幾。然而，文化的專制並不能阻礙思想的傳播，「秦火」和戰亂之餘的儒生憑記憶和口耳相傳，使得一部分儒經流傳下來；此外，民間也藏匿了一些戰國時的經籍，這些為漢代經學的興起，準備了條件。西漢初董仲舒的《春秋繁露．玉杯》篇仍是六經經名並稱，董仲舒亦上疏「罷黜百家，表章六經」㉗。漢武帝立五經博士，已無《樂》經博士。《史記．儒林列傳》云：「及至秦之季世，焚《詩》、《書》，阬術士，六藝從此缺焉。」㉘認為秦始皇焚書坑儒，使得六經缺損。並記述了五經的傳承，而缺《樂》經。如此，六經除了《樂》，便是五經。漢唐學者就是以五經作為經典詮釋的主要物件和文本，來從事經學研究。至唐初孔穎達等編定《五經正義》，頒行天下，統一了對經義的疏解。

㉗ 班固：〈武帝紀〉，《漢書》（北京：中華書局，1962 年），卷 6，頁 212。

㉘ 司馬遷：《史記》（北京：中華書局，1959 年），卷 121，頁 3116 頁。

宋學之理學經典詮釋的文本則是以四書為主。將《大學》、《中庸》、《論語》、《孟子》四書合併為四書系統，這是宋代經學區別於漢唐經學的五經系統的一個顯著特點。四書系統的形成與宋代《孟子》的由「子」入「經」有密切關係。四書除《孟子》外，其餘三書原均屬儒家經典的範疇：《論語》是漢代「七經」之一；《大學》、《中庸》是《禮記》中的兩篇。《論語》因是記聖人之言，其重要性毋庸質疑。《孟子》從唐中期起，開始得到人們的重視。同時《大學》和《中庸》二書也開始受到重視。韓愈倡儒家「道統」論，推崇孟子及《孟子》書，並重視《大學》，闡揚《大學》修身齊家治國平天下的思想。韓愈弟子李翱推崇《中庸》，以之闡發心性思想。李翱在其《復性書》中，還多次徵引《孟子》、《大學》等。可以說韓、李等開重視四書之先河。經宋初至二程，程顥、程頤為建立理學思想體系的需要，以四書為物件，從中闡發義理，倡四書義理之學，並由義理到性理，認為四書的重要性在六經（實則五經）之上。以四書作為整個儒家經典的基礎，指出四書體現了聖人作經之意，聖人之道載於四書。要求學者以研習這四部書為主、為先，以發明聖人之道。程頤強調：「學者當以《論語》、《孟子》為本。《論語》、《孟子》既治，則六經可不治而明矣。」[29]除《論語》、《孟子》外，《大學》、《中庸》也是二程優先關注的，認為《大學》是「入德之門」，《中庸》是「孔門傳授心法」。顯然四書的地位在六經之上，從而逐步確立起四書及四書義理之學在中國經學史上的主導地位。

對此，《宋史・道學傳》指出：「仁宗明道初年，程顥及弟頤寔生，及長，受業周氏，已乃擴大其所聞，表章《大學》、《中庸》二篇，與《語》、《孟》並行，於是上自帝王傳心之奧，下至初學入德之門，融會貫通，無復餘蘊。」[30]經二程的提倡和表彰，使四書並行，把人們的注意力從眾多的古經中，轉移到這四部文字易懂、旨意深遠的經書上來，使之成為包括五經在內的整個經學的基礎、學者入德之門。《宋史・程頤傳》亦稱：「（程）頤於書無所不讀，其學本於誠，以《大

[29] 《河南程氏遺書》卷 25，《二程集》，頁 322。

[30] 脫脫等：〈道學傳一〉，《宋史》（北京：中華書局，1977 年），卷 427，頁 12710。

學》、《語》、《孟》、《中庸》為標指，而達於六經。」[31]認為程頤之學是以四書為標的和宗旨，在此基礎上而達於六經。達於六經是對學者的進一步要求，但就治經學的基礎和宗旨而言，則是以四書為重。雖然二程並不忽視其他儒家經典，尤其對《周易》予以關注，但就二程對學者的基本要求來講，仍是把四書置於優先的位置。這一思想得到了朱熹等宋學學者的廣泛認同並加以發展，朱熹以畢生精力詮釋四書，著《四書章句集注》，成為中國經學史上流傳最廣、影響最大的一部經書，從而以四書作為宋學學者經典詮釋的主要文本。

㈡經典詮釋的方法由重訓詁轉向重義理

漢學重訓詁，宋學重義理，這是漢、宋學經典詮釋方法論上發生的主要轉變。這與漢、宋學分別以六經和四書作為經典詮釋的主要文本有一定的關係。因六經時代久遠，文字古奧，字義艱深，佶屈聱牙，晦澀難讀，使初學者卻步，尤其難以向民間普及。又歷經秦火和戰亂，殘破不全，漢學學者為了弄懂六經原義，不得不下大工夫從事考據訓詁，以致產生流弊，繁瑣釋經，白頭到老，陷於文字訓詁之末而失其本。這亦是漢唐舊儒學未能有效地回應外來宗教文化的挑戰而動搖了儒學文化主體地位的重要原因，因而遭到了宋學學者的批評。而四書則文字易懂，說理明白，便於闡發義理，向民間普及。於是程朱等宋學學者和理學家推重四書，把四書的重要性和地位置於六經之上，不僅從形式是上改變了漢唐經學唯五經是尊的格局，而且在經典的內容上為發明義理提供了依據，這便於把四書之義理推向民間，發揮其傳播效果，以深入社會生活的各個領域，產生普遍的社會效應，使以朱子學為代表的新儒學不僅成為學術思想發展的主流，而且廣泛流傳民間，影響大眾，在中國文化史上佔有重要的地位。這種把學術文化引向民間大眾的治經思想值得借鑒。

漢代經學尤其是東漢古文經學重視對經書文字名物的訓詁，其代表人物賈逵、許慎、馬融、鄭玄等在訓詁學方面對後世影響較大。賈逵治經以古文經學為主，著經傳義詁及論難百餘萬言，其中包括《春秋左氏傳解詁》和《國語解詁》等訓釋某部著作的專著，對東漢古文經學的發展起了重要作用。許慎師事賈逵，經學造詣較

---

[31] 同前註，頁 12720。

深，尤長於訓詁。著有《說文解字》十四卷，又敘目一卷，集古文經學訓詁之大成。該書按文字形體及偏旁構造，分列五百四十部，首創部首編排法。每字下的解釋，大抵先說字義，再說形體構造及讀音，依據六書解說文字。是我國第一部系統分析字形和考究字原的字書，為後世研究文字及編輯字書提供了重要根據。馬融為東漢古文經學的代表人物，他博通經籍，精於訓詁。曾欲為《左氏春秋》作訓詁，見到賈逵、鄭眾的注，稱：「賈君精而不博，鄭君博而不精。既精既博，吾何加焉！」㉜主張為經書作訓詁，要把精與博結合起來，避免「精而不博」，或「博而不精」。於是著《三傳異同說》，並注《孝經》、《論語》、《詩》、《易》、「三禮」、《尚書》等儒學群經，集東漢古文經學之大成。鄭玄承馬融等兼通今、古文經學而來，並加以發展，「括囊大典，網羅眾家」㉝，是集兩漢經學之大成的人物。鄭玄治學不拘泥於今、古文經學的界限，以古文經學為主，兼採今文經學之說，遍注群經，打破西漢以來的師法與家法，融通今、古文，自成一家之說。在其治經學的過程中，通過訓詁，對整理古代經書有突出貢獻。東漢末以後，鄭玄之學成為顯學。

漢儒對經書的訓詁之學影響到後世，雖然魏晉時玄學家用老莊義理解經，取代繁瑣的傳注訓詁，但南北朝時的北朝經學受漢末鄭玄之學影響較大，其傳授的重點是訓詁典章制度，不尚玄談，走的是漢代箋注之學的道路，並加以發揮。北學重視對經典的訓詁考釋，較多地繼承了漢代訓詁章句的傳統，以鄭學為主，長於訓詁，在章句細節上窮究考詳。但北方經學也不是完全拘守鄭玄章句，除據鄭玄之義外，也有引證他書，兼通六經，博採諸說，並申以己意的。南北朝經學在治經方法上採用的一種廣搜群書，補充舊注，究明原委的義疏之學，它介於義理與訓詁之間。義疏之學可視為連接漢人注經與唐人疏注之間的橋樑。

自唐中葉以來思想領域出現的疑經思潮和懷疑創新精神，是宋學產生的重要背景。作為主導中國思想文化發展的儒家經學至唐代已陷入困境。唐初孔穎達等奉欽命編定的《五經正義》，雖然完成了經學的統一工作，統一了對經義的疏解，但仍

㉜ 范曄：〈馬融列傳〉，《後漢書》（北京：中華書局，1965 年），卷 60 上，頁 1972。

㉝ 〈張曹鄭列傳〉，《後漢書》卷 35，頁 1213。

沿襲漢學的章句注疏之學，堅守注不駁經，疏不破注的經典詮釋原則，學者拘於訓詁，墨守正義，而不重視對經書義理的探討，所以不利於新思想的產生和發揮，束縛了儒學的發展。唐代士人就是在漢代和魏晉舊注的基礎上來詮釋經書和原有的舊注的，普遍採取疏不破注和繁瑣訓詁釋經的方法。這種漢唐經學的傳統缺乏生命力，表明舊的儒家經學已經僵化，顯然不能與盛行於唐代的佛、道精緻的思辨哲學相抗衡。於是宋學學者對箋注經學提出非難。他們發揮經書中的微言大義和義理，全憑己意說經。不僅疑傳、捨傳，而且疑經、改經，蔚然形成疑經惑傳的學術新風。學風的改變，標誌著宋學的興起，義理之學逐步取代漢唐訓詁之學，成為儒家經學乃至中國文化發展史上的重大變革。

南宋陸游在論述宋代學風的轉變時指出：「唐及國初，學者不敢議孔安國、鄭康成，況聖人乎！自慶曆後，諸儒發明經旨，非前人所及。然排〈繫辭〉，毀《周禮》，疑《孟子》，譏《書》之〈胤征〉、〈顧命〉，黜《詩》之序，不難於議經，況傳注乎！」[34]由是觀之，經學發展到北宋初，發生了重大變革，由章句注疏之學逐漸向義理之學轉變，自宋仁宗慶曆（1041－1048）以來，蔚然形成一代疑經惑傳、改造舊經學的學術新風。

學風的轉變和疑經惑傳風氣的形成，標誌著宋學的興起。宋學區別於漢學的顯著特徵在於它的重義理，故宋學中的各派都具有重義理的這一特徵。在宋學內部，雖有理學和非理學等各派的分野，但宋學之於漢學，從最本質的特徵上講，是以重義理、輕訓詁的義理之學與重章句訓詁、繁瑣釋經的漢唐訓詁注疏之學相區別。雖然在漢學中，也有重視義理，注意闡發經典中的微言大義的；而在宋學中，也有重訓詁考辨的，但大致可以說，重義理，或是重訓詁，是宋學區別於漢學的顯著特徵。這即是宋學與漢學各自經典詮釋方法論的側重點。理學家則是在重義理的基礎上，通過對經典的詮釋，進一步把義理之學發展為更具思辨性哲理的性理之學。

㈢經典詮釋的理論深度由經學詮釋轉向經學詮釋與哲學詮釋相結合

漢唐諸儒對經典的詮釋，以經學詮釋為主，較少哲學思辨性。宋儒注重以義理治經、解經，理學家的思辨性超出漢唐諸儒，其義理之學中包含有一定的哲學。馮

---

[34] 王應麟：〈經說〉引，《困學紀聞》（文淵閣四庫全書本），卷8。

友蘭先生當年作兩卷本《中國哲學史》（1933 年出版），把整個中國哲學史分為「子學時代」（先秦，包括秦漢之際）和「經學時代」（漢到清末）兩大部分，認為在經學時代，儒學定於一尊，儒家的典籍已成為「經」，一定程度限制了人們的思想，即使有新的見解，也往往用注經的形式表現出來。漢以來的中國哲學史，在馮先生看來，一定程度上就是中國經學發展演變的歷史。而在經學發展史上，漢唐學者對經典的詮釋，側重於通過訓詁考釋弄懂經書的字句原義，而缺乏哲學思辨。而宋以來，情況發生了變化。宋學之理學家在經學詮釋的基礎上，繼承吸取以往的思想資料，並加以創新發揮，其對經典的詮釋，與漢學相比，明顯帶有哲學詮釋的意蘊。宋以前的中國詮釋思想，道家、玄學和佛教各自對其經典的詮釋，有本體詮釋的思想，其中道、玄提出道本論的思想，佛家提出心、性本體論和理本論的思想，然而居中國思想文化主導地位的儒家在宋以前卻少有提出系統的本體論思想，漢唐諸儒對具有至高無上地位的儒家經典的詮釋，停留在以訓詁考釋為主的階段（亦有較為粗糙的天人感應論），這使儒家政治倫理學說缺乏本體論的哲學依據，難以與建立在本體論哲學基礎上，並以之為依據的道、玄、佛思想相抗衡，以至動搖了儒家文化的主導地位，產生理論危機和社會危機。宋學學者尤其是宋明理學家，在新形勢下，通過對儒家經典的注解，在經學詮釋的基礎上，加以理論創新，提出系統、完整的以天理論為主體，貫通道本體、心本體、性本體的本體論詮釋學，從而大大豐富並發展了中國哲學的本體論詮釋學。其代表人物朱熹以說經的形式，提出並論證了中國哲學的一系列範疇、命題和重要理論，使得哲學本體論與儒家倫理政治學說緊密結合、融會三教的理學思想體系逐步佔據了中國哲學與中國文化發展的主導地位，並對後世中國文化與哲學的發展產生了十分重要而深遠的影響。以朱熹思想為例，朱熹的經學思想不僅是他整個學術思想十分重要的組成部分，也是他哲學思想的根基。朱熹的哲學建立在他的經學思想的基礎上，通過對儒家經典的哲學詮釋而提出，其經學與其哲學密不可分。所以，離開了對朱熹經學及其經典詮釋學的研究，對其哲學思想的研究將失去可靠的基礎，也不可能十分符合朱熹思想的本義。

中國古代尚沒有哲學學科的劃分和「哲學」這個名詞，各個時代的哲學家、思想家不過是結合時代發展的需要，通過對經書的訓解闡釋而提出自己的新思想。諸如哲學等思想，都是後來的人們根據現代學科分類及學科名詞，通過研究思想家們以經學為主的學術著作而概括出來的哲學等思想。朱熹一生的學術活動就是以經學研究為主，圍繞著對諸經本義的探求和以義理及哲理詮釋儒家經典，朱熹留下了大量的經學論著。這些經學論著中的經學思想包含著豐富的哲理，其哲學即是通過注釋儒家經典的形式表現出來。這使得朱熹哲學滲透到其經學思想之中。因此，探討宋明思想家們是怎樣通過注經和經典詮釋的形式來闡發其哲學思想，並發展了中國傳統哲學，是一個值得進一步研究和探討的有意義的課題。宋學之理學家在對儒家經典作詮釋的過程中，注意把經學詮釋與哲學詮釋結合起來，為建立具有時代特色的哲學體系作論證，從而發展了以往的中國傳統哲學。這一時期的哲學思想大多是通過各派思想家對儒家經典的闡釋研究而提出來的。這個時期的哲學家大多是經學家，他們論述自己哲學的著作，很多都是關於經學的著作。由於經學與哲學緊密相連，所以如不深入研究這個時期的經學，就不易對這個時期的哲學作全面、透徹的把握，也很難在此基礎上深入探討哲學發展的線索、規律和特徵，以及各派哲學思想的異同。可見這一時期哲學與經學不可分，哲學與同時代的經學密切相連，將哲學詮釋融入經學詮釋之中。所以說，哲學與經學相結合，通過注經、解經來闡發其哲學思想，是宋學之理學經典詮釋的特點之一。其經典詮釋的理論深度明顯要高於缺乏哲學詮釋的漢學，這體現了儒學經典詮釋思想之演變。

㈣經典詮釋中人文與宗教之互動——既排斥又吸取佛、道

與理學家對經典的詮釋，重哲學詮釋相關，經學的理學化體現在儒家經學與宗教的關係而言，理學家對經典的詮釋，借鑒了佛、道二宗教的思想，對佛、道二教既有排斥又有所吸取，而與漢學以排斥佛、道二教為主不同。

北宋以前的儒家經學重道德倫理而疏於哲學論證，難以與建立在本體論哲學基礎上，並以之為依據的佛、道思想相抗衡。佛教是一種外來的宗教，從南北朝到隋唐時期，迅速擴大了勢力。它以自己特有的一套精緻的思辨哲學和超凡成佛的心性修養方法征服了玄學，並對儒學提出了嚴重的挑戰，中國傳統的天人之學以及人文主義的文化價值觀面臨危機，儒學的正統地位也發生了動搖。當時佛教對儒學的挑戰是咄咄逼人的，特別是針對儒學的理論基礎元氣論和天人感應論進行批駁，認為其過於淺薄，是一種根本不能與佛教相抗衡的「執迷」之說。既然儒學思想如此淺薄，比不上佛學，就應該用佛教來取代儒學，用外來的宗教來取代中國的傳統文化。佛教學者宗密認為，儒家學理僅相當於小乘佛教中所說「空劫」階段，甚至佛教小乘淺淺之教已超過儒家深深之說，更不能與佛教精深的大乘教義相提並論。這也是儒學在隋唐時期面臨佛老的挑戰而停滯不前的原因。而佛、道則精於哲學思辨而流於寂滅空虛，與中國古代宗法社會制度和社會倫理不相適應。這種宗教與人文的思想鬥爭是十分嚴峻的。就儒家而言，如不突破漢唐經學訓詁注疏的藩籬，在本體論和心性論方面有所建樹，從哲學的高度為當時的人們提供一種足以抗衡並取代佛、道的宗教世界觀，就無法維護儒學的正統地位，而中國傳統的世俗文化也將由此而淪喪。然而漢唐儒家經學限於訓詁注疏，以較為粗糙的「天人感應」神學目的論為理論框架，其抽象思辨能力歷來不強，並對佛、道思想持排斥態度，而缺乏溝通，使儒家倫理學缺乏哲學本體論等思辨哲學為依據，而有待於發展。思想與歷史發展的客觀進程是通過儒、佛、道三教互黜、互補，較量其得失，在新形勢下熔鑄改造，加以理論創新。中國哲學的發展吸取了宗教中所包含的思辨性哲理，同時哲學對宗教也產生了深刻影響。儒、佛、道三教是漢以來中國傳統文化發展的主要構成，三教相互影響、相互滲透，對中國哲學的發展產生了重要影響。

宋代新儒學產生的理論針對性主要有兩個：一是佛、道宗教思想的盛行動搖了儒家文化的主導地位；二是舊儒學拘於訓詁，牽於名物，提倡注不駁經，疏不破注的注疏之學，而不重視結合社會發展的實際對經書義理的探討，導致儒學發展停滯。於是，宋以來的新儒學者通過既批佛、道不講社會治理、出世主義的教旨教義，又吸取佛、道精緻的思辨哲學，在經典詮釋中改造舊儒學，把儒家經學義理化、哲學化，從而發展了儒家經學和中國傳統哲學。就儒、佛、道三教的關係而言，宋以前以相互排斥對立為主，宋以後則以融合吸取為主。這反映到經學領域，就是漢學對佛、道二教的關係，以排斥抵制為主，雖也一定程度借鑒了佛學的義疏的形式，但在思辨哲學的內容上，則缺乏吸取和溝通。而宋學之理學家在對經典的詮釋中，雖對佛老不講儒家倫理、出世主義的教旨教義提出了嚴厲的批判，如二程、胡宏、朱熹等，目的是為了恢復儒學的正統地位。但又大量吸取了佛老精緻的思辨哲學，把哲學本體論與儒家倫理學緊密結合起來。通過經典詮釋，完成了自宋初以來，思想家們致力於建立一種直接把哲學本體論與儒家政治、倫理學說統一起來的理論體系的嘗試，這標誌著宋代理學的確立，在中國經學史和中國哲學史上具有劃時代的意義。宋學之理學家通過經典詮釋，把代表儒家倫理的人文主義傳統與佛、道宗教學理中精緻的思辨哲學相互溝通，相互結合，通過二者的互動，既批判排斥與儒家倫理相悖的出世主義的宗教教旨教義，又吸取佛、道的本體論哲學和精緻的思辨哲理，表現出與漢唐經學不同的治經傾向。理學家對佛老的吸取，這對於提高儒學的哲學思辨水準，進而發展深化中國哲學具有重要意義。

宋以來，儒、佛、道三教相互辯難，又相互融合，逐漸形成「三教融合」的格局，這充分體現了中國文化多元互補的特色。儒、佛、道三教作為漢以來中國傳統文化的三大構成，各以其不同的文化特徵影響著中國哲學與文化；三者又相互溝通、融合，共同作用於中國文化與哲學的發展，這有其深刻的社會根源和思想根源。

從思想理論的特點來分析，三教各有其長短。儒學長於社會治理，以倫理綱常教化民眾，維護社會的穩定和民族團結；其短處是缺乏思辨哲學來影響人、打動人。佛學長於治心，以心性哲學和思辨哲理來論證其教旨教義，發揮宗教消除內心緊張、求得心靈安寧的社會功能；其短處是不講社會治理，其出世主義的宗教信仰與中國宗法等級社會及其社會制度形成矛盾，由此與適應宗法社會倫理關係的儒家思想尖銳對立。道教長於養身，通過修煉，得道成仙，與大自然合一，因而宣揚道為宇宙之本、萬物之源；其短處是既在思辨哲理上不及佛學，又在治世上不及儒學，故其迎合、吸取儒、佛處較多。正因為三教各有長短，單用一家之說，均有弊病，故三教融合、互為補充，成為社會與文化發展的客觀需要，這即是三教融合的社會思想根源。

唐宋以後，三教融合成為趨勢。但三教的融合，不是三者簡單相加，混雜而處，而是以儒家的倫理學說為本位和中國文化的基本構成，吸取佛教的心性論、理本論等思辨哲學及道教的道本論、道法自然等思想，三者有機地結合，從而形成新儒學即理學思想體系。可以說，以儒家倫理為本位，吸取了佛、道二教思想的宋代理學的創立，即是三教融合思潮的形成和完善。這使得中國哲學發展到一個新的階段，並為經典詮釋增添了新的內容。不僅儒家學者通過注經，吸取佛、道思想，而且佛教、道教學者亦通過注解儒家經典，將儒、佛、道結合起來，相互補充。這正是宋以後經典詮釋出現的新現象，而在漢唐時期是少有的。總之，宋學之理學家通過經典詮釋，援佛入儒，援道入儒，既批佛老，又吸取借鑒佛、道精緻的思辨哲學，從而發展了儒學和儒家經學，並對中國哲學的發展產生了重要影響。

質言之，通過從經典詮釋所依傍文本的重心、經典詮釋的方法論、經典詮釋的理論深度、儒家經學與宗教的關係等四個方面來探討經學的理學化使儒學經典詮釋思想所發生的演變，這促進了儒學在新的歷史時期的發展和轉型。

三、儒學發展的連續性與創新性

經學的理學化體現了儒學發展的連續性與創新性，而不是對先秦孔孟儒學的異化和背棄。

㈠連續性——對儒學價值的基本認同

儒家經學起源於戰國，宋明理學延續到清代，二者具有內在的必然聯繫。其影響至今而猶存。從戰國到清代，經學和理學體現了儒家文化發展的主要線索和思想脈絡，並均認同於儒學的基本價值，而以儒家文化的創始人孔子為宗師。

在中國儒學發展史上，先秦儒學、漢唐儒學和宋明新儒學——理學都稱儒學，既然均為儒學，就具有共同性和相同的價值觀。儘管儒學經歷了發展演變的歷史過程，歷經演變和轉化，但卻保留了基本的、區別於其他學派、能夠體現自身特點的內涵。正因為儒家學說一以貫之，具有自身基本的理論特徵，才使其有別於各家各派的思想學說，並以其對中國及東方文化的深刻影響，與西方學說形成鮮明的對照。因此，在看到儒學發展的時代性、階段性，不同歷史時期儒學發展的差異性的同時，如實把握從先秦到漢唐，再到宋明時期儒學發展的連續性，後代儒學對前代儒學的認同，對於客觀地認識儒學一以貫之的本質，而不至於把不同歷史時期儒學發展的差異性誇大為是對孔孟儒學的背棄和「異化」；並在客觀認識儒學本質的基礎上，進一步把握和認識儒學在中國傳統文化中的主導地位，從而以我們的民族文化為主體參與文化交流和文化建設，分析地批判吸收西方文化等其他文化的優秀成果，構建具有中華民族特色的現代新文化，具有重要的意義。

先秦孔孟儒學是宋代理學家最看重的思想源頭，理學家普遍認為自己的思想就是從孔孟儒家思想那裏繼承下來的。孔孟儒學以仁義思想為核心，孔孟儒家的仁義之道與老莊道家的自然之道形成對照，分別代表了中國文化的兩大家。理學作為宋代新儒學，亦是以仁義思想為核心，以復興儒家聖人之道為己任，這是理學家的共識，也是思想史上的一個客觀事實。可以說，先秦孔孟儒學作為理學興起的思想淵源，理學是對先秦孔孟儒學的繼承、創新和在新的歷史條件下的發展，而不是對原始儒學的「異化」。

「仁」的學說作為儒家思想的基石，在儒學理論體系裏佔有重要位置。「仁」字始見於《尚書・金縢》：「予仁若考。」仁指好的道德。孔子首先把仁作為儒家最高道德規範，提出以仁為核心的一套學說。仁的內容包涵甚廣，仁的核心是愛人。孟子在孔子仁說的基礎上，把孔子仁的思想發展為仁政學說，將仁的學說落實到政治治理。並以心性言仁，把仁與義禮智並稱，而作為性的內涵。同時把仁與心聯繫起來，指出「仁，人心也。」（《孟子・告子上》）孔孟關於仁的思想對宋代理學影響很大。而道家則不講仁義，老子提出「大道廢，有仁義。」（《老子》十八章）認為道與仁義不並存，主張絕仁棄義。這一思想遭到宋代理學家的批評。《禮記・中庸》稱：「仁者，人也，親親為大。」《說文》釋仁為：「仁，親也，從人從二。」可見，仁在秦漢時期主要是指人與人之間相親相愛的道德原則。到了宋代，理學家紛紛言仁，把仁納入自己的思想體系而加以闡述，仁在宋代理學的思想體系裏佔有重要位置。周敦頤在《通書》裏提出：「生，仁也。」認為天地萬物的生長體現了仁。程顥作《識仁篇》，提出「學者須先識仁。仁者渾然與物同體。」[35]認為人與物、主觀與客觀沒有差別。陸九淵從心學立場出發，提出「仁義者，人之本心也。」[36]突出倫理的主體性。

宋代理學的產生，其理論針對性便是佛、道宗教思想的盛行動搖了儒家文化的主導地位。佛教作為外來出世主義的宗教文化，與中國古代宗法社會制度和社會倫理規範不相適應。中國傳統制度文化的基礎是以家族為本位，以血緣關係為紐帶形成的父系家長制的宗法關係及宗法等級社會制度，宗法等級上下尊卑的社會關係滲透社會生活的各個領域。與此相應的社會倫理觀念便是強調首先要親近愛、敬自己

---

[35] 《河南程氏遺書》卷2上，《二程集》，頁16。

[36] 〈與趙監〉，《陸九淵集》卷1，頁9。

的親人，然後施仁愛於眾人，即提倡孝道和親親的原則而博施於人；並強調對君長要尊崇，把親親和尊尊作為「禮」的根本要求，認為植根於血緣基礎的親親與維護宗法制的尊尊是相互依存的。此與宗法社會制度相適應的重視孝道和家庭倫理，親親與尊尊同體並用的社會倫理觀念與佛、道二教不同，尤其與佛教的出家出世和「沙門不敬王者」的觀念存在著基本的差異。這些差異和矛盾引起了世俗儒學對佛教的排斥與批判。然而缺乏抽象思維能力和哲學思辨性的舊儒學卻把注意力更多地放在就事論事地考釋經書，難以應對佛教宗教思想的挑戰，其對社會生活的影響有限，從而動搖了儒家文化的正統地位，帶來了倫常掃地，社會動盪的局面。有鑒於此，理學家面對唐五代武人專權，藩鎮割據，道德敗壞，思想失向，人無廉恥的不良社會風氣和朝風，重整綱常、道德名教，重塑倫理，以維護社會穩定；繼承儒家仁義思想，以「理」為最高原則，約束君權，批判朝綱不正，以扭轉前代出現的子殺父，臣弒君，男女無別，兄弟相殘的不良朝風，端正社會風氣，刻意從學問修養和道德自律上挽救社會人心。同時批判地吸取佛、道的思辨性哲理，加強儒家哲學理論體系的建構，把儒家經學理學化、哲學化，克服舊儒學思辨哲學之不足，目的是為了抗衡宗教思想對儒家人文的衝擊，把儒家倫理發揚光大。理學思潮的形成即是批判佛、道二宗教的直接產物，亦是思想和社會發展的必然。

理學不論怎麼發展和創新，如何哲理化、思辨化，也不離孔子開創儒學時所提倡的仁義思想和人文關懷，並以其作為自己理論的核心價值。這是判斷理學為新儒學而不是非儒學的基本點，否則儒學如何得以復興？孔孟仁愛思想何以得到傳承？如果把理學視為先秦儒學的「異化」或背離，而不是繼承發展，那麼先秦儒學在佛老思想的衝擊下，已漸次喪失了其在思想界的地盤和在社會意識形態領域的影響和地位，而不會在宋代得以復興，也不會在後世重新得到廣泛的認同，亦不會經理學家的傳播而在東亞產生重要影響。

㈡創新性——回應時代的挑戰

由於儒學有其深厚的文化積累和歷史資源，它能夠實現自我批判、轉換、創造和超越。正如任何有生命力的學術文化，在認同自身的同時，必須適應新的時代和環境，才能發展，否則必然沒落。儒學在宋代重新崛起，形成理學，並逐步佔據社會意識形態領域的主導地位，是因為理學適應了當時社會發展的客觀需要，由社會存在決定社會意識，創造性地揚棄傳統儒學，使儒學在自我批判中，改造過時的舊思想，吸取其他文化派別的長處，從而推陳出新，使自身得到發展，糾正前代社會和統治者倫常失序、人欲橫流、追逐私利、人無廉恥的偏向，而使社會得到治理、穩定和進一步發展。

儒學是一個極為豐富複雜的文化系統，在它形成和發展的進程中，它的內在結構由多元構成，並具有自己的特點和自身轉化與更新的功能。理學是在漢唐經學基礎上的改造創新，其對傳統經學的改造發展主要體現在：以己意說經，闡發義理和天理，而不是拘泥於訓詁考釋；以儒學為本位，又援佛、道入儒，大大發展了傳統儒學，使新儒學在內涵上更加豐富，為傳統的漢唐經學所不及；面臨信仰失落、倫常失序、道德淪喪和價值觀念的重建等重大社會問題，理學家討論的核心話題落入對天理人欲的關注，如何為儒家倫理學尋找哲學本體論的依據問題，而有別於漢唐經學所著重關注的「天人感應」、「君權神授」的問題；宋明理學家在新形勢下，通過對儒家經典的解釋，在經學詮釋的基礎上，加以哲學詮釋和理論創新，提出系統、完整的以天理論為核心，貫通道本體、心本體、性本體的本體論詮釋學，從而改造了漢唐諸儒側重以經學詮釋為主的注經方法。在經典與解釋的關係問題上，理學家把二者結合，也就是根據時代發展的要求，把文本與問題相結合，以講義理的「四書」為主取代以重訓詁的「六經」為主。文本的轉移，目的是為了解決社會發展所面臨的重大問題而重塑解經的重點，以義理取代訓詁，以性理之學取代注疏之學。宋明理學家在以上方面對傳統經學加以改造創新，從而發展了儒學，體現了儒學發展的連續性和間斷性，即認同儒學基本價值與解經方式的不同。這在中國儒學發展史和中國學術發展史上具有重要意義。中國經學與宋明理學研究課題把中國經學在宋元明時期的發展與宋明理學思潮的興起與發展緊密結合起來，以研究經學和理學及其相互關係、解經方式的差異為基本內容。這對於加深對中國儒學發展史的認識和把握，具有重要意義，亦是本課題研究的重要目的。

經學的理學化使得儒學經典詮釋思想發生了歷史性的演變和轉化。經學是中國文化史上一種特有的文化現象，對中國哲學與文化及中國社會的發展產生了重要影響。與經學的發展演變相適應，中國有兩千多年注解詮釋儒家經典的傳統，有許多關於詮釋學的思想資料，並形成了較有代表性的若干詮釋方法和理論。理學家對經典的詮釋，打下了深刻的時代烙印，並與自己學派的性質和特點分不開。

漢儒治經，以傳記箋注、名物訓詁為要務。唐儒治經，上承漢儒「家法」，依注作疏。《五經正義》以「疏不破注」為原則，末流所及，以致「諱言服、鄭非」的情境。不僅以「疑經」為背道，而且以「破注」為非法，嚴重桎梏、束縛了學者的思想，使以經學為載體的儒學陷入繁瑣和僵化。使儒學的生命智慧枯萎，已不能適應社會發展的客觀需要。

宋儒理學家為了開發儒學新的生命智慧，強調超越漢唐以來對儒家經典文本的種種繁瑣複雜的解釋，直接回歸元典，還元典以本來的面目，直求經文之本義，以及作經者（聖人）之本意。在聖人之原本旨意、經文本義和解經者闡釋之意之間架起溝通的橋樑。而以求義理即新儒學的天理作為經典詮釋的依據。經文本義與聖人旨意亦須服從這個道理。二程提出「經所以載道」[37]的命題，置經典於服從「道」即「天理」的位置，打破漢學對經典及注疏盲目崇拜的舊傳統，從理論上解決了在經學傳授過程中，儒家經典與道統之道的關係問題，從而把經學理學化，亦即道學化。既以義理之學取代注疏之學，又把義理哲理化，將其提升為「天理」，克服了舊儒學缺乏哲學思辨的弱點。這即是對慶曆以來疑經思潮及義理之學的發展。儘管理學家所理解的經文本義是否就是經文的原義，或今人所理解的經文本義，這仍然是一個有待認定的問題。但當求經文本義與闡發道理二者發生矛盾時，理學家解經則是以闡發道理為主，甚至有違於經文本義，也有所不顧。這充分體現了理學家治經以闡發道理為最高目標，而不是以探求經文本義為最高目標，儘管他們對探求經文的本義也予以重視。這集中體現了理學家以道理為標準詮釋儒家經典的治學態度。如朱熹以《周易》為卜筮之書，《詩經》是「感物道情，吟詠情性」，講男女之事，《尚書》為歷史文獻記錄等，滌蕩了「六經」為聖人之言的種種神聖的光環和權威，解除了漢唐諸儒研究經學中的種種禁區，比較客觀地面對經典文本，與經典文本對話，改變了在與經典文本對話、研究中的被動狀態，不僅能平等互動，而且使主體性得以彰顯，即超越漢唐以來儒家經典文本的傳統解釋方法。認為傳統的注疏訓詁之學的詮釋方法，已不能開發出儒家經學的生命智慧。理學家重視心性

---

[37] 《河南程氏遺書》卷6，《二程集》，頁95。

和性理之學，他們以己意說經、解經，雖一定程度地借鑒經學的形式，但將其置於從屬於天理、道、性或心、良知的地位，體現了宋明理學家重主體能動性的發揮、重道德理性的思想解放與創新精神。這不僅是對經學的發展，而且亦是對中國儒學的發展，改造倫理型的舊儒學，把先秦儒家性理、心性之學哲理化。可見，理學的興起，是把儒學哲理化，走過了由注疏之學到義理之學，再到具有思辨性哲理的性理之學的發展過程。體現了理學將經學形式與性理學內涵相結合的特徵。這種學術思想的創新，在某種意義上說，都是以解釋方法的創新為其先導。宋明理學家解釋方法的創新，開創了理學思潮的新時代，使儒學經典文本的原義和作經者的本意得以重新彰顯，使儒學的生命智慧在時代轉型中得以延續發展並發揚光大。

經學理學化對中國經學的發展產生了深遠影響。中國經學發展到宋代，形成了以講義理為主的宋學，而理學則在宋學發展的基礎上，進一步把宋學哲理化，將經學哲學化，使理學思潮佔據了宋學的主要成分，代表了宋學發展的主要趨勢。以己意說經，經學形式與性理學內涵相結合，是宋明理學的重要特徵。而以己意說經，不受舊注疏的約束，則體現了宋明理學各派經學觀的共性。在這個宋明理學的基本特徵和總的經學觀之下，各派理學家把經典視為載道之文，或吾心之注腳，經書與道或理、心或心之良知相比是次要的，以此闡發心性義理之學，而不受經書過多的約束。這使得中國經學的發展進入一個重理性，重思想，講性理的新階段。亦在一定的歷史時期內，促進了中國社會和中國文化的持續發展。

宋明理學的主流派程朱理學在以往思想的基礎上，以「四書」義理之學取代傳統的「六經」訓詁之學而成為經學的主體和基礎，是對中國經學發展最重要的變革，對經學發展的影響也最大。而宋明理學的重要流派陸王心學則以經書為吾心的注腳——這是陸王心學經學觀的集中體現。這既含有整個宋明理學以己意說經的經學觀的共性，亦具有陸王心學以心或心之良知為最高原則，治經為發明本心、致良知服務的經學思想之個性。亦對經學發展產生了重要影響，從心學的角度發展了中國經學。

在中國經學發展史上，「四書」義理之學是與「六經」訓詁之學相對應、以講義理為主的學術。朱熹繼承二程，集程朱「四書」學之大成，以「四書」義理之學取代傳統的「六經」訓詁之學而成為經學的主體和基礎，是程朱對中國經學發展最重要的貢獻，亦是中國經學史上的一大變革，從而改變了中國經學發展的方向，對宋以後中國經學的發展，以及對中國後期封建社會的思想文化的發展均產生了十分重要的影響。

朱熹集宋學之大成，又集宋代理學之大成，其主要表現便是著《四書章句記集注》，在二程思想的基礎上，首創「四書」之名，強調「四書」重於「六經」，治經學應以「四書」為主、為先，取代「六經」及「六經」訓詁之學在經學中的主導地位；並在「四書」之中，排列其治學次第，以作為「入道之序」，建立起完整的「四書」學思想體系，充分體現了當時以闡發義理和性理為主的經學乃至中國文化發展的時代精神。除傾畢生精力集注「四書」外，朱熹亦對「六經」等諸經詳加考釋，其目的仍在於以己意解經，闡發性理。

「四書」學最終由朱熹確立後，從內容和形式上，逐步改變了經學發展的方向，完成了從唐代韓愈、李翱以來推重《大學》、《中庸》、《孟子》諸書，逐步提高其地位的思想發展過程。韓愈、李翱等開風氣之先，借助《大學》、《中庸》闡發自己的思想。尤其是韓愈，推本《大學》，尊崇孟子及《孟子》書，強調《大學》之道是正心誠意與治國平天下的結合，以此批評佛老的虛無和無為。認為自己是通過讀《孟子》書，然後知孔子之道尊，聖人之道易行。朱熹對韓愈推本《大學》表示讚賞。他說：「《大學》之條目，聖賢相傳，所以教人為學之次第，至為纖悉。然漢魏以來，諸儒之論，未聞有及之者。至唐韓子，乃能援以為說，而見於《原道》之篇，則庶幾其有聞矣。」㊳說明自漢魏以來，諸儒少有論及《大學》者，經韓愈著《原道》，援引《大學》，使《大學》得聞於天下，與《孟子》書一起，其地位開始提高。其後，經程顥、程頤兄弟的努力宣揚，「四書」作為一個整體，開始取代「六經」在經學中的主導地位。又經朱熹的完善發展，以義理「發揮演繹愈極詳密」，「四書」成為整個儒家經典的基礎，使「四書」的影響超過了「六經」，從而確立了「四書」學在中國經學史上的主導地位。不僅朱注本《四書章句集注》成為學術界的新經典，而且宋以後為「四書」作注解者不絕，表明程朱

㊳ 朱熹：《大學或問》（文淵閣四庫全書本），卷1。

的「四書」學對後世經學產生了深遠影響。以致朱熹的《四書章句集注》成為宋以後流傳最廣、影響最大的一部經書，使程朱的「四書」義理之學得到廣泛的傳播。亦使「四書」及「四書」義理之學佔據了中國經學發展的中心地位，並影響後世經學數百年之久。

理學在以上方面對傳統經學加以改造創新，從而發展了儒學，這在中國學術發展史上具有重要意義。由此可見，宋明理學的產生是時代的呼喚，社會的需要，理論文化形態的轉型，是對傳統儒學的繼承創新，體現了儒學發展的連續性和創新性；同時是對漢唐儒家經學重訓詁注疏，輕理論發揮流弊的修正；亦是對包括孔孟在內的傳統儒學在哲學理論上的發展，而不是對先秦孔孟儒學的異化。它成功的回應了當時社會各個方面的挑戰，而把儒學發展到一個新階段。這正是中國思想文化發展到宋代的必然結果。此外，理學家以道德修養而不以宗教信仰為中心來實現其內聖外王的人生理想，固然有加強道德自律和倫理約束的一面。但從歷史發展的眼光來考察，以宋代理學的倫理約束、道德修養來代替宋以前流行的人身束縛和宗教迷信，這在當時不失為一種進步的趨勢。

經學理學化促進了經學的轉型和儒學的進一步發展；理學對經學哲理化的改造，把哲學與經學相結合，提高了中國哲學的理論思辨水準；理學對經學的改造，基本適應了中國社會的發展要求，具有一定的歷史必然性；理學家對漢唐經學加以改造和理論創新，創理學思想體系，確立了以儒為主，融合三教的學術發展模式。這在中國學術發展史上佔有重要的歷史地位，產生了深遠的影響。

經　學　研　究　論　叢
第　十　九　輯　　頁35～54
臺灣學生書局　2011 年 11 月

葉青與 1935 年的讀經之爭*

童　亮**

葉青本名任卓宣，四川南充人。他在民國時期的思想界、政治界都存在著廣泛和重要的影響。1936 年國民政府航空委員會編印的一本葉青著作的「編者識」中寫道：「任先生在民國 16 年為共產黨內理論指導人物，與陳獨秀惲代英等齊名，學識豐富持己待人，不脫書生本色，頗為青年所愛戴。嗣主持湖南農運，蓬勃一時，以常理論正所謂一帆風順之時也，乃任先生畢竟能以大無畏之精神，面對事實，認共黨一切作為違反歷史法則，毀滅民族文化，欲至國家民族為萬劫不復之境地，懸崖勒馬，覺悟中國革命捨三民主義莫屬，乃竟然脫離共黨從事於三民主義理論之發揮。近十年來，每有著作，無不見重於當世，尤其揭發共產黨陰毒，針針見血，字字千鈞，為今日思想界撥亂反正之權威。」❶這可以在一定程度上代表當時官方對葉青的評價。此外，葉青當時所著的很多書都有著廣泛的讀者，並且給讀者留下了深刻的印象，陶英在給艾思奇的信中提到：「當我還是一個地道的學徒的時候，葉青先生的確是我無上的偶像。他那篇〈胡適批判〉，我現在還幾乎背得出。他那種哲學家，科學家，藝術家的神氣，我現在還沒有忘記。」❷即使是後來他把

---

* 本文獲得北京師範大學 2001 年「白壽彝史學論著獎」碩士生一等獎。徵求作者同意，依格式規定稍加修改。

** 童亮，北京師範大學歷史學院碩士生。

❶ 葉青：《民主政治的展望》，航空委員會政治部編印，1936 年。

❷ 艾思奇：《關於理論批判的工作——答陶英君》，北京市：人民出版社，2006 年 6 月，頁 627-630。

葉青當作批判的對象，也覺得批判葉青「跟批判杜林一樣的重要」。而且這樣的讀者不只陶英一人。艾思奇在回信中指出像陶英這樣起初對葉青非常崇拜，後來又要求批判葉青的「前後也有了三四十人」。不論是起初他們將葉青當作偶像，還是後來他們要批判葉青，這都可以說明葉青在這些青年人當中確實存在著相當的影響。對於這樣一個在當時有重要影響的人物，就筆者所見，目前的研究似乎還不是很充分。❸

上世紀 30 年代讀經問題曾經引起了社會各界人士的廣泛爭論。其中尤以 1935 年的讀經之爭為最。葉青也積極的參與到這次論爭當中，他說自己「曾盡了若干的力」。而且他對自己的論證充滿了信心，他說〈我對於讀經的意見〉一文「很長」，「怕是讀經問題的文字中最長的一篇，因而非常完足。」❹此文是在當時《教育雜誌》主編何炳松之邀稿之下而作的，何炳松也認為葉青的此文在《教育雜誌．讀經專號》中「比較最為詳盡」，「所以我們把他的意見當作殿軍」。❺其實作者在 1934 年下半年就想寫〈論讀經〉一文，而何炳松的徵文則促成了此文的形

❸ 國內關於葉青的研究，主要有吳雁南主編的《中國近代社會思潮（1840-1949）》（長沙市：湖南教育出版社，1998 年），其中設專章介紹了葉青的三民主義思想。而關於葉青的傳記，可以一提的為《民國人物傳》（北京市：中華書局，1978 年）中的葉青傳。近年來，史建國的〈任卓宣：名以葉青顯，文因反共多〉，《粵海風》，2008 年 1 期，頁 64-68。一文雖然有幾分隨筆的性質，但是對我們認識葉青還有一定的幫助的。這篇文章主要是對葉青進行反面評價。近年來這種情況有所轉變，中山大學陳靖淵的碩士畢業論文《任卓宣早期的革命活動和思想》帕米爾書店編輯部：《任卓宣評傳》使我們對任卓宣的早期經歷有了更豐富和深刻的認識。臺灣關於葉青的研究，主要有《任卓宣學術思想論》（臺北市：帕米爾書店，1965 年），《任卓宣評傳》（臺北市：帕米爾書店，1965 年），《任卓宣評傳續集》（臺北市：帕米爾書店，1975 年）和《任卓宣教授百歲誕辰紀念文集》（臺北市：紀念任卓宣教授百歲誕辰籌備委員會，1995 年），這些著作對他的研究主要集中在兩點，即任卓宣對於三民主義的研究和反共的經歷及貢獻。與本文直接相關的則為宋小慶、梁麗萍的《關於中國本位文化問題的討論》（南昌市：百花洲文藝出版社，2004 年）一書，該書中對葉青的文化思想和文化觀多有述及。

❹ 葉青：《讀經問題》（上海市：真理出版社，1937 年 5 月），頁 4。我所用的是林慶彰主編：《民國時期經學叢書》第 3 輯第 8 冊（臺中市：文听閣圖書公司，2009 年 9 月）中的影印本。

❺ 何炳松主編：《教育雜誌》，上海市：商務印書館，1935 年第 5 號，頁 4。

成。本文主要依據葉青當年的關於讀經問題與文化問題爭論的文章，來探討葉青對於讀經問題的態度，他為什麼反對讀經？他與其他人在讀經問題中爭論焦點在哪裏？他對文化復興怎麼看？他認為應該怎樣才能實現中國的文化復興？這些都是筆者所要探討的問題。

在文中葉青認為讀經問題「雖然表面上，似乎只關係與教育，而實際上卻同時關係於思想、文化乃至於關係於政治和社會。」正是因為這個問題「很重要」，所以他「不可以不說話」。而且他認為他的研究是科學的，「注重以真憑實據說明讀經底是非得失。」他希望「在今日，無論贊成讀經也好，反對讀經也好，都應該訴諸科學。」也就是「要抱科學的態度，用科學的理論，來研究這個科學的問題」。而且他也為讀他這篇文章的讀者提出了要求，希望他們也「能夠用科學的態度」看待他的這篇論文。具體到葉青自己來說，他是反對讀經的，他提出了反對讀經的理由並且對主張讀經的理由進行了駁斥。

一、反對讀經

首先葉青從正面闡述了自己反對讀經的理由，他為了表明自己反對讀經的態度，連續三次醒目的標示「不可讀經」。

「『經書程度不低』，它高深了，不適於中小學生」，所以「不可以讀經」。對此他又分作兩次來解釋，「第一從文字上說。經書是很古的書，去我們現在大約有二千多年底光景。因而那裏面所用的字眼、術語、文法等，與我們現在迥不相同」；「第二從理論上說，大家主張讀的經，第一部怕是《論語》吧。然而《論語》在現在，就是專習哲學，且得了博士的有名學者，也並不能有完全的理解。」因此他說「經書程度高深為不可讀的理由，確定不易的。」❻

其次「經書的內容不好」，所以「還是不可讀經」。經書的內容「零碎」、「粗淺」、「落後」，「無論就其編制、程度、本質三者任何一方面說，都不及現代知識底進步。」他特別提醒人們注意「讀經史向後退的辦法」，而我們必須「迎頭趕上去。」在此他援引進化論作為依據，指出「我們是這個時代底人，有我們自

---

❻ 何炳松主編：《教育雜誌》，頁 120。

己創造知識的任務。哲學、科學的歷史，不應該在我們這個時代止步。進化論告訴我們，戀舊不得，必須向前走去。何況經書內容不好呢？」❼

復次，「經書應用不得」，所以「還是不可讀經」。他認為「經只能適用於從前而不能適應於現在。中國自從鴉片戰爭後，就大踏步地向著近代底歷史舞台走。從前的中古時代，即由漢武帝起到戊戌止這一個讀經時代是過去了」。我們這個時代最重要的「是生產知識，即自然科學。」而這些在經上可說是沒有。至於為什麼我們這時代生產需要專門的知識，那是因為「低度生活要為高度生活所壓倒，使你由被征服者而到消滅底境地。」而當時中國正面臨著這樣的一種情況。❽

葉青認為「不可讀經」的三個理由基本上是當時讀經爭論中反對讀經的一方所常提出的。例如關於經書的難讀，胡適就很贊同傅斯年所說的「六經雖在專門家手中也是半懂半不懂的東西」，並且作了〈我們今日還不配讀經〉一文，針對王國維所說的「《詩經》他不懂的有十之一二，《尚書》他不懂的有十之五」，認為「《尚書》在今日，我們恐怕還不敢說懂得了十之五。《詩經》的不懂的部分，一定不止十之一二，恐怕要加到十之三四。」❾但是經書難讀恐怕不僅是反對讀經的人的認識，贊成讀經的人也並非認為經書易讀。所以關鍵還是在後面的兩個內容，也就是說「經書的內容不好」和「經書應用不得」。這才是贊成讀經和反對讀經的爭論對於經的認識的分歧所在。在反對讀經的人看來，經「是過去封建社會之社會的、政治和倫理的法典。」❿在封建社會日趨貶義的時代，經的內容當然是不好的了。而傅斯年的〈論學校讀經〉一文更說明了經在歷史上和現實中都沒有用處。由上可以看出，葉青所關心的正是當時讀經之爭中爭論的重點問題。

---

❼ 何炳松主編：《教育雜誌》，頁 121-122。

❽ 何炳松主編：《教育雜誌》，頁 123。

❾ 胡適：〈我們今日還不配讀經〉，《獨立評論》第 146 號，頁 25。胡適對於 1935 年的讀經之爭，雖然直接參與其中的僅此一文，但是此文卻引起了各方面的不同的評價和解讀，如章太炎的〈論讀經之有利無弊〉，李麥麥的〈與胡適談讀經〉，湖南國學館學生晏莊的〈讀胡適我們今日還不配讀經〉等。

❿ 李麥麥：〈與胡適談讀經〉，《申報・出版界》1935 年第 6 期，引自葉青編《讀經問題》頁 23。

在爭論中，提出自己的正面理由非常重要，同時對於反方的理由的批駁也是必不可少的，所以葉青接著又對贊成讀經者的理論進行了駁斥。

當時不少贊成讀經的人都認為「經為中國民族底產物，並且曾經輝煌了我們底歷史，大家也是讀得很多的。當此中國被人壓迫的時代，讀它可以喚起民族意識把中國從危亡中救出來，並且可以生出民族底自信力，知道我們是不錯的，過去有經底成就，那在將來的救亡復興就有保障，它證明我們有能力。」簡言之，就是讀經可以促進民族的自信。對此他認為，「我們在二三千年後的今天，遇到了困難，還要靠二三千年前的經來做喚起民族意識的理論，就根本是我們不中用、應該消滅的證明。」他覺得「最有力量的理論，是站在現實的生活上給我們底環境作的科學說明。」「最要緊的就是根據歷史和現狀指出中國民族到解放之路所要遵循的政策，使國民知道這種正確的方法是能夠使我們獲得成功的。」⓫

「讀經可以促進道德」，「民族復興需要有道德」更是當時贊成讀經的人普遍持有的理由。甚至可以說「對『聖人之言』的道德教化功能信仰歷來是贊成讀經者最為執著的理由。」⓬對此葉青提出了三點駁斥的理由，首先他認為這種見解有些過分重視道德的地方。「道德可以使人行為好，但不能使人有能力。行為好是一回事，有能力又是一回事。」其次他指出「各時代有各時代底道德。經上的道德，有絕大部分是過時的。」最後他指出「要知道訓練好人的方法，單靠道德是不夠的。要國民道德好，首先便是經濟問題。除此以外，就是智識問題。」⓭這種駁斥很可能是直接針對古直的讀經言論而來⓮，葉青在〈評古直底讀經論〉中說：「在古直以為事事總要人好，經是訓練人的東西。這是一種道德救國論。」他認為人有道德，固然有好處，但是帝國主義底子彈射到仁人君子底身上，還是一樣的要鑽進去。而在沒有飯吃的時候，仁人君子底肚子還是一樣的感覺餓。這就無疑於說道德

⓫ 何炳松主編：《教育雜誌》，頁 124。

⓬ 楊婷：〈1935 年《教育雜志》讀經專號述評〉，紀念《教育史研究》創刊二十周年論文集(3)——中國教育制度史研究，2009 年 9 月，頁 586。

⓭ 何炳松主編：《教育雜誌》，頁 125。

⓮ 關於古直提倡讀經，請參看劉小雲的〈20 世紀 30 年代中山大學的讀經考察〉，《中山大學學報》，2008 年第 4 期。

優秀是一回事，國家富強又是一回事，道德沒有致富強的作用。[15]

「要知新，必須溫故」。「那麼要創造新文化，讀經就不可避免了。」這是贊成讀經者的又一個理由。所謂溫故知新就是「在損益傳統的基礎上重建一個新的中國和中國文化。」[16]葉青在理論上是贊同溫故知新的，他認為「凡歷史之合規律地發展的，新東西必定從舊東西中產生出來。」然而他認為近代的中國卻明顯的存在著特殊性，所以「中國歷史的發展，不是合規律的。」中國歷史底發展從鴉片戰爭之後是「外鑠的」。「我們所有的新東西，就不是從舊東西中產生出來的了！」「我們的文藝復興不是回到春秋戰國，而是採用歐洲。」「新文化底創造，是要從歐洲出發，而在目前，問題還是大量的輸入。這就叫『迎頭趕上去』。」[17]「如果回到中國的舊文化，那就叫做向後走了。」他甚至進一步的指出：「不獨經不必讀，就是要在經以外的『子』中去找創造文化之新基礎的辦法，也屬錯誤。」因為「子」雖然有濃厚的近代性，但是與歐洲現在的文化相比也差的太遠。[18]這樣理論上的溫故知新落實到中國的實際當中，則變成了推陳出新。所謂推陳出新，就是「在摧毀中國傳統的基礎上全面創造一個新的中國和中國文化。」然而他為了疏通溫故知新和推陳出新矛盾的矛盾而把中國歷史說成是不合規律的，是外鑠的解釋引起了艾思奇和陳蘆秋的爭議。（詳下文）

在讀經主張高漲的同時，江亢虎等在上海組織了「存文會」，他們在宣言中主張讀經、存文，這引起了上海文藝界的激烈的駁斥，汪馥泉主編的《現代》雜誌組織了「反讀經與存文」專輯，對存文會主張進行批駁。葉青也參與其中。[19]他認為

---

[15] 張凡夫主編：《研究與批判》，第 1 卷第 1 號，1935 年 4 月，頁 136-137。作者署名如松，即葉青。

[16] 羅志田：《裂變中的傳承——20 世紀前期的中國文化與學術》，北京市：中華書局，2009 年，頁 168。關於清末民初的中國思想界溫故知新和推陳出新的爭論，可參看此書〈溫故可以知新：清季民初的「歷史眼光」〉一文，頁 168-188。

[17] 「迎頭趕上」是孫中山的名言，他的這種奮進的意圖影響了一代又一代的中國人。葉青在他的文中屢次引用這個今典意在加強自己論證的力度。關於此詞的今典解釋見王爾敏：《今典釋詞》，桂林市：廣西師範大學出版社，2008 年，頁 109。

[18] 何炳松主編：《教育雜誌》，頁 126。

[19] 葉青寫了〈讀經與存文〉一文駁斥江亢虎的讀經可以提高國文程度的主張，1937 年葉青在編

「文言文底時代已經過去了，現在是白話文底時代！」「把文章做好，須站在這個時代內說話。好底標準也不是經。」「經在古代可以說好，在現代可不能說好了。」[20]「古代底文學作品，無論是散文、韻文，我以為都有它底藝術價值；因此，是值得保存的。這也有人在保存了，各大學底中文系便是。所以古代文學不僅在歷史的意義上有不少人研究它（只要看中國文學史之多就可以證明），而且在現實的意義上也有不少的文人在作詩、作詞、作古文，情形活像歐洲各國底拉丁文一樣。這就夠了，再也用不著怎樣了。怕她滅亡的人，好像不知道這種情形似的。」葉青指出「也許存文論者底意思不在於此，他們想各學校對於國文一科都讀古文和作古文。」而這樣的主張就是他所不能贊同的了。他認為「我們生在今天，應該有表達我們今天底意識的工具和體裁，比從前進步。只要你懂得一點進化論，就該承認這點。不師今而師古，是很錯誤的。」「最後我要奉告讀經論者和存文論者幾句話。中國底古代文化，因為有價值，是不會消滅的，它將永存於歷史上。所以我們底先輩並沒有辜負他們底時代。而今天底我們呢？若不知道繼續他們底創造精神，產生一些適合於我們需要的現代文化，而惟保守和因襲是務，那是不肖的子孫。對於我們底時代也辜負了。中國底進化不是到這裏就停止了麼？」[21]

這裏我們可以進一步的看出葉青推陳出新的主張，因為他僅把中國的古代文化看成存在於歷史中的，對現代已經沒有什麼實用價值可言了。可以說正如羅志田所說葉青的觀點「更強調『天演』觀念中劣敗者『已被淘汰』的一面。」在葉青看來中國的「歷史是已逝去且可以割棄的往昔，這樣就更有利於立足現在而劈空造出一個新世界來。」[22]

輯出版《讀經問題》一書時，將該文併入他曾在教育雜誌上發表的〈我對於讀經問題的意見〉一文中，作為此文的第七部分，名為「四答讀經論」。另外關於文言與白話的爭論在 1934 年就開始展開，具體情況可參看劉進才《語言運動與現代文學》，北京市：中華書局，2007 年。

[20] 葉青：《讀經問題》，頁 52-56。

[21] 本段與上段參，〈讀經與存文〉，《現代》第 6 卷第 4 期。

[22] 羅志田：〈送進博物館：清季民初趨新士人從「現代」裏驅除「古代」的趨向〉，《裂變中的傳承——20 世紀前期的中國文化與學術》，中華書局，2009 年 6 月，頁 129。關於清季民初趨新人士從現代中驅除出古代的傾向，可參看該書頁 92-130。

其實，不管主張讀經的人所持的理由如何，在當時國難深重的情況下，他們都會將讀經的最終目標指向救國。就連反對讀經和存文的田仲濟也指出「讀經的終極目的是救國。」㉓而近代的歷史已經印證了讀經對於救國沒有什麼特殊的作用。葉青認為讀經如果可以救國，那麼中國就不會受帝國主義底侵略到今天這個樣子。從漢武帝以後至戊戌時代，不是讀經了的麼？這曾何補於戊戌以前從清道光起的種種失敗？那時，就因為有種種失敗才覺悟到讀經不中用而廢除科舉，興學堂，主張研究歐洲現代的科學、哲學。這個歷史便證明了讀經之不足以救國。葉青進一步指出，這是因為經裏面沒有製造槍炮的道理，亦不能致富，所以愈讀就愈貧愈弱。㉔

在駁斥完贊成讀經的理由之後，葉青開始集中攻擊經書在中國二千年歷史中的罪過。他指出「從經濟上說經在這兩千年中，是沒有絲毫發達生產的作用。」「而且進一步看，它盡的是摧殘底作用。」「從社會上說，經在這兩千年中，盡得有維持作用。但維持是保守舊狀而不是創造新局」。「從政治上說，經在這兩千年中，倒盡有很大的作用。但第一是幫助貴族統治平民。第二是幫助君主籠絡人才。」「從道德上說，讀經兩千年偏文弱了兩千年。」「從智識上說，經在這兩千年中沒有培養出創新的理論家。愈讀它，愈受幽囚。心思才力完全被束縛。」所以總起來說「中國從漢武帝表章《六經》以後，讀經兩千年，就退化兩千年。」「鴉片戰爭以後，清代君臣底昏庸糊塗，著著失敗，是兩千年來讀經成績底總曬露。『戊戌』停止讀經，『五四』根本反對經，實在是讀經失敗後的懺悔和覺悟。」㉕

那麼經學就被拋棄了嗎？葉青認為也並未必，他認為「某些大學生和某些哲學、科學、文學家，是可以讀的，而且必須讀的。」但是經對他們來說「只是一種材料，包含有中國底哲學、科學、文學、歷史的材料。」而且對這種材料還必須要進行科學的研究。㉖所以他讀經的主張是：「中小學校不可讀經。大學除了有關於經的學系外，也不可讀經。在教員和一般的人方面，除了他底研究有關於讀經外，

㉓ 田仲濟：〈存文與讀經〉，《田仲濟文集》第一卷，南京市：江蘇文藝出版社，2007 年 8 月，頁 23。

㉔ 如松（葉青）：〈評古直底讀經〉，《研究與批判》，第 1 卷第 1 號。

㉕ 何炳松主編：《教育雜誌》，頁 127-128。

㉖ 何炳松主編：《教育雜誌》，頁 128。

同樣不可讀經。而讀經的人，目的不是為闡明聖道，也不是為現實的應用，只是站在社會進化底立場上作種種歷史之科學的研究，任務在探出我們過去底進化之際。」也就是說葉青是反對讀經的。

二、爭論與辯護

葉青的長篇大論引起了兩種人的反應，一種來自主張讀經的人，例如杭州培正中學裏的羅功武，一種來自反對讀經的人。其中他比較注意的是陳蘆秋問，艾思奇答的〈讀經嗎？讀外國書嗎？〉一文。陳蘆秋主要對葉青文中的兩點提出質疑。第一個是葉青所說的「中國底歷史不是合規律的」。他認為「一切事物的發展都是合規律的，這是現在的新唯物論者都必須承認的一個原則，如果中國的歷史不合規律，那麼中國豈不是不能算作一切事物中一件事物了嗎？」他對於自稱也是新物質論的葉青有這樣的論點感到很奇怪。第二個是葉青所說的「中國底歷史底發展『顯然是外鑠』的」。陳認為「外國的書之所以能夠進來最根本的還是由於中國本身內部有這種可能性的緣故」，葉青「忽略了中國歷史的內的規律性，把外力當作唯一的原因，這顯然是想回避中國社會內部的矛盾研究」。艾思奇贊同陳蘆秋的觀點。他首先指出現代青年讀書問題中的兩種危機，「一種危機時被人拉到墳墓裏」，也就是讀經。另一種危機「被人拉到天上去或拉到外國去」，也就是中國的青年對於本國的情形完全不管，專門去讀外國書。」而「葉青先生自己認為是新唯物論者，真正的新唯物論者是要能夠替青年打破讀書死的危機的，然而可惜，他不但不能這樣，反而代表了後一種危機來向中國青年說法。」㉗

艾思奇認為，「提倡讀經的理由普遍是很荒謬，頭腦稍稍清楚一點的人就不至於被騙。唯有提倡專讀外國書的意見，主張既冠冕堂皇，言詞上又帶著十足進步而漂亮的外觀，很合一般心腸直率的青年的口味，人們不知不覺地被引進了他們的網帶，所以倒是要細心辨別。」而作為辯論對手的葉青，在這方面也分享著共同的觀念，他對於提倡讀經的人的辯論，認為沒有理論，即有也非常陳舊，可以不必答覆。而對於反對讀經的人的辯論，則因為利用新哲學，大有魚目混珠之可能，不得

㉗ 本段與下段見《讀書生活》，第2卷第10期，頁427-428。

不辨。這提示著我們，新派已大有不以舊派為對手之勢。

對於「中國的歷史發展是不是不合規律」的問題，換言之，也就是「中國歷史上的新的東西，是否並非從舊的東西中產生出來的」問題，艾思奇認為「我們不能不承認，一種新的東西產生了的時候，它必須和舊的東西分離，如果我們接受了新的東西，就不能不把戀舊的心情斬斷。這是無論在中國外國，都是一樣的情形。」㉘與前述葉青關於新舊的看法相比，艾思奇無論在理論和實踐上都更傾向於推陳出新。

艾思奇針對葉青所舉的例子「我門所有的哲學，文學，科學，堆滿了書店和流行於學校的，都從外國來的，純屬採用性質。」認為這是葉青拿一種表面現象作為理由，要證明中國的一切新東西都是外來的，都不是舊中國自己內部產生的，因此也就想證明中國歷史發展的不合規律。他指出了兩點來證明葉青的錯誤。「第一，他所說的流行和堆滿了的書籍，其實也並非完全是外國來的，文學科學的書籍，中國人自己的著作的就不少，至少也有一半吧。」「第二，外國的東西在中國並沒有絕對的權威，他的流入中國是供中國的採用，能不能被採用，就要看中國自己是不是需要了，而中國之需要不需要，就只有用中國自身的原因才可以說明，完全不是外來的原因。中國之採用外物，正證明中國內部已產生了新的東西和新的需要！正證明中國歷史發展有它自身內部的規律性。」其實，艾思奇所說的這兩點可能都有不少的問題。首先，中國人自己的著作可能不少，但是這其中可能有很多都是中國人寫的介紹外國文學科學的。其次，外國的東西在中國並沒有絕對的權威這一點也很有可探討的餘地。當時甚為流行的西洋一流，日本二流，本土三流的觀念，可能正反映了外國的權威。

艾思奇進一步指出「一切事物的發展都是合規律性的，都是由於事物內部的原因或內部的矛盾促成的。這一個最高原則，中國也不能例外。要緊的是外來的影響雖然不可抹殺，但卻不能把它過分的誇大，把它誇大為唯一成分。

在批駁了葉青的觀點後，艾思奇表明了自己的意見。其中最主要的是他認為：「中國的社會發展絕不是外鑠的，中國的歷史有它自身內部的原因，所以是合規律

㉘ 本段與下段見《讀書生活》，第 2 卷第 10 期，頁 429。

的。一切外來的力量只有通過了內部的規律才能發生作用。」他特別強調「西洋的文化對於中國只有影響和刺激的作用。中國採用西洋文化完全是由於中國內部發生了這種需要。」「我們不能空說斬斷了中國內在的發展線索，實際上中國歷史既是合規律的，所以要想斬斷也不能。我們的唯一任務只有促進這個發展的線索前進。如果我們要斬斷這個線索，結果除了使我們自己脫離現實以外不更有什麼。」有意思的是，如上所言艾思奇也談到了現實的需要問題，落實到讀書這個問題上，我們「固然要堅決的反對讀經，這是不成問題的，而一味的叫我們攢在洋書堆裏的主張，我們也要絕對拒絕！我們要切記不能忘記了中國的現實社會，不能斬斷中國內在的發展線索，所以我們讀書，必須要以能夠幫助我們解決現實問題為標準，我們堅決反對讀古書，是因為古書已經完全失去了作用。我們反對一味的讀外國書，就因為這樣一來我們也就忘記了現實社會而成為洋式秀才的危險。讀書是要針對著現實社會的問題上的需要，因此對於外國書我們要選擇著讀，對於中國本身今日的出版物，也可以從中選取很好的糧食。讀外國書的目的不是要全然外鑠的力量來斬斷發展的線索。恰恰相反，只是為要幫助我們了解內在發展的線索。」[29]而葉青其實也特別注重中國的現實需要，他所說的本位文化就抽象的概括為此時此地的需要。

針對這篇文章，葉青不久便做了〈反讀經中的問題〉一文進行辯護和反駁。關於中國歷史不合規律的問題。葉青指出，所以歷史是合規律的話，乃就世界史而言，各國史卻不一定合規律。他進一步指出，在他所說的問題上，「歐洲史是合規律的，因為歐洲底近代文化乃由其封建文化孕育而成。於是歐洲史就成為了世界在這一歷史階段中的代表。」「中國則不然，它之走到近代文化，顯然在鴉片戰爭以後，由『洋務』、『戊戌』、『辛亥』、『五四』等運動而來。這是有中國近百年底事實在的。所以研究這個階段底中國變革，當注重外因。」葉青特別為他的論斷尋找到了哲學上的依據，他指出「物質論告訴我們的是尊重客觀的事實，辯證法告訴我們的是一般之中有特殊。不僅如此，他還引用《共產黨宣言》來增加力度，他說新物質論底兩個創立者，深知道這一點。所以他們對於落後國，對於東洋，對於中國之走到近代文化，就採取外力影響說。他要維護的第二個觀點便由此而來，他

[29] 本段與上段見《讀書生活》，第 2 卷第 10 期，頁 430-431。

針對艾思奇說「中國之所以採用外物，正證明中國內部已產生了新的東西和新的需要」的觀點，認為「這完全是簡單地用抽象的內因說來否認具體的事實的企圖。」他繼續引用馬恩的共產黨宣言，指出「歐洲『市民』……把中國人『牽引進文明底進程之中』，用大炮『使』他們『投降』，用『死底懲罰強迫』他們『採用』和『輸入』歐洲底近代文化。」然後他承認「在『採用』和『輸入』中，是由於我們的感覺了需要。」但是他又否認艾思奇所說的這是「中國自身的原因」或者是「中國內部產生的。」他甚至絕對的說：「一點也不是！」葉青進而指出「這個需要是歐洲市民底『大炮』和『死底懲罰』『強迫』使然的。」「我們底民族資產階級出現，根本是歐洲市民『照他們的模樣鑄造世界』的結果」。㉚

此外陳蘆秋推論出「他忽略了中國歷史內部的規律性，把外力當作唯一的原因，這顯然是回避中國社會內部現實矛盾的研究。」以及艾思奇推論的「中國歷史的發展因為不合規律，我們今後的實踐不必顧慮到中國社會現實的情形和客觀的需要，只要任意地把外國的東西搬進來就行了」。對此，葉青指出這些推論完全錯誤。他說陳對於他的推論不合邏輯。而針對艾思奇的推論，他說任意地把外國東西搬進來與中國從封建文化過到近代文化由於外力，顯然是兩回事。對於讀外國書，是不是會使中國青年對於中國本國底情形完全不管呢？他認為不會這樣。他說「外國書不僅不叫我們拋棄中國現實，而且不曾叫我們拋棄中國歷史。」最後，他進一步指出，他所說的外國書，只能從地域上說或者著者底生長地說才是外國書，實則是人類底遺產，且為我們生活所必需。他更指出就是「敘述外國歷史和社會的著作，對於我們底知識有推廣作用、對於我們底實踐有參考作用，對於我們底研究有方法作用。」「只有在二十世紀還有民族的偏狹性和偏見的人，才把書底國界看得很嚴，而以讀外國書為危機。只有對現在的研究方法一無所知的人，才不知道讀外國書的必要。然而事情可能並非如此的簡單，正如耿雲志所言：「近代中國的文化復興問題，是緊緊地與救國圖強的問題聯繫在一起的，要救國，要圖強，建立民族自信心是絕對必要的，強調西化的人，極力要人相信西方文化的優勝，要人相信中國固有文化幾乎處處不如人。這在普通人那裏，確有損及民族自信心的可能，所以

㉚ 葉青：〈反讀經論中的問題〉，《讀經問題》，頁 74-79。

有些並非頑固守舊的人特別關注弘揚中國傳統文化，以增強民族自信心，但從另一個方面看，這樣著力強調弘揚中國傳統文化，也確會滋長類似頑固派那種故步自封，妄自尊大的心理，使民族自信心不是建立在真實可靠的基礎上，這確實是一個實踐上難以恰當地加以解決的矛盾。[31]到底是讀經呢？還是讀外國書呢？就體現了這種在實踐中難以恰當加以解決的矛盾。

論爭的最後，葉青並沒有心平氣和，他乾脆說陳蘆秋和艾思奇，都是同樣地於理論無知。以盲導盲，錯做一路。他們都不自覺他走上了修正主義的道路。相比於陳蘆秋和艾思奇在文章中處處以葉青先生相稱，葉青的這篇文章可以說帶有很大的討伐味道了。[32]

從以上葉青和艾思奇、陳蘆秋的爭論我們可以看出，他們主要圍繞著中國的歷史發展是否是合規律的以及中國近代的歷史是否是外鑠的這兩個問題展開。

關於中國的歷史發展是否是合規律的，首先在歷史是否有規律的問題上，爭辯雙方其實並沒有什麼不一致，他們都認為歷史是有規律可循的。關鍵的分歧是落實在中國的歷史尤其是中國近代的歷史上，葉青認為中國的歷史發展是沒有規律的。而艾思奇等認為中國的歷史發展是合規律的。其實，不管葉青所認為的中國的歷史是沒規律的也好，還是艾思奇等認為中國的歷史發展是合規律的也罷，他們口中所說的「規律」，都是以西方為參照標準的。這個規律也是由西方的歷史所總結出來的。然而這種規律到底是歷史確實存在的還只是學者們在歷史著述時對歷史的一種解釋方式而已？時至今日，關於中國近代史的線索問題（其實也就是對中國近代歷史的規律的把握問題）已經形成了「革命模式」和「近代化模式」兩種比較成熟的模式，可以說這些模式都是對中國近代歷史有規律可循的探索。然而，在另一方面，章清指出「中國近代歷史的『多個世界』，及其所呈現的『多歧性』的特質，今日以成研究中國近代史學的共識。」[33]那麼多歧性不正是對歷史規律的消解嗎？

---

[31] 耿雲志：《胡適新論》，北京市：人民大學出版社，2010年3月，頁41。

[32] 葉青：〈反讀經論中的問題〉，《讀經問題》，頁80-83。

[33] 章清：〈五四思想界：中心與邊緣——《新青年》及新文化運動的閱讀個案〉，《近代史研究》，2010年第3期，頁56。關於此理論參見羅志田〈新舊之間：近代中國的多個世界及「失語」群體〉，《四川大學學報》1999年第6期；〈見之於行事：中國近代史研究的可能

由此可見，當年的爭論在如今仍然以不同的形式存在。

關於中國近代歷史的發展是否是外鑠的，換言之也就是中國近代歷史的發展是受外力的作用大還是受內力的作用大，葉青和艾思奇也有著不同的答案。但是兩者的爭論卻可能並不是直接的，甚至是文不對題的。因為，葉青固然強調外力的作用，但是他也沒有忘記過中國此時此地的需要。所以艾思奇說葉青將外力看作唯一的問題，顯然是片面的，可能僅僅是針對葉青在這篇文章中強調中國歷史的外鑠和應該大量地介紹外國書籍進入中國有關，而對於葉青在〈對於本文文化運動的運動的意見〉中的觀點或者沒有看到或者是視而不見。而艾思奇強調讀書要以解決現實問題為標準，與葉青所說並無多大差別，他只是擔心出現「洋式秀才」的危險。這種擔心在當時可能是一些有識之士普遍具有的觀念。然而對於到底側重外力還是內力，卻成為了研究中國近代史的另一個持續不斷爭論的問題。蔣廷黻在他的《中國近代史》序言中說：「現在我們要研究我們的近代史，我們要注意帝國主義如何壓迫我們。我們要仔細研究每一個時期內的抵抗方案。我們尤其要分析每一個方案成敗的程度和原因。」㉞沈渭濱指出他的這個分析框架，可以說是後來以費正清為代表的美國中國學常用的「衝擊－反應」模式的中國版，只是沒有達到範式化的程度而已！㉟而此後的費正清的「衝擊－反應」模式以及弟子柯文的《在中國發現歷史——中國中心觀在美國的興起》則是對這個問題的進一步探討。

其實這兩個問題都與讀經有著密切的聯繫。讀經從文化角度看，是對傳統文化的一種認可，所以如果是注重中國歷史發展的規律，注重中國歷史的內因，那麼對於讀經應該是比較認可的，但是在實際爭論中，情形恰並非如此。葉青的〈對於讀經問題的意見〉的長文最後涉及到文化復興和民族復興的問題，下面將介紹與分析他的文化復興的觀點。

走向〉，《歷史研究》2002 年第 1 期。

㉞ 蔣廷黻：《中國近代史》，上海市：上海古籍出版社，2006 年 11 月，頁 4。

㉟ 沈渭濱：〈蔣廷黻《中國近代史》導讀——兼論中國近代通史體系的推陳出新〉，《中國近代史》，上海市：上海古籍出版社，2006 年 11 月，頁 38。

三、文化復興

葉青認為「文化復興和民族復興都另有其正當的途徑，與讀經沒有關係。」葉青既然認為讀經不是文化復興的正途，那麼他對文化復興又是怎樣理解的？他所認為的文化復興的正途又是什麼呢？

葉青的文化復興的定義是頗為獨特的，他認為文化復興就是「大量地和系統地『介紹』歐美底哲學、科學、文學等著作，把我們近代化。換言之，就是趕上人家。」葉青進一步指出「復興文化不能止於介紹，必須還要有所創造。所謂的創造就是介紹和理解歐洲文化。而文化復興與讀經是沒有關係的，讀經是文化復古。」[36]

在讀經之爭如火如荼的同時，關於中國本位文化的討論也正在熱烈的進行當中。中國本位文化和中國的文化復興有著密切的聯繫。宋小慶、梁麗萍所著的《中國本位文化問題的討論》一書中，將葉青對中國本位文化的主張稱之為以中國此時此地的需要為本位。他們認為葉青在解釋中國本位論時，刻意地將其與他所指的頑固、守舊的國家主義相區別，可謂抓住了關鍵。但是，儘管葉青也不得不承認，宣言只是側重於原則的提出，「它說了此地的中國和現代中國的需要，並沒有說此時為何時，此地為何地，需要為何種。儘管他的文章中使用了諸如實在論、辯證法、現實性、特殊性等一系列的詞彙來進行解說，可是在讀完他的文章之後，對於到底什麼是本位，什麼是中國此時此地的需要，人們依舊很難形成一個明確的概念。中國本位的抽象、模糊，正是關注本位文化建設運動的人感到最為不滿的一點。」[37]其實這點似乎還存在可以商榷的地方，僅從作者引用的這段話來看，這種說法似乎是可以成立的。但是若聯繫到本位的上下文以及葉青的其他文章，我們似乎可以看到葉青對於文化建設有著自己的一套系統的理論。因為在他看來關於中國文化的建設，一種是主張採取歐洲文化，一種是主張保守中國文化，「採取歐洲文化的意見在事實上已經勝利。」但是經歷了很多的曲折，而且主張保守中國文化的勢力時常有抬頭，所以導致這兩種意見還在爭論，沒有解決。這裏似乎存在著矛盾，葉青首先說事實上前一種意見已經取得了勝利，但是接著又說兩種意見還在爭論，沒有解

[36] 何炳松主編：《教育雜誌》，頁 129-130。

[37] 宋小慶、梁麗萍：《關於中國本位文化問題的討論》，頁 123-124。

決。他後面所說的「目前的中國處於一種長期的變動時代中，任何一種都還沒有定型化。而且任何一種都在奮鬥，以取得生長繁榮的機會。」這說明採用歐化的勝利還是不穩固的，它時時受到保守中國文化的反攻，所以還沒有解決。而對於葉青來說，他所倡導的文化，其實就是「大量地和系統地『介紹』歐美底哲學、科學、文學等著作，把我們近代化。」而且在介紹的基礎上根據我們此時此地進行創造。而這種本位文化其實和全盤西化又似乎沒有多大的區別了。[38]

然而實際上，葉青所提倡的全盤西化似的本位文化與胡適、陳序經的全盤西化還是不同的。[39]他對胡適、陳序經等的全盤西化論進行了駁斥，他認為「全盤西化論是思想界的投降帝國主義論，是文化的殖民地論。」[40]葉青認為他們只是在介紹而不承認我們能創造。他進一步指出「胡適、陳序經、梁實秋等所介紹的，表面叫西洋文化，其實即資本主義文化——帝國主義文化。他們隨後跟著走，一輩子都只是步人家的後塵，當然感覺不到創造。」「這在從前是進步的，有文藝復興的價值，在現在便是保守的東西了。」所以葉青認為他與胡適等的區別就在於他認為中國可以進行文化創造。他通過法國、德國以及俄國文化創造的例子指出「後進國在文化上有貢獻，簡直成了一個法則。」之所以後進國能有文化上的創造這是因為能夠從「歷史的尖端出發」，換言之「從先進國家所暗示的發展方向出發。」這樣才能「迎頭趕上去。」所以「在文化方面要有創造作用，便必須從社會主義出發。」「它在西方是方興的，急待人去發揮創造力。歸根到底也就是葉青是「絕然主張社會主義文化，而排斥資本主義文化。」[41]

葉青在批評胡適所表現的對西方文化的態度引起了李麥麥的反批評。李認為「葉青批評胡適輩在接受西洋文化時不知排除其頹廢成分和作為帝國主義侵略工具

---

[38] 何炳松主編：《教育雜誌》，頁 129-130。

[39] 當然胡適與陳序經的全盤西化思想也是有異有同，具體分別可參看趙立彬的《民族立場與現代追求：20 世紀 20-40 年代全盤西化思潮》（北京市：生活・讀書・新知三聯書店，2005 年），頁 136-140。

[40] 葉青：〈全盤西化？殖民地化？〉，《申報》，1935 年 6 月 22 日。本段未注明出處的引用均採自本文。

[41] 李麥麥：《目前文化運動的性質》，北京市：文苑出版社，1938 年，序言，頁 1。

的文化，這是對的，但由這一前提得出根本否定西洋文化對中國目前之適應，其錯誤實比胡適更甚。」㊷李麥麥認為葉青將西洋文化或者歐洲文化說成就是帝國主義文化，這個公式太過簡單，「把文化之無限的複雜性多樣性嵌入到這樣一個簡單的公式中，然後再加以否定，是不容許的。」他接著指出由於「葉青錯誤的估計了西洋文化」「不接受資本卜土義文化的巨大遺產而想重新另創新的文化」從而「對目前有非常意義的西洋文化思想的介紹工作盲目的加以輕視而陶醉於幻想的創造。」李麥麥認為「葉青對西洋文化採取這種驕傲和輕視的態度是完全不對的。」

李麥麥在批評了葉青的主要觀點之後，又表明了自己對文化創造和介紹的觀點。他認為介紹（模仿）和創造的區別「就是當一個人自己手邊已經有一種完美的工具時，他就不必再費神來創造什麼新工具。僅有在已有的工具不夠用或者有若干不適應時，他或者是對原有的工具加以修改，或者重新創造一種，使其更適合自己的需要。這樣，創造就分有介紹或代替介紹兩種。」在李麥麥的認知中「葉青是辯證唯物論者」，所以他認為葉青「應該能比國粹派和自由主義者能徹底的接受革命的資本主義文化，而不是無條件的輕視資本主義文化。」當時李麥麥和葉青的關係還不錯，所以李的這篇文章雖然從自己的視角上指出了葉青的錯誤，但是更多的是對葉青的一種建議。他在附注中說：「讀了友人葉青在《申報・出版界》上的文章，我覺得我們的口頭討論已發生了效果，葉青在理論上已經承認應取得西洋文化傳統。」後來葉青又作長文反駁李麥麥，所以當李麥麥再次把這篇文章收入他的《目前的文化運動的性質》一書中，便將這條附注刪掉了。

此後不久，李麥麥又連續在《中報・出版界》發表了〈論介紹之重要〉等文章，繼續對葉青的觀點進行批評，從而使葉青感到有必要將自己對西方文化的態度做系統地闡述並且對李麥麥的批判展開反擊，由此他寫了〈我對於西洋文化的態度——答李建芳君〉長文。

首先葉青再次介紹了它對中國文化的觀點，他說：「平心靜氣的說，中國文化也自有其價值，可以說是封建時代的模型，也許是最完美的一個。然而時代過去

㊷ 李建芳（李麥麥）：〈評葉青對西洋文化的態度〉，《文化建設》1935 年第 1 卷第 11 期，頁 60。

了，中國文化的價值只是歷史的——人類進化史上才有其地位，因此我們應該把中國文化放在歷史博物館內的奴隸時代之後，資本時代之前。而在當時，中國文化已經顛覆了。但是仍然有人為它「復辟」，葉青指出「今年的讀經現象就是中國文化復辟的現實的好例子。」然而在葉青看來「中國文化的顛覆是自然的事實」，「一切『復辟』的企圖，不過是它行將完全斷氣的哀鳴罷了。」㊸由於中國文化已經顛覆，所以中國文化的繼續就要依靠「介紹西洋文化」。葉青簡單地回顧了「戊戌時代的文化運動」以及「五四時代的文化運動」的介紹西洋文化的情況。並且特別指出國民革命以後開始出現新的文化運動，即社會科學運動。更為關鍵的是，葉青認為我們「從介紹中獲得了新的方法」。有了這種「新的方法」我們可以「重新估定西洋文化的價值。」「因此，我們今天的職志不是像從前那樣歡迎『洋貨』，排斥『土貨』，自然也不是提倡『提倡土貨』，拒絕『洋貨』，而是用介紹西洋文化中所獲得的新理論即全世界人類文化的最高成果——自然、社會、思維三界綜合的新理論作一科學的批判。舉凡從外國舶來的『洋貨』與由中國本地製造的土貨，都要加以檢討。於是這就涉及到否定西洋文化的問題。葉青特別強調他所說的否定來自黑格爾，並不是簡單的「拋棄」的意思，而是包含「拋棄」、「保存」、「昂揚」的意思。具體來講，他所說的否定西洋文化就是指「拋棄西方文化中的資本主義成分」，而「保存它的社會主義成分」。除了選擇拋棄和保存以外，就是創造了。對此葉青在此重申了他以往的觀點，那就是創造要「從歷史發展的尖端出發，明白的說就是從先進國家所暗示的發展方向出發。」㊹最後，葉青也承認在當時的中國對西洋文化的介紹仍然是必不可少的。

李麥麥和葉青的主要分歧有兩點：其一，葉青是主張社會主義文化的，而李麥麥是主張資本主義文化的。其二，就是葉青在對文化的介紹和創造的關係上更側重於後者，而李麥麥則更側重於後者。在爭論中，雙方都試圖對西方文化自身進行區

㊸ 葉青：〈我對於西洋文化的態度——答李建芳君〉，《文化建設》1936 年第 2 卷第 4 期，頁 19-20。

㊹ 本段，葉青：〈我對於西洋文化的態度——答李建芳君〉，《文化建設》1936 年第 2 卷第 4 期，頁 21-31。

分，但是依然存在著不少文不對題的地方。㊺

四、餘論

1937年讀經之爭再起，葉青這次卻不準備寫了。因為他覺得1935年他關於讀經問題的文字還是「活生生的」，完全可用於現在，只要把他們編成一本書就可以了。而且他與朋友們談到這個想法時也得到大家的贊成，所以他就編輯了《讀經問題》這本書。在這本書中，除了他自己的〈我對於讀經問題的意見〉、〈反讀經論中的問題〉、〈孔丘論〉之外，還有傅斯年的〈論學校讀經〉、胡適的〈我們今日還不配讀經〉以及李麥麥的〈與胡適談讀經〉，這幾篇文章在當時都產生了廣泛的影響，引起了熱烈的爭論。在這個書的序言裏，葉青對於三年之內出現了兩次讀經之爭的原因進行了分析，他認為這是由於當時中國的社會情形造成的。「具體的說明，就因為中國在由封建到資本的時代，有一部分人戀舊，有一部分人維新，因而反映在教育上就有主張讀經與反讀經兩種意見，互相爭論。而這個時代，在中國相當長久，所以讀經問題總是不斷提出。我相信今年還不一定是最後的一次呢！」㊻

葉青主張把反對讀經看作反對封建思想或反對封建文化主要的和具體的工作。而他的這本《讀經問題》，就是今天繼續五四文化運動事業，執行其反封建思想的任務，從文化上謀民族解放之一種方法。

葉青對讀經問題的參與和爭論，涉及到對中國近代歷史的一些重大問題的思考和討論，關於如何認識近代文化，如何實現中國的文化復興和民族復興，關於如何認識中國的近代歷史，中國近代歷史到底是外鑠的還是內因大於外因，關於如何對待中國傳統文化，中國的經書該如何處理，它們在現代中國文化中的地位是怎樣的，這一系列問題，葉青都進行了思考，與時人進行了辯論，並給出了自己的答案。通過他們的爭論，我們可以發現當時人們觀念中的同中之異，異中之同，可以說他們的爭論並非完全對立。而且這些問題，也是近代中國人們一直在關心的問

㊺ 關於二人爭論更詳細的敘述和分析，可參看宋小慶、梁麗萍的《關於中國本位文化問題的討論》，頁366-379。

㊻ 葉青：《讀經問題》，頁3-4。

題，而且對他們的興趣可謂持久不衰，對這些問題的爭論，時至今日，依然如故。或許這些問題並不會有什麼完美的一致的答案。但是，近代以來的讀經論爭確實可以給我們當今的讀經爭論提供一定的參考。

經 學 研 究 論 叢
第 十 九 輯　　頁55～80
臺灣學生書局　2011 年 11 月

《書集傳》作者陳大猷籍里及學派歸屬考論

陳良中*

陳大猷撰有《尚書集傳》十二卷，《宋史・藝文志》不載此書，然頗盛行於宋季。朱彝尊《經義考》曰「未見」，但認為「其書雖失，或尚存人間」❶。瞿鏞《鐵琴銅劍樓藏書目》載有此書，劉起釪先生《尚書學史》、蔡根祥先生《宋代尚書學案》均以為此書不存，許華峰博士《董鼎書傳輯錄纂注研究》對董鼎引用陳大猷《書集傳》處做了簡略探討，語焉不詳，近代以來治《尚書》幾乎無人提及此書。此書宋理宗嘉熙二年（1238）上奏朝廷，解《書》仿朱子注《四書》例，《集傳》、《或問》互為補充。又仿呂祖謙《讀詩記》例，雜取諸家間下己意，保留了時賢大量《書》說內容，如存王安石說二百六十八條，張綱《書》說一百五十五條，史料價值彌足珍貴。但從朱彝尊以來，關於是書作者籍貫及其學派歸屬的爭論由於未見原書多為臆說，今詳繹是書，鉤玄提要，務期以證據論明陳大猷籍里與學派歸屬問題。

---

* 陳良中，重慶師範大學文學院副教授。

❶ 朱彝尊：《經義考》（北京：中華書局，1998 年），卷 83，頁 461。

一、陳大猷生平資料述考

㈠東陽陳大猷生平資料

關於東陽陳大猷生平學術的史料，最早可見於元吳師道（1283－1344）《敬鄉錄》，是書卷十三記載云：

> 陳大猷，東陽人，紹定己丑（1229）進士，著《書集傳》，采輯群言，附以己意。李文清公宗勉為序，由從仕郎兩浙轉運司準備差遣除六部架閣。宋季其說盛行云。（江蘇省圖書館藏清抄本）

吳師道為金華蘭溪人，地近磐安，離陳大猷生年不遠，記載當可信。《敬鄉錄》簡略記載了陳大猷生平及著述，但《敬鄉錄》有不同的版本，記載有差異。文淵閣四庫本、江蘇省圖書館藏清抄本，缺陳大猷字號。浙江圖書館藏文瀾閣傳抄本《適園叢書》民國五年（1915）刻本《敬鄉錄》載「陳大猷，字文獻，號東齋」，《叢書集成續編》本用《適園叢書》本，陳大猷字號當為後人所加，不足憑信。明代應廷育（1497－1578）《金華先民傳》卷七《文學傳》云：

> 陳大猷，東陽人，登紹定二年（1229）進士，由從仕郎兩浙都運司準備差遣除六部架閣卒。著《書集傳》，用朱子釋經法，仿呂東萊《讀詩記》，采輯群言，附以己意。宋季其說盛行。經傳中曰「東齋陳氏」，即大猷也。世稱為東齋先生，今祀本府賢祠。（浙江圖書館藏民國十三年《續金華叢書》夢選廔刻本）

應廷育乃永康芝英人，地近磐安，為鄉賢作傳，當有足夠的資料可供采信。吳、應二人記載的陳大猷官職與陳大猷《進書集傳上表》及中書門下後省《看詳申狀》所載稱陳大猷官職「從事郎前宜差充兩浙路轉運司準備差遣」❷相合，應氏首先提到

❷ 陳大猷：《書集傳》（上海：上海古籍出版社影印國家圖書館藏元刻本，2003 年），《續修四庫全書・經部》第 42 冊，頁 3。

了陳大猷號「東齋」。

朱彝尊（1629－1709）《經義考》卷八十三《書集傳或問》下引張云章語云：

> 大猷，東陽人，登紹興（按當為「定」）二年進士，由從仕郎歷六部架閣。《宋史》無傳，《藝文志》亦不載此書，然頗盛行於宋季。今《集傳》不可得見，而《或問》猶存。考其所作之旨，亦猶紫陽《四書集注》之外別為《或問》一書也。又同時有都昌陳大猷，號東齋。饒雙峰弟子，著《書傳會通》，仕為黃州軍州判官，乃陳澔之父，與東陽陳氏實為兩人。（朱彝尊《經義考》卷八三，中華書局，1998 年，頁 461）

張云章所載都昌陳大猷與應廷育所載東陽陳大猷同號東齋。朱彝尊《經義考》卷八十三著錄都昌陳大猷著作為《東齋書傳會通》。清代黃虞稷《千頃堂書目》卷一著錄陳大猷《書傳會通》十一卷、《書集說或問》二卷。注云：「東陽人，其書用朱子釋經法，呂成公《讀書記》例，采輯群言附以己意。」❸所載書名與以上資料都不同。《浙江通志》卷二百四十一《經籍》著錄有陳大猷《書傳會通》十一卷，《集說或問》二卷。《大清一統志》卷二百四十三、《江西通志》卷九十一著錄有都昌陳大猷《尚書集傳》。檢索書志所載東陽陳大猷與都昌陳大猷，二人的號及著作常混淆不清。

㈡學界對《書集傳》作者的疑辨

從現有的材料看，朱彝尊著首先對《書集傳》作者提出了質疑，他引張云章語斷《書集傳》、《書集傳或問》為東陽陳大猷之作後，復加按語云：

> 葉文莊《菉竹堂書目》有陳大猷《尚書集傳》一十四冊，西亭王孫萬卷堂目亦有之，其書雖失，或尚存人間，未知其為東陽陳氏之書與？抑都昌陳氏之書與？考鄱陽董氏《書纂注》列引用姓氏，於陳氏《書集傳》特注明東齋字，正未可定為東陽陳氏之書而非都昌陳氏所撰也。（朱彝尊《經義考》卷

---

❸ 黃虞稷：《千頃堂書目》（上海：上海古籍出版社，2001 年），卷 1，頁 24。

八三，中華書局，1998 年，頁 461）

朱彝尊懷疑《書集傳》作者非東陽陳大猷，而是都昌陳大猷。朱彝尊這一判斷來自於元董鼎《書傳輯錄纂注》引用材料，是書首《纂注引用諸家姓氏》著錄有陳氏《集傳》，注其名號云：「大猷，東齋」，書中引用有「陳氏大猷」、「東齋集傳」，但朱彝尊並未詳考董鼎《書傳輯錄纂注》。四庫館臣認定是書作者為東陽陳大猷，不贊同朱彝尊說法，結論是正確的，但證據是站不住腳的。（詳下節論述）

㈢《陳氏宗譜》有關陳大猷的記載

1.東陽諸派《陳氏宗譜》所載陳大猷資料

今查家乘，《松門陳氏宗譜》、《安文陳氏宗譜》、《山澤陳氏宗譜》、《東陽樫溪陳氏宗譜》都有關於陳大猷的資料記載，但所載頗為駁雜。《松門陳氏宗譜》載陳大猷（1059－1126）云：「字嘉謨，登紹聖丁丑（1097 年）進士，授兩浙都轉運使，升六部架閣侍郎。……生宋嘉佑己亥（1059 年）正月初一日，卒靖康丙午（1126 年）十一月廿四日。」娶夫人羅氏，合葬東溪北岩。有子二：繼周、繼亨，名與《安文陳氏宗譜》、《樫溪陳氏宗譜》同。合理的推論是北宋實有一陳大猷，為松門陳氏始祖，此陳大猷與《書集傳》、《書集傳或問》作者無關，宗譜亦未見其著述記載。

《山澤陳氏宗譜》載陳大猷（1176－1256），諱忠泰，號東齋，大猷為其宦名。《東陽陳氏宗源流》云：「文培公生忠泰，宦名大猷，號東齋先生，……歷官六部架閣，以吏部侍郎致政。」光緒庚子年（1900）重修《東陽陳氏宗譜》（今《山澤陳氏宗譜》祖譜）所載陳大猷生淳熙丙申（1176）正月十四日子時，卒寶祐丙辰（1256 年）十二月廿二日亥時，「諱忠泰，宦名大猷，號東齋。登宋紹定二年（1229）己丑科進士，初任兩浙都轉運使差遣，升兵部架閣侍郎，山澤之祖。」夫人胡氏，贈太宜人。陳大猷與夫人胡氏合葬三十都五保箬崗上蔡眠犬（以山形得名，在今磐安縣尚湖鎮山澤村）。有子五人：存正、存德、存禮、存忠、存心。存德，宦名謙亨，號懷齋，登宋淳祐二年（1242）進士。

而《東陽樫溪陳氏宗譜》所載陳大猷（1196－1275）資料最詳實，亦多不可信。謂陳大猷，字子謨，號東齋。有德祐二年（1276）兩淮制置大使加參知政事右丞相李庭芝撰《東齋陳公墓誌銘》云：「公諱大猷，字子謨，號東齋，吳寧根溪人。紹定己丑（1129）登進士第。……纂注經籍，作詩文以推獎後進，天子器重之。庚寅三年（1130），出受江州刺史……尋加鹽運司副使，又兼管四川軍事。……淳祐二年（1242）征詔……拜吏部左侍郎，……章疏數十萬言，使黨禁盡開……寶祐元年（1253）除吏部左侍郎，升六部架閣尚書，居相位。惟公修《虞書》之考績，舉漢代之課第，時分部所系於公尤重……竟於恭宗德祐元年（1175）十一月旬後二日薨於正寢，葬於瑞山鄉之九平寺後（按九平寺在今浙江磐安安文鎮菜市場，據宗子陳新希先生說陳大猷遷葬眠犬），享年八十。……公娶呂氏封秦國夫人，繼娶馬氏封楚國夫人。……有二子，長諱繼周，監察御史。幼諱謙亨，兵部左侍郎。」按李庭芝德佑元年庭芝參知政事，七月以知樞密院事。六部架閣尚書乃主管吏曹文牘之官，非宰相之職。《墓誌銘》稱陳大猷官職「架閣尚書贈太子太傅同平章軍國事太師」，實位至宰相，但陳大猷居相位不見史傳所載，當為後裔誇大不實之詞。《樫溪陳氏宗譜》又有咸淳辛未（1271）甯武州司戶參軍建陽勿軒熊禾撰《行顯三十尚書東齋公行略》云：「陳公諱大猷，字子謨，號東齋」，稱其「洞先秦右史之書」，即精通《尚書》之意。按熊禾（1247－1312），字去非，號勿軒，又號退齋，建陽人，輔廣弟子。登宋度宗咸淳十年（1274）進士，授甯武州司戶參軍。此《行略》寫於陳大猷生前，不太合情理。又撰寫之年熊禾尚未中進士，亦未授官，此當為假託。

《安文陳氏宗譜》載陳大猷諱大猷，字允升，號東齋。民國戊午年（1938）修《安文陳氏宗譜》載《東溪派世系》云：「大猷，行十六，紹定己丑進士，崇祀郡鄉賢。子二人，南壽、南金。南金，榜諱謙亨，淳祐辛丑進士，為松門派祖。」二〇〇三年修《安文陳氏宗譜》載有清乾隆戊寅（1758）陳修儒所撰《捐修東齋公鄉賢祠記略》云：「先生諱大猷，字允升，號東齋，登宋紹定二年己丑黃朴榜進士，仕至兵部侍郎。子謙亨公繼登淳祐元年辛丑徐嚴夫榜進士，任富陽縣令，文學政事父子濟美，名重一時。東齋公志潔行芳，經術奄貫，嘗仿朱子釋經法及呂成公讀《詩》例，采輯群言，附以己見，著《尚書集傳》一編。宋季其說大行，即今壁經中所引陳大猷諸條是也。」新修譜采多派宗譜而成，自亂體例。

諸家宗譜都有作偽情況，如《松門陳氏宗譜》載有倪千里陳大猷畫像贊，稱「同寅倪千里拜贈」。倪千里為東陽人，淳熙十四年（1187）進士，甯宗朝位列監察御史。所謂「同寅」或為同庚，或為同僚，任取一意均與此譜所載陳大猷生平年代不合。《東陽陳氏宗譜》有紹定三年（1230）八月十五日授陳大猷華蓋殿大學士、護國金紫光祿大夫詔書。而華蓋殿大學士為明代洪武十五年（1382）設置，此一詔書無疑是偽造。《東陽樫溪陳氏宗譜》作偽最嚴重，《墓誌銘》、《行略》以及九份詔書多不可信。《安文陳氏宗譜》有《上理宗皇帝書》、《上度宗皇帝請除黨禁書》、文天祥《大猷公畫像贊》。寧宗嘉泰二年（1202）二月復趙汝愚資政殿學士，黨人之見在者先後復官，閏十二月制復周必大少傅，留正少保，嗣後偽禁稍解。理宗朝已除黨禁，何待度宗朝猶上書請除？

從眾宗譜紛繁錯雜的記載來看，東陽陳大猷號「東齋」，歷官兩浙都轉運使，升六部架閣侍郎，記載大都相同，合於《進書集傳上表》、《後省看詳申狀》、吳師道《敬鄉錄》、應廷育《金華先民傳》所載。都有一個中進士的兒子謙亨。綜核諸宗譜所載，筆者傾向於較忠實的《山澤陳氏宗譜》所載陳大猷為《書集傳》、《書集傳或問》作者。陳大猷與夫人胡氏墓地在磐安縣尚湖鎮山澤村眠犬山，與史料合。安文陳氏認為陳大猷墓地乃由九平寺遷葬於眠犬。

2.都昌《義門陳氏宗譜》所載陳大猷資料

光緒八年（1182）重修《義門陳氏宗譜》❹載《都昌繼銘公派下各莊祖系》陳大猷（1224－？），父陳炳，號奮豫，登淳佑四年（1244）進

❹ 按《義門陳氏宗譜》是南京陳剛先生 2010 年 1 月 30 日購於福州陶然居書店，有破損。目前已經捐給上海圖書館譜牒研究中心收藏。

士，任泗州幹理。陳大猷，字文獻，號東齋，登開慶己未年（1259）進士。官至通直郎，釋《禮記》，注《書經》。雙峰饒魯、勉齋黃幹授受師友也。公生於嘉定甲申年（1224），墓葬馬陂阪東山。取袁氏，有子二人：陳澔、陳浚。陳澔為著名經學家，有《禮記集說》，明代定為科舉用書。

《都昌縣誌》卷三七《人物》第一章第二節有關元代著名禮學家陳澔介紹云：「父陳大猷，字文獻，號東齋，宋開慶元年（1259）進士及第，歷仕至從政郎，後遷黃州軍判官。晚年辦東齋書院，閉門教學，著有《尚書集傳》、《詩經集說》行世。」❺

可以肯定都昌陳大猷，字文獻，號「東齋」，著作《尚書集傳》只是《尚書集傳會通》的簡稱，而不是今傳本《尚書集傳》。

㈣結論

按核今存《書集傳》與《書集傳或問》其內容是相照應的，《集傳》所注「詳見《或問》」，基本能在《或問》中找到相關論述。《或問》云「見《集傳》」處也能在《書集傳》中找到相關內容，可以肯定二書作者為一人，且《書集傳》為十二卷。十一卷《書傳會通》與《書集傳或問》非同一人之作。

從時間上看，陳大猷嘉熙二年（1238）上奏《書集傳》於朝廷，此時都昌陳大猷才十五歲，不可能注成《書集傳》，所以朱彝尊的懷疑是完全可以排除的。因此《書集傳》作者肯定是東陽陳大猷，筆者傾向於《山澤陳氏宗譜》記載，即陳大猷，諱忠泰，號東齋，大猷為宦名。一是因為陳大猷墓地在山澤村眠犬，一是《山澤譜》較少作偽。但其生平依舊存在有較多分歧。筆者掌握的現有資料還不能完全解決這一問題，有待來者。

從二陳大猷字型大小來看，都昌陳大猷字文獻，東陽陳大猷字尚難確斷。東陽諸派《陳氏宗譜》所載陳大猷號均為「東齋」，都昌《義門陳氏宗譜》所載陳大猷亦號東齋，山澤村陳氏宗祠有「東齋書院」匾額，毀於文革。據《都昌縣誌》載都昌陳大猷晚年亦辦有東齋書院。從材料看，大致可以肯定兩人均號東齋。正由於二人號相同，且著作名相近，才導致了數百年來學界的混亂認識。

---

❺ 江西省都昌縣縣誌編修委員會編：《都昌縣誌》（北京：新華出版社，1993年），頁522。

從書名來看，古人稱書名多用簡稱，都昌陳大猷《尚書集傳會通》可以簡稱《書集傳》。又有的人習慣加著者之號，故有《東齋集傳》之稱。詳考董鼎《書傳輯錄纂注》所引《東齋集傳》說二十二則，二則由於《書集傳》殘缺無法考證，一則《書集傳》和《書集傳或問》中均不見，十九則皆為《書集傳》中引用之朱子語。這種情況說明，董鼎《書傳輯錄纂注》所引《東齋集傳》與陳氏大猷不是一人，陳氏大猷說確指東陽陳大猷《書集傳》，而《東齋集傳》應當是朱子三傳弟子都昌陳大猷《東齋尚書集傳會通》。

二、陳大猷學派歸宿考論

關於陳大猷學派歸屬問題，四庫館臣據陳大猷論《堯典》「敬」字一條，首舉「心之精神謂之聖」，認定其學出於楊簡，傳金溪一派學脈。蔡根祥先生《宋代尚書學案》據《書集傳或問》「稱引程伊川、朱晦庵最力」❻，歸其於《晦翁尚書學案》。由於四庫館臣和蔡根祥均未見《書集傳》一書，二說皆失據。

㈠四庫館臣觀點考辨

我們先看四庫館臣的論述是否成立，《尚書集傳或問提要》云：

> 陳大猷為理宗初人，故所引諸家僅及蔡沈而止，其稱朱子曰朱氏、晦庵氏，持論頗示異同。至論《堯典》「敬」字一條，首舉「心之精神謂之聖」，此《孔叢子》之語而楊簡標為宗旨者，其學出慈湖更無疑義。（永瑢等《四庫全書總目提要》，中華書局，1965 年，頁 95）

四庫館臣此段文字概為臆說，首先陳大猷與朱子說立異是不能成立的，《書集傳》引朱子說一百三十六則，無完全反對朱子之說，或以朱子說補充他人之說，或以他人之說補充朱子之論，大多是直接引用朱子之說。《或問》引朱子（稱朱氏或晦庵）說二十五則，不贊同者僅四則。如陳大猷不取朱子「賁若草木，兆民允殖」之

❻ 蔡根祥：《宋代尚書學案》（臺北：花木蘭文化出版社，2006 年），《古典文獻研究輯刊》第三編 13 冊，頁 630。

解，認為與上文重迭，與下文不相串，不若夏氏之說。❼陳大猷不贊同朱子《洛書》自一至九而無文字之說，認為與經言「錫九疇」不符。《梓材》篇解「明德」不用朱子「心之虛靈知覺為明德」說，陳大猷認為此說是以智言之，但「非智之一端所能盡」，因為「仁、義、禮、智皆為明德」。❽據此可知陳大猷是尊朱子說的，不贊同朱子處極少，如此則四庫館臣之說乃向壁鑿空。

其次，四庫館臣以陳大猷解「《堯典》『敬』字一條為例，謂其首舉心之精神謂之聖」，此語見於陳大猷《書集傳或問》，而《書集傳》卻不見此語。四庫館臣為了坐實為東陽陳大猷，乃謂「此《孔叢子》之語而楊簡標為宗旨者，其學出慈湖更無疑義」，此說出於臆斷。請詳看《或問》卷上陳大猷的論述，辭云：

> 或問東萊謂敬乃百聖相傳第一字，其義何如？而人之於敬若何而用力邪？曰：心之精神是謂聖。蓋心者，神明之宗也，所以具萬理，靈萬物，應萬事，是為斯道之統會也。故天地廣矣，而此心包乎天地。鬼神幽矣，而此心通乎鬼神。八極至藐，此心倏然而可遊，萬里至遠，此心俄然而可到。斂之不盈握，舒之彌六合，不疾而速，不行而至，此天下之至神也。然出入無時，莫知其鄉，操之則存，舍之則亡。心不在焉，泰華聳前而目不見，雷霆震後而耳不聞，不火而熱，不冰而寒，須臾有間，天壤易位，孰主其主而宰其宰哉？亦曰敬而已。敬者，心法也。即文王所謂宅心也，即孟子所謂存其心、求放心也，即揚子云所謂存神而神不外也，即程子所謂主一無適心常在腔子裏也，即上蔡所謂常惺惺法也，即和靖所謂此心收斂不容一物也。靜亦靜，動亦動，無內無外，無將無迎，其處也泰然，其立也卓然，其豁也洞然，其止也凝然，其照也湛然，一塵不留，萬境呈露，由是而誠意正心，由是而修身齊家，治國平天下，而聖學之功用可全矣。（陳大猷《書集傳或

---

❼ 陳大猷：《書集傳或問》卷上，朱子曰：「賁若，言草木之美。允殖，言兆民信安其生。罪人既黜伏，天命既弗差，故草木華美，百姓豐殖，謂人物皆遂。」夏僎云：「天命禍福無有僭差，賁然明著如草木然，民所殖則生，所不殖則死，信出於民之所殖而已。蓋湯者民之所殖，而桀者民之所不殖也。」，頁 196。

❽ 陳大猷：《書集傳或問》，卷下，頁 213。

問》卷上)

這一段文字難以證明陳大猷傳陸九淵心學，蔡根祥先生已有辨說。這段文字論「心」的重要作用，有老莊及禪學思想的影子，並不能證明陳大猷為傳慈湖之學。再從陳大猷論述的從文王、孟子、揚雄、程頤到謝良佐、尹焞的心法傳承來看，這是以理學為旨歸的道統脈絡，沒有心學的影子。又陳大猷論述了以敬存心之法，這是程朱涵養心性的要訣。所以四庫館臣的結論是不成立的。

我們再看陳大猷引文中對陸九淵觀點的態度，《或問》中引及陸九淵「無極」之辨一段，云：

> 周子「無極而太極」一語先儒辨論角立，如何？曰：象山以無極為非，則以為此非周子之言。南軒以為此乃莫之為而為之之意，非真言無。是皆不欲言無之一字而為此辨也。……夫謂之太極則其有已肇矣，非有則何所指以為極？夫既肇於有則未有之先非無而何？其曰「無極而太極」，此理之自然而然者也，但聖人不言而周子言之耳，何疑之有？(《書集傳或問》卷下)

直接批駁陸九淵觀點之非，無有餘地。四庫館臣僅以此斷學派之皈依，不免附會草率。

㈡蔡根祥先生觀點考論

接下來我們討論蔡根祥先生觀點。蔡根祥先生著《宋代尚書學案》未見陳大猷《書集傳》，而僅根據《書集傳或問》「稱引程伊川、朱晦庵最力」立論，認為陳氏服膺程、朱之學，列陳大猷入《晦翁尚書學案》。我們詳考陳大猷《書集傳》、《或問》引書情況，對此加以論證。

陳大猷《書集傳》引用了大量前賢及時人著述，涉及八十九人。此書引用稱謂謹嚴，凡不易混淆者概稱氏，同姓或別以朝代，如以孔氏稱偽孔安國，以唐孔氏稱孔穎達。或別以地望、如新安陳氏、三山陳氏。或別以字型大小，以無垢稱張九成。非《尚書》專著多別以書名，如《胡氏春秋》、朱氏《孟子注》。少有引用對象難辨之弊。從《書集傳》引用頻率來看，除《尚書注疏》近一千次之外，依次為呂祖謙《呂氏書說》七百三十三次、林之奇《尚書全解》三百八十一次、新安王炎《書小傳》三百零九次、王安石《尚書新義》二百五十九次、陳經《尚書全解》一百七十九次、蘇軾《書傳》一百七十五次、張綱一百五十五次、朱子一百三十六次、夏僎《尚書詳解》一百三十四次、葉夢得《石林書傳》七十八次、陳鵬飛《陳博士書解》七十七次、東陽馬之純七十二次、張九成《無垢書說》五十一次、蔡沈《書集傳》五十五次，吳才老？四十一次、孫氏四十次、薛氏三十九次、袁燮《絜齋家塾書鈔》三十七次、鄭伯熊三十二次。從《書集傳或問》引用頻率來看，林之奇八十四次，呂祖謙四十五次，蘇軾四十一次，朱子二十七次，王安石二十五次，王炎二十四次，陳經二十三次，葉夢得十九次，夏僎十八次，蔡沈十一次，陸九淵一次。由此可以看到《書集傳》引用最多的除《尚書正義》外，是林之奇、呂祖謙，而非程朱。從引用人物生活時代看，宋以前二十人，宋代六十九人。《書集傳》引用人物籍貫來，除宋以前學者二十人和不知籍貫者二十八人，餘四十一人中浙江籍十一人，除張九成外，都集中在今天金華、溫州一帶，為浙東學派人物，其中陸九淵弟子一人。福建籍十二人，主要是程朱理學一派人物。江西籍七人，陸九淵弟子一人。陳大猷《書集傳》引用同時代學者的《書》說主要集中在金華一帶，由此大致可以判斷陳大猷主要承傳呂祖謙一脈，而不是四庫館臣所謂傳金溪一派，也不是蔡根祥先生所謂傳程朱一派。

㈢陳大猷學派歸屬考辨

討論陳大猷學派歸屬不能斷章取義，以偏概全，對《書集傳》的全面考察才是解決這一問題的關鍵。我們可以從《書集傳》著述體例、宗旨、原則以及反映出的經學思想進行綜合判斷，這樣或許更有說服力。

1.從《書集傳》全書體例看

欲明一書之宗要，必先明一書之體例。陳大猷《書集傳》對經文文本處理一仍《注疏》之舊，分《尚書》為虞、夏、商、周四代之書，以《書序》冠於各篇之首並作注，解《逸書序》，雖明知「馬、鄭之徒百篇之序別為一卷，孔安國以各冠其篇首」，但並未採納朱子以《序》獨立為一編恢復故書原貌的做法。陳大猷對於《書序》，主要採納了林之奇觀點，云：

孔安國未嘗言《書序》何人作，唐孔氏謂班固、馬融、鄭康成云孔子所作，世儒多祖其說，以為非孔子不能為。或以為《書序》非孔子所為，甚者或指為謬誤。要之，林氏之說得其當然。（《書集傳》書首《書序》）

陳大猷不完全贊同《書序》成於孔子之手，也不贊同完全排斥《書序》的做法，認同林之奇《書序》出於史官之手❾並經過孔子整理的說法。他把《書序》分為了三種情況，云：「《序》有言其作意者，如《堯典》之類。謂之孔子作可也。」這一類義理精嚴，數言斷一篇之大旨。又一類《序》與經不相應，經文中皆不及此意，乃舊史所傳。還有一類是前後序文相為首尾，如《泰誓》、《牧誓》、《武成》、《洪範》之《序》前後相因。最後總結云：「百篇之序，但是史家序其所為作之之意而已，不必求之太深。」這基本上是林之奇思想的直接表述。❿對於《書序》，陳大猷是不贊同朱子觀點的。⓫甚而至於批評蔡沈駁《序》失當，論《多士》「移

---

❾ 按林之奇於《湯誓序》云：「《書序》本自為一篇，蓋是歷代史官相傳以為《書》之總目，吾夫子因而討論是正之。」（林之奇《尚書全解》卷十四，納蘭成德：《通志堂經解》第 5 冊江蘇廣陵古籍刻印社，1996 年，頁 394。）

❿ 按林之奇解《仲虺之誥序》云：「某竊嘗以謂《書序》者乃歷代史官轉相傳授以為《書》之總目者。蓋求之五十八篇之《序》，有言其作意者，如《堯典序》曰：『昔在帝堯，聰明文思，光宅天下，將遜於位，讓於虞舜，作《堯典》』。欲略一篇之旨斷以數言，若此之類謂之孔子作序言其作意可也。如此篇《序》曰：『湯歸自夏，至於大坰』，上一句言其作誥之時，下一句言其所誥之地，而湯之慚德與夫仲虺之所以廣湯之意者初無一言及之，若此之類其為史官記載之辭也審矣。故《書序》之言，惟著是篇之所由作而已，亦不必求之太深也。」（《尚書全解》卷 14，頁 396）

⓫ 按朱子懷疑《書小序》見《文集》、《語類》，《語類》卷七十八云：「徐彥章問：先生卻除《書序》不以冠篇首者，豈非有所疑於其間耶？曰：誠有可疑。且如《康誥》第述文王，不曾說及武王，只有乃寡兄是說武王，又是自稱之詞。然則《康誥》是武王誥康叔明矣。但緣其中有錯說『周公初基』處，遂使《序》者以為成王時事，此豈可信？」「《書序》不可信，伏生時無之，其文甚弱，亦不是前漢人文字，只似後漢末人。」（《朱子全書》第 16 冊，頁 2635）《文集》卷六十五《書大序解》云：「以今考之，其於見存之篇，雖頗依文立義，而亦無所發明，其間如《康誥》、《酒誥》、《梓材》之屬，則與經文又有自相戾者。其於已亡之篇，則依阿簡略，尤無所補，其非孔子所作明甚。」（《朱子全書》第 23 冊，頁 3152）

爾遐逖」云：「蔡氏以為遠徙於洛。夫荒陬僻壤可以言遐逖，洛去衛非遠，況為土中，為帝居，烏可以遐逖言乎？若以為黜殷之後即遷民於洛，非惟無據，而周公黜殷在二年之後，作洛乃七年之間，亦非事勢之宜也。蔡氏專攻《書敘》為謬，其說若此。」⓬對《書序》是持維護態度的，與朱子態度不同。就此而論，蔡根祥先生以為傳朱子學脈是難以成立的。

2.從著述宗旨原則看

⑴求二帝三王之心的著述宗旨

對於陳大猷而言，解《書》不是簡單的求知，而呈現出復善、成聖和淑世的價值趨向。陳大猷篇首揭讀《書》綱領，首舉蔡沈「二帝三王治天下之大經大法皆載於書，然帝王之治本於道，帝王之道本於心，得其心則道與治可得而言矣。」接著引呂祖謙「《書》者堯、舜、禹、湯、文、武、皋、夔、伊、傅、周、召之精神心術盡寓於中，觀書者不求其心之所在，夫何益。然先盡吾心，然後可以見古人之心」之說，闡明讀《書》宗旨乃為通過求二帝三王之心進而求二帝三王之治與道，以聖賢為人格理想並探求治理社會的途徑。提出讀書當遵朱子「虛心涵詠，切己省察」⓭之法，把《書》中指示之大道直接用於個體人生之指導。陳大猷《進書集傳上表》對此又有詳細的論述，云：

> 竊以六藝之文皆載聖賢之道，百篇之義獨備帝王之傳，昭萬世之典常，示一人之軌範。……茲蓋伏遇皇帝陛下聰明文思，睿哲溫恭，歷數在躬。接堯、舜、禹、湯之統，始終典學；寶虞夏商周之書，得精一以執中；惟是幾而賜命，柔遠能邇。誕康濟於兆民，制治保邦，用宏於大業。

陳大猷指出《尚書》記載著帝王治道的傳承，揭示著人君道德行為標準。《書集傳》著作目的是要使宋理宗始終典學，上「接堯、舜、禹、湯之統」，傳承聖賢道統、治統，傳承聖道。又能仿效聖王治天下之大法，「得精一以執中」、「柔遠能

⓬ 陳大猷：《書集傳或問》，卷下，頁 215。

⓭ 陳大猷：《書集傳》，頁 1。

邇。」康濟兆民，制治保邦，宏大祖宗基業。從陳大猷的自明宗旨中我們不難看到他解經目的絕非僅滿足於章句的求真，解經還具有強烈的求善經世功用，這一點深受呂祖謙、朱子思想影響。

⑵慎闕其疑的解《書》原則

《尚書》文本經過秦火，書篇殘斷，簡牘不全，故訛誤難免。陳大猷解《書》嚴遵闕疑原則，他在《書始末》中說：

> 學者生於千載之下，當書編訛脫之餘，當信其可信者，闕其可疑者，不可以漢□之《書》出於帝王之手，而不敢略致疑於其間也。孟子生於戰國，去帝王世猶未遠而大經猶全，且言不敢盡信書。蓋苟理之不安，則莫可信也。況燼於秦火，爛於孔壁，而增損潤色於漢儒之手乎？（《書集傳》書前《書始末》，頁1－2）

因為《尚書》文本流傳的複雜經歷「燼於秦火，爛於孔壁，而增損潤色於漢儒之手」，已經不是古書原貌，因而解《書》僅當「信其可信者，闕其可疑者」，而不能泥經不化。按此段文字又見林之奇《尚書全解》卷二十二《泰誓中》，陳大猷是對林氏觀點的直接繼承。於《書集傳或問》卷上亦有相同的意見，云：

> 或問：子多闕疑，何取於明經乎？曰：孔子談經於三代之末，尚以及史闕文為幸。孟子言《書》於戰國之時，猶以盡信《書》為難。況《書》經秦灰漢壁之餘，傳於耋翁幼女之口，孔安國自謂以所聞伏生之《書》定其可知者，其餘錯亂磨滅不可復知。……今學者於千數百年後，乃欲以無疑為高，而強通其不可通之說，其未安審矣。

闕疑必然面對「何取於明經」的質問，從《尚書》流傳的經歷及文本現狀論述了闕疑原則對於解《書》的重要意義，批評「強通其不可通」的做法。《書集傳》、

《書集傳或問》中論闕疑之例頗豐，如謂《禹貢》「厥賦貞，當闕疑。」[14]《多士》「上帝引逸」，「引逸之義未詳」。[15]如論《舜典》「群後四朝」云：

> 葉氏謂侯、綏、要、荒各年一朝，四年而周，是一歲朝一服之侯也。夫聖人詳內略外，要、荒之君，政事尚從疏闊，豈與侯、綏之諸侯均責其四歲一朝乎？《周官》止言「六年五服一朝」，而不及於四服。……孫氏謂甸服之君朝夕見焉，故無朝覲之禮。夫唐虞甸服不以封，至侯服始有采，謂甸服之有君，已不合矣。至謂侯服一年一朝，則是侯服四年之間四朝也。以綏服二年一朝，則是四年兩朝也。要服三年一朝，則不及四年而朝也。惟荒服為四年一朝耳。概之四朝之數皆不合，兼荒、要必無四年一朝之理。……此固不可強為之說，或是一年朝一方之諸侯，如巡狩之分四方，亦未可知，而要、荒恐未必與也。此當闕疑。（《書集傳或問》卷上，頁 182）

陳大猷分析了葉氏說不合禮制，孫氏之說不僅不合朝覲之制，而且按照孫氏所說則朝覲制度顯得混亂，更不合五服制度。史缺有間，諸說皆有所失，如此類當慎闕其疑。論《洛誥》「命公後」云：「以為果為留後邪，則文義非愨；以為果命伯禽耶，則何不如其它命封之例明言伯禽乎？要之，《洛誥》一書多缺文，意其必有舛誤，當存之以俟知者。」[16]由於《尚書》文本傳承中的變故，解《書》不當強不知以為知，「闕疑」就成為必然原則。

當然陳大猷這一解《書》原則與呂祖謙是背離的，《朱子語類》林道夫錄云：「呂伯恭解《書》自《洛誥》始。某問之曰：『有解不去處否？』曰：『也無。』及數日後，謂某曰：『《書》也是有難說處，今只是強解將去爾。』」[17]葉紹翁《四朝聞見錄》卷一載有朱子對呂氏《書說》的批評，云：「考亭先生嘗觀《書

---

[14] 陳大猷：《書集傳》，頁 39。

[15] 同上，頁 133。

[16] 陳大猷：《書集傳或問》，卷下，頁 214。

[17] 朱熹：《朱子語類》卷七十八，朱傑人、嚴佐之、劉永翔主編：《朱子全書》（上海：上海古籍出版社，合肥：安徽教育出版社，2002 年），頁 2638。

說》，語門人曰：『伯恭直是說得《書》好，但《周誥》中有解說不通處只須闕疑，某亦不敢強解，伯恭卻一向解去，故微有尖巧之病也。是伯恭天資高處，卻是太高，所以不肯闕疑。』」⓲呂祖謙解《書》是沒有闕疑的。闕疑原則是對林之奇、朱子解經精神的繼續，朱子反覆強調「讀《尚書》可通則通，不可通，姑置之。」闕疑原則同時也是在宋學疑經大背景下的展開。

3.從以經說經解經方法看

陳大猷注重以經說經，反對脫離經文的臆說。如聚訟紛紜的《禹貢》「三江」之說，陳大猷從古今地理變遷闡述了強解不可通，云：

> 凡舍經文而指後世流派之分合，水道之通塞，地名之同異以為說者，以論後世之地理則可，以論禹跡之舊則難也。」（《書集傳》卷三）

數千年的變遷，古河道湖澤或已消失，或已有分合，解經者努力從後世地理去尋求「三江」之實，必然難以服人。反對舍經文而外求的解經方式。這一觀點在《書集傳或問》中多有表述，如論《皋陶謨》「慎厥身修，思永」云：

> 釋經之體，但當依經釋義，若轉轉推去，固是可通，然不免因蓋及車，因車及馬之意，而終墮於支離之弊，不若於蓋說蓋，於車說車之為有界則也。（《書集傳或問》卷上，頁186）

陳大猷強調「釋經之體，但當依經釋義」的解經原則，反對輾轉相生。論《舜典》「明四目，達四聰」，諸家謂舜不自視，用四方之視以為視；舜不自聽，用四方之聽以為聽。陳大猷評論云：

> 夫釋經者，但當順經文以明正意，不及者則有欠說之病。若本淺而鑿之以為深，本近而迂之以為遠，此衍說之病。夫明四目，達四聰，不過謂使四方之

⓲ 葉紹翁：《四朝聞見錄》（北京：中華書局，1989年），頁3。

> 聞見皆無壅於上耳，推其本原固出於帝舜不自用其聰明之所致，然遽謂舜不自視聽，用四方之視聽以為視聽，揆之經文則本無此意，乃抗而過之者也，其意反差，釋者此病多矣。（《書集傳或問》卷上，頁 183）

陳大猷指出釋經有「欠說」之弊，即不能闡明經義。有「衍說」之弊，「本淺而鑿之以為深，本近而迂之以為遠」而經文本無此意，恰當的解說「當順經文以明正意」。解經既不能安於苟且而無所創見，也不能狃於穿鑿，牽於援據而有意立異，陳大猷批評解經好異，陳大猷批評吳才叔《書裨傳》專「致疑於前人之說，至於聖經所載而無可疑者或並疑之，所得處固有之，所失處亦不少」，如以《康誥》為武王之書，云：

> 經言周公洪大誥治，則此書為周公以成王命誥明矣。雖朕其弟一言可疑，如呂氏、陳氏之說以意逆志亦無所害，若以為武王書則抵牾非一。《書》敘言成王既伐管叔、蔡叔，以殷餘民封康叔，篇內言保殷民。夫武王封武庚而以管、蔡、霍監殷治民，不聞以康叔，經文及孟子所言最為明白。或祖吳說，不以聖經明文為據而以旁曲之說為證，至不通處則諉以聖經脫簡，何異舍康莊而由山徑也？（《書集傳或問》卷下，頁 211）

推原其致誤之因，乃吳才老脫離經文，並與經文前後矛盾，說不通處就諉以脫簡，乃有意立異。「依經釋義」要求解經者能虛心靜慮，徐以求之，於邂逅之間或當偶得其實，而不是專力致疑前人。這一方法不僅能使經訓切合經義，而且還可以限制當時借經作文的惡劣解經風氣，對於注疏「體尚簡要」是一種回歸，《書集傳或問》云：

> 或問：子去取諸家之說，專以順經文為主而尚簡，何也？曰：傳注之體固如此，……諸經疏於義理雖未透，然順附經文，簡而不繁，最為得體。曹操注《孫子》，杜預注《左傳》皆不自作文，本朝諸儒釋經始自作文，然非傳注之體也。（《書集傳或問》卷上，頁 185）

陳大猷借前人注疏之例闡釋瞭解經之體要「順附經文，簡而不繁」，列舉歷代大賢經注為說，批評了「本朝諸儒釋經始自作文」的學風，但借解經作文「非傳注之體」。對當代學人義理解經之弊進行了認真反思，這一思想乃源自朱子的影響。

4.從經學思想看

(1)從陳大猷疑經思想考論

陳大猷懷疑《尚書》經文訛誤處特多，一是懷疑經文增衍，但為數不多。如《堯典》「象恭滔天」，尊朱子說「滔天疑下文衍出」。⓳於《仲虺之誥》「嗚呼！慎厥終，惟其始。殖有禮，覆昏暴。欽崇天道，永保天命」一章云：「此章疑有缺文衍文」。⓴

一是懷疑《尚書》經文闕文脫漏，此類特多，達十七條，略舉數例。《大禹謨》「後克艱厥後，臣克艱厥臣」，「此上疑有缺文。」㉑《仲虺之誥》「佑賢輔德，顯忠遂良，兼弱攻昧，取亂侮亡，推亡固存，邦乃其昌！」此承上章征伐而言，上下疑有缺文。㉒於《康誥》「凡民自得罪，寇攘奸宄，殺越人於貨，暋不畏死」一章云：「此章上下疑有缺文」。㉓《立政》「詰爾戎兵」至「列用中罰」一節「疑有脫簡」。㉔

一是懷疑《尚書》錯簡。《舜典》「夔曰：於，予擊石拊石，百獸率舞」，從蘇軾「此章疑益稷脫簡，重見於此」說。㉕《多方》「嗚呼！王若曰：誥告爾多方。」引「或曰」說云：「下文兩言『嗚呼』皆在『王曰』之下，此恐錯簡。」㉖從《尚書》文例上判斷此處為錯簡。《立政》「立民長伯，立政任人、准夫、牧作三事」文下云：「辭疑有錯文。」㉗因為此處與上文官稱順序不一。

⓳ 陳大猷：《書集傳》，頁 7。
⓴ 同前註，頁 59。
㉑ 同前註，頁 18。
㉒ 同前註，頁 58。
㉓ 同前註，頁 116。
㉔ 同前註，頁 153。
㉕ 同前註，頁 17。
㉖ 同前註，頁 146。
㉗ 同前註，頁 150。

陳大猷疑書脫漏、增衍、錯簡處特多，一是繼承前人之說，如蘇軾、朱子等觀點，一是出自獨見。但陳大猷多數判斷未給出足夠理由，讀者懷疑其立論的合理性勢將必然。陳大猷對經文本身的懷疑標明了對漢唐諸儒泥經的反動，但他疑經是有所克制的，不至於如王柏之流疑經而肆意改經，這種大膽懷疑和謹慎持守故經的精神是值得稱讚的。

另外，陳大猷對當時討論頗多的錯訛卻並未附和，劉敞以來對《武成》篇序混亂的懷疑，諸家各有考訂，陳大猷認為《尚書》所載「有凡有目」，「此篇史不專以錄其誥為主，並欲見政事焉」，「故前為之凡」，「略著其本末而後載其誥群後之辭」，諸儒認為《武成》混亂是因為不明白史書之體例，《武成》自「惟一月」至「示天下弗服」是總敘事之始末，後面是誥群後之辭，史臣之辭與武王誥辭有重覆交叉處，所以看起來敘事先後是混亂的。㉘於諸儒紛紛改易經文語序相對，陳氏之論不失為一種獨特視角下的理解，可備一說。又如蘇軾認為《康誥》自「惟三月哉生魄」至「乃洪大誥治」四十八字皆《洛誥》文，當在《洛誥》「周公拜手稽首之前」，蘇軾舉史實「周公東征二年乃克管蔡，即以殷餘民封康叔，七年而復辟，營洛在復辟之歲，皆經文明甚，則封康叔之時決未營洛」為證，又指出「此文終篇初不及營洛之事，知簡編脫誤也」，認定錯簡之說。但陳大猷對《洛誥》篇首錯簡說不置一詞，而認為「封康叔在作洛之前，而告康叔乃在作洛之際」，㉙對蘇軾錯簡說立論的依據釜底抽薪，頗能中其要害，史缺有間，無從徵信。要之，二人之說各有所當。

陳大猷疑經態度是謹慎的，不贊同隨意改經，這一點上更接近林之奇，與株守《注疏》舊說的呂祖謙，長於思辨而系統懷疑《尚書》的朱子都有距離。

⑵對今古文《尚書》的認識

從朱子始，今古文《尚書》問題便突出出來，朱子對《古文尚書》與《今文尚書》的差異提出自己的看法，挑動了學界此後對《古文尚書》的懷疑，陳大猷對《古文》平易說提出了自己的觀點，云：「或謂伏生所傳之書多奇澀，孔安國所定

㉘ 同前註，頁 93。

㉙ 陳大猷：《書集傳》，《續修四庫全書》經部 42 冊，頁 114。

多平易，遂以為伏生齊人語多艱深難曉，恐□以齊語。此不然，《二典》、《皋謨》、《禹貢》、《牧誓》、《洪範》、《文侯之命》、《秦誓》諸書亦伏生所傳，未嘗不平易。」㉚對傳統「伏生齊人語多艱深難曉」，認為《今文尚書》雜有齊人語之誤說給與了駁斥，陳大猷不認同今古文之間有難易之別。這一點上與林之奇、朱子及蔡沈距離甚遠，而近於呂祖謙尊古之習。

⑶解經中的理學思想

天即理——義理之根源

義理之學必然追問人間秩序、倫理的依據，理學家體貼出天理二字。天即理的轉化，化解了先民神秘的天命觀，賦予了天形而上的哲理依據。從二程發明天理以來，程朱一派理學思想儼然成為時代主流思潮，滲透經典闡釋之中。《甘誓》「天用剿絕其命」解云：「天即理也。理之所當絕，即天絕之也。」㉛化主宰之天為義理之天，消解了天的神秘性。《說命中》「惟天聰明」解云：

> 天德清明，實理昭澈，以其無所不聞，無所不見，故以聰明喻之。（《書集傳》卷五，頁78）

天見聞無蔽，包含人間一切義理。人之善性源自於天理，《湯誥》「夏王滅德作威」云：「德即性中所得之理，天所降謂之衷，人稟受於天謂之性，率性之道謂之猷，得於己謂之德，非有二理也。」㉜德是天理在人性中的顯現，人人均具此德，這一觀點闡明了了現實人性的形上依據。《伊訓》「古有夏先後，方懋厥德，罔有天災。」注曰：「德者天地人物同然之理也，所謂致中和，天地位焉，萬物育焉。」㉝《咸有一德》「非天私我有商，惟天佑於一德」注曰：「一德乃天人同然之理，故天人自然佑之歸之。」㉞《書集傳》一書之中反覆致意，德為人心固有，

㉚ 同前註，頁2。
㉛ 同前註，頁49。
㉜ 同前註，頁59。
㉝ 同前註，頁61。
㉞ 同前註，頁67。

為天地人物同然之理，也就是說人性是本然而善的。天乃人性的形上依據，《高宗彤日》「王司敬民，無非天胤」推天嗣之義作《原人篇》闡述最詳，云：

> 太極，悟性也。兩儀，吾體也。清明粹精，吾之神也。湛然太虛，吾靈台也。健順有常，吾剛柔也。施生覆載，吾之仁也。長育斂藏，吾之義也。上天下澤，吾之禮也。聰明顯斯，吾之智也。四序不遷，吾之信也。飽合大和，吾之樂也。四海九州，五嶽四瀆，吾之蘊藏也。光風霽月，吾之襟韻也。陽和麗日，吾之氣宇也。雨露之潤，雷霆之震，霜雪之肅，吾喜怒哀樂，皆中節也。一氣流行，充塞宇宙，浩然之氣也。雲漢之昭回，山川之明秀，草木之榮華，羽毛鱗介之飛鳴游泳，吾文章物采也。造化之工，吾之運用也。於穆不已，吾之淳誠也。神化莫測，聖而不可知之妙也。此聖人所以與天地合其德也。天地之性人為貴，懋敬克□，斯無忝爾所生！全其所以為人而與天地並矣。百聖典刑，盡在目中，反而求之，夫何遠之有！（《書集傳》卷五，頁 82）

陳大猷仿《西銘》為說，在天人感應之的框架內探原人性。人性源於太極，人形源於陰陽變化聚合，自然之萬有與人之倫理、氣宇、性情、文章等相對，天道人道通而為一，人與天相應，人的一切規定性都是源自天道。這源於天理之善在現實人生中怎麼會有善惡之分呢？人欲對天理的障蔽就是理學家給出的解釋。

天理人欲——善惡之分途

天理是純然的，不善源自何處？陳大猷《書集傳》借二程思想作了闡釋。《說命中》「惟天聰明，惟帝時憲，惟臣欽若，惟民從乂」解云：

> 人稟天命之性，皆是聰明，是為心之精神其聰明本與天一，惟為人欲所蔽，故與天不相似。（《書集傳》卷五，頁 78）

經文中的天是有意志的天，理學家通過闡釋轉化為了義理之天，成為人世依據。人稟天命之善性而生，本性皆與天為一，但由於人欲之蔽，惡由此便滋生。《五子之歌》「太康屍位，以逸豫滅厥德，黎民咸貳」解云：「蓋敬者德之本，人惟戒警然後可以立德，心一流於逸豫則頹荒昏潰，萬惡生焉。」[35]《咸有一德》「德惟一，動罔不吉。德二三，動罔不凶」解云：「德本一而已，安有二三。自人欲之私間之，其一者始二三矣。」[36]人性的同一由於人欲之私變得了不同，人生實質就展示為一個向善的歷程。經學的經世精神就在對經書的闡釋中揭示出來，成為一種可以指導現實的思想。

誠敬——復性之踐履

人性之本然是善的，怎樣恢復人之本然善性，理學家提出了復性之方，命之曰「修養論」或「工夫論」，陳大猷主要關注主敬涵養、誠實無妄。如解《冏命》「出入起居，罔有不欽」云：「敬者，心之所由以存，萬善之根，萬化之原也。」[37]敬就是要求心對性之善常處於警醒狀態，主一不適，不使心放逸，使心達於覺醒狀態。正如《太甲上》「先王顧諟天之明命」注解所謂「天之明命，蓋天所以命與我昭然而不昧者，常顧而存之，此即是敬。」[38]要求時時持守此心，涵養本性。《太甲下》「先王惟時懋敬厥德，克配上帝」解云：

> 懋敬，敬而不已，敬即天之理也。人受天地之中以生，其天命之性與天初無虧欠，故其仁則配乎天之生長，其義則配乎天之□藏，其知則配乎日月，其信則配乎四時。蓋其初□，非特聖人之為然，凡人莫不然。認為不能守，故放其良心，喪其固有，其德始與天不相似。聖人思敬不已，故能存心養性，全其天之所與。其德克配上帝，初非其性分之外，□其所無而強與天合。此天地之性所以人為貴而敬之，《大學》所以為百聖相傳第一義也。」（頁66）

---

[35] 陳大猷：《書集傳》，《續修四庫全書》經部42冊，頁50。

[36] 同上，頁67。

[37] 同上，頁168。

[38] 按陳大猷的解讀是背離經文本意的，《傳》云：「敬奉天命以承順天地」，《疏》云：「終常敬奉天命以承上天下地之神祇也」。（孔穎達：《尚書注疏》，阮元校勘本《十三經注疏》，北京：中華書局，1980年，頁164上。）這完全是理學思想關照下的解讀。

所謂「《大學》所以為百聖相傳第一義」，蓋指三綱零八條目指示的以修身為始基的修養之方，復性之路。此一段文字推衍持敬之義理，深刻著明。闡明了五常乃人性之本然，「凡人莫不然」，然一般人不能持守，聖人則能「思敬不已，故能存心養性，全其天之所與」，主敬是涵養本性之第一要義，是復性的根本所在。陳大猷高舉主敬說，反覆闡揚。解《五子之歌》「不慎厥德」云：「太康失國病根在於不敬謹，故《五子之歌》以是始終焉，乃一篇之綱領也。」㊴不敬則墮入惡之深淵，《泰誓上》「今商王受弗敬上天，降災下民」，陳大猷注曰：「敬者，萬善之本。不敬者，萬惡之本。人雖至惡，孰不知敬天，今紂天且不敬，況於他乎？宜其不知體天愛民，而為惡日深也。」㊵「敬」在經文中僅指對上天的敬畏，「體天愛民」及以敬修身是理學家的解讀。對一切都失去敬畏，必然放縱而為惡。

陳大猷還借孟子擴充善端之說論復性，《說命中》「王忱不艱」，陳大猷解云：「王能盡誠則行之不難」，此依經為訓。接著引申云：「誠則天下之事何難之有？王充其誠則無有所艱，則信能和先王之成德矣。」㊶充擴「誠」可以立事、可以成德，充擴之說乃陳氏發揮。又如《康誥》「用康保民，弘於天」，陳大猷先云：「道至於天而極，人莫不各具此天也。聖賢之所先得，乃吾性天之所同得」，指出了人性的同一性，聖凡無異。由此推衍云：「多法前言往行，反而充廣此性之天，凡聖賢所傳混融貫通皆吾性內之物，而吾之所得於天者始充廣而無虧。」㊷提出充廣得於天之性，以恢復人性之本然善性。

主敬涵養及充擴善端是陳大猷開出的復性之方，這是宋儒，尤其是理學家關注一大主題。經書解讀中這一思想的滲入充分揭示了經學家經世致用的訴求。

聖人——復性之現實依據

復性是宋代學術的一大主題，宋儒尤其是理學家不僅提出了可供踐履的方法，而且還塑造了可供學習並師訓凡俗的楷模——聖人理想，指示著凡人成聖的可能。

㊴ 陳大猷：《書集傳》，《續修四庫全書》經部 42 冊，頁 52。

㊵ 同上，頁 85。

㊶ 陳大猷：《書集傳》，《續修四庫全書》經部 42 冊，頁 79。

㊷ 同上，頁 115。

《泰誓上》「惟天地萬物父母，惟人萬物之靈。亶聰明，作元後，元後作民父母」解云：

> 天地雖萬物之父母而不能自全其愛，人雖萬物之靈而不能自保其靈，亶聰明之聖人則又人之靈者也。故俾之作元後，以父母斯民，裁成輔相，使民物各得以盡其性，然後天地之愛始全，而三才之道始備。此言天地立君之本意也。（《書集傳》卷六，頁85）

經文更多的是強調元後對民的主宰性，猶如天地對萬物的支配。陳大猷解釋更關注的是元後裁成輔相使民盡其性。在宇宙之間唯有聖人可以擺脫物欲之蔽，這種闡釋賦予了聖人新民之責。普通人由於氣稟物欲之故，不能保守天予之性，作為聖人的天子必然肩負引導之責。陳大猷對《尚書》很多章節的解說都揭示了這一主題，如《洪範》「凡厥庶民，有猷有為有守，汝則念之。不協於極，不罹於咎，皇則受之，而康而色。曰予攸好德，汝則錫之福。時人斯其惟皇之極」一節解云：

> 聖人建極豈能盡得中行而與之，資稟有高下不容一律，或有猷有為有守，蓋過人之資，可至於極者，若由、賜之徒是也。當念之而不忘。不協極，不罹咎，乃中人之質，可引而至極者，若狂狷之徒是也。當受之而不拒。其以好德自言者蓋凡下之質，若互鄉之欲見，鄙夫之問我者是也。亦當以善教之。夫天子之尊非能日與庶民相從也，所謂念之受之賜之者，若命鄉論秀士升之，司徒論選士而升之學，大司樂論造士以告於王，及鄉大夫各教其所治，考其德行道藝而賓興之，即天子親視學者皆是也。時人指上三等人，言如此兼收並育，則人皆感發向化，惟君取極矣。（《書集傳》卷七，頁98－99）

經文原意是說庶民中有善於謀劃，有作為，有操守的，你要注意他們。行為不合你的準則，但還沒有陷入罪惡的，你要和顏悅色地寬容他們。如果有人說「我注意修養德行」，你要賞賜他們。這些人就會遵守君王的準則。要求君王注意引導不同情況的庶民一心向道，經文本與人性之品性無關。但陳大猷基於「性三品」立說，以資稟有高下不容一律，對「有猷有為有守」，「不協極，不罹咎」，「曰予攸好德」作出了全新的解釋，由於人性之不齊，而唯有君王的天性之全，君王就必然起著楷模引導作用。《仲虺之誥》「王懋昭大德，建中於民」解云：

> 道至於中而極，然賢者過之，不肖者不及。故民鮮能中，吾王必懋昭大德，建立其中於民，使民皆取則於我以歸於中，所謂皇建有極也。（《書集傳》卷四，頁 58）

此一節陳大猷結合《洪範》「皇極」立說，圍繞「建中」闡述君王須為民立標準，引導庶民歸於皇極，復其善性。《說命中》「惟天聰明，惟帝時憲，惟臣欽若，惟民從乂」解云：

> 聖人憲天之聰明以全其聰明，使人欲淨盡，天理洞然，自然人臣欽而不慢，若而不拂，下民從而不違，乂而不亂，此為君臨臣治民之本。」（《書集傳》卷五，頁 78）

經文本謂上天是聰明公正的，人君要效法它，人臣要敬順它，人民就順從治理了。經義強調的是天的主宰性，陳大猷則主要從人性論立說，對君王提出「人欲淨盡，天理洞然」的要求，並以此為君主「臨臣治民之本」，要求君主憲天作則，導民復性。

陳大猷對聖人憲天則民的解說，肯定了天子就是聖人，天子就是法則，強調了天子君民道德性原則，這對現實的天子無疑有一種規範與警示。天子人性的完善同時又是庶民現實可以取法的依據，指引著復性的可能。天理人欲之說從理論上闡明了人性的本善，聖人人格從事實層面論證了善性之實有和復性之可能與必須。

㈣結論

陳大猷《書集傳》解經的思想和方法展現出融匯眾家的傾向，在訓詁與義理的結合上，《集傳》與《或問》互為補充的注經形式直接受到朱子的影響。陳大猷

《書集傳》未對朱子關注的今古文《尚書》異同問題、《書大序》、《書小序》、孔安國《尚書傳》真偽問題發表自己的觀點，而這些問題是朱子《尚書》學的大經大脈，也就是說陳大猷不是繼承朱子《尚書》學脈絡的。以理學思想解經，直接承接的是程朱理學的學統。陳大猷解《書》「慎闕其疑」的原則與呂祖謙作全解是背離的，是對林之奇、朱子解經原則的繼續，同時也是在宋學疑經大背景下的展開。在對待《尚書序》及《尚書》今古文問題上多受林之奇、呂祖謙薰染。

我們可以看到一個學者所受到的影響絕非單一的，也就是說單純從學派關係來談論某家《書》說不可避免地會牽強附會，蔡根祥先生從文本找了很多證據證明陳大猷是承傳程朱理學的。客觀來講，生於程朱之後，不可能完全不受他們思想的影響，「學案式」研究過於看重師承就會遮蔽部分事實。這是蔡根祥先生《宋代尚書學案》在方法論上難以回避的困境，也是學史研究常常出現的問題。

經　學　研　究　論　叢
第　十　九　輯　　頁81～90
臺灣學生書局　2011 年 11 月

論段玉裁《古文尚書撰異》區分今、古文

劉德州*

在漢代，《尚書》有今、古文之分，今文與古文不但文本有不同，經說也有差異。清代學者研究《尚書》，一個很重要的課題就是試圖重新理清《尚書》的今、古文之分，在這方面，段玉裁（1735－1815）的《古文尚書撰異》是一部力作。段氏自言：「此書以『撰異』名，詳古文、今文字句之同異，而其說之同異不暇詳，雖不暇詳而時論及之。」❶可見此書頗致力於古、今文《尚書》之分別。此書在清代也產生了廣泛的影響，推崇者有之，批評者亦復不少。綜其根源，在於漢代今、古文《尚書》散亡已久，千載之下復加分辨，自然困難重重、糾紛難免。段氏此書提出了很多立意鮮明的論點，也引發了很多的爭論。我們對此進行探討，將十分有助於全面深入地瞭解清代《尚書》學❷，這也就是筆者撰寫這篇小文的目的。文中不妥之處，敬祈方家指正。

---

*　劉德州，南開大學歷史學院博士研究生。

❶　〔清〕段玉裁撰：《古文尚書撰異》（上海：上海古籍出版社，2001 年《續修四庫全書》影印乾隆道光間段氏刻《經韻樓叢書》本，第 46 冊），卷 1，頁 4。下引是書皆省稱《撰異》。

❷　學界關於這一問題的研究少之又少，就筆者所見，只有董蓮池先生所著《段玉裁評傳》介紹了段氏剖分今、古文的過程和成果，但缺乏對段氏觀點的提煉歸納，尤其是對《撰異》一書的影響涉及不多。

一、僞孔本三十一篇襲漢代古文《尚書》

《撰異》以偽孔本《尚書》為底本。經閻若璩、惠棟等人的考證，偽孔本之為贗作已成定論，但段玉裁認為偽孔本中實包含有三十一篇真古文，即〈堯典〉、〈皋陶謨〉、〈禹貢〉、〈甘誓〉、〈湯誓〉、〈盤庚〉三篇、〈高宗肜日〉、〈西伯戡黎〉、〈牧誓〉、〈微子〉、〈洪範〉、〈金縢〉、〈大誥〉、〈康誥〉、〈酒誥〉、〈梓材〉、〈召誥〉、〈洛誥〉、〈多士〉、〈無逸〉、〈君奭〉、〈多方〉、〈立政〉、〈顧命〉、〈康王之誥〉、〈呂刑〉、〈文侯之命〉、〈費誓〉、〈秦誓〉。《撰異》共三十二卷，即此三十一篇加〈書序〉而成。段氏認為，這三十一篇《尚書》是杜林、賈逵、馬融、鄭玄遞傳之孔安國本，是漢代真古文。段玉裁說：

> 嘗謂五十六篇之《書》以二十五篇偽者雜廁諸三十一篇真者之間，如魚目混於隨珠、武夫混於和璧，幸人喜珠璧，可寶則併魚目、武夫寶之，未有疵纇其隨珠、玷缺其和璧，以雜廁之魚目、武夫之間，致兩用不讎者。當作偽時，杜林之漆書《古文尚書》、衛宏之《古文尚書訓旨》、賈逵之《古文尚書訓》、馬融之《古文尚書傳》、鄭君之《古文尚書注解》皆存，天下皆曉然知此等為孔安國遞傳之本，作偽者安肯點竄涂改三十一篇字句，變其面目，令與衛、賈、馬、鄭不類，以啟天下之疑而動天下之兵也？是以雖析一為二，而「慎徽」之上終未箸一字，後有愚者乃為之。學者得此說而求之，思過半矣。蓋偽孔傳本與馬、鄭本之不同，梗概已見於《釋文》、《正義》，不當於《釋文》、《正義》外斷其妄竄。❸

這是說，作偽者知道馬、鄭等人所傳真古文尚行於世，所以他作偽時不會與之立異而暴露自己作偽的痕跡，因此作偽者雖然從〈堯典〉中分離出〈舜典〉來，卻並沒有改動其字詞。這三十一篇與馬、鄭本間或有文字上的不同，也已經記載在《經典

❸ 《撰異·序》，頁2。

釋文》和《尚書正義》中，其餘之處理應相同。這一觀點段氏反復言之，可見其深信不疑。❹段氏在書中也往往徑直把偽孔本等同於漢代古文。

此說乍看起來似乎頗符合邏輯，近人蔣善國也說：「馬融《書注》魏時尚被人們誦習，偽《孔傳》所收今、古文相同的二十九篇，除〈太誓〉外，一定把當時太學和民間所傳習的鄭、王的《書注》本《古文尚書》和流行的馬注本《古文尚書》作底本。〉❺但是這兒有一問題：作偽者是否相信馬、鄭等人所傳古文《尚書》就是孔安國之真古文？〈尚書大序〉指責伏生誤合〈舜典〉於〈堯典〉、〈益稷〉於〈皋陶謨〉，這一問題馬、鄭同樣存在，這說明作偽者似乎並不相信馬、鄭本《尚書》，因此他也就用不著沿襲馬、鄭本而不敢更改了。況且偽孔本若沿襲馬、鄭本，《經典釋文》和《尚書正義》所載異文又從何而來？李慈銘《越縵堂讀書記》就批評段玉裁說：「然謂枚氏所傳之古文三十一篇，字字為孔安國真本，夫亦孰從而信之？……徐謝山詆其為偽古文訟冤，有以也。」❻

二、漢人皆習今文《尚書》

按照段玉裁的看法，漢代古文《尚書》還有偽孔本作依據，但今文《尚書》早已亡佚，只有極少數借漢石經殘碑、《尚書正義》、魏晉古注等保存下來，其餘的應該如何鉤稽呢？段玉裁在分辨今、古文《尚書》方面最重要的一個論點就是「漢人皆習今文《尚書》」：

> 至若兩漢博士治歐陽、夏侯《尚書》，載在令甲，漢人詔冊章奏皆用博士所習者；至後漢衛、賈、馬、鄭迭興，古文之學始盛。約而論之，漢諸帝、伏生、歐陽氏、夏侯氏、司馬遷、董仲舒、王褒、劉向、谷永、孔光、王舜、李尋、楊雄、班固、梁統、楊賜、蔡邕、趙岐、何休、王充、劉珍，皆治歐陽、夏侯《尚書》者；孔安國、劉歆、杜林、衛宏、賈逵、徐巡、馬融、鄭

---

❹ 類似說法又見於《撰異》卷3、7、22。

❺ 蔣善國撰：《尚書綜述》（上海：上海古籍出版社，1988年），頁362。

❻〔清〕李慈銘撰：《越縵堂讀書記》（上海：上海書店，2000年），頁18。

> 康成、許慎、應劭、徐幹、韋昭、王粲、虞翻，皆治古文《尚書》者，皆可參伍鉤考而得之。❼

> 凡漢人之於《尚書》，惟博士所習者是業。終漢之世，惟歐陽、夏侯得置博士，是以上自帝王，下及庶人，其所偁引《尚書》未有外於是者，而漢季先鄭、馬季長、鄭康成注經乃一用古文《尚書》，此考古之大較也。❽

段氏認為，兩漢之世唯歐陽、夏侯《尚書》立為官學，朝廷所承認者只此三家，故漢人皆習之，而古文《尚書》只是一線之傳、不絕如縷而已，至漢末始盛行。段氏這些話依據的是今、古文《尚書》的地位和盛衰，有其合理的地方，後人如陳喬樅、皮錫瑞、王先謙皆遵信之❾。在段氏之前的臧琳也曾說：「漢世今文盛行，通古學者少，故所引多伏生書。」❿據段玉裁所作〈經義雜記序〉，段氏得見《經義雜記》應在乾隆五十八年或稍前不久，而《撰異》則成於乾隆五十六年，則段氏所言似未受臧氏的影響。

既然漢人皆用今文《尚書》，傳古文《尚書》者不過區區數人而已，那麼鉤稽今文的工作就簡單了許多。舉凡漢代人物，除少數幾位明確治古文《尚書》的學者外，其他人所引《尚書》幾乎可以斷定為全是今文，例如：

㈠〈堯典〉「欽明文思安安」條下，段玉裁以《尚書考靈耀》云：「欽明文塞晏晏」，認為今文《尚書》正作「欽明文塞晏晏」，因為「凡緯書皆出於漢，《書緯》則皆襲今文《尚書》」。此以《書緯》證今文《尚書》。

---

❼ 《撰異・序》，頁2。

❽ 《撰異》，卷1，頁4。

❾ 陳喬樅云：「段氏玉裁謂漢人援引《尚書》皆用見立學官今文，其說甚確。」（見氏著《今文尚書經說考》，《續修四庫全書》影印清刻《左海續集》本，第49冊，卷1上，頁64）。皮錫瑞也曾說：「漢通行今文，所引皆三家《尚書》。」（見氏著《漢碑引經考》，臺北：文海出版社，1967年，卷2，頁65）。王先謙《尚書孔傳參正・序例》也援引段說以為條例。

❿ 〔清〕臧琳撰：《經義雜記》（《續修四庫全書》影印嘉慶四年臧氏拜經堂刻本，第172冊），卷14，頁146。

㈡〈堯典〉「教胄子」條下，段玉裁云：「楊雄〈宗正箴〉云：『各有育子，世以不錯。』子雲著作多用今文《尚書》，然則今文《尚書》作『育子』可證也。」此以楊雄語證今文《尚書》。

㈢〈堯典〉「黎民於變時雍」條下，段玉裁云：「《漢書．成帝紀》陽朔二年詔曰：『《書》云：「黎民於蕃時雍」。』玉裁按，此今文《尚書》也。」此以漢帝詔書證今文《尚書》。

㈣〈立政〉「時則勿有間之」條下，段玉裁云：「《論衡》作『物』，此今文《尚書》也；訓為災物，此今文《尚書》說也。」此以《論衡》證今文《尚書》。

㈤〈顧命〉「王再拜，興，答曰」條下，段玉裁云：「答，《白虎通》引作『對』，此今文《尚書》也。」此以《白虎通》證今文《尚書》。

三、《史記》、《漢書》皆用今文《尚書》

以上是段玉裁利用漢代遺文考證今文《尚書》的幾個例證，但諸如《書緯》、《白虎通》、《論衡》之類引用《尚書》畢竟有限，段氏利用最多的還是《史記》和《漢書》。《史記》吸納了《尚書》中大部分的篇章，《漢書》引用《尚書》之處亦比比皆是。段玉裁主張「馬、班之書全用歐陽、夏侯字句。」⓫這一觀點仍是從「漢人皆習今文《尚書》」生發而來，並無其他論據支撐。段氏對這一觀點堅信不疑，一些在別人看來足以作為反證的東西，經過他的解釋也不成其為反證了。

首先，《漢書．儒林傳》明確地說：「司馬遷亦從安國問故。遷書載〈堯典〉、〈禹貢〉、〈洪範〉、〈微子〉、〈金滕〉諸篇，多古文說。」一些學者，如孫星衍等，據此認為《史記》皆用古文《尚書》。段玉裁卻認為：「此謂諸篇有古文說耳，非謂其文字多用古文也。」⓬陳壽祺對段氏此說甚為信服，認為「此論足以發千古之覆」⓭。

⓫ 《撰異．序》，頁 2。

⓬ 同前註。

⓭ 〔清〕陳壽祺撰：《左海經辨》（《續修四庫全書》影印道光三年刻本，第 175 冊），卷上，頁 385。

其次，《史記》、《漢書》中有明確可據之古文，如《史記》「帝堯曰放勳」，《說文》云：「勳，古文作勛。」如《漢書》「大壄既豬」，《說文》云：「小篆作野，古文作壄。」此皆不容置疑之古文。段氏對此的解釋是：「今文《尚書》之字未嘗無古文也。嘗謂古文《尚書》、今文《尚書》者，猶言古本、今本，非古文《尚書》皆用蒼頡古文、今文《尚書》皆用秦隸書也。」⓮在此，段玉裁對今、古文《尚書》的概念作了界定，認為它們指的是版本的早晚，並非文字的古今。今文《尚書》中的古文從何而來？段氏認為伏生曾為秦博士，當時經書皆以古文書寫，所以「伏生藏而復得者亦古文也」⓯。陳壽祺的觀點與此大同⓰，而皮錫瑞亦贊同此說⓱。

最後，《史記》、《漢書》引《尚書》差異頗多。《史》、《漢》同用今文《尚書》而差異時見，難免讓人產生疑問。段氏對此亦有解釋。如〈堯典〉「五玉」，《史記．五帝本紀》作「五玉」，《漢書．郊祀志》作「五樂」，段氏認為：「蓋同一今文《尚書》而讀之者各異，因而治《尚書》者所從各異也。」⓲再如〈禹貢〉「降丘宅土」，《史記．夏本紀》作「下丘居土」，《漢書．地理志》作「降丘宅土」，段氏認為：「蓋或用古文《尚書》改之（按，指《漢書．地理志》）也。」⓳按歐陽、大小夏侯三家《尚書》既然是分門別派，相互之間自然會有差異，這也可以從出土熹平石經得到證明⓴，但《史》、《漢》之間的差異究竟是不是三家《尚書》異文還有待進一步的證明。陳喬樅甚至明確指出：「《史記》

⓮ 《撰異》，卷1下，頁38。

⓯ 同前註，卷1上，頁15。

⓰ 陳壽祺云：「伏生為秦博士，秦廢古文用八體書，則伏生《尚書》亦宜有兼存古文、小篆者。」（《左海經辨》，卷上，頁383。）

⓱ 參見〔清〕皮錫瑞撰：《今文尚書考證》（北京：中華書局，1989年），頁13。

⓲ 《撰異》，卷1下，頁39。

⓳ 同前註，卷3，頁91。

⓴ 出土熹平石經殘石有當時的校記，可見熹平石經是以歐陽本為底本，以大小夏侯本來校勘，這說明三家《尚書》確有不同。詳可參見許景元：〈新出熹平石經《尚書》殘石考略〉，《考古學報》1981年第2期。

用歐陽《尚書》，《漢書》用夏侯《尚書》，文字既異，詛或不同。」㉑此話更是過於自信。至於段氏懷疑後人篡改《史》、《漢》，自然也是缺乏證據，難以服人。

針對段玉裁《史》、《漢》皆用今文《尚書》的觀點，錢大昕曾專門寫了一篇文章進行反駁，即〈與段若膺論《尚書》書〉。在該文中錢大昕主要有三個論點：一、《史記》、《漢書》中有古文說；二、漢世並非禁絕古文，《史》、《漢》無由專主今文；三、《史》、《漢》中有明確之古文，段氏懷疑後人篡改不可信。對第一、第三兩點段氏都有自己的解釋，因此未必心服，但第二點卻著實動搖了段氏立說的根本，錢大昕說：

> 漢時立學置博士，特為入官之途，其不立博士者，師生自相傳授，初無禁令，臣民上書，亦得徵引。許叔重《說文解字》所稱《書》孔氏、《詩》毛氏、《春秋》左氏、《禮》、《周官》，皆不立學者，而其子沖上書進禦，不以為嫌，馬、班二君又何所顧忌而必專己守殘，不一徵引古文乎！《春秋左氏》與《尚書》古文皆非功令所用，而班氏〈律曆〉、〈五行〉諸志引《左氏》經傳者不一而足，以《春秋》之例推之，則《漢書》決非專主今文矣。㉒

錢氏此說舉證有力，論述暢達，證明了漢代並未禁止古文的傳習。與之相較，段玉裁僅僅因為今文立於學官便主張漢人皆習今文，其說的可信度顯然要差了一些。

《史》、《漢》引《尚書》究屬今文抑或古文，是清代學者爭論不休的一個難題，段氏之說難免有值得商榷之處。晚清學者吳汝綸曾說：

> 《史記》與《尚書》字異者，歸熙父云：「或史公所見別本不同，或古今文字異，或改用訓詁字，亦有全句改者，讀之當有辨。」《漢書》言史公從孔

㉑ 《今文尚書經說考》，卷 2，頁 163。

㉒ 〔清〕錢大昕撰：《潛研堂集》（上海：上海古籍出版社，1989 年），頁 599。

> 安國問故，所載多古文說，段玉裁乃云文字仍依今文，陳壽祺又云今文中有古文，譏段氏以方為古文、旁為今文與《儀禮》不合。此皆強生分別。今文亡久矣，古書多異字，鄭君所云「一經之學，數家競爽」，不專是今、古文異也。且如《漢書》所載《史記》之文亦多異同，豈《史》、《漢》亦有今、古文邪？[23]

按，吳氏對段氏之說的懷疑和詰問很有道理，但認為段氏分別今、古文是「強生分別」則亦可商。今文之亡誠久矣，但鉤考遺文也還可得其大概，如置之不問，則兩漢今、古文《尚書》之真面貌恐永難得見。

值得一提的是，有學者批評段玉裁偏主古文、存門戶之見[24]，實則段氏此書並不偏主一家，雖然他偶爾批評今文說荒謬[25]，或認為古文勝於今文[26]，但他推崇今文處亦時或可見，如「今文《尚書》作『願而共』，勝於古文《尚書》」[27]、「此條今文實勝古文」[28]。他還說：「今文不盡非，古文不皆是。」[29]由此可見段氏尚不失其客觀立場。

段玉裁的《古文尚書撰異》是清代第一部全面系統研究《尚書》今、古文差異的著作[30]，其成績得到了很多學者的肯定，如周中孚云：「自有此書，而今文、古文之異同，昭昭然白黑分矣。故孫淵如師撰《今古文注疏》，於字之異同，一本是書，不假他求也。」[31]皮錫瑞也認為「段玉裁《古文尚書撰異》，於今、古文分別

---

[23] 〔清〕吳汝綸撰：《尚書故》（《續修四庫全書》影印光緒三十年王恩紱等刻《桐城吳先生全書》本，第 50 冊），卷 1，頁 519。

[24] 參見〔清〕皮錫瑞撰：《經學通論・書經》（北京：中華書局，1954 年），頁 103。

[25] 《撰異》，卷 14，頁 200。

[26] 同前註，卷 13，頁 174。

[27] 同前註，卷 2，頁 68。

[28] 同前註，卷 22，頁 237。

[29] 同前註，卷 22，頁 236。

[30] 臧琳曾試圖系統分辨今、古文《尚書》，惜未成書。

[31] 〔清〕周中孚撰：《鄭堂讀書記》（上海：上海書店，2009 年），頁 147。

具晰。」[32]段氏搜羅兩漢文獻，通過校勘異文的形式達到了分別今、古文的目的。雖然段氏的某些觀點稍嫌證據不足、主持太過，但這畢竟是一部自成體系、開風氣之先的著作。《撰異》一書在清代產生了廣泛的影響，不但陳喬樅、皮錫瑞等人考證《今文尚書》時對其成果大加引用，甚至馬國翰輯《今文尚書》也大量稱引段氏之說，且字字遵信，這或許不符合嚴格的輯佚學原則，但卻反映了段著的影響。

清代《尚書》學有真偽之辨，也有今古之辨，王先謙曾感慨說：「學者束髮受《尚書》，垂老而不明真偽古今之辨。」[33]對於清代學者在辨別真偽《尚書》方面所取得的成就，學界早已廣為重視，但對他們辨別今、古文的工作，則相對漠視。這其實是不應該的。或許清代學者在辨別今、古文方面的成績不如辨別真偽那麼突出、那麼可信，但是，《尚書》今、古文問題是《尚書》學不可回避的問題，而對清代學者在這方面的研究我們今天不應置之不理，取其長而補其短才是應有的態度。

---

[32] 〔清〕皮錫瑞撰：《經學通論・書經》，頁 103。

[33] 〔清〕王先謙撰：《尚書孔傳參正・序例》（《續修四庫全書》影印光緒三十年王氏虛受堂刻本，第 51 冊），頁 427。

經學研究論叢
第十九輯　頁91～108
臺灣學生書局　2011年11月

詩人與國史之辨——以「體用」概念論漢、宋《詩經》學的分歧

曾志偉*

一、前言

〈毛詩序〉云：「詩者，志之所之也。在心為志，發言為詩。情動於中而形於言，言之不足，故嗟歎之，嗟歎之不足，故永歌之，永歌之不足，不知手之、舞之、足之、蹈之也。」❶「詩」屬於創作行為，起於情性之所感發，原本不必然與道德及政治教化的功用產生關聯。然而《詩》成為儒家的主要經典以前，先經職官的獻采，再經孔子的刪述，至漢代以降，「思無邪」思想已成為儒家詮釋《詩經》的基本主調，在此過程中，「詩」從創作本質，轉化為詮釋本質，從原本的民間及士大夫的文學作品，經由儒者的染指詮釋，搖身一變而成為被賦予德性及政治教化意味的儒家經典，最具代表性的「美刺」、「風教」之說即在這樣的背景中應運而生。

這種經典性到了宋代，先是歐陽修對詩本義的質疑，接著又受到理學家的挑

* 曾志偉，中央大學中文系博士生、醒吾技術學院通識中心兼任講師。

❶ 〔漢〕毛亨傳；〔漢〕鄭玄箋；〔唐〕孔穎達疏：《毛詩正義》（臺北市：藝文印書館，2001年12月初版第十四刷，據清嘉慶二十一年〔1816〕南昌府學本），卷一，頁13。以下所引皆稱《毛詩正義》，不另注版本。

戰，其中以朱熹的《詩集傳》影響最廣。朱熹提出著名的「淫詩說」，認為《詩經》中有所謂的「淫奔之詩」存在，其〈詩集傳序〉謂：「凡詩之所謂風者，多出於里巷歌謠之作，所謂男女相與咏歌，各言其情者也。」❷其所謂「情」者，明顯即指男女之情，眾所周知，朱熹提倡「心統性情」之說，即如《語類》所云：「性纔發便是情。情有善惡，性則全善。心又是一個包總性情底。」❸若作如是解，則「情有善惡」，《詩三百》即未必皆屬「思無邪」，如此，鄭、衛之〈風〉當中，理所當然會有淫詩存在，但從另一角度而言，《詩經》亦由此而得以從漢儒以來的詩教枷鎖中，返歸到文本本然的創作性質而得到解放。

上述對於漢宋《詩經》學差異的簡單論述，大抵為現代學界所共知。然仔細深思，其中似乎仍有若干問題可繼續深入討論，這些問題有以下：

㈠關於漢、宋《詩經》學各自所被賦予的評價問題

上述漢、宋《詩經》學明顯屬於兩種截然不同的詮釋系統，其《詩》說理論有其各自的系統封閉性，此處所謂「系統封閉性」，謂不能以他種相排斥系統理論為之詮釋者。倘強以他種全然不同的系統觀點切入為之述評，往往會有扞格不入的情形產生，所施予的評價也就很可能偏執於一端。這種偏執一端，最常見於兩種情況，例如：倘執守於漢儒之「風教」觀點以論朱熹的「淫詩說」，朱熹之說當下即悖於「思無邪」的經典原則，在經義上很難不大繆而特繆；反過來說，倘取用朱熹說詩「男女各言其情」的情詩觀點以評漢儒之論，漢儒之「風教」、「美刺」之說，往往又悖於詩人本意，很難不被視之為鄉里陋儒之論。

此二者，從宋代以來學者的《詩》說當中往往可見例證，非偏於此，即偏於彼，厚此薄彼之下，終不免偏執於一端，即使今日之論當中，這種情形亦不為鮮見。職是之故，若能找到一種中性客觀的概念作為處理問題的工具，或許就能幫助我們避免這種偏失。

---

❷ 〔宋〕朱熹集註《詩集傳》（北京：中華書局，1958 年 7 月第 1 版），頁 2。

❸ 〔宋〕黎靖德編：〈性理二〉，《朱子語類》（北京：中華書局，2007 年 10 月）卷五，頁 90。

㈡體用概念能否幫助理解漢、宋《詩》學的歧異

如前所述，關於漢、宋《詩》學的歧異問題，前人所論甚多，但所論往往以一種系統觀點，強加於另一種系統觀點之上。以漢儒觀點論宋代《詩經》學，或以宋代觀點評價漢代《詩經》學，反復相爭，嘵嘵不休，或許無法幫助我們正確理解問題的癥結所在，因此另尋解決方法，也就成為本文試圖嘗試的任務。

凡存在必有體，此稱「體」者，凡一切事物之本質或存在皆屬此謂，有體則必有用，用謂發用，即功能、功用，此二者，其實一源，不可相分相悖。「體用」一詞雖為佛教所傳入，然在此之前，中國亦有以體用二字對舉者，宋代以後，為理學家大舉借用，用以解釋哲學上的本體之義。❹本文擬以「體用」此一概念來解釋漢、宋二種主要《詩經》學系統，用意並非要以哲學概念套用在若干經學問題，將之轉化為哲學解釋，而是欲藉此一抽象概念作為理解問題的工具，將《詩經》學上許多至為複雜的問題，以一特定原則，約化歸納成能夠產生意義的現象與條理。

此現象與條理之所以產生的進程大抵如下：

「體」為事物的本質或存在，漢、宋《詩經》學各為既存的詩說系統，則其亦當可視之為一種本質或存在，如此，漢、宋《詩經》學各有其體，體用一源，不可相分，則其各自的體，亦當產生各自的用。以此為原則，檢視漢、宋《詩》學觀點的歧異，有〈詩序〉「國史」獻詩、采詩的體，本當產生政治上美刺、教化的用；而國史既欲明乎「得失之迹」，以此為體，亦自然會產生治世之音、亂世之音等「觀風」之用；再如宋儒解《詩》，以「里巷歌謠」為體，本當有男女情歌之用；至若以「心統性情」之哲學觀念為體，情有善惡，其解詩自亦當產生淫奔之詩的用。

上述看似因果律的舉例，其實只是體用關係的呈顯。所呈顯的現象，無涉乎主觀上門戶之見解與價值判斷的問題，只有理序、邏輯上能否自足完整的問題。如此或者可避前人《詩》說所蹈之失。

---

❹ 體用概念的由來，葛榮晉先生論之甚詳。參見葛榮晉：〈體與用〉，《中國哲學範疇導論》（臺北：萬卷樓圖書公司，1993年4月初版），頁199－230。

二、漢、宋《詩經》學的系統性及其分歧點

漢代《詩經》學有魯、齊、韓、毛四家，《三家詩》屬於今文經，《毛詩》屬古文經，完整流傳至今者僅存《毛詩》，故《毛詩》可為漢代《詩經》學的代表。宋代疑古之風大起，先有歐陽修、蘇轍對〈詩序〉的質疑，再經朱熹對〈詩序〉的反對，《毛詩》在朱子學大興的元、明二朝，權威性面臨了重大挑戰，因此宋代《詩經》學的代表當然首推朱熹的《詩集傳》。

大體而言，〈毛詩序〉所述風教、美刺等觀點，觀點嚴整一致、系統性強，但系統性強，往往同時意味涵有排斥其他系統的特性。三家《詩》陸續衰微、亡佚，《毛詩》一枝獨秀，後世《詩》說更難以溢出其系統範圍外，即便對〈詩序〉有所反對，所反對者，亦僅是「增刪」其說，或考訂名物制度、或改正章句訓詁，非能另提出一系統性新說與之抗衡。即如主斥〈序〉立場的歐陽修、蘇轍、鄭樵等人，終難動搖〈詩序〉地位，直至主張「淫詩說」的朱熹出現，情況才為之一變。然而，以毛氏、朱氏為代表的漢、宋《詩經》學之所以有別，關鍵非在名物制度、章句訓詁等「小異」處，而是在於《詩》學思想系統上的根本不同。

本文認為，《毛詩》的系統性及其內涵可以「國史」一辭盡之，朱熹的《詩》說則可以「詩人」一辭為其標誌。對於孔子所說：「《詩》三百，一言以蔽之，曰：『思無邪。』」（《論語・為政》）一語的不同認識，二者衍生出各自的《詩》學系統，此實為漢、宋《詩經》學之所以分歧的關鍵所在。以下針對「思無邪」思想，就漢、宋各自的系統分別論之：

㈠漢代《詩經》學由「國史」一辭所衍生出的「思無邪」系統

〈詩大序〉云：

> 上以風化下，下以風刺上，主文而譎諫，言之者無罪，聞之者足以戒，故曰風。至于王道衰，禮義廢，政教失，國異政，家殊俗，而變風變雅作矣。國史明乎得失之迹，傷人倫之廢，哀刑政之苛，吟詠情性，以風其上，達於事

變而懷其舊俗者也。故變風發乎情，止乎禮義。❺

〈詩大序〉標舉「國史」一辭實因承孔子「思無邪」思想有以啟之。「國史」者，孔穎達《正義》云：

國史者，周官大史、小史、外史、御史之等皆是也。

國史之官皆博聞強識之士，明曉於人君得失善惡之迹。禮義廢則人倫亂，政教失則法令酷，國史傷此人倫之廢棄，哀此刑政之苛虐，哀傷之志鬱積於內，乃吟詠己之情性以風其上，覬其改惡為善，所以作變詩也。❻

此所謂「變詩」者，除「變風」外，當然亦包含「變雅」。據孔《疏》云，國史為周之職官，《詩經》中的變詩皆出於國史之手。觀孔《疏》所云：「吟詠己之情性以風其上」一語，實已明確表明變詩為國史所親作。這些變詩所作目的不外用以風諫其上。「上」者，即周王是也。王室衰敗，人倫廢、刑政苛，國史有所感發，故作詩以勸諷其上，其創作動機出於憂國憂民，非為藝術或文學而作，此所以今人稱《詩經》為中國言志傳統之起源。

然孔《疏》所云似蹈入一理序上的矛盾之中，孔《疏》作者自己似亦自覺到。此一矛盾即：倘《詩三百》所有變詩皆國史親自創作，則「獻詩」成立的同時，「采詩」即無由得以成立。「采詩說」出自班固《漢書・藝文志》所言：「古有采詩之官，王者所以風俗，知得失，自考正也。」❼一語，所采者，列國地方民間歌謠也。若變詩的來源只有國史自作獻納一途，則孔子以來《詩》「可以觀」的觀風說即難以成立，基於這一點，孔《疏》乃引鄭玄答張逸所云一段文字：

---

❺ 《毛詩正義》，卷一，頁16－17。

❻ 《毛詩正義》，卷一，頁17。

❼ 〔東漢〕班固撰：〈六藝略・詩〉，見〈藝文志〉第十《漢書》，收於《二十四史》（北京：中華書局，1998年），頁1708。

> 國史采眾詩時，明其好惡，令瞽矇歌之，其無作主者，皆國史主之，令可歌。❽

據鄭玄所云，國史亦有采詩之責，所采之詩無作者者，悉稱國史作之，令樂工歌之以達於上。如此，〈大序〉所稱國史之職，除作詩、獻詩之外，亦有采詩之職責，今當以鄭玄之說為是。

透過鄭玄、孔〈疏〉等所謂「尊毛」一系對「國史」的解釋，可以粗略掌握漢代《詩經》學之關鍵所在。〈毛序〉所云「美刺」、「風教」者，無非皆是國史作詩、采詩、釋詩時所持之觀點。國史為周王室之職官，由其立場出發，詩的功用，本非在於藝術及文學的層面上，而是作為觀察政治良窳的指標。此為《詩三百》成立以前，士大夫對於「詩」所抱持的態度。此種態度，在《詩三百》集結成立以後，《詩經》被儒者經典化，國史作詩、采詩、獻詩之意，被儒家賦予德性之解釋。既為德性之解釋，《詩三百》無一不是出於「思無邪」思想。即如朱志清所云：

> 孔子以「無邪」論詩，影響後世極大。《詩大序》所謂「正得失」，所謂「先王以是經夫婦，成孝敬，厚人倫，美教化，移風俗」，所謂「發乎情，止乎禮義」，都是「無邪」一語的注腳。《毛詩》、《鄭箋》的基石，可以說便是這個意念。❾

因此漢儒所云「美刺」、「風教」者，其思想發源在於國史的「用詩」行為，再經儒家思想的詮釋，其目的本非在於探求詩人的「本義」上。《毛詩》的《詩》學思想自有其由來及系統性，其思想籠罩在政治教化之思維中，非但未為後世論詩者所云「迂曲」，❿且為「理之所當然」。此「理之所當然」，不能由主觀臆斷而得，

---

❽ 《毛詩正義》，卷一，頁 17。

❾ 朱志清：《詩言志辨》（臺北縣：漢京文化事業公司，1983 年 1 月），頁 72。

❿ 可參見屈萬里先生：〈先秦說《詩》的風尚和漢儒以詩教說《詩》的迂曲〉一文。收入羅聯

而需經由國史之采獻之「用」以見漢儒《詩》學之「體」的思辨過程，乃可知其為「理之所當然」。

㈡宋代《詩經》學由「詩人」一辭所衍生出的「思無邪」系統

《朱子語類》中有如下一段問答：

> 問「思無邪」，曰：「前輩多就詩人上說『思無邪』，『發乎情，止乎禮義』。某疑不然，不知教詩人如何得『思無邪』？如文王之詩，稱頌盛德盛美處，皆吾所當法；如言邪僻失道之人，皆吾所當戒。是使讀詩者求無邪思。分而言之，《三百篇》各是一箇『思無邪』；合《三百篇》而言，總是一箇『思無邪』。」⓫

朱熹論《詩》多採斥〈序〉、疑〈序〉立場，所說大異於〈毛詩序〉以來的漢儒之說。此段問答之中，似難找到其與漢代《詩》說對立的關鍵點所在，但實際上，倘能理解由漢儒《詩》學過渡到朱熹的思想轉折，則此中滯礙解解處即可迎刃而解。

其所云「詩人」者，直謂詩篇之「作者」。《詩經》集結成書過程乃采詩之官所採而得，朱熹謂：「所謂〈風〉者，多出於里巷歌謠之作，所謂男女相與詠歌，各言其情者也。」⓬（《朱子語類．卷八十》）則里巷歌謠之作者，自非〈詩序〉所云國史，而是出自民間百姓「閭巷小人」之手，經樂官所采而得，凡此類詩對朱熹而言皆非正詩。⓭

朱熹之論《詩》全然由「詩人」之立場發端論述，由於出發點不同，以致產生其對〈毛詩序〉的下述質疑：首先，〈國風〉中（尤其指〈鄭風〉、〈衛風〉）若干詩篇殊不類國史所作，顯是自民間所采歌謠，但〈毛詩序〉一逕皆指「刺某人」、「美某人」，顯非作詩之人的本義，此其一；其次，《詩三百》篇中若干詩

添編《中國文學史論文精選集》（臺北：學海出版社，1984年9月），頁65－90。

⓫ 《朱子語類》，卷二十三，頁545。

⓬ 《朱子語類》，卷八十，頁2077。

⓭ 說見《朱子語類》卷二十三，朱熹云：「伯恭以為三百篇皆正詩，皆好人所作。某以為，正聲乃正雅也。至於國風，逐國風俗不同，當是周之樂師存列國之風耳，非皆正詩也。」

篇字字面義上明為男女相奔之辭，尊〈序〉者，堅稱此類篇章為「思無邪」，非惟失作詩者本義，亦失孔子「思無邪」之旨，此其二；再次，孔子所云「思無邪」，非指《詩三百》皆無邪，《三百篇》中鑿然有淫奔之詩存在，孔子所謂「思無邪」者，謂讀詩者以「無邪」之思讀之，方才可從《詩經》中若干的有邪之詩得其儆戒之義，此其三。復次，孔子所傳詩教本為溫柔敦厚，〈詩序〉卻篇篇要附會美刺之說，以至於穿鑿，殊失孔子恭自厚之教，此其四。

茲引朱子重要《詩》說，以見其意：

> 詩者，人心之感物而形於言之餘也。心之所感有邪有正，故言之所形有是非。惟聖人在上、則其所感者無不正，而其言皆足以為教。其或感之之雜，而所發不能無可擇者，則上之人必思所以自反，而因有以勸懲之，是亦所以為教也。⓮

> 吾聞之，凡詩之所謂風者，多出於里巷歌謠之作，所謂男女相與詠歌，各言其情者也。惟周南、召南親被文王之化以成德，而人皆有以得其性情之正，故其發於言者，樂而不過於淫，哀而不及於傷，是以二篇獨為風詩之正經。（《詩集傳・序》）⓯

> 大率古人作詩，與今人作詩一般，其間亦自有感物道情，吟咏情性，幾時盡是譏刺他人？只緣序者立例，篇篇要作美刺說，將詩人意思盡穿鑿壞了！且如今人見人纔做事，便作一詩歌美之，或譏刺之，是甚麼道理？⓰

同於漢儒之由思無邪立場出發，但朱熹卻成立一截然不同之《詩》學體系。朱熹論《詩》務求返歸於詩人本義，「心之所感有邪有正，故言之所形有是非」，經由理

⓮ 《詩集傳》，頁1。

⓯ 《詩集傳》，頁2。

⓰ 《朱子語類》，卷八十一，頁2076。

學性思惟概念以論詩人之心，因此詩人之心亦如氣理般有純正、有駁雜之別，《詩三百》正詩存在之餘，同時亦有淫奔之詩並存。有淫奔之詩存，不代表悖於孔子所傳的思無邪思想，相反地，朱熹的「淫詩說」較之漢代《詩》學又增一層轉折，將思無邪思想推向更加深刻化的境地。⑰

然而對於朱熹之說，後儒亦並非全然無可置辯。如明代顧元起（1565－1626）說：

> 鄭詩未嘗不可施于燕享，假令盡為淫犇所作，豈有兩國君卿大夫相見，乃自歌其里巷狹之淫辭以黷媟俎豆、下伍伶諢者哉，必不盡然矣。⑱

顧氏意謂，倘淫詩說成立，燕享用鄭樂的場合，不亦以其里巷狹之淫辭褻瀆士大夫燕享之禮？然此論亦僅就事理及邏輯上的漏洞以評「淫詩說」。清代魏源（1794－1851）《詩古微・齊魯韓毛異同論》云：「夫詩，有作詩者之心，而又有采詩、編詩者之心焉；有說詩者之義，而又有賦詩、引詩者之義焉。」⑲顧氏生於明季，尚未如魏源已能清楚辨析作詩、采詩編詩、賦詩引詩者用心本質之別。本質有別，其所發用自亦全然不同，詩人作詩自有其吟詠情性之用，賦詩引詩亦自別有其外交功能之用，若混為一談，其義往往風馬牛不相及。後世尊〈序〉者之攻朱氏「淫詩說」，大抵如此。然而倘用魏源之說為準的，以檢視朱熹之攻〈毛序〉，可以發現情況亦何嘗又不是如此？

---

⑰ 此謂「深刻化」者，指朱熹將《詩經》的勸懲之意，與《春秋》並列，如《朱子語類》卷二十三所云：問：「如先生說，『思無邪』一句卻如何說？」曰：「詩之意不一，求其切於大體者，惟『思無邪』足以當之，非是謂作者皆無邪心也。為此說者，乃主張〈小序〉之過。《詩》三百篇，大抵好事足以勸，惡事足以戒。如《春秋》中好事至少，惡事至多。此等《詩》，鄭漁仲十得其七八。如〈將仲子〉詩只是淫奔，艾軒亦見得。向與伯恭論此，如桑中等詩，若以為刺，則是抉人之陰私而形之於詩，賢人豈宜為此？」

⑱ 見〔明〕顧元起：〈呂氏家塾讀詩記舊序〉，收於《呂氏家塾讀詩記》第一冊（臺北：新文豐出版社，1984年6月初版），頁2。

⑲ 魏源：《詩古微》，重編本《皇清經解續編》（臺北：漢京文化公司，出版社未註明出版年），第6冊，卷1，頁3848。

漢儒出發點基於「國史」一辭，國史之志在於「傷人倫之廢，哀刑政之苛」，其所志者，其層次本凌駕於民間百姓作詩男女之情的本義之上，故而〈毛序〉不言本義者，非不知詩有本義，〈詩大序〉所云：「國史明乎得失之迹」，「得失之迹」一語，本即涵蓋民間里巷歌謠男女相詠之本義，倘國史采詩時，不知民間歌謠男女相奔之本義，將如何明乎於「得失之迹」？又如何「以風刺上」？更如何「主文譎諫」？這一點恐怕朱熹是斥〈序〉時所無法迴避的問題。

但如此關鍵，朱熹卻略而不論，此所以自朱熹沒後，尊序、廢序二派說《詩》，各持己見，反復相攻，終難取得一致定見與共識。

三、漢、宋《詩經》學的系統封閉性及其體用關係

如前文所述，漢、宋《詩經》學有其各自的系統性。此稱「系統性」者，大凡一理論形成的同時，往往即具有「系統性」，也就是其理論能否自己具足完滿之稱謂。一理論之提出，若尚且不能自足完滿，此理論亦僅能稱之為「假說」，既為假說，其理論必尚未能經驗證而確立成為定論，如此勢必有所修正，修正的過程之中，或者吸納、借用其他理論以證成自己之論，己論方有可能成立，其屬性為對外開放，此種理論系統稱之為「開放性系統」；反之，倘一理論業已圓熟，且能自足完滿，此理論即可稱之為「定論」，此種定論之為定論，往往為自己所定義，非由外在客觀驗證而得，如此即不需吸納、借用其他理論以證成自己之論，其他理論之是否否定自己亦無妨自己之成立，甚至更進一步排斥其他理論，其屬性對外封閉，此種理論系統稱之為「封閉性系統」。在外緣真理之中，一切理論效力講求客觀經驗之驗證，故在此範疇之中，所有理論皆屬於「開放性系統」，如科學底下統攝的各門學科多屬此類型；而在內容真理之的領域中，理論效力不必然需要客觀經驗之驗證，只求自己的理論建構是否能自足完滿，故往往屬於「封閉性系統」，如哲學、文學等相關之人文科目多屬此種類型。

以〈毛詩序〉的風教、美刺說及朱熹的淫詩說為例：

> 《詩》，纔說得密，便說他不著。「國史明乎得失之迹」這一句也有病。《周禮》、《禮記》中，史並不掌詩，《左傳》說自分曉。以此見得〈大

> 序〉亦未必是聖人做。〈小序〉更不須說。他做〈小序〉，不會寬說，每篇便求一箇實事填塞了。他有尋得著底，猶自可通；不然，便與《詩》相礙。那解底，要就《詩》，卻礙〈序〉；要就〈序〉，卻礙《詩》。《詩》之興，是劈頭說那沒來由底兩句，下面方說那事，這箇如何通解！[20]

朱熹謂：「那解底，要就《詩》，卻礙〈序〉；要就〈序〉，卻礙《詩》。」朱熹解詩多直接透過《詩》文本以推詩人本義。朱熹在解詩過程中自己發現：倘解《詩》直接依《詩》文本字面之意而解，往往與〈小序〉之意相悖；如依〈小序〉來解《詩》，卻又與《詩》文本字面所呈顯的意思相扞格。

兩者之所以相衝突，正由於朱熹解《詩》與〈詩序〉之解《詩》，兩者之理論路逕皆屬於「封閉性系統」類型，既為封閉性系統，自己理論成立的同時，往往亦排斥了其他理論系統。

茲再舉朱熹《詩》說，以見「系統之封閉性質」究竟何謂：

> 問：「〈大序〉如何？」曰：「其間亦自有鑿說處，如言『國史明乎得失之迹。』按周禮史官如太史、小史、內史、外史，其職不過掌書，無掌詩者。不知『明得失之迹』卻干國史甚事？」[21]

朱熹「淫詩說」標舉詩人作詩之心，出發點大異於舊說，其本身已然自成一完整理論系統，故不需再乞假於漢儒之說，既已標舉「詩人」一辭立論，當然不必再取〈大序〉中的「國史」為說，此所以朱熹極力反對〈詩序〉中的舊論。如上所述，〈詩大序〉所云風教、美刺等觀點，皆緣於國史「傷人倫之廢，哀刑政之苛」所發，其目的在於「觀得失之迹」，是故〈小序〉中處處可見「美某人」、「刺某人」，美、刺二者即為國史所詮釋的政教「得失」。此正為朱熹所反對。其反對理由如下：

---

[20] 《朱子語類》卷八十，頁 2072。

[21] 《朱子語類》卷八十一，頁 2108－2109。

某自二十歲時讀詩，便覺〈小序〉無意義。及去了〈小序〉，只玩味《詩》詞，卻又覺得道理貫徹。當初亦嘗質問諸鄉先生，皆云：〈序〉不可廢。而某之疑終不能釋。後到三十歲，斷然知小序之出於漢儒所作，其為繆戾，有不可勝言。東萊不合只因〈序〉講解，便有許多牽強處。某嘗與言之，終不肯信。㉒

其疑〈序〉的思想歷程中，至關鍵處在於〈小序〉所述風教、美刺之說，往往與《詩經》字面之義不甚相吻。倘能去〈序〉，「只玩味《詩》詞」，即覺道理貫徹。朱熹的後來的淫詩說亦導源於此。尊〈序〉者如呂祖謙說《詩》盡依〈詩序〉，朱熹則擺落〈詩序〉由字面推求詩人之心，兩者說《詩》當然扞格不入。

另一方面，在朱熹的《詩》論中，屢屢可見其由攻擊〈詩序〉《詩》說理論的基礎點，從而建立新說的企圖。此一基礎點，即〈大序〉的「國史」之說。

「思無邪」，如正〈風〉、〈雅〉、〈頌〉等詩，可以起人善心。如變〈風〉等詩，極有不好者，可以使人知戒懼不敢做。大段好詩者，大夫作；那一等不好詩，只是閭巷小人作。前輩多說是作詩之思，不是如此。其間多有淫奔不好底詩，不成也是無邪思。㉓

國者，諸侯所封之域，而風者，民俗歌謠之詩也。謂之風者，以其被上之化以有言，而其言又足以感人，如物因風之動以有聲，而其聲又足以動物也。是以諸侯采之以頁於天子，天子受之而列於樂官，於以考其俗尚之美惡，而知其政治之得失焉。㉔

每當論及《詩經》的作詩者、采詩者、獻詩者時，朱熹對於「國史」一辭全然隻字

㉒ 《朱子語類》，卷八十，頁 2078－2079。
㉓ 《朱子語類》，卷二十三，頁 546－547。
㉔ 《詩集傳》，卷一，頁 6。

不提。只云詩之作者為「大夫」或「閭巷小人」；而采詩、獻詩之過程，則皆由「諸侯」所采，以貢於天子，全然不干國史之事。朱熹之所以貶斥國史之說，通觀其《詩》學思想體系，其實本來即在情理之中。因為自己所立之論亦為一種封閉性系統，一旦蹈入所敵之論「國史」一辭中，則勢必要解釋國史之情志，如此必陷入〈毛詩〉風教、美刺之觀點中，難以自拔。

二種封閉系統彼此自足完滿，並且彼此排斥抗拒的情況下，欲得真相的呈顯，往往不是在誰是誰非的問題上，而是在於其所以然的問題上。為避免掉入非 A 即 B 二律背反的循環之中，則勢必借助於超然於此二種對立觀點的另一觀點來看待整個問題。本文所採觀點，即「體用」此一概念。

在此，本文無意討論哲學上的本體及心性等專門問題，僅取一般抽象概念上的體用觀念作為定義，即如朱熹所云：「體是這個道理，用是他用處。」[25]凡存在必有本質，有本質則必有發用。萬物之所以存在亦各有其本質，各有其發用，同樣地，一理論系統的存在，也有其本質及發用。[26]此一前提既定，以之檢視〈詩序〉之風教、美刺及朱熹的「淫詩說」，可發現〈詩序〉的理論以國史為體，自有國史在政教上言志的發用；朱熹的「淫詩說」以詩人為體，自然也有男女各言其情的發用。其體用之間的關係如下所述：

㈠漢代《詩經》學理論系統的體用

〈詩大序〉云：

> 國史明乎得失之迹，傷人倫之廢，哀刑政之苛，吟詠情性，以風其上，達於事變而懷其舊俗者也。故變風發乎情，止乎禮義。[27]

〈小序〉所云「美某」、「刺某」，每一詩皆有一本事可言。後儒如朱熹者，或疑

---

[25] 《朱子語類》，卷六，頁 101。

[26] 關於體用概念之性質，可參見蒙培元：《理學範疇導論》（北京：人民出版社，1989 年），第八章，頁 148－172。及葛榮晉：《中國哲學範疇導論》（臺北：萬卷樓圖書公司，1993 年），第九章，頁 199－230。

[27] 同註[1]。

其詩在字面之義上本非〈詩序〉所云美刺之意。於此，若信從朱熹之說，即蹈入其封閉系統中，則〈詩序〉一切美刺勢必皆為妄設。

然而倘若跳脫出朱熹的觀點，專就〈詩序〉而論〈詩序〉，若進入〈大序〉的國史采詩、作詩「以風其上」的理論系統中，〈小序〉的「美某」、「刺某」本即近似國史的書史筆法，兩相對照之下，二者皆以「國史」之觀點為其理論出發點。若作如此理解，則〈大序〉、〈小序〉所云即皆順理成章，並行而不悖。

以「國史」為「體」，國史「傷人倫之廢，哀刑政之苛」之情志即為其發用。「志」者，孔《疏》云：「詩所以言人之志意也。」㉘聞一多云：「志从㞢从心，本義是停在心上。停在心上亦可說是藏在心裏。」㉙要之，「志」為國史志意的表現，〈詩序〉所云「吟詠情性」者，無非皆由國史志意而發用，發用的結果落實在政治上，目的無非落於「以風其上」的詩用功能。然而，作詩、采詩、獻詩的志意若僅止於政治一面，則國史充其量亦只不過是一政治官吏。因此，〈大序〉同時又將國史標定為一種道德主體的代稱，所云：「發乎情，止乎禮義」即是此意。國史采詩的同時，對於所采之詩先經一層道德性的詮釋及判斷，挾此詮釋判斷獻之於上，即使詩中有男女淫奔、怨懟之刺等不善意涵，在經國史的采詩時的道德判斷後，詩中的惡與不善，皆一轉而為道德性的良善義涵，「刺」的行為於是就不是用來作為「以下訐上」個人情緒的宣洩，而是冀由獻詩的途逕，觸發天子的道德良知。天子的道德良知被觸發，即如孔子所云：「君子之德，風；小人之德，草。草上之風，必偃。」㉚（《論語‧顏淵》）。如此，即可撥亂反正，先王的教化亦可

㉘ 〔唐〕孔穎達：《毛詩正義‧詩譜序》：「然則詩之道放於此乎。」句下所引《詩譜》之句。

㉙ 聞一多：《歌與詩》，收於《聞一多全集》第一冊（武漢：湖北人民出版社，1993 年 12 月第一版），頁 185。

㉚ 「偃」字的意涵，日人粟原圭介所說甚恰，其曰：「風教の實質は既に詩に著見するものであるが、論の見るべきものは、論語、顏淵篇に見えている。民をして有道に就かしむることの方策に關する議論がある。孔子が、子欲善、而民善矣として、風化の最も基本に觸れている。君子と小人との兩極を想定して、君子の德は風なり、草は之に風を尚うれば、必ず偃すとあるながそれである。風化の實效をいとも簡潔直截に答えている。殊に「偃」の一語は、事物の體として理の當然を示して餘蘊がない。」特別是粟原氏所說「偃」字所展

重新而得施行。以上此大抵為〈詩序〉依「國史」一辭所建立的一套道德教化理論系統。㉛

㈡宋代《詩經》學理論系統的體用

朱熹曰：

> 今人不以《詩》說《詩》，卻以〈序〉解《詩》，是以委曲牽合，必欲如〈序〉者之意，寧失詩人之本意不恤也。此是〈序〉者大害處！㉜

朱熹站在〈詩序〉系統之對立面，另成立一封閉系統之《詩》論。謂說《詩》當「以詩說詩」，將《詩》還其本來面貌，其來面貌即「詩人之本意」。今世學者多謂朱熹此說是將《詩經》從漢儒的政教美刺中解放出來，重新返歸於文學的本然面目。然而這種普遍的看法，其中卻包含了不少疑義及問題。

孔子論《詩》，本非在文學意義上而論。㉝倘「以詩說詩」之的「詩」字僅單純謂「詩篇」的話，則朱熹所云「以詩說詩」確實是欲將《詩經》返歸於文本的文學性。然而此處朱熹所云「以詩說詩」，應是謂：「以《詩經》說《詩經》」。兩

現事物之體的「理の當然」，正也即是傳統詩教「發乎情，止乎禮義」的理之當然，此理之當然用於政治目的上，無非就是指《詩》的教化功能。見栗原圭介：〈樂と倫理〉，《中國古代の樂論》（東京：大東文化大學東洋研究所，1978 年 3 月 31），頁 509。

㉛ 再參看今人王妍的研究：「《詩》在編輯之初就有目的地與政治結合，被納入政教系統，其意義和作用並非如我們今天對《詩》的理解。在《詩》中，儒家所倡導的君臣、父子、夫婦、兄弟、朋友第各方面的人倫思想都得到全面的體現。《詩》的成立，其目的正在於由禮樂的義理而來的道德教誡。」如王妍所述。此一道德教化之說，很可能在《詩經》編輯之初即有此種意涵。若王說為確，則〈毛詩序〉的美刺教化之說當有根據於前，絕非如朱熹所云出於漢儒妄作。見王妍：《經學以前的《詩經》》（北京：東方出版社，2007 年 3 月），頁 103。

㉜ 《朱子語類》，卷八十，頁 2077。

㉝ 如王妍亦持此一論點：「孔子的用《詩》論《詩》，並非在文學的意義上，他的《詩》說《詩》論，都只能是用詩的理論。他把三百篇視為體現仁、禮的載體。看成指導人們修身、從政的讀本，這就在很大程度上把《詩》所蘊含的道德倫理和政治品性挖掘出來了。」見王妍：《經學以前的《詩經》》，頁 152。

個「詩」字都應加上書名號。「以《詩經》說《詩經》」其目的是在跳脫出〈詩序〉的政教美刺系統，所返歸者，是返回於《詩經》在儒家經典意義上的本然面目。對「詩」字的解釋不同，所導向的結果亦天壤之別，不可不慎。

朱熹《詩集傳・序》開宗明義云：

> 或有問於予曰：「詩何為而作也？」予應之曰：「人生而靜，天之性也；感於物而動，性之欲也。」[34]

此段話方為朱熹對「詩」的真正看法。

天之性理為先驗道德上的純善，天理下貫於人，則人心中有虛靈明覺，亦當為純善。人心中的純善，與生俱來，恰如孟子所云四端，皆在未發之中，故此曰「靜」。然除虛靈明覺之心以外，人心尚有一層在經驗界中作用，與物接時，欲望隨時被觸動，欲望雖為不善，但同樣亦是性理的體現，故此曰：「感於物而動，性之欲也。」

可是，此一理學性質的論述，究竟與《詩經》有何關聯？朱熹於《詩集傳・序》中續道：

> 詩者，人心之感物而形於言之餘也。心之所感有邪有正，故言之所形有是非。惟聖人在上、則其所感者無不正，而其言皆足以為教。其或感之之雜，而所發不能無可擇者，則上之人必思所以自反，而因有以勸懲之，是亦所以為教也。[35]

「心之所感有邪有正」，發之於言而形為詩，如此《詩經》中的詩篇自然亦有邪有正。正者為先王之化底下所產生的正詩，邪者之詩即為「男女相與詠歌，各言其情者也」。此朱熹「淫詩說」之所由來。

---

[34] 《詩集傳》，頁1。
[35] 同上註。

朱熹提出《詩三百》中有「淫詩」存在之說，其目的並非要將《詩》從美刺教化之中解放成為文學作品。其謂：「上之人必思所以自反，而因有以勸懲之，是亦所以為教也。」上根之人見詩中之有邪不善必能反躬自省，由此而得儆戒，《詩三百》可為教化之經典的原因亦即在此。如此，朱熹肯定「淫詩」的存在，其目的就絕非在「解放文學」，而是欲從「詩人」的「所感之雜」中，得其勸懲教化之義。其理論系統仍是處在儒家的教化之義當中。

然則，朱熹《詩》論為教化之義，〈詩序〉之說亦為教化之義，兩者本可相互發揮印證，朱熹何以排斥〈詩序〉之論？本文認為其最主要原因即在於：兩者各自的理論封閉系統性中，各有各自的體用關係。

如前所述，〈詩序〉以國史為體，國史的情志為其發用，其發用所關懷的層面在於整個國家社會文化當中，作詩之人如何善與不善，也只是整個國家社會文化所有不善中的小小一環，故非其真正第一序所關切的重點。

反觀朱熹，其《詩》論從「詩人」一辭而出發，詩人之如何善與不善，為其理學理論上、心性理論上至為重要的關鍵，此關鍵即：如何從詩人的所感之雜的不善中，返歸聖人編《詩》時所涵藏的修身之義。此一涵藏之義，若先入於國史的情志觀點中，則所說之詩即全為國史詮釋之詩，終究聖人所說之詩，此亦朱熹之所以疑〈序〉、斥〈序〉的真正原因所在。

透過以上論述，我們以可略得朱熹《詩》論封閉系統理論中的體用面貌：

朱熹之論《詩》，其理論之「體」在於「詩人」，詩人「所感之雜」即為其「用」，此用亦同時為朱熹所欲探求之詩人本義。朱熹對於詩本義的探求，其目的非在肯定「淫詩」具有文學藝術上的價值，而是為探索聖人勸懲的原義，將此原義落實在儒學心性教化上的功能之上。

四、結論

毛氏、朱氏二者之《詩》說理論皆因「思無邪」思想而起，亦皆歸於「思無邪」思想而終。兩者在儒學德性教化上的意義上本為一致。然由取論路徑不同，一者以「國史」為體，國史所言之志為其發用；一者則以「詩人」為體，以詩人所感之雜的抒情性為其發用。由此體，故有此用，二者因果關係密切。也因此各自形成系統性極強的理論脈絡，系統性強，其封閉性質往往亦強，故而彼此排斥，倘說國史，則詩人所感之雜之用即不能成立；倘說詩人，則國史的情志哀傷之用亦難以成立。非得就國史以論國史，就詩人以論詩人。此所以歷來尊〈序〉、斥〈序〉兩種立場者，各取一義，永難達成共識。

此問題之所以難以紛擾難理，或者導源於「言志」與「抒情」二者相攝又相斥的複雜關係。

日人鈴木修次謂：「言志與言情，在中國的詩論中，分屬相異的兩個流派。即便言志，若從更高一層面上來看，還是得透過抒情的形式來創作以及定義。」[36]

若說《毛詩》所云國史屬於「言志」系統，則朱熹的「淫詩說」即相對地較近於「緣情」系統。朱熹的「淫詩說」立於詩人言情的基點上，從排拒國史的言志說，其間現象，或許正是言情與言志二者複雜關係的顯現。誠如鈴木所云：「詩無論如何言志，還是得透過抒情的形式來創作以及定義」，因此朱熹不信〈詩序〉，而寧從詩的「里巷歌謠」的抒情形式中去尋找詩人本義，無涉於價值是非，此也正是漢、宋《詩經》學之所以分歧的關鍵所在。

---

[36] 見鈴木修次：《中国古代文学論》（東京都：角川書店，1977年3月），頁14。原文如下：「『言志』と『言情』とは、中国の詩論においては異なる二流派を作るが、「言志」といえども、大処高処から考えるならば、やはり叙情詩的世界における発言であり、定義つけである。」

經　學　研　究　論　叢
第　十　九　輯　　頁109～118
臺灣學生書局　2011 年 11 月

陶淵明四言詩《詩經》情結原論

李金坤*

據逯欽立校注《陶淵明集》❶統計，陶淵明詩歌計一百三十餘首，其中純《詩經》體四言詩九首，連其〈讀史述九章〉與〈扇上畫贊〉兩題十篇四言韻文的准《詩經》體四言詩，那麼，陶淵明《詩經》體四言詩則近二十首，約占其全詩總數的六分之一。與其五言詩相比，數量雖然有限，但它卻是詩人古道熱腸之友情、觸景生情之感慨、進德修業之理想、宗族情分之疏密、為人處世之箴規、明哲保身之智慧、肆力農耕之勸勉、緬懷祖德之自勵、回歸田園之樂趣等思想情懷的自然抒發，是陶詩不可分割的有機組成部分。尤其是這些四言詩，對於《詩經》的形態體式、現實精神、比興手法諸方面，皆有很好的承繼與發展，達到了形神兼備、深入骨髓、古色古香、神韻獨特的自然化境。然而迄今為止，人們卻大多熱衷於對他五言詩的研究，而對其四言詩的研究則呈現出「門前冷落車馬稀」的寂寞情景，似乎成了一塊被遺忘的角落。有鑒於此，本文擬就陶淵明四言詩與《詩經》情結之關係作一初探，權作引玉之磚，尚祈方家教正。

一、陶淵明四言詩與《詩經》形式表現之情結

陶淵明自幼好學，「少年罕人事，遊好在六經」（〈飲酒二十首〉其十六），「弱齡寄事外，委懷在琴書」（〈始作鎮軍參軍經曲阿作〉）。待其成年及至歸田

---

* 李金坤，江蘇大學文法學院教授、文學博士。

❶ 本文所引陶淵明詩文皆出自逯欽立校注《陶淵明集》，北京市：中華書局1979年版，不另出注。

終老為止，詩人總是「好讀書，不求甚解；每有會意，便欣然忘食」（〈五柳先生傳〉），欣欣然獨享「既耕亦已種，時還讀我書。……泛覽周王傳，流觀山海圖。俯仰終宇宙，不復樂何如」（〈讀山海經十三首〉其一）的「悅讀」美味。而對於戰亂年代詩書遭毀、人們棄讀的現象，詩人則表示出極度之憂慮與怨恨，所謂「詩書復何罪？一朝成灰塵。區區諸老翁，為事誠殷勤。如何絕世下，六籍無一親」（〈飲酒二十〉其二十），由此反觀之，可知陶淵明對「六籍」之一的《詩經》是何等重視。「腹有詩書氣自華」。（蘇軾〈和董傳留別〉）作為六經之一的《詩經》，由於詩人從少年時代起就對《詩經》情有獨鐘，早已將《詩經》的文化精神高度融化於自己的詩心靈魂之中。因此，在他的四言詩中則無處不氤氳出《詩經》之精神氣象。王士禛嘗云：「漢人蘇武、李陵、枚乘、傅毅之作，去〈國風〉未遠。六代唯陶彭澤，三唐唯韋蘇州，二公可以企及。」[1](139)方東樹亦云：「讀陶公詩，須知其直書即目，直書胸臆，逼真而皆道腴，乃得之。質之六經、孔、孟，義理詞旨，皆無倍焉，斯與之同流矣；否則，止不過詩人文士之流。」[2](97)一曰「可以企及」，一曰「與之同流」，都明確表示了陶淵明四言詩與《詩經》情結關係極其深厚的事實。茲就陶淵明四言詩與《詩經》情結之形式表現觀之，主要有下列五種種形式。試具體論例之。

㈠**《詩經》四言體的體例襲用**。陶淵明近二十首四言詩，全是純粹正宗的《詩經》四言體，絕無一句雜言。陶淵明的這類四言詩，詩題皆仿《詩經》體例，取各詩首句二字為題。詩前有小序。如《陶淵明集》第一首〈停雲〉曰：「停雲，思親友也。罇湛新醪，園列初榮。願言不從，歎息彌襟。」陶淵明四言詩與《詩經》之體式如出一轍，脈承甚明。

㈡**《詩經》四言體的章法採用**。陶淵明四言詩與《詩經》一樣，多有固定的章法，體現出重章複遝的結構特徵。陶淵明四言詩多為四章，也有二章（如〈酬丁柴桑〉）、六章（如〈答龐參軍〉、〈勸農〉）、十章（如〈命子〉）之詩篇者。每章皆為八句。陶淵明四言詩的四章、章八句的體制特徵，其〈歸鳥〉詩最為典型。此詩每章均以「翼翼歸鳥」開頭，在往復重疊的渲染中，突出了詩人歸隱田園的快慰與樂趣，體現了《詩經》民歌精神之本色。

㈢**《詩經》成句的直接引用**。這類形式在陶淵明四言詩中甚為普遍，幾乎篇篇可見。如〈停雲〉「人亦有言」、「豈無他人」，分別出自〈大雅・蕩〉：「人亦有言，顛沛之揭」，〈唐風・杕杜〉：「豈無他人，不如我同父。」〈勸農〉「厥初生民」、「時惟後稷」，則出自〈大雅・生民〉：「厥初生民，實維姜嫄」、「載生載育，時惟後稷」。〈酬丁柴桑〉「有客有客」、「以寫我憂」，分別出自〈周頌・有客〉「有客有客」、〈邶風・泉水〉：「駕言出遊，以寫我憂」。〈答龐參軍〉「衡門之下」、「我有旨酒」、「一日不見」、「之子之遠」，分別出自〈陳風・衡門〉：「衡門之下，可以棲遲」，〈小雅・鹿鳴〉：「我有旨酒，嘉賓式燕以敖」、「我有旨酒，以燕樂嘉賓之心」，〈王風・采葛〉：「一日不見，如三月兮」、「一日不見，如三秋兮」、「一日不見，如三歲兮」，〈小雅・白華〉：「之子之遠，俾我獨兮」、「之子之遠，俾我疷兮」。〈命子〉之引用《詩經》成句則更是有過之而無不及。其「瞻望弗及」、「溫恭朝夕」、「日居月諸」、「夙興夜寐」、「亦已焉哉」，一連引用五個成句，分別出自〈邶風・燕燕〉：「瞻望弗及，佇立以泣」、「瞻望弗及，實勞我心」、〈商頌・那〉：「溫恭朝夕，執事有恪」、〈邶風・日月〉：「日居月諸，照臨下土」、「日居月諸，下土是冒」、「日居月諸，出自東方」、「日居月諸，東方自出」、〈衛風・氓〉：「夙興夜寐，靡有朝矣」、「反是不思，亦已焉哉」。由〈答龐參軍〉與〈命子〉二詩可知，僅一首詩中竟然引用《詩經》如此之多的成句，而且又是那樣的自然貼切，天衣無縫，表情達意，如同己出，委實欽慕陶淵明善於學習《詩經》的高超本領。

㈣**《詩經》成句的巧妙化用**。這類化用句與《詩經》原句只是一、二字相異。這些相異之字詞，基本上是同義詞或近義詞，其中關鍵字則完全一樣。陶淵明的四言詩較之於《詩經》，可謂是大同小異的翻版。如〈停雲〉中的「平路伊阻」、「搔首延佇」、「日月於征」，則分別化自〈邶風・雄雉〉：「自詒伊阻」、〈邶風・靜女〉：「愛而不見，搔首踟躕」、〈唐風・蟋蟀〉：「日月其邁」。〈時運〉「寤寐交揮」，化自〈周南・關雎〉：「寤寐求之」、「寤寐思服」。〈榮木〉「靜言孔念，中心悵而」、「我之懷矣」、「脂我行車，策我名驥」，則分別化自〈衛風・氓〉：「靜言思之，躬自悼矣」、〈邶風・柏舟〉：「靜言思之，寤辟有摽」、「靜言思之，不能奮飛」。〈贈長沙公族孫〉「慨然寤歎，念茲厥初」、「貽茲話言」，則分別化自〈曹風・下泉〉：「愾我寤歎，念彼周京」、

〈大雅・抑〉：「其維哲人，告之話言」。〈酬丁柴桑〉「爰來爰止」，分別化自〈邶風・斯干〉：「爰居爰處」、〈小雅・采芑〉：「亦集爰止」。〈答龐參軍〉「爰得我娛」、「歡心孔洽，棟宇唯鄰」、「逝將離分」、「王事靡寧」、「如何不思」，分別化自〈魏風・碩鼠〉：「爰得我所」、「爰得我直」、〈小雅・鹿鳴〉：「洽比其鄰」、〈魏風・碩鼠〉：「誓將去汝」、〈小雅・四牡〉：「王事靡盬，我心傷悲」、「王事靡盬，不遑啟處」、「王事靡盬，不遑將母」、〈王風・君子于役〉：「君子于役，如之何勿思？」

㈤**《詩經》句式、辭彙及修辭的借用**。陶淵明《詩經》四言體中常常借用《詩經》的有關固定句式。如「有～有～」式，「載～載～」式，「願言～～」式，「薄言～～」式等。還有《詩經》中一些特殊的時間對比句式，如〈小雅・采薇〉「昔我往矣，楊柳依依；今我來思，雨雪霏霏」，陶淵明〈答龐參軍〉「昔我雲別，倉庚載鳴。今也遇之，霰雪飄零」句式，則完全借用於《詩經》，由此而成為後世文學描寫今昔對比情景的不二法門。至於詩人常用《詩經》辭彙與疊詞修辭格則更是篇篇可見、俯拾皆是了。常用辭彙如：「伊阻」、「搔首」、「懷人」、「寤寐」、「令德」、「好音」等。常見疊詞修辭格如：「藹藹」、「濛濛」、「翩翩」、「邁邁」、「穆穆」、「洋洋」、「邈邈」、「悠悠」、「采采」、「慘慘」、「肅肅」、「依依」、「熙熙」、「猗猗」、「亹亹」、「渾渾」、「鬱鬱」、「桓桓」、「翼翼」，等等。《詩經》中的這些句式、辭彙及疊詞修辭，在語言大師陶淵明的妙用下，再一次煥發出文字的華彩與魅力。

二、陶淵明四言詩與《詩經》現實精神之情結

如果說陶淵明四言詩與《詩經》情結豐富多彩之表現形式，已足以表明詩人與《詩經》關係至為密切而別具「淡妝濃抹總相宜」之外在美的話，那麼，陶淵明四言詩與《詩經》情結直面人生之現實精神，更是體現了詩人善學《詩經》而獨含「心有靈犀一點通」之內在美。陶淵明四言詩學《詩經》可謂達到了「形似」與「神似」的高度統一。由外而內，深入骨髓，學《詩》如此，已臻化境。

由陶淵明題材各異的四言詩觀之，每首都可謂是自己所見所聞所感的真實思想的流露，毫無矯揉造作之態，為古老的四言詩體創作開闢了新的道路。劉克莊認

為：「四言詩自曹氏父子，王仲宣、陸士衡後，惟陶公最高。」[3]所謂「最高」，當指陶淵明學習《詩經》由表及裏、形神兼備的最高境界。在玄言詩盛行之世，陶淵明用四言舊體寫時事，獨闢蹊徑，別開生面。陶淵明四言詩創作的可貴之處，在於他善於繼承《詩經》現實主義創作優良傳統，使四言詩這種古老的詩體依然成為「言志」、「緣情」的重要載體。

羅根澤先生對陶淵明創作的現實主義精神作過精闢的論述。他說：「……陶淵明究竟是現實主義的文學巨匠。在〈連雨獨飲〉，他說：『天豈去此哉，任真無所先』。在〈飲酒〉第二十首，他說：『羲農去我久，舉世少復真。』他所追求的是『真』，他所表現的是『真』，他的作品的思想價值和藝術價值，正如鐘嶸《詩品》所評定：『文體省淨，殆無長語，篤意真古，辭興婉愜。』運用真實樸素的語言，揭示真實客觀的情況。元代批評家陳繹曾也說陶淵明作品的特殊優點在：『情真、景真，意真、事真』。[4](314)羅先生這段話是對陶淵明整個創作而言的，四言詩當然亦就包括其中。他十分明確地指出了陶淵明詩歌現實主義創作的核心就是「此中有真意」，唯其「真」，才是陶淵明詩歌的靈魂。也正因為「真」，他的作品才能感染人，打動人，在中國詩歌史上具有「這一個」的獨特風神。

陶淵明四言詩，題材廣泛，內容豐富：或思念親友，或遊春欣慨，或念老惜時，或緬想先祖，或酬答同好，或勸民耕種等等，不一而足。描寫的都是平平常常、普普通通日常生活中的人和事，而其中卻滲透著詩人純真樸實的深情厚意。〈停雲〉寫思親懷友之情，極為動人。在那「靄靄停雲，濛濛時雨；八表同昏，平路伊阻」的惡劣環境，詩人因「良朋悠邈」、「舟車靡從」，而只得「搔首延佇」，徘徊不定。這「搔首延佇」四字，活脫脫地寫出了詩人思親難見的焦慮煩燥的神情，可謂傳神之筆。若無這樣的親身經歷，是絕不會寫出這樣形象而動人的詩句的。儘管詩人思親不見，但並不因此降低思念之感情。「豈無他人，念子實多」兩句，十分真實地攄寫出詩人對親友專貞如一、始終不渝的懷念之情。從〈停雲〉詩中，我們所聽到的，完全是一片「真」話，感受到的純乎是一片「真」情。

〈榮木〉篇慨歎時序變遷，「業不增舊」，但結尾處卻一反哀怨情調，發出鏗鏘宏亮、擲地有聲的誓言：「四十無聞，斯不足畏。脂我名車，策我名驥，千里雖遙，孰敢不至。」大有「老驥伏櫪、志在千里，烈士暮年、壯心不已」的壯志豪情與英雄氣概。詩人所反映出來的思想感情的變化過程是十分自然逼真的。經過一番激烈的思想鬥爭，他的立足點依然站到了現實生活的土地上。〈贈長沙公〉一篇，寫的是詩人同族尊長長沙公路過長沙，因為「昭穆既遠」，而與詩人便「以為路人」了。詩人于此深有感慨，因此「臨別贈此」。從追祖溯宗，到「貽此話言」，娓娓道來，心情沉重卻又溫雅和平，可謂「曲盡人情」。同族尊長尚且如此疏遠，那麼，不是同族人之間的關係豈不更是淡漠了嗎？詩人的弦外之音正在於此。由此，我們可以想見當時社會那種在門閥世族制度籠罩下人與人之間的關係是何等冷酷無情了。這首詩由自己同族人之間關係的疏遠而隱現社會上人與人之間關係的惡劣，具有較強的現實性。查初白評說此詩云：「〈生民〉之詩追本姜嫄，〈思文〉之詩郊祀後稷，參之以〈常棣〉、〈伐木〉、〈行葦〉、〈鳧鷖〉，方知作者用意深厚」（《初白庵詩評》卷上）。查氏所舉參讀之《詩經》篇目，都含有規勸親友故舊、族人兄弟和睦相處的意思。這些思想內涵，陶淵明〈贈長沙公〉一詩全都概括無遺矣。此詩有感而發，觸景生情，雖屬家常語，但仍然「情真語樸，非他手所能」。（馬璞《陶詩本義》卷一）

〈酬丁柴桑〉和〈答龐參軍〉二首都是贈答同僚友好之作，詩中既有相見歡，也有別離愁，還有熱情洋溢的讚美。這都是一般贈別詩的寫作內容與形式，然而到了陶淵明筆下卻能將平凡的題材描摹得十分「高雅脫俗，喻意深闊，交情篤摯」（孫人龍纂輯《陶公詩評注初學讀本》卷一）。它真實流露了人們聚散之間的思想感情，沒有無病呻吟的妞妮作態，是現實生活中人們思想情感的真實反映。

在〈勸農〉一詩中，詩人以遠古時的禹舜躬耕，「沮溺結耦」這些「賢達」「猶勤壟畝」的事實，提出了「矧伊眾庶，曳裾拱手」的責問。這裏的「眾庶」，除了一般的勞動人民外，主要的是指那些不勞而獲的封建地主剝削者。難怪有人分析此詩時如此說：「當與〈伐檀〉一詩並讀，非止課農，此意須言外得之。」（張自烈輯《箋注陶淵明集》卷一）。張謙宜也認為「《勸農》詞淡而意濃」（《絸齋詩談》卷四〈評論〉），都指出了此詩「深衷淺貌」的特點。的確，〈勸農〉一詩，除了在於說明「民生在勤，勤則不匱」的道理外，還潛隱著像〈伐檀〉詩那樣的諷刺不勞而獲剝削階級的深刻用意。這種曲折隱晦、寄意言外的現實主義創作方法，真可謂「上接《三百》，下開三唐，詩家元氣聚于此」（吳瞻泰輯《陶詩匯注》卷一引）。〈歸鳥〉中的「歸鳥」，是一個象徵物，在這個形象中寄託著詩人歸隱山丘、耕種壟畝的美好理想。它與〈歸去來兮辭〉、〈歸園田居〉所表達的思想願望如出一轍，同樣流露出詩人「復得返自然」的歡快無羈與對黑暗社會極度不滿的真實的思想感情。

閱讀陶淵明的這些四言詩，我們時時處處無不強烈感受到詩人喜怒哀樂的種種情愫。或言志，或緣情，皆率性而為，有感而發，毫不掩飾地將自己的靈魂赤裸裸地展示出來。這就是陶氏之「真」，也是詩人承繼《詩經》現實主義創作精神的具體表現。

三、陶淵明四言詩與《詩經》比興手法之情結

《詩經》所開創的比興藝術表現手法，在陶淵明四言詩的運用中更是靈活自如、左右逢源，呈現出深婉含蓄、搖曳多姿、寄慨遙深、韻味雋永的爐火純青的藝術境界。

與《詩經》比興手法運用的形態一樣，陶淵明四言詩也主要在開頭便進入比興的渾融優美之意境。〈停雲〉首章以「靄靄停雲，濛濛時雨。八表同昏，平路伊阻」起興，渲染了自然界昏霾翳塞令人窒息的沉悶氣候，同時又暗喻當時社會的黑暗統治。末章以「翩翩飛鳥，息我庭柯，斂翮閑止，好聲相和」來反比自己思念親人不得相見的極其苦悶的心情。在極其自然的描寫中起到了很好的襯托作用。溫汝能評曰：「陶詩寫景最真，寫情最活，末章『斂翮』二句，狀鳥聲態，何等天然活妙！」（《陶詩匯評》卷一）的確，陶淵明是寫景入情、以情寓景的高手，亦是運用比興手法的妙手。〈榮木〉篇首二章以「采采榮木」、「晨耀其華、夕已喪之」開花時間的極其短促，來比喻人生的暫短和名士遭受的厄運，觸景生情，聯想自然，比喻貼切，形象生動，收到了很好的表達效果。〈答龐參軍〉是詩人贈答友人龐參軍的一首詩。全詩六章，首章與五、六兩章開頭皆很好地運用了比興手法。首章云：「衡門之下，有琴有書。載彈載詠，爰得我娛。」「衡門之下」，直接取之于〈陳風・衡門〉「衡門之下，可以棲遲」。《詩經》此詩旨在於勸勉人們要做到安貧寡欲、知足常樂。後世則以「衡門」、「棲遲」來作為安貧樂道、隱逸自適的典型意象。陶淵明此詩所引「衡門之下」原句，其「隱逸」之比興意味甚明。加之

「載彈載詠，爰得我娛」的具體描寫，詩人樂於隱逸之情則更是溢於言表。五章「昔我雲別，倉庚載鳴。今也遇之，霰雪飄零」，逕自化用〈小雅・采薇〉末章。詩人以鳥鳴與飛雪兩個意象起興，形象說明詩人與友人春天惜別與冬日相遇的兩個季節，由此表明人生顛沛流離的苦難況味，意蘊深厚，耐人回味。六章：「慘慘寒日，肅肅其風。翩彼方舟，容與江中」，詩人以淒慘之寒日與肅殺之寒風起興，喻指當時動盪的社會形勢與惡厲的政治氣候，又以江中飄搖不定的「方舟」比喻友人浪跡天涯、身無定所的人生境遇，由此映射出詩人對友人的憐憫與關愛摯情，故而於詩末發出了「勖哉征人，在思始終。敬茲良辰，以保爾躬」的安慰與祝願之詞。值得注意的是，上列詩人所用比興之意象，或明或暗地都含有《詩經》的影子。詩人不動聲色，巧妙拿來，為我所用，合景合情，敘事論理，具有羚羊掛角、不著痕跡的渾涵圓融之美。

陶淵明借鑒《詩經》比興手法最具《詩經》神韻的典型之作當推〈歸鳥〉。全詩云：

> 翼翼歸鳥，晨去于林。遠之八表，近憩雲岑。和風弗洽，翻翮求心。顧儔相鳴，景庇清陰。
>
> 翼翼歸鳥，載翔載飛。雖不懷游，見林情依。遇雲頡頏，相鳴而歸。遐路誠悠，性愛無疑。
>
> 翼翼歸鳥，馴林徘徊。豈思天路，欣反舊棲。雖無昔侶，眾聲每諧。日夕氣清，悠然其懷。
>
> 翼翼歸鳥，戢羽寒條。游不曠林，宿則森標。晨風清興，好音時交。矰繳奚功，已卷安勞。

「歸鳥」意象，在陶詩中出現的頻率甚高。如〈飲酒二十首〉：「因值孤生松，斂翮遙來歸」（其四），「山氣日夕佳，飛鳥相與還」（其五），「日入群動息，歸鳥趨林鳴」（其七）；〈詠貧士〉：「遲遲出林翮，未夕復來歸」；〈讀山海經十三首〉：「眾鳥欣有托，吾亦愛吾廬」（其一）；〈歸去來兮辭〉：「雲無心以出岫，鳥倦飛而知還」。諸如此類，皆是詩人歸隱園田的象徵。〈歸鳥〉詩全用比興，寓義精微深婉。雖然句句寫鳥，卻是句句寫人，詩人托興於「歸鳥」的獨特意象，自是詩人歸隱之化身。詩人借此抒發他孤高傲世、不願同流合污的高潔情懷，表達了他對人生意義的深刻理解。全詩四章，每章皆以「翼翼歸鳥」開端，重章複遝，一唱三歎，既突出了全詩的中心意象，又渲染了歸隱氣氛，加深了詩的感染力。鐘伯敬曾評價此詩云：「其語言之妙，往往累言說不出處，數字回翔略盡，有一種清和婉約之氣在筆墨之外，使人心平累消。」（清刻本鐘伯敬、譚元春評選《古詩歸》卷九）「魚」和「鳥」是陶淵明筆下常常出現的兩個鮮明的意象。〈歸園田居〉其一云：「羈鳥戀舊林，池魚思故淵」。詩人在它們身上寄寓了自己美好的理想與深刻的情感。這在〈歸鳥〉詩中又得到了進一步的發揮。「矰繳奚施，已卷安勞」，歸鳥倦飛回窠，矰繳還有何用？詩人已從宦途歸來，也就可以避免上層社會明槍暗箭的傷害。此詩與其說是描寫「歸鳥」飛翔止棲的自然之趣，莫若說是詩人嚮往歸隱、企慕田園的思想寫照。沈德潛對此詩甚為讚賞，指出：「他人學《三百篇》，癡而重，與《風》《雅》日遠；此不學《三百篇》，清而腴，與《風》《雅》日近」。[5](188)沈氏所說的「此不學《三百篇》」，並不是說詩人沒有學習《三百篇》，而在於說明陶淵明不學像〈雅〉、〈頌〉那樣古奧典重的文風（所謂「癡而重」），追求的是像〈國風〉和〈小雅〉部分作品那種清新活潑、婉而多諷的比興創作手法。這正是陶淵明四言詩「與〈風〉〈雅〉日近」的閃光之處，也是他真正成為《詩經》精神的傳人而優於其他詩人的關鍵所在。

順便提及的是，陶淵明四言詩「善學《三百篇》」，還表現在他對《詩經》創作形式繼承的基礎上更為可貴的創朝精神。這主要是在有些詩篇的末章採用了「曲終奏雅」、「卒章顯志」的方法，藉以點出全詩的主旨，再加上他詩前所作的小序，這樣整個詩篇就顯得首尾一致、完美渾成了。例如〈停雲〉末章說：「翩翩飛鳥，息我庭柯。斂翮閑止，好聲相和。豈無他人，念子實多。願言不獲，抱恨如何！」以鳥聲和鳴相歡反襯出自己思親而不得晤對的遺憾惆悵之心情，與序中「歎息彌襟」遙相呼應，總結全篇，主題突出，格外感人。〈榮木〉末章說：「先師遺訓，餘豈之墜。四十無聞，斯不足畏！脂我名車，策我名驥。千里雖遙，孰敢不至？」前面幾章都是慨歎自己「人生若寄」、「年華流逝」，調子未免低沉，可是此章卻一反前調，強烈抒發了「黃昏自奮蹄」的豪邁氣概，突出了本詩的主旨。蕭統稱許陶詩為「語時事則指而可想，論懷抱則曠而且真」（《陶淵明集序》），所言甚中肯綮。陶淵明這種「首章標其目」、「卒章顯其志」的創作形式，又進一步為後來白居易新樂府詩歌的創作所吸收。

通過對陶淵明四言詩與《詩經》情結較為全面的初步分析，我們可以比較清楚地看到：陶淵明學習《詩經》，無論是從《詩經》形態體式、現實精神，還是比興手法諸方面，都是深入骨髓而自臻化境的。在眾多學習《詩經》的士林中，「陶公別是一種，自然清深，去《三百篇》未遠。」[6](34)其實，並非「去《三百篇》未遠」，若將陶淵明的這些與《詩經》形神兼備的四言詩置於《詩經》之中，真是真假莫辨。有所不同者，僅在陶詩文字的背後，我們尚可隱約感受到詩人時代的文化背景與他自己的思想情感而已。從這個角度講，我們說陶淵明的四言詩是晉代的《詩經》，是完全當得的。正如方東樹所云：詩人「用意高妙，興象高妙，文法高妙，而非深解古人則不得。」[7](30)此乃陶淵明爛熟《詩經》、學以致用的理想收穫，也為後世學習《詩經》者提供了成功的經驗與楷模。

陶淵明的四言詩以其傑出的創作成就、古色古香的神韻魅力，在中國詩歌史上具有里程碑的重要意義。一代有一代之文學風貌與特徵。《詩經》之後，出現了以屈原為代表進行創作的《楚辭》，至漢代又出現了賦體散文，雍雍典雅、洋洋灑灑，極盡鋪陳渲染之能事。這期間，四言詩的創作進入低潮。直到魏國的曹氏父子和「建安七子」，才又使得四言詩的創作振興起來。所作多慷慨陳志，充滿蓬勃生機。但正如蕭滌非先生所云：「惟自三百篇後，四言之體已弊，雖有曹操崛起，亦不過如同迴光返照而已」。[8](131)一度充滿生機的四言詩體，後來終究被空談玄理、味同嚼蠟的玄言詩所取代。永嘉以後，從東晉到宋初，在這近百年時間裏，玄言詩成為詩壇上占統治地位的文體。就在這「黑雲壓城城欲摧」的詩歌極度低潮時期，陶淵明身披東晉詩壇的一身霞光向我們走來了。他以潛心學《詩》、形神兼備的獨特魅力，以富於現實生活內容和清新自然、純樸厚實風格的詩歌創作，使四言詩再次煥發出古樸清雅的藝術光芒，給東晉詩壇帶來了一線十分可喜的光明，為毫無生氣的玄言詩注進了充滿活力的新鮮血液。這是陶淵明繼承和發展《詩經》現實主義創作方法和比興藝術手法取得的傑出成就，也是他對中國文學史作出的不可磨滅的巨大貢獻。《詩經》不敗，傳統恒光；陶淵明不朽，四言詩永輝。

經 學 研 究 論 叢
第 十 九 輯　頁119～192
臺灣學生書局　2011 年 11 月

朱熹的《詩經》詮釋和漢學傳統的異同
——以「淫詩」說爲例

陳明義*

一、前言

就《詩經》學史而言，由《詩序》、《毛傳》、《鄭箋》、《毛詩正義》所構成的釋《詩》傳統，以其內在的精神血脈相通，一般稱為《詩經》的漢學傳統。此一傳統，視《詩》為經，《詩》具有極高的道德、人倫及政教上的意義，在詩篇的詮釋上，奉守《詩序》，認為《詩序》之作出於子夏，得聖人說《詩》的旨意；採取以史證《詩》、以史說《詩》及美刺時君國政的詮《詩》進路，由此架構教化勸誡、「正邪防失」的《詩》學體系。唯此一傳統，自唐中葉以來，漸受質疑，入宋後，在宋人理性、思辨、反省的精神、風潮下，更受到莫大的批評與挑戰，馴致此一釋《詩》傳統的消解，而由朱熹所集大成的釋《詩》體系所取代，形成《詩經》學史上的宋學傳統，支配了元代以迄明中葉約六百年的《詩經》詮釋❶。而《詩

* 陳明義，修平技術學院應用中文系助理教授。

❶ 由《詩序》、《毛傳》、《鄭箋》及《毛詩正義》所形塑而成的《詩經》漢學傳統，自唐中葉起，以迄南北宋，紛紛受到學者的質疑、批評與挑戰，這些學者包含：韓愈、成伯璵、孫復、劉敞、歐陽脩、王安石、蘇轍、鄭樵、王質、朱熹等，而由朱熹集此一反漢學傳統的大成，建立了《詩經》學史上的宋學傳統，詳參拙著《蘇轍詩集傳研究》（臺北：東吳大學中國文學研究所碩士論文，1994 年 1 月）第二章宋代《詩經》學的背景、第二節中晚唐經學的

經》的宋學傳統所以能夠形成，這必然是在若干釋《詩》觀點、問題上，和漢學傳統有所歧異之故。這些歧異，主要即是由《詩序》的作者觀及《詩序》的解《詩》是否愜合詩旨而來。漢學傳統以《詩序》為子夏作，《詩序》的詮說，切合《詩》旨；宋學傳統則以為《詩序》非子夏作，是出自漢儒，《詩序》的詮釋，多不愜詩旨。由對《詩序》的作者及《詩序》解《詩》究竟是否愜合詩旨的觀點不同，導致漢、宋《詩經》學尊《序》以言《詩》、反《序》以言《詩》的不同路向。由此，遵《序》與反《序》、《詩》旨詮釋的差異，也成為漢宋《詩經》學異同的一大標記。唯作為《詩經》學史上的漢、宋二大傳統，在整體釋《詩》的內涵、觀點及真相上，究竟有何異同，則值得吾入作進一步的探究。以宋學傳統的代表：朱熹的反《序》為例，由於朱熹認定《詩序》出自漢儒，非子夏作，亦非聖人作；《詩序》解《詩》穿鑿附會，多所謬誤，不可盡信，乃循鄭樵的故事，將《詩序》置於卷後，並作《詩序辨說》一卷，針對《詩序》錯謬妄說之處，加以指摘、駁擊，欲使讀者了解到《詩序》確出自後人，解《詩》時萬不可「委由遷就，穿鑿而附合之，寧使經之本文繚戾破碎，不成文理」（《詩序辨說・序》，卷上，頁 3），駁《序》諸言辭，時顯激烈而淋漓，由此，遵《序》與反（廢）《序》、詩旨詮釋的差異，也形成了一般人對於漢、宋《詩經》學異同的一大認知。然而遵《序》與反（廢）《序》，詩旨詮釋差異的真相究竟為何，則有待吾人進一步去釐清、抉發與探究。不然，清儒姚際恒何以指稱朱熹《詩集傳》「時復陽違《序》而陰從之」（《詩經通論・自序》，頁 15），甚至更謂朱熹釋《詩》，多所從《序》，「其從《序》者十之五，又有外示不從而陰合之者，又有意實不然之而終不能出其範圍者，十之二三。故愚謂遵《序》者莫若《集傳》」（仝上，卷前，〈詩經論旨〉，頁 5）此外，近人李家樹先生更以國風一百六十篇為例，將《詩序》之釋《詩》和朱熹之釋《詩》作一比對，他的結論是朱熹釋《詩》，跟從《序》說的，「幾達百分之七十」（《詩經的歷史公案・三、漢宋詩說異同比較》，頁 61）因對朱熹是攻《序》派的巨擘一說，不敢苟同，並謂「大膽來說，朱熹還是一個『從《序》

新發展、第三節宋代新經學的建立，頁 9－17。

派』。」（仝上，頁 76）❷學者如此指陳、立說，當然說明了漢宋《詩經》學異同問題的可待探究。唯有進一步、深入的研究，我們才可以更正確地去理解《詩經》學史上漢宋二大傳統釋《詩》異同的內涵，去釐清、抉發、闡釋、說明漢宋《詩經》學異同問題的種種面向。透過漢、宋《詩經》學異同的研究，除遵《序》與反《序》、詩旨詮釋的差異此一問題之外，其他如釋《詩》的方法、《詩經》的教化觀、刺淫和淫詩、三百篇的表達方法、寫作技巧、詩文的詞義、名物、訓詁諸端，學者倘能並列、對應，作一更深入、整體的辨析與討論，對於《詩經》學史上漢、宋傳統異同的問題與真相上，必然有莫大的幫助，同時對於此二傳統，其間的觭角對立、相承相因，甚或突破創發的種種問題上，也必能有一更清楚、正確、整全的認識❸。本文因擇定朱熹的「淫詩說」為例，略作探討，以見宋學傳統的代表：朱熹的《詩經》詮釋，和漢學傳統異同之一端。

二、「淫詩」說的提出

㈠從反《序》到「淫詩」

朱熹的《詩經》詮釋和漢學傳統的異同，其大端自在有關《詩序》作者的認定及《詩》旨詮釋的方法上，漢學傳統以子夏作《詩序》、《詩序》出自孔門、愜合詩義❹；在釋《詩》的方法上，例以美刺國君時政說《詩》，採取以史證詩、以史

---

❷ 李先生的研究，參《國風毛序朱傳異同考析》（香港：學津出版社，1979 年 1 月）、《詩經的歷史公案・漢宋詩說異同比較》（臺北：大安出版社，1990 年 11 月），頁 39－82。

❸ 林師慶彰曾撰〈《詩經》學史研究的回顧與前瞻〉一文，指出今後《詩經》學史的研究須注意幾點，其一，解決歷史分期的困擾，其二，開拓研究的新方向，其三，凝鍊新方法以補不足，其四，詩經學史著作的點校和充實。就開拓研究的新方向而言，林師指出，可就宋學家或漢學家的《詩經》著作，作一比較的研究，如將宋學家朱子的《詩集傳》和漢學的《毛傳》、《鄭箋》作比較，如此，宋學那些承繼了漢學，那些是宋學本身的新發展，也將有較清晰的概念。本文之撰作，即循此而發，林文見《中國文哲研究的回顧與展望論文集》（臺北：中央研究院中國文哲研究所，1992 年 5 月），頁 349－382。

❹ 《小雅・常棣疏》引《鄭志》曰：「此《序》子夏所為，親受聖人。」參《詩疏》（臺北：藝文印書館，1989 年 1 月）卷 9 之 1，頁 12。又《詩譜序・疏》：「三百一十一篇皆子夏為之作《序》，明是孔子舊定。」（同前，卷首，頁 5）

說《詩》的詮釋進路，朱熹則以為《詩序》非子夏作，是出自漢儒（衛宏），所釋《詩》旨，多錯謬妄說；對於《詩序》以美刺說《詩》、視《詩》為史、悖離詩文、穿鑿附會的說《詩》方式，深致不滿與否定，因而主張離《序》言詩、以詩言《詩》；直接從詩文的涵詠、反覆誦讀中，去求得《詩》意，相關的言論甚多，如謂：

> 《小序》漢儒所作，有可信處絕少。（《朱子語類》卷八十，頁 2067）
>
> 某自二十歲時讀《詩》，便覺《小序》無意義。……後到三十歲，斷然知《小序》之出於漢儒所作，其為謬戾，有不可勝言。（仝上，頁 2078）
>
> 《詩》本易明，只被前面《序》作梗。《序》出於漢儒，反亂詩本意。（仝上，頁 2074）
>
> 某《詩傳》去《小序》，以為此漢儒所作。（仝上，卷二十三，頁 539）
>
> 《詩序》，《東漢・儒林傳》分明說道是衛宏作。後來經意不明，都是被他壞了。某又看得亦不是衛宏一手作，多是兩三手合成一《序》，愈說愈疏。（仝上，頁 2074）

又謂：

> 大率古人作詩，與今人作詩一般，其間亦自有感物道情，吟詠情性，幾時盡是譏刺他人，只緣《序》者立例，篇篇要作美刺說，將詩人意思盡穿鑿壞了！（仝上，頁 2076）
>
> 詩之文意事類，可以思而得，其時世名氏，則不可以強而推。……若為〈小序〉者，姑以其意，推尋探索，依約而言，則雖有所不知，亦不害其為不自

> 欺，雖有未當，人亦當恕其所不及，今乃不然。不知其時者，必強以為某王、某公之時；不知其人者，必強以為某甲、某乙之事。於是附會書史、依託名諡、鑿空妄語，以誑後人。其所以然者，特以恥其有所不知，而唯恐人之不見信而已。（《詩序辨說・邶風・柏舟》，卷上，頁 10）

> 又其為說必使詩無一篇不為美刺時君國政而作，固已不切於情性之自然，而又拘於時世之先後，其或詩傳所載，當此之時，偶無賢君美諡，則雖有詞之美者，亦例以為陳古而刺今，是使讀者疑於當時之人絕無善則稱君，過則稱己之意，而一不得志，則扼腕切齒，嘻笑冷語，以懟其上者，所在而成群，是其輕躁險薄，尤有害於溫柔敦厚之教。（仝上）

至於主張離《序》言《詩》、以詩言《詩》，直接從詩文的涵詠、反覆誦讀中，去求得詩意，朱熹說：

> 《詩》本易明，只被前面《序》作梗。《序》出於漢儒，反亂《詩》本意。且只將四字成句底詩讀，卻自分曉。（《朱子語類》卷八十，頁 2074）

> 今欲觀《詩》，不若且置《小序》及舊說，只將元詩虛心熟讀，徐徐玩味，候彷彿見箇詩人本意，卻從此推尋將去，方有感發。如人拾得一箇無題目詩，再三熟看，亦須辨得出來，若被舊說一局局定，便看不出。（仝上，頁 2085）

> 須先去了《小序》。只將本文熟讀玩味，仍不可先看諸家注解，看得久之，自然認得此詩是說箇甚事。謂如拾得箇無題目詩，說此花既白又香，是盛寒開，必是梅花詩也。（仝上，頁 2085）

> 當時解《詩》時，且讀本文四五十遍，已得六七分。卻看諸人說與我意如何，大綱都得之，又讀三四十遍，則道理流通自得矣。（仝上，頁 2091）

> 讀《詩》惟是諷誦之功，上蔡亦云：「詩須是謳吟諷誦以得之。」熹舊時讀書，也只先去看許多注解，少間卻被惑亂，後來讀至半了，卻只將詩來諷誦，至四五十過，已漸漸得詩之意，卻去看注解，便覺減了五分以上工夫。更從而諷誦四五十過，則胸中豁然矣。（《詩傳遺說》卷一，頁10072）

> 如《詩》、《易》之類，則為先儒穿鑿所壞，使人不見當來立言本意。此又是一種功夫，直是要人虛心平氣，本文之下打疊交空蕩蕩地，不要留一字先儒舊說，莫問他是何人所說，所尊，所親，所憎，所惡，一切莫問，而惟本文本意是求，則聖賢之指得矣。（《朱熹集》冊四，卷四十八，〈答呂子約八〉頁2317－2318）

由對於《詩序》作者認定的不同，對《詩序》解《詩》的不信任，進而衍生出釋《詩》方法的差異；以《序》言《詩》和以《詩》言《詩》，既在方法上有根本的差異，從而使得朱熹對於三百篇詩旨的解釋，和《詩序》、漢學傳統有了頗大的差異❺。漢、宋《詩經》學的異同，除了可由朱熹對《詩序》的質疑、否定與揚棄，致造成釋《詩》的差異，窺知端倪以外，「淫詩說」的提出，亦標誌著《詩經》漢宋學在有關《詩經》詮釋上的歧異。

歷來批評朱熹《詩》學者，要不出針對朱熹的詆讁、揚棄《詩序》與「淫詩說」的提出，力作駁辨和批判，自南宋呂祖謙以降，元代之馬端臨、明代之郝敬、何楷、清代之陳啟源、胡承珙、姚際恒、方玉潤等等❻，莫不如此，其中所透露出

❺ 有關朱熹釋《詩》，以《詩》言《詩》，回歸《詩》的本文來詮解，和《詩序》視《詩》為史，以史證《詩》、以美刺國君時政來詮《詩》的異同，及二者在詩旨詮釋的具體差異，可參筆者所撰的博士論文初稿：《朱熹的詩經詮釋和漢學傳統的異同》第三章：〈詩旨詮釋的異同〉，未發表。

❻ 呂祖謙為朱熹的摯友，嘗撰《呂氏家塾讀詩記》一書，為南宋詮《詩》的大家。其《詩》學大抵奉守《詩序》以言《詩》，執持孔子「思無邪」之說，以為《詩經》之中並無淫詩，凡朱熹所判定為淫人自作的淫詩，他皆以為是他人所作以刺淫之詩。而孔子所嘗詆斥、欲放絕的「鄭聲」，及《禮記．樂記》中所說的「鄭衛之音，亂世之音也。」他也認為都非指《詩經》中的〈鄭風〉、〈衛風〉，與朱熹所執持的「淫詩」的觀點多所角力。有關呂祖謙執持

《詩經》之中並無淫詩，而為刺淫之詩的觀點，見《呂氏家塾讀詩記》之釋〈桑中〉文（臺北：臺灣商務印書館影印文淵閣四庫全書，1983 年），卷 5。又參洪春音撰：《朱熹與呂祖謙說詩異同考》（臺中：東海大學中國文學研究所碩士論文，1995 年 5 月）。元代馬端臨對於朱熹反《序》以言《詩》及《詩經》的變風中有淫詩的觀點多所質疑，詳參《文獻通考・經籍考》（上）（臺北：新文豐出版公司，1986 年 9 月），卷 5，頁 134－148，以對朱熹淫詩說的不認同為例，馬氏說：「……何獨於鄭、衛諸篇而必以為淫奔者所自作，而使正經為錄淫辭之具乎？且夫子嘗刪《詩》矣，其所取於〈關雎〉者，謂其樂而不淫耳。則夫《詩》之可刪，孰有大於淫者？今以文公《詩傳》考之：其指以為男女淫泆奔誘而自作詩以敘其事者，凡二十有四。如〈桑中〉、〈東門之墠〉、〈溱洧〉、〈東方之日〉、〈東門之池〉、〈東門之楊〉、〈月出〉，則《序》以為刺淫，而文公以為淫者所自作也；如〈靜女〉、〈木瓜〉、〈采葛〉、〈丘中有麻〉、〈將仲子〉、〈遵大路〉、〈有女同車〉、〈山有扶蘇〉、〈蘀兮〉、〈狡童〉、〈褰裳〉、〈豐〉、〈風雨〉、〈子衿〉、〈揚之水〉、〈出其東門〉、〈野有蔓草〉，則《序》本別指他事，而文公亦以為淫者所自作也。夫以淫昏不檢之人，發而為放蕩無恥之辭，而其詩篇之繁多如此，夫子猶存之，則不知所刪何等一篇也？文公謂《序》者之於《詩》，不得其說則一舉而歸之刺其君。愚亦謂文公之於《詩》，不得其說則一舉而歸之淫謔。如〈靜女〉、〈木瓜〉以下諸篇是也。文公又以為《序》者之意，必以為《詩》無一篇不為刺時君國政而作，輕浮險薄，有害於溫柔敦厚之教。愚謂古者庶人謗，商旅議，亦王政之所許，況變風、變雅之世實無可美者，而禮義消亡，淫風大行，亦不可謂非其君之過。縱使譏訕之辭太過，如〈狡童〉諸篇之刺忽，亦不害其為愛君憂國，不能自已之意。今必欲使其避諷訕之名而自處於淫謔之地，則夫身為淫亂而復自作詩以贊之，正孟子所謂無羞惡之心者，不可以人類目之，其罪浮於訕上矣，反得為溫柔敦厚乎？」（仝前，頁 139－140）明、郝敬撰《毛詩原解》三十六卷，對於朱熹反《序》以言《詩》及所提「淫詩」說，亦多所詆謫，云：「讀《詩》本《古序》，義理周匝完備，雅、頌各得其所。聖人刪《詩》，手澤如新。朱子謂《序》不可信，須併三百篇亦不信始得。如以三百篇為古而《序》為非古，改從今說，則其錯亂不可勝道矣！」參《毛詩原解・序》（臺北：新文豐出版公司，1984 年）、「朱子謂《序》無據而揣摩也。夫君子善善長而惡惡短，就使無據，寧揣摩古人之似入于善，無寧揣摩不似而入于惡。入于善者，成人美；入于不善者，成人惡。故曰過疑從輕，況本無疑乎？〈木瓜〉為感齊桓公作，何疑也，〈青青子衿〉為學校不脩作，又何疑也。今不擬以報德之辭，學校之詠，而改從淫奔，豈惟瀆亂聖經，亦好成古人之惡矣，餘難枚舉，附見各篇。」（仝上）明、何楷撰《詩經世本古義》二十八卷，以為國風諸詩具有勸戒、諷諫的作用，且經孔子刪削，故今存之《詩經》不可能有淫詩，對於朱熹所提之「淫詩」說並不採信，參林師慶彰撰：〈何楷詩經世本古義析論〉，中國文哲研究集刊第 4 期，1994 年 3 月。陳啟源撰《毛詩稽古編》三十卷，詮《詩》依準《詩序》，謂讀《詩》「必不可以無《敘》」、「舍《小敘》奚由入哉？」（《毛詩稽古編》卷 25〈總詁〉，頁 1，臺北：藝文印書館影印皇清經解本，1965 年）對於朱熹以淫詩為淫人所作及拈據孔子「鄭聲淫」之說，因謂「鄭風淫」的觀點，皆有所駁辨，云：「里巷猥事，足為勸戒者，文人墨士往往歌述為詩，以示後世，如〈陌上桑〉、〈雉朝飛〉、〈秋胡妻〉、〈焦仲卿〉、〈木蘭詩〉之類，皆非其人自作也，特代為其人之言耳。國風美刺諸篇，大率此類。《集傳》概指為其人自作，決無是理也。」（卷 4，釋〈衛風・氓〉條，頁 15）、「其本是刺淫之詩，而指為淫人之自述者，〈東門之枌〉、〈東門之楊〉、〈月出〉、〈澤陂〉四詩也。天下雖至無恥之人，發其淫私之事，則赧然面赤，決無將己身淫污之行，編為詩歌，以示人者。即後世玉臺香奩之詠，及近今淫詞艷曲，皆是文人墨士寓興而為之，未有淫者之自述也！朱子何弗思乎？」（卷 7，釋〈陳風〉，頁 10）、「朱子《辯說》謂孔子『鄭聲淫』一語，可斷盡〈鄭風〉二十一篇，此誤矣！夫子言鄭聲淫耳，曷嘗言鄭詩淫乎！聲者，樂音也，非詩詞也；淫者，過也，非專指男女之欲也。古之言淫多矣，於星言淫，於雨言淫，於水言淫，於刑言淫，於游觀田獵言淫，皆言過其常度耳。樂之五音十二律，長短高下皆有節焉，鄭聲靡曼幼眇，無中正和平之致，使聞之者導欲增悲，沈溺而忘返，故曰淫也。朱子以鄭聲為〈鄭風〉，以淫過之淫為男女淫欲之淫，遂舉〈鄭風〉二十一篇盡為淫奔者所作，幸免者惟〈緇衣〉、〈大叔于田〉、〈清人〉、〈羔裘〉、〈女曰雞鳴〉五篇而已。其餘雖『思君子』如〈風雨〉，『刺學校廢』如〈子衿〉，亦排眾論而指為淫女之詞。夫孔子刪詩，以垂世立訓，何反廣收淫詞艷語，傳示來學乎？陶靖節〈閑情賦〉，昭明歎為白璧微瑕，故不入《文選》，豈孔子之見，反出昭明下哉！」（仝上，卷 5，釋〈鄭風〉，頁 10）姚際恒撰《詩經通論》十八卷，對於朱熹所倡之「淫詩」說，也多所詆謫、駁辨，如云：「特以陋儒誤讀《魯論》『放鄭聲』一語，于是堅執成見，曲解經文，謂之『淫詩』；且謂之『女惑男』。直是失其本心，于以犯大不韙，為名教罪人。此千載以下人人所共惡者，予更何贅焉！」參《詩經通論》（臺北：中央研究院中國文哲研究所，1994 年 6 月），卷 5，頁 164「《集傳》紕繆不少，其大者尤在誤讀夫子『鄭聲淫』一語，妄以鄭詩為淫，且及于衛，且及于他國。是使三百篇為訓淫之書，吾夫子為導淫之人，此舉世之所切齒而歎恨者。予謂若止目為淫詩，亦已耳；其流之弊，必將併《詩》而廢之。」（仝前，〈自序〉，頁 15）、「《集傳》使世人群加指摘者，自無過淫詩一節。其謂淫詩，今亦無事多辨。夫子曰：『鄭聲淫』，聲者，音調之謂，詩者、篇章之謂，迥不相合。世多發明之，意夫人知之矣。且春秋諸大夫燕享，賦詩贈答，多《集傳》所目為淫詩者，受者善之，不聞不樂，豈其甘居于淫佚也！季札觀樂，于〈鄭〉、〈衛〉皆曰『美哉』，無一淫字。此皆足證人亦盡知。然予謂第莫若證以夫子之言曰：『《詩三百》，一言以蔽之，曰：『思無邪』。』如謂淫詩，則思之邪甚矣，曷為以此一言蔽之耶？蓋其時間有淫風，詩人舉其事與其言以為刺，此正『思無邪』之確證。何也？淫者，邪也；惡而刺之，思無邪矣。今尚以為淫詩，得無大背聖人之訓乎！乃其作《論語集註》因是而妄為之解，則其罪更大矣。」（仝上，〈詩經論旨〉，頁 5）方玉潤撰《詩經原始》十八卷，對於朱熹所提之「淫詩」，亦不以為然，云：

來的消息，即是「淫詩說」是漢宋《詩經》學的一大分野。以下茲述朱熹的「淫詩說」，以見朱熹的《詩經》詮釋和漢學傳統的異同。

謂《詩經》的國風中有淫詩，在朱熹之前，《左傳》、班固、許慎、高誘、王肅、杜預、歐陽脩、鄭樵等，皆已提及❼，唯指陳《詩經》的國風中有大量的淫

「朱雖駁《序》，亦未能出《序》範圍也。唯誤讀『鄭聲淫』一語，遂謂鄭詩皆淫而盡反之，大肆其說，以玷葩經，則其失又有甚於《序》之偽託附會而無當者。於是說《詩》門戶紛然爭起……」參《詩經原始・自序》（臺北：藝文印書館，1981 年 2 月），頁 5「案：〈鄭風〉古目為淫，今觀之，大抵皆君臣朋友、師弟夫婦，互相思慕之詞，其類淫詩者，僅〈將仲子〉及〈溱洧〉二篇而已。然〈將仲子〉乃寓言，非真情也。即使其真，亦貞女謝男之詞。〈溱洧〉則刺淫，非淫者所自作，何得謂為淫耶？然則聖言非歟？竊意〈鄭風〉實淫，但經刪定，淫者汰而美者存，故鄭多美詩，非復昔日之鄭矣。其〈溱洧〉一篇尚存不刪者，以其為鄭實錄，存之篇末，用為戒耳，此所謂『放鄭聲』也。宋儒不察，但讀『鄭聲淫』一語，遂不理會『放』字，凡屬鄭詩，悉斥為淫，舉凡一切君臣朋友、師弟夫婦，互相思慕之詞，無不以〈桑中〉濮上之例例之，遂使一時忠臣賢士，義夫烈婦，悉含冤負屈於數千百載上，而無人昭雪之者，此豈一時一人之憾。愚故特為標出，寧使得罪後儒，不敢冤誣前聖，世之有志風雅者，當能諒予一片苦衷也。」（《詩經原始》卷 5，頁 501－502）

❼ 《左傳》成公二年：「……使屈巫聘于齊，且告師期，巫臣盡室以行，申叔跪從其父將適郢，遇之，曰：『異哉！夫子有三軍之懼，而又有〈桑中〉之喜，宜將竊妻以逃者也。』」參《春秋疏》（臺北：藝文印書館，1989 年），卷 25，頁 428。是申叔跪以〈鄘風・桑中〉為淫奔之詩。班固：《漢書・地理志》（臺北：鼎文書局，1991 年 9 月）：「其子武公與平王東遷，卒定虢、會之地，右雒左泲，食溱、洧焉。土陿而險，山居谷汲，男女亟聚會，故其俗淫。鄭詩曰：『出其東門，有女如雲。』又曰：『溱與洧，方灌灌兮。士與女，方秉菅兮。』、『恂盱且樂，惟士與女，伊其相謔。』此其風也。」（卷 28 下，頁 1652）是班固舉〈溱洧〉、〈出其東門〉為鄭風淫詩。許慎《五經異義》云：「今論說：鄭國之為俗，有溱、洧之水，男女聚會，謳歌相感，故云『鄭聲淫』。《左傳》說煩手淫聲，謂之鄭聲者，言煩手躑躅之聲，使淫過矣。許君謹案：鄭詩二十一篇，說婦人者十九矣，故鄭聲淫也。」參《禮記疏》（臺北：藝文印書館，1989 年 1 月），卷 37，頁 665。是許慎以鄭風有淫詩。高誘注《呂氏春秋・本生》篇謂：「鄭國淫辟，男女私會於溱、洧之上，有詢訏之樂，芍藥之和。」（《詩三家義集疏》卷 5，頁 371 引）是高誘以〈溱洧〉為鄭國男女私會之淫詩。王肅謂〈衛風・氓〉「秋以為期」句，非迎娶之時，因謂〈氓〉為淫詩，《周禮・媒氏》「中春之月，令會男女。」賈《疏》引王肅《聖證論》云：「……凡此皆與仲春嫁娶為候者也。〈夏小正〉曰：『二月冠子嫁女。』娶妻之時，秋以為期，此淫奔之詩。」參《周禮疏》（臺北：藝文印書館，1989 年 1 月），卷 14，頁 217。《左傳》成公二年：「……夫子

詩，並使「淫詩說」成為《詩經》學史上一個極具爭議的論題；一方面，影響深遠，一方面，突顯了《詩經》漢宋學的分野，則是自朱熹始。朱熹「淫詩說」的提出，自與其批判、攻駁《詩序》的詮《詩》路向有關。《詩序》詮《詩》，例以美刺說《詩》，以史證《詩》，附會穿鑿，往往不得詩意，因此，朱熹主張離《序》言《詩》，以《詩》言《詩》，從詩文的反覆涵詠、誦讀中，去求得詩意。在詩文的涵詠誦讀之中，朱熹讀出了《詩經》國風中有描寫、陳述男女淫亂之詩，而《詩序》往往從別處說去：

舊曾有一老儒鄭漁仲更不信《小序》，只依古本疊在後面。某今亦如此，令

有三軍之懼，而又有〈桑中〉之喜，宜將竊妻以逃者也。」，杜預注云：「〈桑中〉，衛風淫奔之詩。」（《春秋疏》卷 25，頁 428）是杜預以〈鄘風・桑中〉為淫詩。歐陽脩撰《詩本義》十四卷，以〈邶風・靜女〉、〈齊風・東方之日〉為淫詩，云：「……據《序》言：『〈靜女〉，刺時也，衛君無道，夫人無德。』謂宣公與二姜淫亂，國人化之，淫風大行，君臣上下，舉國之人皆可刺而難於指名以遍舉，故曰：刺時者，謂時人皆可刺也，據此，乃是述衛風俗男女淫奔之詩爾，以此求詩，則本義得矣。」參《詩本義》（臺北：漢京文化公司，1980 年），卷 3，頁 9221－9222。「衛宣公既與二夫人烝淫為鳥獸之行，衛俗化之，禮義壞而淫風大行，男女務以色相誘悅，務誇自道而不知為惡，雖幽靜難誘之女亦然，舉〈靜女〉猶如此，則其他可知。」（仝前，頁 9222）、「『東方之日』，日之初升也。蓋言彼姝者子，顏色奮然美盛，如日之升也。『在我室兮，履我即兮。』者，相邀以奔之辭也。此述男女淫風，但知稱其美色，以相誇榮，而不顧禮義，所謂不能以禮化也。下章之義亦然。」（仝前，卷 4，頁 7）鄭樵撰《詩辨妄》，以〈鄭風・將仲子〉為淫奔之詩，朱熹《詩序辨說・將仲子》引鄭樵之說云：「莆田鄭（樵）氏謂：『此實淫奔之詩，無與於莊公、叔段之事，《序》蓋失之，而說者又從而巧為之說，以實其事，誤亦甚矣！』」朱熹：《詩序辨說》（臺北：臺灣商務印書館影印文淵閣四庫全書本，1983 年），卷上，頁 18。又《朱子語類》（臺北：文津出版社，1986 年 12 月）云：「鄭漁仲《詩辨》：『〈將仲子〉只是淫奔之詩，非刺仲子之詩也。』」（卷 23，頁 539）另有關在朱熹之前，已謂《詩經》的國風中有男女情詩或淫奔之詩的詳細情形，可參程元敏先生《王柏之詩經學》（臺北：嘉新水泥公司文化基金會，1956 年 10 月），頁 25－26、頁 34、頁 37－38、《王柏之生平與學術》（下）（臺北：學海出版社，1975 年 12 月），頁 791－794、頁 802－811、〈朱子所定國風中言情諸詩研述〉，收入《詩經論文集》（臺北：黎明文化公司，1986 年 4 月），頁 271－286、〈國風私情詩宋人說探源〉，收入《中國古典文學論叢冊一・詩歌之部》（臺北：中外文學月刊社，1985 年 3 月），頁 161－185。

人虛心看正文，久之其義自見。蓋所謂《序》者，類多世儒之誤，不解詩人本意處甚多。且如「止乎禮義」，果能止禮義否？〈桑中〉之詩，禮義在何處？王（德修）曰：「他要存戒。」曰：「此正文中無戒意，只是直述他淫亂事爾。若〈鶉之奔奔〉、〈相鼠〉等詩，卻是譏罵可以為戒，此則不然。某今看得鄭詩自〈叔于田〉等詩之外，如〈狡童〉、〈子衿〉等篇，皆淫亂之詩，而說《詩》者誤以為刺昭公、刺學校廢耳。（《朱子語類》卷八十，頁 2068）

「鄭聲淫」，所以鄭詩多是淫佚之辭，〈狡童〉、〈將仲子〉之類是也。今喚做忽與祭仲，與《詩》辭全不相似。（仝上，頁 2072）

因論《詩》，歷言《小序》大無義理，皆是後人杜撰，先後增益湊合而成。……其他變風諸詩，未必是刺者皆以為刺，未必是言此人，必傳會以為此人。〈桑中〉之詩放蕩留連，止是淫者相戲之辭，豈有刺人之惡，而反自陷於流蕩之中！〈子衿〉詞意輕儇，亦豈刺學校之辭！〈有女同車〉，皆以為刺忽而作。鄭忽不娶齊女，其初亦是好底意思，但見後來失國，便將許多詩盡為刺忽而作。考之於忽，所謂淫昏暴虐之類，皆無其實。至遂目為「狡童」，豈詩人愛君之意？況其所以失國，正坐柔懦闊疏，亦何狡之有！（仝上，頁 2075）

〈大序〉說「止乎禮義」，亦可疑，〈小序〉尤不可信，皆是後人託之，仍是不識義理，不曉事。如山東學究者，皆是取之《左傳》、《史記》中所不取之君，隨其諡之美惡，有得惡諡，及傳中載其人之事者，凡一時惡詩，盡以歸之。最是鄭忽可憐，凡〈鄭風〉中惡詩皆以為刺之。……如〈子衿〉只是淫奔之詩，豈是學校中氣象！〈褰裳〉詩中「子惠思我，褰裳涉溱」，至「狂童之狂也且」，豈不是淫奔之辭！只緣《左傳》中韓宣子引「豈無他人」，便將做國人思大國之正己。不知古人引詩，但借其言以寓己意，初不理會上下文義，偶一時引之耳。（仝上，頁 2090－2091）

上引數條朱熹之說，其意都在指陳《詩序》詮《詩》的謬誤、不當與不得詩意。以〈鄘風．桑中〉及〈鄭風〉中多數的詩篇，如〈狡童〉、〈子衿〉、〈將仲子〉、〈褰裳〉、〈山有扶蘇〉等為例，朱熹以為都是「直述他淫亂事爾」、「皆淫亂之詩」、「多是淫佚之辭」，〈桑中〉一詩，「放蕩留連，止是淫者相戲之辭」，〈子衿〉「詞意輕儇」，〈褰裳〉從詩文「子惠思我，褰裳涉溱」至「狂童之狂也且」的描寫中，也可斷定是「淫奔之辭」，至於〈狡童〉、〈將仲子〉也都是「淫佚之辭」，而《詩序》詮釋〈桑中〉，以為是「刺奔」之詩；詮釋〈狡童〉，以為是「刺忽」之詩；詮釋〈子衿〉，以為是「刺學校廢也」；詮釋〈褰裳〉，援據《左傳》，以為是「思見正也。狂童恣行，國人思大國之正己也。」之詩，其他〈鄭風〉中明屬於淫亂之詩，除〈狡童〉之外，如〈有女同車〉、〈山有扶蘇〉、〈擇兮〉等，《詩序》也都以為是「刺忽」，附會穿鑿，嚴重地與詩文本來的意旨相枘鑿。由對《詩序》詮《詩》的不愜與攻駁，進而採取直接涵詠詩文的詮《詩》進路，因而讀出國風中有描述男女淫亂之詩，並藉此提出國風中的變風有所謂的「淫詩」說，此一「淫詩說」的提出，既與《詩序》所詮定的「刺奔」、「刺淫」及附會書史下的詩旨迴異外，同時也形成朱熹《詩》學與《詩經》漢學傳統的一大差異，而由反詰、攻駁《詩序》，進而導出「淫詩」之說，此一因承內在的關係，是清楚可見的。

㈡淫詩說的理論基礎：詩本情性而作

朱熹「淫詩」說的提出，固然與其反《序》的《詩》學內涵、脈絡有關，除此之外，朱熹所以認為《詩經》的變風中有淫詩，也與他對於詩歌所以創作的認知有關：

> 或問於余曰：「詩何為而作也？」曰：「人生而靜，天之性也。感於物而動，性之欲也。夫既有欲矣，則不能無思。既有思矣，則不能無言。既有言矣，則言之所不能盡而發於咨嗟詠嘆之餘者，必有自然之音響節奏而不能已焉，此詩之所以作也。」曰：「然則其所以教者何也？」曰：「詩者，人心之感物而形於言之餘也。心之所感有邪正，故言之所形有是非。惟聖人在上，則其所感者無不正，而其言皆足以為教。其或感之之雜，而所發不能無

可擇者，則上之人必思所以自反，而因有以勸懲之，是亦所以為教也。惟〈周南〉、〈召南〉親被文王之化以成德，而人皆有以得其性情之正，故其發於言者，樂而不過於淫，哀而不及於傷，是以二篇獨為風詩之正經。自〈邶〉而下，則其國之治亂不同，人之賢否亦異。其所感而發者，有邪正是非之不齊，而所謂先王之風者，於此焉變矣。」（《詩集傳・序》頁 1—2）

朱熹認為詩作的產生，源於人心的感物而動，人心感於物，即有情欲的產生，而情欲的產生，即為詩作的起源。但由於情欲有邪正善惡，因此形之於詩，自然也有邪正善惡之分。《詩經》中有本於「性情之正」的二南諸詩，也有本於性情邪惡的淫詩，這是詩歌創作的必然現象。朱熹由詩歌創作的根源，來論斷《詩經》的變風中有淫詩，這自然有其思想的理據。依據朱熹的哲學，性即理，性是純粹至善的，而一旦人心感於物而發為情，則有善有惡，關於此點，朱熹嘗多次言及：

〈樂記〉曰：「人生而靜，天之性也。感於物而動，性之欲也。」何也？曰：「此言性情之妙，人之所生而有者也。蓋人受天地之中以生，其未感也，純粹至善，萬理具焉，所謂性也。然人有是性，則即有是形，有是形，則即有是心，而不能無感於物。感於物而動，則性之欲者出焉，而善惡於是乎分矣。性之欲，即所謂情也。」（〈樂記動靜說〉，《朱熹集》卷六十七，頁 3523）

性即理也。（《朱子語類》卷五，頁 82）

性只是此理（仝上，頁 83）

性則是純善底。（仝上）

伯豐論性有已發之性，有未發之性。曰：「性纔發，便是情。情有善惡，性

則全善。（仝上，頁 90）

性無不善。心所發為情，或有不善。說不善非是心，亦不得。卻是心之本體本無不善，其流為不善者，情之遷於物而然也。（仝上，頁 92）

人心受到外物的感動觸發而成為情，至此，人不再是保有純粹至善的狀態，所謂「性」，而是善惡紛呈，詩之作本於此善惡紛呈的狀態，或善或惡，或邪或正，這當然不能保證每篇詩作皆發之於純善，如此說來，《詩經》中有邪惡不善、不合乎禮義的「淫詩」存在，這也是自然的事情。基於「詩本性情，有邪有正」（《論語集注》卷四，頁 105）、「詩本人情」（《論語集注》卷七，頁 143）而作的認知，朱熹對於《詩序》所謂「變風發乎情，止乎禮義」（《詩疏》卷一之一，頁 17）及例以美刺說《詩》的方式都提出了批評：

蓋所謂《序》者，類多世儒之誤，不解詩人本意處甚多。且如「止乎禮義」，果能止禮義否？〈桑中〉之詩，禮義在何處？（《朱子語類》卷八十，頁 2068）

〈大序〉亦有未盡，如「發乎情，止乎禮義」，又只是說正詩，變風何嘗止乎禮義？（仝上，頁 2072）

問「止乎禮義」。曰：「變風〈柏舟〉等詩，謂之「止乎禮義」，可也。〈桑中〉諸篇曰：「止乎禮義」，則不可。（仝上）

「止乎禮義」，如〈泉水〉、〈載馳〉固「止乎禮義」，如〈桑中〉有甚禮義？〈大序〉只是揀好底說，亦未盡。（仝上）

《詩序》實不足信。……大率古人作詩，與今人作詩一般，其間亦自有感物道情，吟詠情性，幾時盡是譏刺他人，只緣《序》者立例，篇篇要作美刺

說，將詩人意思盡穿鑿壞了！（仝上，頁 2076）

《詩序》以《詩經》中的變風，仍是「發乎情，止乎禮義」之作，朱熹則以為《詩經》中的變風有淫詩，非全是「止乎禮義」之詩。兩者的差異，即緣自朱熹對於「詩本性情，有邪有正」的認知而來。

㈡國風諸詩多述男女之情，而其作者多為閭巷小人、婦人小夫

除從反《序》、《序》不得詩意、以詩言詩的進路，及詩作本於情性的理論，導出朱熹以為《詩經》中的變風中有淫詩之外，淫詩說的提出也與朱熹認為國風是里巷歌謠之作，多述男女之情，所謂「男女相與詠歌，各言其情」，而其作者多為閭巷小人、婦人小夫有關。關於此點，朱熹嘗多次論及：

吾聞之，凡《詩》之所謂風者，多出於里巷歌謠之作，所謂「男女相與詠歌，各言其情」者也。惟〈周南〉、〈召南〉親被文王之化以成德，而人皆有以得其性情之正，故其發於言者，樂而不過於淫，哀而不及於傷，是以二篇獨為風詩之正經。自〈邶〉而下，則其國之治亂不同，人之賢否亦異。其所感而發者，有邪正是非之不齊，而所謂先王之風者，於此焉變矣。若夫雅、頌之篇，則皆成周之世，朝廷郊廟樂歌之辭，其語和而莊，其義寬而密，其作者往往聖人之徒，固所以為萬世法程而不可易者也。至於雅之變者，亦皆一時賢人君子，閔時病俗之所為，而聖人取之，其忠厚惻怛之心，陳善閉邪之意，尤非後世能言之士所能及之。（《詩集傳・序》，頁 2）

大抵國風是民庶所作，雅是朝廷之詩，頌是宗廟之詩。（《朱子語類》卷八十，頁 2066－2067）

風多出於在下之人，雅乃士夫所作。雅雖有刺，而其辭莊重，與風異。（仝上，頁 2066）

《詩》，有是當時朝廷作者，〈雅〉、〈頌〉是也。若國風乃採詩有採之民

> 間，以見四方民情之美惡，二南亦是採民言而被樂章爾。……若變風，又多是淫亂之詩，故班固言「男女相與歌詠以言其傷」，是也。聖人存此，亦以見上失其教，則民欲動情勝，其弊至此，故曰：「詩可以觀」也。（仝上，頁 2067）

> 「思無邪」，如正風、雅、頌等詩，可以起人善心。如變風等詩，極有不好者，可以使人知戒懼不敢做。大段好詩者，大夫作；那一等不好詩，只是閭巷小人作。前輩多說是作詩之思，不是如此。其間多有淫奔不好底詩，不成也是無邪思。（仝上，卷二十三，頁 546－547）

> 伊川有《詩解》數篇，說到〈小雅〉以後極好。蓋是王公大人好生地做，都是識道理人言語，故它裏面說得儘有道理，好子細看。非如國風或出於婦人小夫之口，但可觀其大概也。（仝上，卷八十，頁 2083）

> 雅者，正也，乃王公大人所作之詩，皆有次序，而文意不苟，極可玩味。風則或出於婦人小子之口，故但可觀其大略耳。（仝上，卷八十一，頁 2120，釋〈采薇〉）

> 風則閭巷風土男女情思之詞，雅則朝會燕享公卿大人之作，頌則鬼神宗廟祭祀歌舞之樂。（《楚辭集注》卷一，頁 2）

依據朱熹的見解，國風「多出於里巷歌謠之作」，是「閭巷風土男女情思之詞」，在內容上，除了與朝會燕享的雅詩、鬼神宗廟祭祀歌舞的頌詩有別之外，國風諸詩的作者出自民庶、在下之人、閭巷小人、婦人小子之口，也與雅頌諸詩出自聖人之徒、賢人君子、士夫、王公大人不同。國風諸詩的作者，既出自於在下的閭巷小人、婦人小子，因此在情感的感發上，「有邪正是非之不齊」，發為詩辭，也不如雅、頌的莊重典正。進一步來說，由於風詩的內容，多述及男女情思，而其作者又都是出自在下的民庶婦人、閭巷小人，在情感上，多是「欲動情勝」，流於淫邪，在文詞上，也往往「詞意輕儇」（《朱子語類》卷八十，頁 2075）、「詞意儇薄」（《詩序辨說・子衿》，卷上，頁 20）、「輕佻狎暱」（仝上），因此，朱熹斷定國風中，除親被文王之化，而保有性情之正的〈周南〉、〈召南〉以外，其他〈邶風〉、〈鄘風〉、〈衛風〉以下的諸變風，多有述及男女淫邪之詩。而此類淫邪之詩，既非如《詩序》所云有譏刺之意；是出自於賢人君子之手，相反地，此類淫詩，即是此等閭巷小人、民庶婦人的自道之辭，詩中明顯地表露出流連放蕩、淫奔相戲之情❽，這是因為「此等之人，安於為惡，其於此等之詩，計其平日，固已自其口出而無慚矣」（《詩序辨說・桑中》，卷上，頁 13）因此，朱熹認為國風中的變風，有述男及女淫邪、淫奔之詩，所謂「淫詩」，是毫無疑問的。

㈣孔子對「鄭聲」的指斥及《禮記・樂記》對「鄭衛之音」的批評

朱熹淫詩說的提出，除了順著反《序》的脈絡、詩緣情性，而情性有邪正善惡，以及風詩多述男女情思，而其作者為「欲動情勝」的閭巷小人、民庶婦人，淫詩即為其自述淫醜之事，有以致之之外，孔子嘗言「放鄭聲，遠佞人，鄭聲淫，佞

---

❽ 關於《詩經》的變風中有淫詩，淫詩之作出自於閭巷小人、民庶婦人或淫奔之人；淫詩呈顯流連放蕩、淫奔相戲之情，並非刺淫、有譏刺之意，此意朱熹嘗多次提及：「李茂欽問：『先生曾與東萊辨論淫奔之詩，東萊謂詩人所作，先生謂淫奔者之言，至今未曉其說。』」曰：『若是詩人所作譏刺淫奔，則婺州人如有淫奔，東萊何不作一詩刺之？』茂欽又引他事問難。先生曰：『未須別說，只為我答此一句來。』茂欽辭窮。先生曰：『若人家有隱僻事，便作詩訐其短譏刺，此乃今之輕薄子，好作謔詞嘲鄉里之類，為一鄉所疾害者。詩人溫醇，必不如此。』（《朱子語類》卷 80，頁 2092）、「〈溱洧〉之詩，果無邪耶？某《詩傳》去《小序》，以為此漢儒所作。如〈桑中〉、〈溱洧〉之類，皆是淫奔之人所作，非詩人作此以譏刺其人也。」（仝上，卷 23，頁 539）、「〈桑中〉之詩，放蕩留連，止是淫奔者相戲之辭；豈有刺人之惡而反自陷於流蕩之中？」（仝上，卷 80，頁 2075）、「蓋所謂《序》者，類多世儒之誤，不解詩人本意處甚多。且如『止乎禮義』，果能止禮義否？〈桑中〉之詩，禮義在何處？」王（德修）曰：『他要存戒。』曰：『此正文中無戒意，只是直述他淫亂事爾。……某今看得鄭詩自〈叔于田〉等詩之外，如〈狡童〉、〈子衿〉等篇，皆淫亂之詩，而說《詩》者誤以為刺昭公、刺學校廢耳。』（仝上，頁 2068）、「此男女淫奔者所自作，非有刺也。其曰君臣失道者，尤無所謂。」（《詩序辨說・東方之日》，卷上，頁 21）、「此詩乃淫奔者所自作，《序》之首句，以為刺奔，誤矣！」（《詩序辨說・桑中》，卷上，頁 13）、「此（按：指〈衛風・氓〉）淫婦為人所棄，而自敘其事以道其悔恨之意也。」（《詩集傳》卷 3，頁 37）

人殆。」（《論語・衛靈公》）、「惡紫之奪朱也，惡鄭聲之亂雅樂也，惡利口之覆邦家者。」（《論語・陽貨》），及《禮記・樂記》中所言：「鄭、衛之音，亂世之音也，比於慢矣。桑間、濮上之音，亡國之音也，其政散，其民流，誣上行私而不可止也。」對於朱熹淫說的提出，也都是一個重要的憑據和佐證。朱熹說：

> 鄭、衛詩多是淫奔之詩。鄭詩如〈將仲子〉以下，皆鄙俚之言，只是一時男女淫奔相誘之語。如〈桑中〉之詩云：「眾散民流，而不可止。」故〈樂記〉云：「桑間濮上之音，亡國之音也。其眾散，其民流，誣上行私而不可止也。」〈鄭〉詩自〈緇衣〉以外，亦皆鄙俚，如「采蕭」、「采艾」，「青衿」之類是也。故夫子「放鄭聲」。（《語類》卷八十，頁 2078）

> 許多鄭風，只是孔子一言斷了曰：「鄭聲淫」。如〈將仲子〉，自是男女相與之辭，卻干祭仲、共叔段甚事？如〈褰裳〉自是男女相咨之辭，卻干忽與突爭國甚事？（仝上，頁 2107）

> 聖人言「鄭聲淫」者，蓋鄭人之詩，多是言當時風俗男女淫奔，故有此等語。狡童，想說當時之人，非刺其君也。（仝上，頁 2109）

> 聖人云：「鄭聲淫」。蓋周衰，惟鄭國最為淫俗，故諸詩多是此事。（仝上）

> 某今看得鄭詩自〈叔于田〉等詩之外，如〈狡童〉、〈子衿〉等篇，皆淫亂之詩，而說《詩》者誤以為刺昭公、刺學校廢耳。〈衛〉詩尚可，猶是男子戲婦人，鄭詩則不然，多是婦人戲男子，所以聖人尤惡鄭聲也。（仝上，頁 2068）

> 鄭衛之樂，皆為淫聲。然以詩考之，衛詩三十有九，而淫奔之詩才四之一；鄭詩二十有一，而淫奔之詩已不翅七之五。衛猶為男悅女之詞，而鄭皆為女

惑男之語。衛人猶多刺譏懲創之意，而鄭人幾於蕩然無復羞愧悔悟之萌，是則鄭聲之淫，有甚於衛矣。故夫子論為邦，獨以鄭聲為戒而不及衛，蓋舉重而言，固自有次第也。（《詩集傳》卷四，頁 56－57）

問讀《詩》記中所言雅、鄭、邪、正之言，何也？曰：鄭衛之音便是今邶鄘鄭衛之詩，多道淫亂之事，故曰：「鄭聲淫」。（《詩傳遺說》卷二，頁 3－4）

在朱熹所定的變風三十首淫詩之中，鄭衛之詩，即佔了二十首，其中〈邶風〉一首、〈鄘風〉一首、〈衛風〉三首、鄭風十五首，兩者合計，即佔朱熹所定淫詩的三分之二❾。朱熹所以視鄭、衛之風多淫詩，孔子對鄭聲的指斥及〈樂記〉對於鄭衛之音的批評，都提供了朱熹淫詩說一個重要的佐證和憑據。而朱熹所以根據孔子「放鄭聲」、「鄭聲淫」、「惡鄭聲」及〈樂記〉所言「鄭衛之音，亂世之音」，因謂「鄭聲」即是《詩經》中的〈鄭風〉；「鄭衛之音」即是《詩經》中的鄭、衛

---

❾ 關於朱熹所定淫詩之數，前人所說，頗有出入，元儒馬端臨以為朱熹所定的淫詩有二十四篇，今人何定生以為有二十七篇，程元敏先生以為有二十九篇，蔣勵材、王春謀先生以為有三十篇。馬端臨之說，見《文獻通考・經籍考》，頁 139－140。何定生之說，見《詩經今論》（臺北：臺灣商務印書館，1968 年 6 月），卷 3，頁 225－227。程元敏先生之說，見《王柏之生平與學術》第伍編《詩經學》，頁 859－863、〈朱子所定國風中言情諸詩研述〉，收入《詩經研究論集》，頁 271－286。蔣勵材之說，見〈國風「淫詩公案」述評（上）〉，東方雜誌復刊第十卷第十一期，1977 年 5 月。王春謀之說，見《朱熹淫詩說之研究》（臺北：政治大學中國文學研究所碩士論文，1979 年 12 月），頁 39－50。本文參酌上述諸人所定淫詩之數，並輔證以述朱學者的觀點，如輔廣、王柏、劉瑾、朱公遷、劉玉汝等，因定朱熹所標舉的淫詩之數三十篇，即〈邶風・靜女〉、〈鄘風・桑中〉、〈衛風・氓〉、〈有狐〉、〈木瓜〉、〈王風・采葛〉、〈大車〉、〈丘中有麻〉、〈鄭風・將仲子〉、〈叔于田〉、〈遵大路〉、〈有女同車〉、〈山有扶蘇〉、〈蘀兮〉、〈狡童〉、〈褰裳〉、〈丰〉、〈東門之墠〉、〈風雨〉、〈子衿〉、〈揚之水〉、〈野有蔓草〉、〈溱洧〉、〈齊風・東方之日〉、〈陳風・東門之枌〉、〈東門之池〉、〈東門之楊〉、〈陳風・防有鵲巢〉、〈月出〉、〈澤陂〉。關於朱熹所定淫詩之相關討論，及其與《詩序》詮《詩》的異同，詳參下節。

二風，其實是本諸其「聲詩合一」的觀念而來。此意朱熹在〈答陳體仁書〉及回答有關「詩言志，聲依永，律和聲」之問中均有所說明：

> 以〈虞書〉考之，則《詩》之作，本為言志而已。方其詩也，未有歌也，及其歌也，未有樂也。以聲依永，以律和聲，則樂乃為《詩》而作，非《詩》為樂而作也。……是以凡聖賢之言《詩》，主於聲者少而發其義者多。仲尼所謂「思無邪」，孟子所謂「以意逆志」者，誠以《詩》之所以作，本乎其志之所存，然後《詩》可得而言也。得其志而不得其聲者有矣，未有不得志而能通其聲者也。……故愚意竊以為《詩》出乎志者也，樂出乎《詩》者也。然則志者《詩》之本，而樂者其末也。末雖亡，不害本之存，患學者不能平心和氣，從容諷詠以求情性之中耳。有得乎此，然後可得而言，顧所得之淺深如何耳。有舜之文德，則聲為律而身為度，〈簫韶〉、〈二南〉之聲，不患其不作。此雖未易言，然其理蓋不誣也。（〈答陳體仁書〉，《朱熹集》卷三十七，頁 1673－1674）

> 或問「詩言志，聲依永，律和聲。」曰：「古人作詩，只是說他心下所存事。說出來，人便將他詩來歌。其聲之清濁長短，各依他詩之語言，卻將律來調和其聲。今人卻先安排下腔調了，然後做語言去合腔子，豈不是倒了！卻是永依聲也。古人是以樂去就他詩，後世是以詩去就他樂，如何解興起得人。」（《朱子語類》卷七十八，頁 2005）

朱熹認為詩之作，本於人的情志，而樂的產生，則是依附、配合詩作而來。先有情志，才有詩作，有了詩作，才有樂的配合，詩是本，樂是末。據此，則鄭聲既淫，而聲、樂乃依詩篇而作，由此可以推知鄭風必是淫邪之詩。本於此「聲詩合一」的觀念，朱熹因謂孔子所說的「鄭聲淫」，即是指《詩經》中的〈鄭風〉而言，而〈樂記〉所謂「鄭衛之音，亂世之音」，也即是指《詩經》中的鄭、衛二風[10]，既

[10] 朱熹以鄭衛二風多淫詩，除孔子對鄭聲的指斥及《禮記．樂記》對於鄭衛之音的批評，提供

如此，《詩經》的變風中有淫詩，也必然毫無疑問。基於上述四點理由，朱熹以為《詩經》中的變風有淫詩，根據《詩集傳》、《詩序辨說》及《朱子語類》中諸多言說來看，朱熹所定的淫詩，計有三十首，此一淫詩說的提出，不但成為朱熹《詩》學的一大特色，也與《詩經》漢學傳統的刺淫、刺奔、刺某人之說，大異其趣。然而由於朱熹執持淫詩為淫人所作，為其自述之辭；又以鄭衛之聲為《詩經》中的鄭衛二風多淫詩，這些論點必然也會遭受到《詩經》之中並非有淫詩，而是刺淫；《詩》三百皆是雅樂、鄭衛之聲不等同《詩經》中的鄭衛二風；及孔子所言「詩三百，一言以蔽之，曰：思無邪。」（《論語・為政》），詩之作本於「論功頌德，止僻防邪，大抵皆歸於正。」（《論語疏》，卷二，頁 16），《詩經》之中當無淫詩的質疑，關於這些質疑，朱熹在《詩序辨說・桑中》中，皆有所回應，他說：

> 此詩乃淫奔者所自作，《序》之首句以為刺奔，誤矣！其下云云者乃復得之。《樂記》之說已略見本篇矣。而或者以為「刺詩之體，固有鋪陳其事，不加一辭，而閔惜懲創之意自見於言外者，此類是也，豈必譙讓質責然後為刺也哉？」此說不然。夫詩之為刺，固有不加一辭而意自見者，〈清人〉、〈猗嗟〉之屬是已。然嘗試玩之，則其賦之之人，猶在所賦之外，而詞意之間，猶有賓主之分也，豈有將欲刺人之惡，乃反自為彼人之言，以陷其身於所刺之中而不自知也哉？其不然也明矣。又況此等之人安於為惡，其於此等之詩，計其平日固已自其口出而無慚矣，又何待吾之鋪陳而後始知其所為之如此，亦豈畏我之閔惜而遂幡然遽有懲創之心耶？以是為刺，不惟無益，殆恐不免於鼓之舞之，而反以勸其惡也。或者又曰：「詩三百篇皆雅樂也，祭祀朝聘之所用也。桑間濮上之音，鄭衛之樂也，世俗之所用也，雅鄭不同

他一個重要的佐證和憑據之外，張載曾從地理環境與人民的氣稟，來論衛聲、鄭詩何以淫靡，亦為朱熹所認同。朱熹在《詩集傳》卷三末綜論〈衛風〉，即引張載的觀點：「張子曰：『衛國地濱大河，其地土薄，故其人氣輕浮。其地平下，故其人質柔弱。其地肥饒，不費耕耨，故其人心怠惰。其人情性如此，則其聲音亦淫靡。故聞其樂，使人懈慢而有邪僻之心也。鄭詩放此。』」（頁 41）。

> 部，其來尚矣。且夫子答顏淵之問，於鄭聲亟欲放而絕之，豈其刪詩，乃錄淫奔者之詞，而使之合奏於雅樂之中乎？」亦不然也。雅者，二雅是也；鄭者，〈緇衣〉以下二十一篇是也。衛者，〈邶〉、〈鄘〉、〈衛〉三十九篇是也。〈桑間〉，衛之一篇，〈桑中〉之詩是也。〈二南〉、〈雅〉、〈頌〉，祭祀朝聘之所用也。鄭、衛、桑濮，里巷狹邪之所歌也。夫子之於鄭衛，蓋深絕其聲，於樂以為法，而嚴立其詞；於詩以為戒，如聖人固不語亂，而《春秋》所記，無非亂臣賊子之事，蓋不如是，無以見當時風俗事變之實，而垂鑒戒於後世，故不得已而存之，所謂道並行而不相悖者也。今不察此，乃欲為之諱其鄭衛桑濮之實，而文之以雅樂之名，又欲從而奏之宗廟之中、朝廷之上，則未知其將以薦之何等之鬼神，用之何等之賓客，而於聖人為邦之法，又豈不為陽守而陰判之耶？其亦誤矣！曰：然則〈大序〉所謂「止乎禮義」，夫子所謂「思無邪」者，又何謂邪？曰：〈大序〉指〈柏舟〉、〈綠衣〉、〈泉水〉、〈竹竿〉之屬而言，以為多出於此耳，非謂篇篇皆然，而〈桑中〉之類亦止乎禮義也。夫子之言，正為其有邪正美惡之雜，故特言此以明其皆可以懲惡勸善，而使人得其性情之正耳。非以〈桑中〉之類，亦以無邪之思作之也。曰：荀卿所謂「詩者，中聲之所止」，太史公亦謂三百篇者，夫子皆絃歌之，以求合於韶武之音，何邪？曰：荀卿之言，固為正經而發，若史遷之說，則恐亦未足為據也。豈有哇淫之曲，而可以強合於韶武之音也邪？（卷上，頁 14）

執持孔子「思無邪」的詩觀，認為《詩經》之中並無淫詩，而是刺淫；又以為《詩》三百都是雅樂，用於祭祀朝聘，鄭、衛之聲不等同於《詩經》中的鄭衛二風，而是俗樂者，是朱熹之友呂祖謙⓫。朱熹在此段辨說的長文中指出幾點，其一，〈鄘風・桑中〉及鄭衛諸詩都是淫邪之詩，而非刺淫之詩。謂〈鄘風・桑中〉為淫詩，其理由可在《禮記・樂記》：「鄭衛之音，亂世之音也，比於慢矣！桑間

⓫ 《詩序辨說・桑中》所引「或者」，即指呂祖謙。關於呂祖謙所持諸觀點，詳參《呂氏家塾讀詩記》卷 5 之釋〈桑中〉文，頁 390。

濮上之音，亡國之音也。其政散，其民流，誣上行私而不可止也。」這一段記載中找到答案；且從〈桑中〉一詩的文辭來看，即是作者以第一人稱自述己身淫亂的詩，並非旁人站在第三者的角度上來陳述所見的淫亂之事，而寄寓其譏刺之意。其二，《詩》三百並非都是雅樂，國風中的鄭衛二風只是「里巷狹邪之所歌」，並非如〈二南〉、〈雅〉、〈頌〉用於祭祀朝聘，孔子一方面亟欲放絕鄭衛之聲，而又存錄此「里巷狹邪之所歌」、情思不正的鄭衛二風，其目的就在垂鑒戒於後世，這種情形，正如孔子雖不語怪力亂神之事，但所作的《春秋》中多載亂臣賊子之事，其目的也在垂鑒戒於後世，以為後世法。其三，《詩大序》所云：「變風發乎情，止乎禮義」之說，只能適用於如〈邶風．柏舟〉、〈綠衣〉、〈泉水〉、〈衛風．竹竿〉等詩，至於像〈桑中〉及其他變風中的淫詩，皆非「止於禮義」之詩，而《詩經》之中既有淫詩，孔子何以會說：「詩三百，一言以蔽之，曰：思無邪。」呢？朱熹認為孔子之意是說《詩經》中的詩篇有邪正美惡之雜，這些邪正美惡之詩，對於讀者都具有「懲惡勸善」的意義，所謂「善者可以感發人之善心，惡者可以懲創人之逸志。」（《朱子語類》卷八十，頁 2092）而最終的目的，則在導人性情於正⓬。由於朱熹執持《詩經》的變風中有淫詩，這使得他除了必須面對「詩

⓬ 關於朱熹駁辨呂祖謙所持孔子「思無邪」的詩觀，以為《詩經》之中並無淫詩，而是刺淫；以為詩三百都是雅樂，用於祭祀朝聘；鄭衛之聲不等同於《詩經》之中的鄭衛二風，而是俗樂的諸觀點，除見諸《詩序辨說．桑中》篇之外，朱熹在稍早作於淳熙十一年（西元 1184）的〈讀呂氏詩記桑中篇〉中，也有清楚的說明，可與《詩序辨說．桑中》一文互參，茲引錄〈讀呂氏詩記桑中篇〉一文如下，以為參證。「……詩體不同，固有鋪陳其事，不加一詞而意自見者。然必其事之猶可言者，若〈清人〉之詩是也。至於〈桑中〉、〈溱洧〉之篇，則雅人莊士有難言之者矣。孔子之稱思無邪也，以為詩三百篇勸善懲惡，雖其要歸無不出於正，然未有若此言之約而盡者耳，非以作詩之人所思皆無邪也。今必曰彼以無邪之思鋪陳淫亂之事，而閔惜懲創之意自見於言外，則曷若曰彼雖以有邪之思作之，而我以無邪之思讀之，則彼之自狀其醜者，乃所以為吾警懼懲創之資耶？而況曲為訓說而求其無邪於彼，不若反而得之於我之易也。巧為辨數而歸其無邪於彼，不若反而責之於我之切也。若夫雅也，鄭也，衛也，求之諸篇，固各有其目矣。雅則〈大雅〉、〈小雅〉若干篇是也，鄭則〈鄭風〉若干篇是也，衛則〈邶〉、〈鄘〉、〈衛〉風若干篇是也。是則自衛反魯以來，未之有改，而風雅之篇，說者又有正、變之別焉。至於〈桑中．小序〉「政散民流而不可止」之文與〈樂記〉合，則是詩之為桑間，又不為無所據者。今必曰三百篇皆雅，而大、小雅不獨為

三百篇，大抵賢聖發憤之所為作也。」（〈太史公自序〉，《史記會注考證》卷一百三十，頁 1372）、《詩經》的作者皆為賢人，所作之詩，皆本於無邪之思，而寄寓其譏刺之意，所謂《詩經》漢學傳統的詩觀的質疑外，也使得他必須重新詮釋孔子既說「思無邪」，而《詩經》之中又有淫詩的問題，關於孔子存錄淫詩，而又說「思無邪」之義，朱熹除在《詩序辨說・桑中》提及外，在文集、《朱子語類》中也反覆地說明：

> 詩體不同，固有鋪陳其事，不加一詞而意自見者。然必其事之猶可言者，若〈清人〉之詩是也。至於〈桑中〉、〈溱洧〉之篇，則雅人莊士有難言之者矣。孔子之稱思無邪也，以為《詩》三百篇勸善懲惡，雖其要歸不出於正，然未有若此言之約而盡者耳，非以作詩之人所思皆無邪也。今必曰彼以無邪之思鋪陳淫亂之事，而閔惜懲創之意自見於言外，則曷若曰彼雖以有邪之思作之，而我以無邪之思讀之，則彼之自狀其醜者，乃所以為吾警懼懲創之資

雅，鄭風不為鄭，邶、鄘、衛之風不為衛，〈桑中〉不為桑間亡國之音，則其篇帙混亂，邪正錯糅，非復孔子之舊矣。夫〈二南〉正風，房中之樂也，鄉樂也。二雅之正，朝廷之樂也。商周之頌，宗廟之樂也。是或見於序義，或出於傳記，皆有可考。至於變雅，則固已無施於事，而變風又特里巷之歌謠。其領在樂官者，以為可以識時變、觀土風而賢於四夷之樂耳。今必曰三百篇者皆祭祀朝聘之所用，則未知〈桑中〉、〈溱洧〉之屬當以薦何等之鬼神，接何等之賓客耶？蓋古者天子巡守，命太師陳詩以觀民風，固不問其美惡而悉陳以觀也。既已陳之，固不問其美惡而悉存以訓也。然其與先王雅頌之正篇帙不同，施用亦異，如前所陳，則固不嫌於厖雜矣。今於雅鄭之實，察之既不詳，於厖雜之名，畏之又太甚，顧乃引夫浮放之鄙詞，而文以風刺之美說，必欲強而置諸先王雅頌之列，是乃反為厖雜之甚而不自知也。夫以胡部與鄭衛合奏猶曰不可，而況強以〈桑中〉、〈溱洧〉為雅樂，又欲合於〈鹿鳴〉、〈文王〉、〈清廟〉之什而奏之宗廟之中、朝廷之上乎？其以二詩為猶止於中聲者，太史公所謂孔子皆弦歌之，以求合於韶武之音，其誤蓋亦如此。然古樂既亡，無所考正，則吾不敢必為之說。獨以其理與其詞推之，有以知其必不然耳。又以為近於勸百諷一而止乎禮義，則又信〈大序〉之過者。夫〈子虛〉、〈上林〉侈矣，然自『天子芒然而思』以下，猶實有所謂諷也。〈漢廣〉知不可而不求，〈大車〉有所畏而不敢，則猶有所謂禮義之止也。若〈桑中〉、〈溱洧〉，則吾不知其何詞之諷而何禮義之止乎？若曰孔子嘗欲放鄭聲矣，不當於此又收之以備六籍也，此則曾南豐於《戰國策》，劉元城於〈三不足之論〉皆嘗言之，又豈俟吾言而後白也哉！」（《朱熹集》第 6 冊，頁 3650－3652）

耶？而況曲為訓說而求其無邪於彼，不若反而得之於我之易也。（《朱熹集・讀呂氏詩記桑中篇》，卷七十，頁 3650－3651）

「思無邪」，如正風、雅、頌等詩，可以起人善心。如變風等詩，極有不好者，可以使人知戒懼不敢做。大段好詩者，大夫作；那一等不好詩，只是閭巷小人作。前輩多說是作詩之思，不是如此。其間多有淫奔不好底詩，不成也是無邪思。……夫善者可以感發得人之善心，惡者可以懲創得人之逸志，今使人讀好底詩，固是知勸；若讀不好底詩，便悚然戒懼，知得此心本不欲如此者，是此心之失。所以讀詩者，使人心無邪也，此是詩之功用如此。（《朱子語類》卷二十三，頁 546－547）

徐問「思無邪」。曰：「非言作詩之人『思無邪』也。蓋謂三百篇之詩，所美者皆可以為法，而所刺者皆可以為戒，讀之者『思無邪』耳。作之者非一人，安能『思無邪』乎？只是要正人心。（仝上，頁 538）

「思無邪」，乃是要使讀《詩》人「思無邪」耳。讀三百篇詩，善為可法，惡為可戒，故使人「思無邪」也。若以為作詩者「思無邪」，則〈桑中〉、〈溱洧〉之詩，果無邪耶？某《詩傳》去《小序》，以為此漢儒所作。如〈桑中〉、〈溱洧〉之類，皆是淫奔之人所作，非詩人作此以譏刺其人也。聖人存之，以見風俗如此不好。至於做出此詩來，使讀者有所愧恥而以為戒耳。（仝上，頁 539）

問：「《讀詩記・序》中『雅、鄭、邪、正』之說未明」曰：「向來看《詩》中〈鄭詩〉、〈邶〉、〈鄘〉、〈衛〉詩，便是鄭衛之音，其詩大段邪淫。伯恭直以謂詩皆賢人所作，皆可歌之宗廟，用之賓客，此甚不然！如國風中亦多有邪淫者。又問「思無邪」之義。……所謂「無邪」者，讀《詩》之大體，善者可以勸，而惡者可以戒。若以為皆賢人所作，賢人決不肯為此。……所謂「詩可以興」者，使人興起有所感發，有所懲創。「可以

觀」者，見一時之習俗如此，所以聖人存之不盡刪去，便見當時風俗美惡，非謂皆賢人所作耳。（仝上，卷八十，頁 2090）⓭

從上引諸條朱熹的言論看來，朱熹所要說明、強調的意旨只有一個，那就是《詩經》的變風中確有淫詩，而淫詩的作者即是出自閭巷小人，並非賢人。《詩經》之中既有淫詩，而孔子猶存錄之，並謂「思無邪」，其主要的意義，即是讓讀者「善者可以勸，而惡者可以戒」，其中實有教化警戒的寓意在。當讀到變風以外的正風、二雅、三頌的好詩時，讀者固然要有所感發、見賢思齊、引起善心；當讀到變風中的不好、邪淫之詩，在心中也應油然興起悚然戒懼之意。《詩經》之中，不論是緣於性情之美的正風、雅、頌諸詩，抑或是緣於性情之惡的淫詩，讀者只要以無邪之思來面對，就可以達到勸善懲惡的效用，並使自我的情性導向於正。因此，孔子所謂的「思無邪」，並非指作者而言，而是從讀者來立論，以為讀《詩》「所美者皆可以為法，而所刺者皆可以為戒」、「善者可以勸，而惡者可以戒」，最終可以達到性情之正、「思無邪」的效用。換言之，孔子所謂的「思無邪」，乃是就讀《詩》的效用、功用來詮說，側重在讀者而非指詩三百的作者都是「思無邪」；其

⓭ 關於孔子存錄淫詩，而又說「思無邪」之義，朱熹對此一問題再三致意，相關的言說，除正文所引數條之外，尚有：「或問『思無邪』。曰：此《詩》之立教如此，可以感發人之善心，可以懲創人之逸志。」（《朱子語類》卷 23，頁 538）、「問『思無邪』。曰：若言作詩者『思無邪』，則其間有邪底多。蓋《詩》之功用，能使人無邪也。」（仝上）、「文振問『思無邪』。曰：人言夫子刪詩，看來只是採得許多詩，夫子不曾刪去，往往只是刊定而已。聖人當來刊定，好底詩，便要吟詠，興發人之善心，不好底詩，便要起人羞惡之心，皆要人『思無邪』」（仝上，頁 542）、「只是『思無邪』一句好，不是一部《詩》皆『思無邪』。」（仝上，卷 80，頁 2065）、「孔子曰：『詩三百，一言以蔽之，曰：思無邪。』蓋詩之言美惡不同，或勸或懲，皆有以使人得其情性之正。然其明白簡切，通于上下，未有若此言者。故特稱之，以為可當三百篇之義，以其要為不過乎此也。學者誠能深味其言，而審於念慮之間，必使無所思而不出於正，則日用云為，莫非天理之流行矣。」（《詩集傳》卷 20，頁 238）、「『思無邪』，〈魯頌．駉〉篇之辭。凡《詩》之言，善者可以感發人之善心，惡者可以懲創人之逸志，其用歸於使人得其情性之正而已。然其言微婉，且或各因一事而發，求其直指全體，則未有若此之明且盡者。故夫子言《詩》三百篇，而惟此一言足以盡蓋其義，其示人之意亦深切矣。」（《論語集注》卷 1，頁 53－54）

所作之詩也都是「思無邪」；其中皆寄寓著「閔惜懲創」、譏刺之意。朱熹如此詮說「思無邪」，顯然和傳統側重在作者的詮說有所不同。

朱熹論變風中有淫詩、淫詩為閭巷小人、婦人小夫所作，皆是不合乎禮義之詩，也並非有譏刺之意；又重新詮說孔子「思無邪」之意，諸多論點，蓋皆本於與其好友呂祖謙的辨難而來，而呂祖謙所持諸觀點：《詩經》之中並無淫詩、《詩經》的作者皆為賢人、所作之詩皆符合孔子所說「思無邪」之意；詩三百皆是雅樂、孔子所欲放絕的鄭聲，非指《詩經》中的〈鄭風〉等，實際上又與《詩經》的漢學傳統合轍⓮，所以朱熹由《詩經》的變風中有淫詩，所衍伸出來的諸觀點，既與呂祖謙所持的諸觀點相枘鑿，實際上也即是與《詩經》漢學傳統相異處。

⓮ 鄭玄、孔穎達均以子夏作《詩序》，《小雅・常棣疏》引《鄭志》曰：「此《序》子夏所為，親受聖人。」（《詩疏》，卷 9 之 1，頁 12）、《詩譜序・疏》：「三百一十一篇皆子夏為之作《序》，明是孔子舊定。」（卷首，頁 5）而《詩序》於朱熹所詮定為淫詩之詩，皆不以為淫，或謂「刺時」、「刺奔」、「刺周大夫」、「懼讒」等。又〈詩大序〉以為國風諸詩皆具有教化勸誡之意，所謂：「上以風化下，下以風刺上，主文而譎諫，言之者無罪，聞之者足以戒」（《詩疏》卷 1 之 1，頁 16），詩人作詩，「皆為正邪防失」（仝上），即使連變風諸詩也都是「發乎情，止乎禮義」，不為淫邪之詩，《毛詩正義》疏釋《詩大序》「變風發乎情，止乎禮義。發乎情，民之性也，止乎禮義，先王之澤也。」云：「作詩者皆曉達於世事之變易，而私懷其舊時之風俗，見時世政事，變易舊章，即作詩以舊法誠之，欲使之合於禮義，故變風之詩，皆發於民情，止於禮義，言各出民之情性而皆合於禮義也。」、「詩人既見時世之事變，改舊時之俗，故依準舊法而作詩戒之，雖俱準舊法，而詩體不同，或陳古政治，或指世淫荒，雖復屬意不同，俱懷匡救之意，故各發情性，而皆止禮義也。」、「作詩止於禮義，則應言皆合禮。而變風所陳，多說姦淫之狀者，男淫女奔，傷化敗俗，詩人所陳者皆亂狀淫形，時政之疾病也。所言者皆忠規切諫，救世之針藥也。」、「詩人救世，亦猶是矣。典刑未亡，覬可追改，則箴規之意切，〈鶴鳴〉、〈沔水〉，殷勤而責王也。淫風大行，莫之能救、則匡諫之志微，〈溱洧〉、〈桑中〉所以咨嗟嘆息而閔世。陳、鄭之俗，亡形已成，詩人度己箴規必不變改，且復賦己之志，哀嘆而已，不敢望其存，是謂匡諫之志微。」（以上並見《詩疏》卷 1 之 1，頁 17）凡此，皆為呂祖謙《詩》觀之所本。另有關呂祖謙奉守《詩序》以言《詩》的《詩》學，可參賴炎元〈呂祖謙的詩經學〉，中國學術年刊第 6 期，1984 年 6 月、郭麗娟《呂祖謙詩經學研究》，臺北：東吳大學中國文學研究所碩士論文，1994 年 10 月、趙制陽《呂氏家塾讀詩記》評介，孔孟學報第 74 期，1997 年 9 月。

三、朱熹所定的「淫詩」和《詩序》詮《詩》的實際對較

《詩經》之中，被朱熹指為敘述不正當的男女之情的淫詩計有三十首，即〈邶風・靜女〉、〈鄘風・桑中〉、〈衛風・氓〉、〈有狐〉、〈木瓜〉、〈王風・采葛〉、〈大車〉、〈丘中有麻〉、〈鄭風・將仲子〉、〈叔于田〉、〈遵大路〉、〈有女同車〉、〈山有扶蘇〉、〈蘀兮〉、〈狡童〉、〈褰裳〉、〈丰〉、〈東門之墠〉、〈風雨〉、〈子衿〉、〈揚之水〉、〈野有蔓草〉、〈溱洧〉、〈齊風・東方之日〉、〈陳風・東門之枌〉、〈東門之池〉、〈東門之楊〉、〈陳風・防有鵲巢〉、〈月出〉、〈澤陂〉，此三十首詩，和《詩序》所詮定的「刺淫」、「刺奔」、譏刺某人某事等的意旨，截然異趣，茲就朱熹所定的三十首淫詩，和《詩序》所詮定的詩旨作一對較，以見漢、宋《詩經》學之異同。

1.〈邶風・靜女〉

靜女其姝，俟我于城隅。愛而不見，搔首踟躕。（一章）

靜女其孌，貽我彤管；彤管有煒，說懌女美。（二章）

自牧歸荑，洵美且異。匪女之為美，美人之貽。（三章）

〈靜女〉一詩，《詩序》的詮釋是：

> 刺時也。衛君無道，夫人無德。（《詩疏》卷二之三，頁104）

鄭玄箋釋《詩序》之意云：

> 以君及夫人無道德，故陳靜女遺我以彤管之法，德如是，可以易之為人君之配。（仝上）

《毛詩正義》疏釋《詩序》之意云：

> 道、德一也，異其文耳。經三章皆是陳靜女之美，欲以易今夫人也，庶輔贊

於君，使之有道。此直思得靜女以易夫人，非謂陳古也，故經云「俟我」、「貽我」，皆非陳古之辭也。（仝上）

據此，《詩序》以為由於衛君無道、夫人無德，因此詩人敘寫貞靜有德之女，希望能夠讓這位貞靜有德之女，來取代無德的夫人，以輔正國君，使其導之於善。朱熹詮釋〈靜女〉，不取《序》說，認為《詩序》的詮釋「全然不似詩意。」（《詩序辨說·靜女》，卷上，頁 19），因謂〈靜女〉是：「此淫奔期會之詩也。」（《詩集傳》卷二，頁 26）[15]。

2.〈**鄘風·桑中**〉

---

[15] 朱熹所以視〈靜女〉為淫詩，蓋有取於歐陽脩之說，歐陽脩嘗撰《詩本義》十四卷，針對《詩序》及毛《傳》、鄭《箋》的詮釋失當、牴牾之處有所駁正，在〈靜女〉一詩的詮釋中，歐陽脩批評毛、鄭的釋《詩》失當，云：「靜女之詩所以為刺也，毛鄭之說皆以為美，既非陳古以刺今，又非思得賢女以配君子，直言衛國有正靜之女，其德可以配人君。考《序》及詩，皆無此義。然則既失其大旨，而一篇之內隨事為說，訓解不通者，不足怪也。詩曰：『靜女其姝，俟我於城隅。愛而不見，搔首踟躕。』據文求義，是言靜女有所待於城隅，不見而徬徨爾，其文顯而易明，灼然易見，而毛鄭乃謂正靜之女，自防如城隅，則是舍其一章，但取『城』、『隅』二字以自申其臆說爾。彤管不知為何物，如毛鄭之說，則是女史所執，以書后妃群妾功過之筆之赤管也。以謂女史所書是婦人之典法，彤管是書典法之筆，故云遺以古人之法，何其迂也！……據《序》言：『〈靜女〉，刺時也。衛君無道，夫人無德』，謂宣公與二姜淫亂，國人化之，淫風大行，君臣上下、舉國之人皆可刺而難於指名以遍舉，故曰：刺時者，謂時人皆可刺也。據此，乃是述衛風俗男女淫奔之詩爾，以此求詩，則本義得矣。」（卷 3，頁 9221－9222）又說：「衛宣公既與二夫人烝淫為鳥獸之行，衛俗化之，禮義壞而淫風大行，男女務以色相誘悅，務誇自道而不知為惡，雖幽靜難誘之女亦然，舉〈靜女〉猶如此，則其他可知。……」（仝上，頁 9222），歐陽脩視〈靜女〉為淫奔之詩，為朱熹所採用，此意裴師普賢嘗提及，參《歐陽脩詩本義研究》（臺北：東大圖書公司，1981 年 7 月），頁 28。又清儒陳啟源亦云：「詩人說靜女之德，與宣姜相反，『城隅』，高峻之節也，『彤管』，法度之器也，『歸荑』，有始有終之義也，是謂貞靜而有德。宣姜以伋妻而受公，要是無節矣。譖殺伋、壽，與盜同謀，是陷君於不法矣。始播於〈新臺〉，終於貽羞於中冓，是無始無終矣。故《詩》極稱女德，而《敘》反言『夫人無德』，《敘》所言者，作詩之意，非詩之詞也。橫渠、東萊皆從《敘》說，《集傳》獨祖歐陽《本義》，指為淫奔期會之詩。夫淫女而以『靜』名之，可乎哉？」（《毛詩稽古編》卷 3，頁 24）

爰采唐矣，沫之鄉矣。云誰之思？美孟姜矣。期我乎桑中，要我乎上宮，送我乎淇之上矣。（一章）

爰采麥矣，沫之北矣。云誰之思？美孟弋矣。期我乎桑中，要我乎上宮，送我乎淇之上矣。（二章）

爰采葑矣，沫之東矣。云誰之思，美孟庸矣。期我乎桑中，要我乎上宮，送我乎淇之上矣。（三章）

〈桑中〉一詩，《詩序》的詮釋是：

> 〈桑中〉，刺奔也。衛之公室淫亂，男女相奔，至于世族在位，相竊妻妾，期於幽遠，政散民流而不可止。（《詩疏》卷三之一，頁 113）

鄭玄《箋》釋《詩序》之意云：

> 衛之公室淫亂，謂宣惠之世，男女相奔，不待媒氏以禮會之也。世族在位，取姜氏、弋氏、庸氏者也。竊，盜也。幽遠，謂桑中之野。（仝上）

《毛詩正義》疏釋《詩序》之意云：

> 作〈桑中〉詩者，刺男女淫亂而相奔也。由衛之公室淫亂之所化，是故又使國中男女相奔，不待禮會而行之，雖至於世族在位為官者，相竊其妻妾，而期於幽遠之處，而與之行淫。時既如此，即政教荒散，世俗流移，淫亂成風而不可止，故刺之也。（仝上）

據此，《詩序》以為〈桑中〉是譏刺衛俗淫亂，致男女相奔之詩。由於衛國公室淫亂，風化所及，連世族在位為官者，也有淫奔的行為，淫風如此，表示政教敗壞，所以詩人作〈桑中〉一詩來加以譏刺。朱熹詮釋〈桑中〉，與《詩序》「刺奔」之說不同，云：

衛俗淫亂，世族在位，相竊妻妾。故此人自言將采唐於沬，而與其所思之人相期會迎送如此也。（《詩集傳》卷三，頁 30）

此詩乃淫奔者所自作，《序》之首句以為刺奔，誤矣！（《詩序辨說・桑中》，卷上，頁 14）

視〈桑中〉為「淫奔者所自作」的淫詩。而朱熹所以視〈桑中〉為淫奔者所自作的淫詩，除本諸《禮記・樂記》：「鄭衛之音，亂世之音也。比於慢矣。桑間濮上之音，亡國之音也。其政散，其民流，誣上行私而不可止也。」（《禮記疏》卷三十七，頁 665）以「鄭衛之音，亂世之音。」即為《詩經》中的〈鄭〉、〈衛〉二風；以「桑間」即為《詩經・鄘風・桑中》一詩而為說外⑯，朱熹從以詩言詩、涵詠詩文的詮釋進路中，讀出〈桑中〉一詩的內容呈顯出「放蕩留連」之情、「止是淫者相戲之辭」，其中並非有譏刺教戒的寓意在，其作者也不是什麼雅人莊士，而僅是淫者的自道之辭，這也是朱熹所以判定〈桑中〉為淫詩的另一關鍵⑰。根據朱熹的看法，《詩經》之中，確實有純係鋪陳、敘事，不加一辭，而其中即寄寓著作者的譏刺之意之詩，如〈鄭風・清人〉、〈齊風・猗嗟〉之類，但此類的刺詩，倘就詩文加以研析，可以發現在敘述上有主客之分，作者乃是站在第三者的角度上來

⑯ 朱熹在《詩集傳》卷三釋〈桑中〉篇末，謂：「《樂記》曰：『鄭衛之音，亂世之音也。比於慢矣。桑間濮上之音，亡國之音也。其政散，其民流，誣上行私而不可止也。』按：桑間即此篇，故《小序》亦用《樂記》之語。」（《詩集傳》卷 3，頁 30）又在《詩序辨說・桑中》謂：「此詩乃淫奔者所自作，《序》之首句以為刺奔，誤矣！其下云云者乃復得之。《樂記》之說已略見本篇矣。」（卷上，頁 14）是朱熹本《禮記・樂記》之文，以「桑間」為〈鄘風・桑中〉之詩。

⑰ 朱熹云：「〈桑中〉之詩放蕩留連，止是淫者相戲之辭，豈有刺人之惡，而反自陷於流蕩之中！」（《朱子語類》卷八十，頁 2075）、「……且如『止乎禮義』，果能止禮義否？〈桑中〉之詩，禮義在何處？王（德修）曰：他要存戒。曰：此正文中無戒意，只是直述他淫亂事爾。」（仝上，頁 2068）、「詩體不同，固有鋪陳其事，不加一詞而意自見者。然必其事之猶可言者，若〈清人〉之詩是也。至於〈桑中〉、〈溱洧〉之篇，則雅人莊士有難言之者矣。」（《朱熹集・讀呂氏詩記桑中篇》，卷 70，頁 3650）

鋪陳、敘事，而寄寓其譏刺之意，而非如〈桑中〉一詩，作者乃以第一人稱、以我為主體，在自述己身的淫亂之事，豈有人要作一首刺淫之詩，反而是運用自述的方式，使自己成為譏刺的對象？更何況，如〈桑中〉這類淫詩的作者，本即為淫邪之人，「安於為惡」，詩中所敘寫的詩詞，即是這些人平常的慣用語，脫口而出，也不會有絲毫的愧恥之意的，如果說〈桑中〉為刺淫之詩，朱熹認為反而更會助長淫奔之人為惡，因此，〈桑中〉一詩即是淫人自述的淫奔之辭⓲，而非作於雅人莊士的刺淫之詩。

3.〈衛風・氓〉

氓之蚩蚩，抱布貿絲。匪來貿絲，來即我謀。送子涉淇，至于頓丘。匪我愆期，子無良媒。將子無怒，秋以為期。（一章）

乘彼垝垣，以望復關。不見復關，泣涕漣漣，既見復關，載笑載言。爾卜爾筮，體無咎言。以爾車來，以我賄遷。（二章）

桑之未落，其葉沃若。于嗟鳩兮，無食桑葚。于嗟女兮，無與士耽。士之耽兮，猶可說也：女之耽兮，不可說也。（三章）

桑之落矣，其黃而隕。自我徂爾，三歲食貧。淇水湯湯，漸車帷裳。女也不爽，士貳其行。士也罔極，二三其德。（四章）

三歲為婦，靡室勞矣。夙興夜寐，靡有朝矣。言既遂矣，至于暴矣。兄弟不知，咥其笑矣。靜言思之，躬自悼矣。（五章）

及爾偕老，老使我怨。淇則有岸，隰則有泮。總角之宴，言笑晏晏，信誓旦旦。不思其反。反是不思，亦已焉哉！（六章）

〈氓〉一詩，《詩序》的詮釋是：

⓲ 此意參朱熹《詩序辨說・桑中》文：「夫詩之為刺，固有不加一辭而意自見者，〈清人〉、〈猗嗟〉之屬是已。然嘗試玩之，則其賦之之人，猶在所賦之外，而詞意之間，猶有賓主之分也，豈有將欲刺人之惡，乃反自為彼人之言，以陷其身於所刺之中而不自知也哉？其不然也明矣。又況此等之人安於為惡，其於此等之詩，計其平日固已自其口出而無慚矣，又何待吾之鋪陳而後始知其所為之如此，亦豈畏我之閔惜而遂幡然遽有懲創之心耶？以是為刺，不惟無益，殆恐不免於鼓之舞之，而反以勸其惡也。」（卷上，頁 14）

> 〈氓〉，刺時也。宣公之時，禮義消亡，淫風大行，男女無別，遂相奔誘。華落色衰，復相棄背。或乃困而自悔，喪其妃耦，故序其事以風焉。美反正，刺淫泆也。（《詩疏》卷三之三，頁 134）

視〈氓〉為一首「刺淫佚」之詩。朱熹詮釋〈氓〉，不取《序》說，而謂：「此淫婦為人所棄，而自敘其事，以道其悔恨之意也。」（《詩集傳》卷三，頁 37）視〈氓〉為一首淫婦自作，以述其悔恨的淫詩。在《詩序辨說》中並對《詩序》「刺時」、「刺淫泆」之說提出批評：

> 此非刺時，宣公未有考。「故序其事」以下亦非是。其曰：「美反正」者，尤無理。（《詩序辨說》卷上，頁 15）

朱熹認為《詩序》「刺時」、「刺淫佚」之說，皆非詩意，《詩序》又逕指〈氓〉詩的寫作背景，乃在宣公之時，朱熹也認為此說沒有根據。

4.〈衛風・有狐〉

有狐綏綏，在彼淇梁。心之憂矣，之子無裳。（一章）
有狐綏綏，在彼淇厲。心之憂矣，之子無帶。（二章）
有狐綏綏，在彼淇側。心之憂矣，之子無服。（三章）

〈有狐〉一詩，《詩序》的詮釋是：

> 刺時也。衛之男女失時，喪其妃耦焉。古者國有凶荒，則殺禮而多昏，會男女之無夫家者，所以育人民也。（《詩疏》卷三之三，頁 140）

《詩序》之意，《毛詩正義》疏釋之云：

> 作〈有狐〉詩者，刺時也。以時君不教民隨時殺禮為昏，至使衛之男女失年盛之時為昏，而喪失其妃耦，不得早為室家，故刺之。以古者國有凶荒，則減殺其禮，隨時而多昏，令會男女之無夫家者，使為夫婦，所以蕃育人民，

> 刺今不然。男女失時，謂失男女年盛之時，不得早為室家，至今人而無匹，是喪其妃耦，非先為妃而相棄也。（仝上）

據此，《詩序》以為〈有狐〉是刺時之詩。由於衛君不教導人民隨時殺禮來成婚，致使衛國的男女在年盛之際，不能適時成婚，馴致孤寡無匹，所以詩人作此〈有狐〉一詩，來譏刺衛君。朱熹詮釋〈有狐〉，不取《詩序》「刺時」之說，而謂：

> 比也。狐者，妖媚之獸。綏綏，獨行求匹之貌。……國亂民散，喪其妃耦，有寡婦見鰥夫而欲嫁之，故託言有狐獨行，而憂其無裳也。（《詩集傳》卷三，頁 40－41）

視〈有狐〉為「寡婦見鰥夫而欲嫁之」的淫詩[19]。

5.〈**衛風・木瓜**〉

投我以木瓜，報之以瓊琚。匪報也，永以為好也。（一章）
投我以木桃，報之以瓊瑤。匪報也，永以為好也。（二章）
投我以木李，報之以瓊玖。匪報也，永以為好也。（三章）

〈木瓜〉一詩，《詩序》的詮釋是：

> 〈木瓜〉，美齊桓公也。衛國有狄人之敗，出處于漕，齊桓公救而封之，遺之車買器服焉。衛人思之，欲厚報之而作是詩也。（《詩疏》卷三之三，頁

---

[19] 〈有狐〉一詩，朱熹蓋視為淫詩。劉瑾《詩傳通釋》疏釋朱熹《詩集傳》：「比也。狐者，妖媚之獸，綏綏，獨行求匹之貌。」引嚴粲之說云：「嚴氏曰：狐性淫又多疑，綏綏然獨行而遲疑，有求匹之意，喻無妻之人也。」又謂：「《本草》曰：狐鼻尖尾大，善為妖魅。」（以上並見《詩傳通釋》卷 3，頁 379）又朱公遷釋朱熹《詩集傳》：「比也。狐者，妖媚之獸，綏綏，獨行求匹之貌。」云：「淫奔之詩，每以狐比，〈齊〉之〈南山〉亦是類也。」（《詩經疏義會通》卷 3，頁 151）此外，王柏論〈衛風〉，亦以〈有狐〉為淫詩；〈有狐〉並列在王柏倡議刪汰的三十二首淫詩之中，見《詩疑》卷 1，頁 11－12、26－3二。

141）

《詩序》之意，《毛詩正義》有所疏釋：

> 有狄之敗，懿公時也。至戴公，為宋桓公迎而立之，出處於漕，後即為齊公子無虧所救。戴公卒，文公立，齊桓公又城楚丘之以封之。則戴也、文也，皆為齊所救而封之也。下總言遺之車馬器服，則二公皆為齊所遺。《左傳》「齊侯使公子無虧帥三百乘以戍漕。歸公乘馬、祭服五稱、牛羊豕雞狗皆三百，與門材。歸夫人魚軒、重錦三十兩。」是遺戴公也。《外傳・齊語》曰：「衛人出廬於漕，桓公城楚丘以封之，其畜散而無育，齊桓公與之繫馬三百」，是遺文公也。（《詩疏》卷三之三，頁141）

據此，《詩序》以為〈木瓜〉是衛人所作，以讚美齊桓公之詩。由於齊桓公嘗救封衛國，並贈以車馬器服，衛人感念齊桓公之德，因作〈木瓜〉一詩，來表露心中欲厚報齊桓公之情。《詩序》的詮釋，蓋自《左傳》閔公二年的記載附會而來，姚際恒、崔述俱有所辨正[20]。朱熹詮釋〈木瓜〉，與《詩序》不同，謂：

---

[20] 對於《木瓜・序》的質疑，可以姚際恒、崔述為代表。姚際恒云：「《小序》謂『美齊桓公』；《大序》謂『齊桓救而封之，遺以車馬、器服焉，衛人思欲厚報之而作是詩』。按此說不合者有四。衛被狄難，本未嘗滅，而桓公亦不過為之城楚丘及贈以車馬、器服而已；乃以為美桓公之救而封之，一也。以是為衛君作與？衛文乘齊五子之亂而伐其喪，實為背德，則必不作此詩。以為衛人作與？衛人，民也，何以力能報齊乎？二也。既曰桓公救而封之，則為再造之恩；乃僅以果實喻其所投之甚微，豈可謂之美桓公乎？三也，衛人始終毫末未報齊，而遽自儗以重寶為報，徒以空言妄自矜詡，又不應若是喪心，四也，或知其不通，以為詩人追思桓公，以諷衛人之背德，益迂。且詩中皆綢繆和好之音，絕無諷背德意。」（《詩經通論》卷4，頁129）崔述云：「天下有詞明意顯，無待於解，而說者患其易知，必欲紆曲牽合，以為別有意在。此釋經之通病也，而於說《詩》尤甚。〈有狐〉、〈木瓜〉二詩豈非顯明易者乎！……木瓜之施輕，瓊琚之報重，猶以為不足報而但以為永好，其為尋常贈答之詩無疑。而《序》云『美齊桓也。衛處于漕，齊桓救而封之，遺之車馬器服，衛人欲厚報之而作是詩。』夫齊桓存衛，其德厚矣，何以通篇無一語及之，而但言木瓜之投？感人之德者固如是乎？且衛於齊有何報而乃自以為瓊琚也？漢周亞夫之子為父治喪具，買甲楯五百被。

言人有贈我以微物，我當報之以重寶，而猶未足以為報也，但欲其長以為好而不忘耳。疑亦男女相贈答之詞，如〈靜女〉之類。（《詩集傳》卷三，頁41）

以為〈木瓜〉抒寫人若以微物贈我，則我當以重寶來回報，希望永結情好之意。但朱熹懷疑〈木瓜〉是男女間相互贈答之詞，就如〈靜女〉一詩所描寫的「靜女其孌，貽我彤管。彤管有煒，說懌女美。」、「自牧歸荑，洵美且異，匪女之為美，美人之貽。」一樣。朱熹視〈靜女〉為淫詩，則〈木瓜〉一詩，朱熹蓋亦視之為淫詩[21]。

6.〈王風・采葛〉

彼采葛兮。一日不見，如三月兮。（一章）
彼采蕭兮。一日不見，如三秋兮。（二章）
彼采艾兮，一日不見，如三歲兮。（三章）

〈采葛〉一詩，《詩序》的詮釋是：

懼讒也。（《詩疏》卷四之一，頁153）

廷尉責曰：『君侯欲反邪？』亞夫曰：『臣所買器，乃葬器也，何謂反！』吏曰：『君侯縱不反地上，即欲反地下耳。』世之說《詩》者，何以異此！蓋漢時風氣最尚鍛鍊，無論治經治獄皆然，故曰『漢庭鍛鍊之獄。』獄之鍛鍊，含冤於當日者，已不可勝數矣，經之鍛鍊，後人何為而皆信之？」參《讀風偶識》（臺北：河洛圖書出版社，1975年9月），卷2，頁35。

[21] 關於朱熹視〈木瓜〉為淫詩，輔廣有所說明：「有學者請於先生曰：『某於〈木瓜〉詩反覆諷詠，但見其有忠厚之意而不見其有褻慢之情，《小序》以為美齊桓，恐非居後而揣度者所能及，或者其有所傳也。……先生以為不然曰：「若以此詩為衛人欲報齊桓之詩，則齊桓之惠，何止於木瓜，而衛人實未嘗有一物報之也。」愚謂以此言之，則《小序》之說，則亦傅會之失，實無所據。而先生疑以為男女相贈答之辭，如〈靜女〉之類者，則亦以衛風多淫亂之詩，而疑其或然耳。』」參《詩童子問》（臺北：臺灣商務印書館影印文淵閣四庫全書本，1983年），卷2，頁329。

鄭玄箋釋《詩序》之意云：

> 桓王之時，政事不明，臣無大小，使出者則為讒人所毀，故懼之。（仝上）

據此，《詩序》以為〈采葛〉是桓王諸臣憂懼讒言之詩。朱熹詮釋〈采葛〉，不取《序》說，而謂：

> 采葛所以為絺綌，蓋淫奔者託以行也。故因以指其人，而言思念之深，未久而似久也。（《詩集傳》卷四，頁 47）

視〈采葛〉為淫奔之詩。朱熹何以視〈采葛〉為淫奔之詩？在《詩序辨說》中他有進一步的說明：

> 此淫奔之詩。其篇與〈大車〉相屬，其事與「采唐」、「采葑」、「采麥」相似；其詞與鄭〈子衿〉正同，《序》說誤矣！（卷上，頁 17）

據此，朱熹以為〈采葛〉為淫奔之詩，理由有三，其一，〈采葛〉一詩在篇次上與〈大車〉相連屬，其二，〈采葛〉一詩的內容與〈鄘風・桑中〉篇中所寫的「采唐」、「采葑」、「采麥」相似；其三，〈采葛〉中的詞句：「一日不見，如三月兮。」與〈鄭風・子衿〉的詞句正同，〈大車〉、〈桑中〉、〈子衿〉三詩都為淫奔之詩，則〈采葛〉亦自應為「淫奔之詩」，〈采葛〉既為淫詩，則《詩序》的詮釋，顯然是錯誤的㉒。

㉒ 〈桑中〉、〈大車〉、〈子衿〉三詩，朱熹皆目之為淫詩，朱熹詮釋〈桑中〉謂：「衛俗淫亂，世族在位，相竊妻妾。故此人自言將采唐於沬，而與其所思之人相期會迎送如此也。」（《詩集傳》卷 3，頁 30）、「此詩乃淫奔者所自作，《序》之首句，以為刺奔，誤矣。」（《詩序辨說》卷上，頁 13）；詮釋〈大車〉謂：「周衰，大夫猶有能以刑政治其私邑者，故淫奔者畏而歌之如此。」（《詩集傳》卷 4，頁 46）；詮釋〈子衿〉謂：「此亦淫奔之詩。」（仝上，頁 54）

7.〈王風・大車〉

大車檻檻，毳衣如菼。豈不爾思？畏子不敢。（一章）

大車啍啍，毳衣如璊。豈不爾思？畏子不奔。（二章）

穀則異室，死則同穴。謂予不信。有如皦日。（三章）

〈大車〉一詩，《詩序》的詮釋是：

〈大車〉刺周大夫也。禮義陵遲，男女淫奔，故陳古以刺今大夫不能聽男女之訟焉。（《詩疏》卷四之一，頁 153）

《詩序》之意，《毛詩正義》為之疏釋云：

經三章皆陳古者大夫善於聽訟之事也。陵遲，猶陂陁，言禮義廢壞之意也。男女淫奔，謂男淫而女奔之也。〈檀弓〉曰：「合葬非古也，自周公以來未之有改。」然則周法始合葬也。經稱『死則同穴』，則所陳古者，陳周公以來賢大夫。（仝上）

又鄭玄釋〈大車〉「豈不爾思，畏子不敢。」二句云：

此二句者，古之欲淫奔者之辭。我豈不思與女以為無禮與？畏子大夫來聽訟，將罪我，故不敢也。子者，稱所尊敬之辭。（仝上）

《毛詩正義》疏釋〈大車〉首章：「大車檻檻，毳衣如菼。豈不爾思，畏子不敢。」及鄭玄之意云：

言古者大夫乘大車而行，其聲檻檻然。身服毳冕之衣，其有青色者，如菼草之色。然乘大車、服毳冕巡行邦國，決男女之訟，於時男女莫不畏之。有女欲奔者，謂男子云：我豈不於汝思為無禮之交與？畏子大夫之政，必將罪我，故不敢也。古之大夫，使民畏之若此。今之大夫不能然，故陳古以刺之

也。（仝上，頁 153－154）

據此，《詩序》以為〈大車〉是一首陳古以刺今之作。詩人藉著陳述古代的賢大夫巡行邦國，能使欲為淫奔是女子有所畏懼而不敢，來反刺當今周大夫的不能。朱熹詮釋〈大車〉，不取《詩序》「刺周大夫」、「陳古以刺今」之說，而是逕謂〈大車〉是淫奔的男女之歌，詩中透顯了淫奔的男女，心中仍有所畏懼周大夫刑政的心理，朱熹說：

> 淫奔者相命之辭也。……周衰，大夫猶有能以刑政治其私邑者，故淫奔者畏而歌之如此。然去二南之化則遠矣，此可以觀世變也。（《詩集傳》卷四，頁 46）

> 民之欲相奔者，畏其大夫，自以終身不得如其志也。故曰：生不得相奔以同室，庶幾死得合葬以同穴而已。（仝上，頁 47）

> 非刺大夫之詩，乃畏大夫之詩。（《詩序辨說．大車》，卷上，頁 17）

8.〈**王風．丘中有麻**〉

丘中有麻，彼留子嗟。彼留子嗟，將其來施施。（一章）
丘中有麥，彼留子國。彼留子國，將其來食。（二章）
丘中有李，彼留之子。彼留之子，貽我佩玖。（三章）

〈丘中有麻〉一詩，《詩序》的詮釋是：

> 思賢也。莊王不明，賢人放逐，國人思之而作是詩也。（《詩疏》卷四之一，頁 155）

視〈丘中有麻〉為「思賢」之詩。由於莊王昏昧，闇於知人，使得賢人遭受放逐，國人對於這位賢人思念不已，遂作〈丘中有麻〉一詩來誌之。朱熹詮釋〈丘中有麻〉，與《詩序》絕異，謂：

> 婦人望其所與私者而不來，故疑丘中有麻之處，復有與之私而留之者，今安得其施施然而來乎？（《詩集傳》卷四，頁 47）

> 此亦淫奔者之詞，其篇上屬〈大車〉而語意不莊，非望賢之意，《序》亦誤矣！（《詩序辨說》卷上，頁 17）

視〈丘中有麻〉為淫奔之詩。而朱熹所以認定〈丘中有麻〉是淫奔之詩，理由有二，其一，〈丘中有麻〉的上篇是〈大車〉，二詩在篇次上相連屬，則主旨亦應有所連屬，其二，〈丘中有麻〉一詩的語意不夠莊重，並非思望賢人之意，而應是婦人思望淫夫之詞，據此，朱熹詮斷〈丘中有麻〉為淫奔之詩。

9.**〈鄭風．將仲子〉**

將仲子兮，無踰我里，無折我樹杞。豈敢愛之？畏我父母。仲可懷也；父母之言，亦可畏也。（一章）

將仲子兮，無踰我牆，無折我樹桑。豈敢愛之？畏我諸兄。仲可懷也；諸兄之言，亦可畏也。（二章）

將仲子兮，無踰我園，無折我樹檀。豈敢愛之？畏人之多言。仲可懷也；人之多言，亦可畏也。（三章）

〈將仲子〉一詩，《詩序》的詮釋是：

> 〈將仲子〉，刺莊公也，不勝其母，以害其弟，弟叔失道而公弗制，祭仲諫而公弗聽，小不忍，以致大亂焉。（《詩疏》卷四之二，頁 161）

鄭玄箋釋《詩序》之意云：

> 莊公之母，謂武姜，生莊公及弟叔段，段好勇而無禮，公不早為之所，而使驕慢。（仝上）

《毛詩正義》疏釋《詩序》之意云：

> 作〈將仲子〉詩者，刺莊公也。公有弟名段，字叔，其母愛之，令莊公處之大都。莊公不能勝止其母，遂處段于大都，至使驕而作亂，終以害其親弟，是公之過也。此叔于未亂之前，失為弟之道，而公不禁制，令之奢僭。有臣祭仲者，諫公，令早為之所，而公不聽用，于事之小，不忍治之，以致大亂焉，故刺之。（仝上，頁 161－162）

據此，《詩序》以為〈將仲子〉是譏刺鄭莊公之詩。由於莊公受囿於其母武姜，乃封弟共叔段於京城大都，共叔段日益驕慢，有叛國之心，而莊公都未加禁制，其間並有大臣祭仲勸諫莊公早為之圖，以防患於未然，莊公不聽，致引起日後共叔段驕慢亂國之事，詩人遂作〈將仲子〉一詩，來譏刺莊公。朱熹詮釋〈將仲子〉，不取《序》說，而援引鄭樵之說，視〈將仲子〉為淫奔之詩，朱熹說：

> 莆田鄭氏曰：「此淫奔者之辭。」（《詩集傳》卷四，頁 48）

> 事見《春秋傳》，然莆田鄭氏謂「此實淫奔之詩，無與於莊公、叔段之事，《序》蓋失之，而說者又從而巧為之說以實其事，誤亦甚矣！」今從其說。（《詩序辨說》卷上，頁 18）

《詩序》詮說〈將仲子〉一詩的本事，俱見於《左傳》隱公元年所述「鄭伯克段于鄢」一節之中所說㉓，明係附會書史、以史證詩，並非詩意㉔。朱熹詮釋〈將仲

㉓ 參《春秋疏》卷 2，頁 35－37。

㉔ 《詩序》詮釋〈將仲子〉明係附會自《左傳》隱公元年「鄭伯克段于鄢」之事，此意姚際恒、崔述及今人王靜芝、滕志賢俱有說，姚說見《詩經通論》卷 5，頁 145、崔說見《崔東壁遺書‧讀風偶識》卷 3，頁 9、王說見《詩經通釋》（新莊：輔仁大學文學院，1985 年 8 月），頁 178、滕說見《新譯詩經讀本》（上）（臺北：三民書局，2000 年 1 月），頁 210－211。

子〉，援引鄭樵之說，以為〈將仲子〉一詩無涉於《左傳》所載莊公、共叔段之事，而只是「淫奔之詩」，說《詩》者不察，以尊信《詩序》之故，又巧為之說，以坐實〈將仲子〉確為莊公、共叔段之事，錯誤更大。

10.〈鄭風・叔于田〉

叔于田，巷無居人。豈無居人？不如叔也！洵美且仁。（一章）
叔于狩，巷無飲酒，豈無飲酒？不如叔也！洵美且好。（二章）
叔適野，巷無服馬。豈無服馬？不如叔也！洵美且武。（三章）

〈叔于田〉一詩，《詩序》的詮釋是：

> 刺莊公也。叔處于京，繕甲治兵，以出于田，國人說而歸之。（《詩疏》卷四之二，頁 162）

《毛詩正義》依《詩序》詮釋〈叔于田〉首章：「叔于田，巷無居人。豈無居人？不如叔也，洵美且仁。」云：

> 此皆悅叔之辭。時人言叔之往田獵也，里巷之內全似無復居人。豈可實無居人乎？有居人矣，但不如叔也信美好而且有仁德。國人注心於叔，悅之若此，而公不知禁，故刺之。（仝上，頁 163）

據此，《詩序》以〈叔于田〉是譏刺莊公之詩。由於段叔受封於京城，甚獲民心，國人藉〈叔于田〉一詩，來歌詠他既美好而又有仁德的風儀，段叔深受人民愛戴如此，而莊公並不知道要加以禁制、防範，因此，詩人一方面藉著〈叔于田〉來歌詠段叔美好的風姿，同時寄寓著譏刺莊公之意。朱熹詮釋〈叔于田〉，不取《詩序》「刺莊公」之說，而謂：

> 段不義而得眾，國人愛之，故作此詩。言叔出而田，則所居之巷，若無居人矣！非實無居人也，雖有而不如叔之美且仁，是以若無人耳。或疑此亦民間男女相說之詞也。（《詩集傳》卷四，頁 48）

> 國人之心貳於叔，而歌其田狩適野之事，初非以刺莊公，亦非說其出于田而後歸之也。或曰：段以國君貴弟受封大邑，有人民兵甲之眾，不得出居閭巷，下雜民伍，此詩恐亦民間男女相說之詞耳。（《詩序辨說》卷上，頁18）

懷疑〈叔于田〉是民間男女相悅的淫詩㉕，與《詩序》的詮說絕異。

11.**〈鄭風‧遵大路〉**

遵大路兮，摻執子之祛兮。無我惡兮，不寁故也。（一章）
遵大路兮。摻執子之手兮。無我魗兮，不寁好也。（二章）

〈遵大路〉一詩，《詩序》的詮釋是：

> 思君子也。莊公失道，君子去之，國人思望焉。（《詩疏》卷四之三，頁168）

《毛詩正義》詮釋〈遵大路〉首章云：

> 國人思望君子，假說得見之狀，言己循彼大路之上兮，若見此君子之人，我則攬執君子之衣袪兮。君子若忿我留之，我則謂之云：無得於我之處怨惡我留兮，我乃以莊公不速於先君之道故也。言莊公之意，不速於先君之道，不愛君子，令子去之，我以此固留子。（仝上）

㉕ 〈叔于田〉一詩，朱熹懷疑是民間男女相悅的淫詩，劉瑾云：「按：〈鄭風〉之有〈緇衣〉、〈羔裘〉、〈女曰雞鳴〉、〈出其東門〉數篇，乃礫中之玉也。他如〈大叔于田〉及〈清人〉詩，雖無足尚，猶幸非為淫奔而作。若〈叔于田〉則亦未免有男女相悅之疑，是其二十一篇之中，曉然不為淫奔而作者，五六篇而已，故曰：『淫奔之詩，不翅七之五』。然自昔說《詩》者，唯以〈東門之墠〉與〈溱洧〉為淫詩，今朱子乃例以淫奔斥之者，蓋即其詞而得其情，正以發明『放鄭聲』之旨，不然，則衛、齊、陳詩諸篇，非無淫聲，夫子何獨以鄭聲為當放哉？」（《詩傳通釋》卷4，頁408）

據此，《詩序》以為〈遵大路〉是國人思望君子之詩。由於莊公失卻先君重賢之道，致使君子離去，因此詩人乃擬寫於道中見到君子，將攬執其衣袖，以示留賢之意。朱熹詮釋〈遵大路〉，與《序》說不同，他說：

> 淫婦為淫人所棄，故於其去也，攬其袪而留之曰：子無惡我而不留，故舊不可以遽絕也。宋玉賦有「遵大路兮，攬子袪」之句，亦男女相說之詞也。（《詩集傳》卷四，頁 51）

> 此亦淫亂之詩，《序》說誤矣！（《詩序辨說》卷上，頁 18）

視〈遵大路〉為一首淫亂之詩。詩中敘述的即是「淫婦為淫人所棄」的場景。在淫人將要離淫婦而去的時候，淫婦在道上執其袖，苦苦哀求淫人勿惡棄她而去。朱熹詮釋〈遵大路〉所以與《詩序》有異，除援據孔子對鄭聲的批評（「鄭聲淫」、「惡鄭聲」、「放鄭聲」）及《禮記．樂記》對鄭衛之音的指斥而為說外，宋玉的〈登徒子好色賦〉一文，也是他詮定〈遵大路〉一詩詩旨之所據。宋玉在〈登徒子好色賦〉中曾借秦章華大夫之口，敘及〈遵大路〉中之詩句：「遵大路兮攬子袪」，章華大夫援引〈遵大路〉的詩句，置於〈登徒子好色賦〉中的文章脈絡中，即為男女之詞，宋玉的時代較接近《詩經》的時代，所以朱熹以為〈遵大路〉一詩的詩義當以此為正，朱熹所以不取〈遵大路．序〉所謂「思君子」，並批評《詩序》所說是錯誤的即以此[26]。

12.〈鄭風．有女同車〉

有女同車，顏如舜華。將翱將翔，佩玉瓊琚。彼美孟姜，洵美且都。（一章）
有女同行，顏如舜英。將翱將翔，佩玉將將。彼美孟姜，德音不忘。（二章）

---

[26] 關於此點，劉瑾曾有所說明：「愚按：宋玉〈登徒子好色賦〉曰：『鄭衛溱洧之間，群女出桑，臣觀其麗者，因稱詩曰：遵大路兮攬子袪，贈以芳華辭甚妙。』注云：『攬衣袖，欲與同歸。折芳誦詩，以贈遊女也。』《集傳》援此為證者，蓋宋玉去此詩之時未遠，其所引用，當得詩人之本旨。彼為男語女之詞，猶此詩為女語男之詞也。」（《詩傳通釋》卷 4，頁 398）

〈有女同車〉一詩，《詩序》的詮釋是：

〈有女同車〉，刺忽也。鄭人刺忽之不昏于齊。太子忽嘗有功于齊，齊侯請妻之，齊女賢而不取，卒以無大國之助，至於見逐，故國人刺之。（《詩疏》卷四之三，頁 170）

視〈有女同車〉為譏刺鄭國太子忽（其後為昭公）之詩。由於忽嘗帥師救齊、有功於齊，齊侯嘗欲將其女嫁給忽，但忽並未答應，以致最後由於沒有大國的援助而遭到棄逐，因而奔衛，詩人乃作詩來加以諷刺。《詩序》詮說〈有女同車〉一詩的本事，具見於《左傳》桓公六年、及十一年的記載㉗。朱熹詮釋〈有女同車〉與《詩序》異，他懷疑也是「淫奔之詩」。朱熹說：

此疑亦淫奔之詩。言所與同車之女，其美如此，而又嘆之曰：彼美色之孟姜，信美矣而又都也。（《詩集傳》卷四，頁 52）

在《詩序辨說》中，則針對《詩序》「刺忽」之說加以批判，朱熹說：

按春秋傳：「齊侯欲以文姜妻鄭太子忽，忽辭。人問其故，忽曰：『人各有耦，齊大非吾耦也。詩曰：『自求多福』，在我而已，大國何為？』其後北戎侵齊，鄭伯使忽帥師救之，敗戎師，齊又請妻之。忽曰：『無事於齊，吾

㉗ 《左傳》桓公六年：「公之未昏於齊也，齊侯欲以文姜妻鄭太子忽。太子忽辭，人問其故。太子曰：『人各有耦，齊大，非吾耦也。《詩云》：『自求多福』，在我而已，大國何為？』君子曰：『善自為謀』。及其敗戎師也，齊侯又請妻之，固辭，人問其故，太子曰：『無事於齊，吾猶不敢。今以君命奔齊之急，而受室以歸，是以師昏也。民其謂我何？』遂辭諸鄭伯。」（《春秋疏》卷六，頁 112）、桓公十一年：「鄭昭公之敗北戎也」，齊人將妻之。昭公辭，祭仲曰：『必取之。君多內寵，子無大援，將不立，三公子皆君也，弗從。夏，鄭莊公卒。……秋九月丁亥，昭公奔衛。己亥，厲公立。』（《春秋疏》卷 6，頁 123）

猶不敢，今以君命奔齊之急，而受室以歸，是以師昏也。民其謂我何？』遂辭諸鄭伯。祭仲謂忽曰：『君多內寵，子無大援，將不立。』忽又不聽，及即位，遂為祭仲所逐。」此序文所據以為說者也。然以今考之，此詩未必為忽而作，序者但見「孟姜」二字，遂指為齊女而附之於忽耳。假如其說，則忽之辭婚未為不正而可刺，至其失國，則又特以勢孤援寡，不能自定，亦未有可刺之罪也。序乃以為國人作詩以刺之，其亦誤矣，後之讀者又襲其誤，必欲鍛鍊羅織，文致其罪而不肯赦，徒欲以循說詩者之謬，而不知其失是非之正，害義理之經，以亂聖經之本旨，而壞學者之心術，故予不可以不辨。（《詩序辨說》卷上，19）

朱熹指出《左傳》桓公六年的傳文「齊侯欲以文姜妻之……遂辭諸鄭伯」、及桓公十一年的傳文「祭仲謂忽曰：君多內寵……遂為祭仲所逐。」是《詩序》據以為說之處，他認為〈有女同車〉一詩不是「刺忽」之作，《詩序》所以謂〈有女同車〉一詩是刺忽之作，是從詩文「彼美孟姜」中的「孟姜」二字附會而來的。〈有女同車〉一詩如果真如《詩序》所說是由於忽辭昏，以致於見逐失國、國人刺之之作，朱熹以為不論就忽之辭昏或是失國，都不應遭到譏刺，因為忽之辭婚未必不恰當，忽之失國，也只是因為「勢孤援寡」，也實無可刺；由於《詩序》之謬說，致使後人沿襲《詩序》之誤，造成了「失是非之正」、「害義理之公」、「亂聖經之本旨」、「壞學者之心術」等不良的後果，朱熹認為這是他不得不針對《詩序》的謬說來加以辨正，指摘的原因㉘。

13.〈**鄭風・山有扶蘇**〉

㉘ 朱熹在《詩序辨說・有女同車》中指出「後之讀者又襲其誤，必欲鍛鍊羅織，文致其罪，而不肯赦，徒欲以徇說《詩》者之謬」，輔廣嘗舉張南軒、呂祖謙二人為例：「《讀詩記》所載南軒先生之說，蓋亦疑忽初無大惡可為國人所刺者，但拘於《小序》，求其說而不得，故以為國人之所以拳拳者，為其立之正，故憐其無助而追咎其失大國之助而怨耳。至東萊先生之說，則不免委曲以成就其《序》之誤也。夫為善有名而無情，遂至於無助而失國，則固亦可憫，至以為國人刺之，則亦非人情矣！況是詩但稱道孟姜之美而已，初不及忽之事，則何以知其然也。」（《詩童子問》卷首，頁 286）

山有扶蘇，隰有荷華。不見子都，乃見狂且！（一章）
山有橋松，隰有游龍，不見子充，乃見狡童！（二章）

〈山有扶蘇〉一詩，《詩序》的詮釋是：

> 刺忽也。所美非美然。（《詩疏》卷四之三，頁 171）

鄭玄《箋》釋《詩序》之意云：

> 言忽所美之人，實非美人。（仝上）

又《毛傳》、鄭《箋》詮釋〈山有扶蘇〉首章：「山有扶蘇，隰有荷華。」云：「興也。扶蘇，扶胥，小木也。荷華，扶渠也，其華菡萏。言高下大小各得其宜也。」（仝上）、「興者，扶胥之木生於山，喻忽置不正之人於上位也。荷華生於隰，喻忽置有美德者於下位。此言其用臣顛倒，失其所也。」（仝上）；詮釋〈山有扶蘇〉首章：「不見子都，乃見狂且。」云：「子都，世之美好者也。狂，狂人也。」（仝上）、「人之好美色，不往覩子都，乃反往覩狂醜之人，以興好善不任用賢者，反任用小人，其意同。」（仝上）《毛詩正義》疏釋《詩序》之意云：

> 毛以二章皆言用臣不得其宜。鄭以上章言用之失所，下章養之失所。《箋》、《傳》意雖小異，皆是所美非美人之事。（仝上）

又疏釋《傳》、《箋》詮釋首章之意云：

> 毛以為山上有扶蘇之木，隰中有荷華之草，木生于山，草生于隰，高下各得其宜，以喻君子在上，小人在下，亦是其宜。今忽置小人于上位，置君子于下位，是山隰之不如也。忽之所愛，皆是小人，我適忽之朝上，觀其君臣，不見有美好之子閑習禮法者，乃唯見狂醜之昭公耳。言臣無賢者，君又狂醜，故以刺之。鄭以高山喻上位，下隰喻下位，言山上有扶蘇之小木，隰中

有荷華之茂草，小木之處高山，茂草之生下隰，喻忽置不正之人于上位，置美德之人于下位。言忽用臣顛倒，失其所也。（仝上）

據此，《詩序》以為〈山有扶蘇〉是刺忽之作。由於忽用人失當，「置小人於上位，置君子於下位」；「置不正之人於上位，置美德之人於下位」，用臣顛倒，因此詩人作〈山有扶蘇〉一詩來譏刺他。朱熹詮釋〈山有扶蘇〉，不取《序》說，而謂：

淫女戲其所私者曰：山則有扶蘇矣，隰則有荷華矣，今乃不見子都，而見此狂人，何哉？（《詩集傳》卷四，頁53）

此下四詩（按：即〈山有扶蘇〉、〈蘀兮〉、〈狡童〉、〈褰裳〉四詩）及〈揚之水〉皆男女戲謔之詞，《序》之者不得其說，而例以為刺忽，殊無情理。（《詩序辨說》卷上，頁19）

視〈山有扶蘇〉為「淫詩」、「男女戲謔之詞」，對於《詩序》循例將〈山有扶蘇〉及鄭風中諸多淫詩定為刺忽之作（按：《詩序》將〈鄭風〉中之〈有女同車〉、〈蘀兮〉、〈狡童〉、〈褰裳〉、〈揚之水〉俱定為「刺忽」之作），朱熹以為「殊無情理」。

14.〈鄭風・蘀兮〉

蘀兮蘀兮，風其吹女。叔兮伯兮，倡予和女。（一章）
蘀兮蘀兮，風其漂女。叔兮伯兮，倡予要女。（二章）

〈蘀兮〉一詩，《詩序》的詮釋是：

刺忽也。君弱臣強，不倡而和也。（《詩疏》卷四之三，頁172）

鄭玄箋釋《詩序》之意云：

不倡而和，君臣各失其禮，不相倡和。（仝上）

毛《傳》、鄭《箋》詮釋〈蘀兮〉首章「蘀兮蘀兮，風其吹女。」云：「興也。……人臣待君倡而後和。」（仝上）、「興者，風喻號令也。喻君有政教，臣乃行之。言此者，刺今不然。」（仝上）；釋〈蘀兮〉首章「叔兮伯兮，倡予和女。」云：「叔、伯言群臣長幼也。君倡臣和也。」（仝上）、「叔伯，群臣相謂也。群臣無其君而行，自以強弱相服。女倡矣，我則將和之。言此者，刺其自專也。」（仝上）《毛詩正義》疏釋《傳》、《箋》之意云：

詩人謂此蘀兮蘀兮，汝雖將墜於地，必待風其吹女，然後乃落，以興謂此臣兮臣兮，汝雖職當行政，必待君言倡發，然後乃和。汝鄭之諸臣，何故不待君倡而後和？又以君意責群臣，汝等叔兮伯兮，群臣長幼之等，倡者當是我君，和者當是汝臣，汝何不待我君倡而和乎？（仝上）

據此，《詩序》為為〈蘀兮〉是「刺忽」之詩。由於君弱臣強，使得許多政令無法由國君：忽，來率先倡導，然後群臣再來相應和，反而是群臣自恃強力、自作主張，不待君倡而後和，因此，詩人乃作〈蘀兮〉一詩來加以譏刺。朱熹詮釋〈蘀兮〉，不取《序》說，而謂：

此淫女之詞，言蘀兮蘀兮，則風將吹女矣。叔兮伯兮，則盍倡予，而予將和女矣。（《詩集傳》卷四，頁 52）

見上。（即：此下四詩（〈山有扶蘇〉、〈蘀兮〉、〈狡童〉、〈褰裳〉）及〈揚之水〉皆男女戲謔之詞，《序》之者不得其說，而例以為刺忽，殊無情理。《詩序辨說・蘀兮》，卷上，頁 19）

視〈蘀兮〉為淫女所作的淫詞，詩中傳達了男女間不當的戲謔之情。

15.〈鄭風・狡童〉

彼狡童兮，不與我言兮。維子之故，使我不能餐兮。（一章）
彼狡童兮，不與我食兮。維子之故，使我不能息兮。（二章）

〈狡童〉一詩，《詩序》的詮釋是：

> 刺忽也。不能與賢人圖事，權臣擅命也。（《詩疏》卷四之三，頁 173）

鄭玄箋釋《詩序》之意云：

> 權臣擅命，祭仲專也。（仝上）

《毛詩正義》疏釋《詩序》之意云：

> 擅命，謂專擅國之教命，有所號令，自以己意行之，不復諮白於君。鄭忽之臣有如此者，唯祭仲耳。桓十一年《左傳》稱：「祭仲為公娶鄧曼，生昭公。故祭仲立之。」是忽之前立，祭仲專政也。其年，宋人誘祭仲而執之，使立突。祭仲逐忽立突，又專突之政，故十五年《傳》稱「祭仲專，鄭伯患之，使其婿雍糾殺之。祭仲殺雍糾，厲公奔蔡。」祭仲又迎昭公而復立。是忽之復立，祭仲又專。此當是忽復立時事也。（仝上）

據此，《詩序》以為〈狡童〉是「刺忽」之作。由於忽不能和賢人共謀國之大政，致使權臣祭仲得以專恣行事，因此詩人乃作〈狡童〉一詩來譏刺他。朱熹詮釋〈狡童〉，不取《序》說，而謂：

> 此亦淫女見絕而戲其人之詞。言悅已者眾，子雖見絕，未至於使我不能餐也。（《詩集傳》卷四，頁 53）

視〈狡童〉為淫女所作的淫詞，詩中傳達了「淫女見絕而戲其人」之情。在《詩序辨說》中更針對《詩序》「刺忽」之說，提出嚴正的批判：

昭公嘗為鄭國之君而不幸失國，非有大惡使其民疾之如寇讎也。況方刺其不能與賢人圖事，權臣擅命，則是公猶在位也，豈可忘其君臣之分而遽以狡童目之邪？且昭公之為人柔懦疏闊，不可謂狡，即位之時，年已壯大，不可謂童，以是名之殊不相似，而序於〈山有扶蘇〉所謂狡童者，方指昭公之所美，至於此篇則遂移以指公之身焉，則其舛又甚而非詩之本旨明矣。大抵序之者之於鄭詩，凡不得其說者，則舉而歸之於忽。文義一失，而其害於義理有不可勝言者：一則使昭公無辜而被謗；二則使詩人脫其淫謔之實罪，而麗於訕上悖理之虛惡；三則厚誣聖人刪述之意，以為實賤昭公之守正，而深與詩人之無禮於其君。凡此皆非小失，而後之說者猶或主之，其論愈精，其害愈甚，學者不可以不察也。（《詩序辨說》卷上，頁 19）

朱熹認為鄭昭公（即忽）不幸失國的事件，非罪大惡極，也不應使得人民視其為寇讎；再說《詩序》所謂刺其「不能與賢人圖事，權臣擅命」云云，顯見詩作於昭公還在位之時，昭公既然還在位，詩人怎可忘了君臣之間的分際，冒然地以狡童這樣輕蔑的稱呼來稱君？況且以「狡童」視昭公，亦名實不符。《詩序》詮釋〈鄭風〉動輒歸罪於忽，朱熹以為不但悖離詩義，而且犯了三點嚴重的錯誤，第一，使得昭公無罪受謗，第二，使詩人免去作淫詩之罪，第三，嚴重曲解了孔子刪述《詩經》的意思，使人認為孔子以昭公持事端正為賤，而深美詩人無禮於其君。《詩序》詮說有此三點重大的缺失，而後代詮說《詩經》的學者尚有依據其說而加以闡論的，朱熹認為學者在《詩序》詮說的基礎下來闡論，闡論愈精微，危害實愈大，這是要特別注意的。《詩序》詮釋〈鄭風〉，有不少篇章皆以為是刺忽之作，如〈遵大路〉、〈有女同車〉、〈山有扶蘇〉、〈蘀兮〉、〈狡童〉等，朱熹都明指《序》說之誤，在《朱子語類》中也不乏此種言論：

經書都被人說壞了，前後相仍不覺。且如〈狡童〉詩是《序》之妄，安得當時人民敢指其君為「狡童」！況忽之所為，可謂之愚，何狡之有？當是男女相怨之詩。（卷八十，頁 2108）

問：「〈狡童〉，刺忽也。」古注謂詩人以〈狡童〉指忽而言。……曰：「如此解經，盡是《詩序》誤人。鄭忽如何做得狡童！若是狡童，自會託婚大國，而借其助矣。謂之頑童可也。」（仝上）

聖人言「鄭聲淫」者，蓋鄭人之詩，多是言當時風俗男女淫奔，故有此等語。〈狡童〉，想說當時之人，非刺其君也。（仝上，頁 2109）

某今看得〈鄭詩〉自〈叔于田〉等詩之外，如〈狡童〉、〈子衿〉等篇，皆淫亂之詩，而說《詩》者誤以為刺昭公、刺學校廢耳。（仝上，卷八十，頁 2068）

「鄭聲淫」，所以〈鄭詩〉多是淫佚之辭，〈狡童〉、〈將仲子〉之類是也。今喚做忽與祭仲，與詩辭全不相似。（仝上，頁 2072）

因論詩，歷言〈小序〉大無義理，皆是後人杜撰，先後增益湊合而成。……其他變風諸詩，未必是刺者，皆以為刺；未必是言此人，必傅會以為此人。……〈有女同車〉等，皆以為刺忽而作。鄭忽不娶齊女，其初亦是好底意思，但見後來失國，便將許多詩盡為刺忽而作。考之於忽，所謂淫昏暴虐之類，皆無其實。至遂目為「狡童」，豈詩人愛君之意？況且所以失國，正坐柔懦闊疏，亦何狡之有！（仝上，頁 2075）

《小序》尤不可信，皆是後人託之，仍是不識義理，不曉事。如山東學究者，皆是取《左傳》、《史記》中所不取之君，隨其謚之美惡，有得惡謚，及《傳》中載其人之事者，凡一時惡詩，盡以歸之。最是鄭忽可憐，凡〈鄭風〉中惡詩皆以為刺之。伯恭又欲主張《小序》，鍛鍊得鄭忽罪不勝誅。鄭忽卻不是狡，若是狡時，他卻須結齊國之援，有以鉗制祭仲之徒，決不至於失國也。（仝上，頁 2090－2091）

《詩序》的詮釋，採取以史證詩、美刺時君國政的進路，因此將〈鄭風〉中〈遵大路〉、〈有女同車〉、〈山有扶蘇〉、〈蘀兮〉、〈狡童〉等詩，盡歸為「刺忽」之作，朱熹在順文立義、國風多是「里巷歌謠之作」，內容多寫「男女相與詠歌，各言其情。」的觀念，以及孔子批判「鄭聲淫」的論調的影響之下，詮釋〈鄭風〉，因與《詩序》之說呈現了極大的差異。

16.〈鄭風．褰裳〉

子惠思我，褰裳涉溱。子不我思，豈無他人？狂童之狂也且！（一章）

子惠思我，褰裳涉洧。子不我思，豈無他士？狂童之狂也且！（二章）

〈褰裳〉一詩，《詩序》的詮釋是：

> 思見正也。狂童恣行，國人思大國之正己也。（《詩疏》卷四之三，頁173）

鄭玄箋釋《詩序》之意云：

> 狂童恣行，謂突與忽爭國，更出更入，而無大國正之。（仝上）

《毛詩正義》疏釋《詩序》之意云：

> 作〈褰裳〉詩者，言思見正也。所以思見正者，見者，自彼加己之辭。以國內有狂悖幼童之人，恣極惡行，身是庶子，而與正適爭國，禍亂不已，無可奈何。是故鄭國之人思得大國之正己，欲大國以兵征鄭，正其爭者之是非，欲令去突而定忽也。（仝上）
>
> 忽是莊公世子，於禮宜立，非詩人所當疾，故知狂童恣行謂突也。忽以桓十一年繼世而立，其年九月，經書「突歸於鄭。鄭忽出奔衛。」是突入而忽出也。桓十五年經書「鄭伯突出奔蔡。鄭世子忽復歸於鄭。」是忽入而突出也。故云「與忽更出更入」。於時諸侯信其爭競，而無大國之正者，故思之

也。（仝上）

據此，《詩序》以為〈褰裳〉是「思見正」之詩。由於鄭國國內有突（鄭厲公）與忽（鄭昭公）爭國的亂事，紛爭不已，因此鄭國人希望有大國能出面來平息此一紛爭。朱熹詮釋〈褰裳〉，不取《序》說，而謂：

> 淫女語其所私者曰：子惠然而思我，則將褰裳而涉溱以從子。子不我思，則豈無他人之可從，而必於子哉！狂童之狂也且，亦謔之之辭。（《詩集傳》卷四，頁 53）

視〈褰裳〉為淫女所作的淫詩，其內容則是男女間的戲謔之詞。在《詩序辨說》中，朱熹並指出〈褰裳・序〉的詮釋所以不得詩旨的原因是：

> 此《序》之失，蓋本於子大叔、韓宣子之言，而不察其斷章取義之意耳。（《詩序辨說》卷上，頁 34）

朱熹認為〈褰裳・序〉的錯誤，原因就在於依據《左傳》昭公十六年的記載：「子大叔賦〈褰裳〉，宣子曰：『起在此，敢勤子至於他人乎？』子太叔拜。宣子曰：『善哉子之言是。』」（《春秋疏》卷四十七，頁 828－829）而為說的，但《左傳》中所載諸人賦詩言志，大都是斷章取義，初不必合於詩的本義，作《詩序》的人由於不了解此點，誤以斷章取義而為詩的本義，因而造成了錯誤的詮說。

17.〈鄭風・丰〉

子之丰兮，俟我乎巷兮；悔予不送兮。（一章）
子之昌兮，俟我乎堂兮；悔予不將兮。（二章）
衣錦褧衣，裳錦褧裳。叔兮伯兮，駕予與行。（三章）
裳錦褧裳，衣錦褧衣。叔兮伯兮，駕予與歸。（四章）

〈丰〉一詩，《詩序》的詮釋是：

刺亂也。昏姻之道缺，陽倡而陰不和，男行而女不隨。（《詩疏》卷四之四，頁177）

鄭玄箋釋《詩序》之意云：

昏姻之道，謂嫁取之禮。（仝上）

《毛詩正義》詮釋〈丰〉之首章「子之丰兮，俟我乎巷兮。悔予不送兮。」云：

鄭國衰亂，婚姻禮廢。有男親迎而女不從，後乃追悔。此陳其辭也。言往日有男子之顏色丰然豐滿，是善人兮，來迎我出門，而待我於巷中兮。予當時別為他人，不肯共去，今日悔恨，我本不送是子兮。所為留者，亦不得為耦，由此故悔也。（仝上）

據此，《詩序》以為〈丰〉是譏刺亂世之詩。由於鄭國衰亂，導致時人不再遵循婚姻之禮，有男方已至女方家親迎，女方卻以心有所屬，懸繫他人而不肯相從，一直到日後才轉而悔恨當初未隨親迎的男子而去，詩中所陳述的即是亂世中男女嫁娶之禮廢壞的情形。朱熹詮釋〈丰〉，與《詩序》仍異，謂：

婦人所期之男子已俟乎巷，而婦人以有異志不從，既則悔之而作是詩也。（《詩集傳》卷四，頁53）

此淫奔之詩，《序》說誤矣。（《詩序辨說》卷上，頁20）

視〈丰〉為「淫奔之詩」，詩中所陳述的即是淫婦的追悔之詞。

18.〈鄭風・東門之墠〉

東門之墠。茹藘在阪。其室則邇，其人甚遠。（一章）
東門之栗，有踐家室。豈不爾思？子不我即。（二章）

〈東門之墠〉一詩，《詩序》的詮釋是：

刺亂也。男女有不待禮而相奔者也。（《詩疏》卷四之四，頁3）

《詩序》之意，《毛詩正義》疏釋之云：

經二章皆女奔男之事也。上篇以禮親迎，女尚違而不至，此復得有不待禮而相奔者，私自姦通，則越禮相就；志留他色，則依禮不行，二者俱是淫風，故各自為刺也。（仝上）

據此，《詩序》以為〈東門之墠〉是譏刺淫亂的詩。詩人藉著敘寫鄭國的女子有不待禮，而想要從事淫奔的行為，來譏刺當時的淫亂之風。朱熹詮釋〈東門之墠〉，不取《詩序》「刺亂」之說，而逕以為是淫人自作，藉以表達思念而不見之情，云：

門之旁有墠，墠之外有阪，阪之上有草，識其所與淫者之居也。室邇人遠者，思之而未得見之詞也。（《詩集傳》卷四，頁54）㉙

19.〈**鄭風・風雨**〉

風雨淒淒，雞鳴喈喈。既見君子，云胡不夷？（一章）
風雨瀟瀟，雞鳴膠膠。既見君子，云胡不瘳？（二章）
風雨如晦，雞鳴不已。既見君子，云胡不喜？（三章）

〈風雨〉一詩，《詩序》的詮釋是：

㉙ 〈東門之墠〉，朱熹亦視為淫詩，輔廣釋〈東門之墠〉云：「『其室則邇，其人甚遠。』思而未得見之辭，『豈不爾思，子不我即。』則又思之切而冀其亟來就己之辭，與〈丰〉之意大略相似。」（《詩童子問》卷2，頁333）

> 思君子也。亂世則思君子不改其度焉。（《詩疏》卷四之四，頁 179）

毛《傳》、鄭《箋》詮釋〈風雨〉首章：「風雨淒淒，雞鳴喈喈。」云：「興也。風且雨，淒淒然，雞猶守時而鳴，喈喈然。」（仝上）、「興者，喻君子雖居亂世，不變改其節度。」（仝上）《毛詩正義》詮釋〈風雨〉首章云：

> 言風雨且雨，寒涼淒淒然。雞以守時而鳴，音聲喈喈然。此雞雖逢風雨，不變其鳴，喻君子雖居亂世，不改其節。今日時世無復有此人。若既得見此不改其度之君子，云何得不悅？言其必大悅也。（仝上）

據此，《詩序》以為〈風雨〉是「思君子」之詩。詩人透過風雨淒淒，晦冥之際，雞仍然守時啼叫不已的景象摹寫，比擬君子雖然處在亂世之中，也不因此而改變他的節操。由於鄭國衰亂，當代不復有此種君子，因此詩人作〈風雨〉一詩，來寄託他對處在亂世之中而不變改其節操的君子的懷想。朱熹詮釋〈風雨〉，不取《序》說，而謂：

> 風雨晦冥，蓋淫奔之時。君子，指所期之男子也。夷，平也。淫奔之女言當此之時見其所期之人而心悅也。（《詩集傳》卷四，頁 54）

> 《序》意甚美，然詩之詞輕佻狎暱，非思賢之意也。（《詩序辨說》卷上，頁 20）

視〈風雨〉為淫女所作的淫奔之詩。詩中抒露了淫奔之女在風雨晦冥之際，見到了心中所期待的男子，流露出喜悅不自勝的心情。在《詩序辨說》中，朱熹指出，《詩序》所詮釋的詩旨之意非常好，但就〈風雨〉一詩的詩詞看來，顯露了「輕佻狎暱」之情，（按：蓋指「既見君子，云胡不夷」、「既見君子，云胡不瘳。」、「既見君子，云胡不喜」等句）並非是思賢之意。朱熹從詩文的涵詠誦讀中，得出與《詩序》詮說不同的意旨，此亦是一例。

20.〈**鄭風·子衿**〉

青青子衿，悠悠我心。縱我不往，子寧不嗣音？（一章）

青青子佩，悠悠我思。縱我不往，子寧不來？（二章）

挑兮達兮，在城闕兮。一日不見，如三月兮。（三章）

〈子衿〉一詩，《詩序》的詮釋是：

> 刺學校廢也。亂世則學校不脩焉。（《詩疏》卷四之四，頁179）

《毛詩正義》疏釋《詩序》之意云：

> 鄭國衰亂，不脩學校，學者分散，或去或留，故陳其留者恨責去者之辭，以刺學校之廢也。經三章皆陳留者責去者之辭也。（仝上）

據此，《詩序》以為〈子衿〉是譏刺學校荒廢之作。由於鄭國衰亂，學校不脩，使得學者四散，或去或留，因此，詩人藉著敘寫留者對於去者的恨責心情，來譏刺學校的荒廢。朱熹詮釋〈子衿〉，不取《序》說，而謂：

> 此亦淫奔之詩。（《詩集傳》卷四，頁54）

> 疑同上篇，蓋其詞意儇薄，施之學校，尤不相似也。（《詩序辨說·子衿》，卷上，頁20）

視〈子衿〉為「淫奔之詩」。懷疑〈子衿〉一詩的意旨，和前篇的〈風雨〉相同，都是抒露了淫女對於淫男的相思之情。而朱熹所以不取《詩序》「刺學校廢也」之說，乃是因為朱熹以為〈子衿〉一詩為淫女所作，其中所表露的文詞，詞意輕薄，不夠莊重，以此輕佻之詞，而謂是學校中師友的相念之詞，顯然非常不類。[30]

---

[30] 朱熹釋〈子衿〉「青青子衿，悠悠我心。」句，謂「子，男子也。」、「我，女子自我

21.〈**鄭風・揚之水**〉

揚之水，不流束楚，終鮮兄弟，維予與女。無信人之言，人實迋女。（一章）
揚之水，不流束薪。終鮮兄弟，維予二人。無信人之言，人實不信。（二章）

〈揚之水〉一詩，《詩序》的詮釋是：

> 閔無臣也。君子閔忽之無忠臣良士，終以死亡而作是詩也。（《詩疏》卷四之四，頁 180）

《毛詩正義》詮釋《詩序》之意云：

> 經二章，皆閔忽無臣之辭。忠臣、良士，一也。言其事君則為忠臣，指其德行則為良士，所從言之異耳。「終以死亡」，謂忽為其臣高渠彌所弒也。作詩之時，忽實未死，《序》以由無忠臣，竟以此死，故閔之。（仝上）

據此，《詩序》以為〈揚之水〉是悲憫忽沒有忠臣良士，以致後為大臣高渠彌所弒，終致喪身亡國之詩。朱熹詮釋〈揚之水〉，不取《序》說，而謂：

> 淫者相謂，言揚之水則不流束楚矣，終鮮兄弟，則維予與女矣。豈可以它人離間之言而疑之哉！彼人之言特誑女耳。（《詩集傳》卷四，頁 55）

也。」（《詩集傳》卷 4，頁 54）即以〈子衿〉為淫女自作之詞。程元敏先生嘗作〈朱子所定國風中言情諸詩研述〉一文，收載於《詩經論文集》（臺北：黎明文化公司，1986 年 4 月），頁 271－286，指出朱熹判定淫詩的必要條件是：「篇中有『我、予』自稱詞，或雖無『我、予』，然味其語氣為自賦己事者」，〈子衿〉一詩，朱熹即直據詩文「悠悠我心」之「我」，判定「我」即為淫女，〈子衿〉即是此淫女自陳思念淫男之詞。又朱熹以〈子衿〉一詩的文詞「輕佻狎暱」，蓋指「縱我不往，子寧不嗣音。」、「縱我不往，子寧不來。」、「挑兮達兮，在城闕兮。一日不見，如三月兮。」諸句，朱熹釋「挑兮達兮，在城闕兮。」謂：「挑，輕儇跳躍之貌。達，放恣也。」（《詩集傳》卷 4，頁 55）其意可見。

此男女要結之詞，《序》說誤矣！（《詩序辨說》卷上，頁 20）

視〈揚之水〉為「淫詩」，詩中抒露了淫奔的男女，唯恐他人離間彼此感情的心緒。對於《詩序》的詮釋，朱熹以為是錯誤的。《詩序》詮釋〈揚之水〉，亦和忽有所關涉，但前人有就詩文「終鮮兄弟，維予與女。」、「終鮮兄弟，維予二人。」與《左傳》莊公十四年的記載對戡，認為與事實不符，因謂《序》說錯誤者㉛。《詩序》詮說〈鄭風〉諸詩，凡採以史證詩，因逕謂詩旨是「刺忽」或與忽有所關涉者，朱熹都盡反之，朱熹詮釋〈揚之水〉亦是一例。而《詩序》、朱熹詮釋〈鄭風〉，所定詩旨所以大有乖異，原因也即在朱熹採取以詩言詩、涵詠詩文的進路，加上受孔子「鄭聲淫」、「放鄭聲」、「惡鄭聲」之說的影響，遂使得二者異趣㉜。

㉛ 《左傳》莊公十四年載原繁謂厲公（子突）曰：「莊公之子，猶有八人。」（《春秋疏》卷 9，頁 156）所謂「猶有八人」，即扣除已死的子忽、子亹、子儀及厲公本人外，還有八人在世，如此說來，莊公之子共有十二人，與詩文所說「終鮮兄弟，維予與女。」、「終鮮兄弟，維予二人。」明顯不合。姚際恒《詩經通論》謂：「《序》謂『閔忽之無忠臣』。曹氏曰：『《左傳》莊十四年，忽與子儀、子亹皆已死，而原繁謂厲公曰：『莊公之子猶有八人』，不得為『鮮』，然則非閔忽詩明矣。』」（卷 5，頁 161）所引曹氏之言，即就此立論。

㉜ 輔廣謂：「以聖人『放鄭聲』之訓觀之，則鄭多淫奔之詩，宜也。而《序》者不足以知此義，故疑聖人錄此等詩之多，遂因〈有女同車〉詩有『齊姜』二字，遂定以為刺忽。而於〈山有扶蘇〉以下諸篇，凡有可以附會忽者，例以為刺忽。至〈丰〉與〈東門之墠〉則明白是婦人之辭，故不得以歸之於忽。若〈風雨〉則以『君子』二字生說，〈子衿〉則以『青青子衿』一句生說。然《毛傳》以青衿為學者所服，亦無所據。至此詩則又以忽之無親臣而附會與之，其鑿空妄說，蓋不難曉。而先生獨玩詩文以為說而釐正之，當矣！讀者尚以習熟《序》說之故，而不肯從，何哉？若能姑置《序》說，直以詩文涵詠其意思，則是非便自可見矣。」（《詩童子》卷首，頁 286）輔廣在此指出《詩序》將〈有女同車〉、〈山有扶蘇〉、〈揚之水〉等篇例指為刺忽；詮釋〈風雨〉、〈子衿〉則隨文生說，如此鑿空妄說，是由於不了解孔子『放鄭聲』的用意。讀者只需「姑置《序》說，直以詩文涵詠其意思」，那麼《詩序》所定詩旨的錯誤就不難發現了。其師朱熹所以能糾正《詩序》詮說之誤，所採用的方法即是從涵詠玩味詩文而來，輔廣的說明，可為朱熹順者「鄭聲淫」、「放鄭聲」及涵詠玩味詩文，以糾正《序》說做一佐證。

22.〈**鄭風・野有蔓草**〉

野有蔓草，零露漙兮。有美一人，清揚婉兮。邂逅相遇，適我願兮。（一章）

野有蔓草，零露瀼瀼。有美一人，婉如清揚。邂逅相遇，與子偕臧。（二章）

〈野有蔓草〉一詩，《詩序》的詮釋是：

> 思遇時也。君之澤不下流，民窮於兵革，男女失時，思不期而會焉。（《詩疏》卷四之四，頁 182）

鄭玄箋釋《詩序》之意云：

> 不期而會，謂不相與期而自俱會。（仝上）

《毛詩正義》疏釋《詩序》之意云：

> 作〈野有蔓草〉詩者，言思得逢遇男女會合之時，由君之恩德潤澤不流及於下，又征伐不休，國內之民皆窮困於兵革之事，男女失其時節，不得早相配耦，思得不與期約而相會遇焉。是下民窮困之至，故述其事以刺時也。「男女失時」，謂失年盛之時，非謂婚之時日也。（仝上）

據此，《詩序》以為〈野有蔓草〉是「思遇時」之詩。所謂「思遇時」，即是「思得逢遇男女會合之時」。由於鄭國國君恩德潤澤不及於下民，另一方面，國內又兵燹不已，使得人民都困阨於戰爭、兵亂之中，致失去了結婚的時機。人民處在如此窮阨的環境之中，只能聊想不期而會的邂逅，來早日完成婚姻大事。詩人藉著〈野有蔓草〉一詩，來披露當時人民心中的願望，並藉此反映對於當時征戰不斷時勢的不滿，其中寓有譏刺時局之意。朱熹詮釋〈野有蔓草〉，不取《序》說，而謂：

> 男女相遇於野田草露之間，故賦其所在以起興。言野有蔓草，則零露漙矣，有美一人，則清揚婉矣，邂逅相遇，則得以適我願矣。（《詩集傳》卷四，

頁 56）、與子偕臧，言各得其所欲也。（仝上）

東萊呂氏曰：「君之澤不下流」，迺講師見零露之語，從而附益之。（《詩序辨說》卷上，頁 20）

視〈野有蔓草〉是敘寫「男女相遇於野田草露之間」，兩相悅樂的淫詩㉝。對於《詩序》所謂：「君之澤不下流」之說，朱熹援引呂祖謙之說，以為此語是漢代說《詩》的講師的附會增益之詞。

23.〈鄭風・溱洧〉

溱與洧，方渙渙兮。士與女，方秉蕑兮。女曰：「觀乎」？士曰：「既且」。「且往觀乎？洧之外，洵訏且樂」。維士與女，伊其相謔。贈之以勺藥。（一章）

㉝ 〈野有蔓草〉一詩，輔廣、劉瑾、劉玉汝均視為淫詩。輔廣詮釋〈野有蔓草〉謂：「『適我願兮，與子偕臧。』則與前篇（按：指〈出其東門〉）『聊樂我員』、『聊可與娛』者異矣！大抵樂於理者，和易安徐，樂於欲者，沈溺蕩肆。」（《詩童子問》卷 2，頁 333）又詮釋朱熹所云：「鄭詩二十有一，而淫奔之詩已不翅七之五。」（《詩集傳》卷 4，頁 56）謂：「〈鄭風〉二十一篇，而淫奔之詩，凡十有四，故《集傳》以為七之五。」（《詩童子問》卷 2，頁 333）在〈鄭風〉十四篇淫詩之中，〈野有蔓草〉即是其中的一篇。劉瑾詮釋朱熹所說「鄭衛之樂，皆為淫聲。然以詩考之，衛詩三十有九，而淫奔之詩才四之一，鄭詩二十有一，而淫奔之詩已不翅七之五。衛猶為男悅女之詞，而鄭皆為女惑男之語。衛人猶多譏刺懲創之意，而鄭人幾於蕩然無復羞愧悔悟之萌。是則鄭聲之淫，有甚於衛矣。故夫子論為邦，獨以鄭聲為戒而不及衛，蓋舉重而言，因自有次第也。詩可以觀，豈不信哉！」（《詩集傳》卷 4，頁 56－57）云：「按：〈鄭風〉之有〈緇衣〉、〈羔裘〉、〈女曰雞鳴〉、〈出其東門〉數篇，乃礫中之玉也。他如〈大叔于田〉及〈清人〉詩，雖無足尚，猶幸非為淫奔而作。若〈叔于田〉，則亦未免有男女相悅之疑，是其二十一篇之中，曉然不為淫奔而作者，五六篇而已，故曰『淫奔之詩，不翅七之五』然自昔說《詩》者，唯以〈東門之墠〉與〈溱洧〉為淫詩，今朱子乃例以淫奔斥之者，蓋即其詞而得其情也，以發明『放鄭聲』之旨，不然，則衛齊陳詩諸篇，非無淫聲，夫子何獨以鄭聲為當放哉？」（《詩傳通釋》卷 4，頁 408）亦以〈野有蔓草〉為淫詩中的一篇。又劉玉汝謂：「此（按：指〈溱洧〉）與前篇（按：指〈野有蔓草〉），作者或士或女，皆未詳。但此篇首尾述士、女，中述女要男之詞，未復述相贈之情，曲折詳備，方以為樂，而不知其非。鄭國之淫風於是乎極矣，故以二篇終焉。」（《詩纘緒》卷 5，頁 628）也以〈野有蔓草〉、〈溱洧〉為淫詩。

溱與洧，瀏其清矣。士與女，殷其盈矣。女曰：「觀乎」？士曰：「既且」。「且往觀乎？洧之外，洵訏且樂」。維士與女，伊其將謔。贈之以勺藥。（二章）

〈溱洧〉一詩，《詩序》的詮釋是：

> 刺亂也。兵革不息，男女相棄，淫風大行，莫之能救焉。（《詩疏》卷四之四，頁 182）

鄭玄箋釋《詩序》之意云：

> 救猶止也。亂者，士與女合會溱洧之上。（仝上）

據此，《詩序》以為〈溱洧〉是「刺亂」之詩。所謂「刺亂」，即是「刺淫」。由於鄭國征戰不斷，導致男女相棄，淫風盛行，到了無法遏止的地位。男女的結合本當遵循正當的禮節，但今鄭國國內淫風盛行，到處都有男女淫佚之事，因此詩人作〈溱洧〉一詩，以述當時淫風，並寄寓譏刺之意。朱熹詮釋〈溱洧〉，不取《序》說，而謂：

> 鄭國之俗，三月上巳之辰，采蘭水上以祓除不祥。故其女問於士曰：盍往觀乎。士曰：吾既往矣。女復要之曰：且往觀乎？蓋洧水之外，其地信寬大而可樂也。於是士女相與戲謔，且以勺藥相贈而結恩情之厚也。此詩淫奔者自敘之詞。（《詩集傳》卷四，頁 56）

> 鄭俗淫亂，乃其風聲氣息流傳已久，不為兵革不息，男女相棄而後然也。（《詩序辨說．溱洧》，卷上，頁 20）

視〈溱洧〉為淫奔者自敘的淫詩。在《詩序辨說》中，朱熹指出鄭國淫風盛行，乃是由於風聲氣息，其來已久，並非由於「兵革不息，男相棄」有以致之。《詩序》的詮釋，以〈溱洧〉為刺淫，朱熹的詮釋，則以為淫奔者自敘的淫詩，二者的差異非常清楚。朱熹在《詩集傳・溱洧》卷末，更針對鄭、衛之詩作一總評，他說：

> 鄭衛之樂，皆為淫聲。然以詩考之，衛詩三十有九，而淫奔之詩才四之一。鄭詩二十有一，而淫奔之詩不翅七之五。衛猶為男悅女之詞，而鄭皆為女惑男之語。衛人猶多刺譏懲創之意，而鄭人幾於蕩然無復羞愧悔悟之萌。是則鄭聲之淫，有甚於衛矣。故夫子論為邦，獨以鄭聲為戒而不及衛，蓋舉重而言，固自有次第也。詩可以觀，豈不信哉！（仝上，頁 57）

朱熹指出鄭衛二國的音樂皆為淫聲，倘以〈鄭風〉、〈衛風〉所收諸詩作一探討，則〈衛風〉中的淫詩，達〈衛風〉總數的四分之一；〈鄭風〉中的淫詩，則高達總數的七分之五。〈衛風〉中諸詩尚為男悅女之詞，而〈鄭風〉則皆為女惑男之語。〈衛風〉中諸詩，尚多有刺譏懲創之意，而〈鄭風〉中諸詩則毫無羞愧悔悟之心。二相比較，鄭聲淫泆的程度，遠大於衛聲，孔子在《論語》中談到治國的方法（為邦之道），獨以鄭聲為戒[34]，並不言及衛聲，也是舉出較嚴重的例子來說明。朱熹在以詩言詩、順文解讀，及孔子「鄭聲淫」、「放鄭聲」、「惡鄭聲之亂雅樂也」（《論語・陽貨》）的論調影響之下，對於〈鄭風〉中諸詩，的多目為淫詩，使得朱熹在詮釋上，與《詩序》的附會書史、刺淫的進路，有著極大的差異。

24.〈齊風・東方之日〉

東方之日兮，彼姝者子，在我室兮。在我室兮，履我即兮。（一章）
東方之月兮，彼姝者子，在我闥兮。在我闥兮，履我發兮。（二章）

〈東方之日〉一詩，《詩序》的詮釋是：

> 刺衰也。君臣失道，男女淫奔，不能以禮化也。（《詩疏》卷五之一，頁 191）

---

[34] 《論語・衛靈公》：「顏淵問為邦。子曰：『行夏之時，乘殷之輅，服周之冕，樂則韶舞。放鄭聲，遠佞人。鄭聲淫，佞人殆。』」

《毛詩正義》詮釋《詩序》之意云：

> 作〈東方之日〉詩者，刺衰也。哀公君臣失道，至使男女淫奔，謂男女不待以禮配合，君臣皆失其道，不能以禮化之，是其時政之衰，故刺之也。（仝上）

據此，《詩序》以為〈東方之日〉是譏刺時政之衰之詩。由於哀公之時，君臣失道，導致男女淫奔。哀公君臣都無法以禮來導正、感化人民，所以詩人作〈東方之日〉一詩來譏刺。朱熹詮釋〈東方之日〉，不取《序》說，而謂：

> 興也。履，躡。即，就也。言此女躡我之跡而相就也。（《詩集傳》卷五，頁 59）

> 此男女淫奔者所自作，非有刺也。其曰：「君臣失道」者，尤無所謂。（《詩序辨說》卷上，頁 21）

視〈東方之日〉為淫奔者所自作的淫詩，認為詩中並無譏刺之意。對於《詩序》所說「君臣失道」，朱熹認為毫無道理。

25.〈陳風・東門之枌〉

東門之枌，宛丘之栩。子仲之子，婆娑其下。（一章）
穀旦于差，南方之原。不績其麻，市也婆娑。（二章）
穀旦于逝，越以融邁。視爾如荍，貽我握椒。（三章）

〈東門之枌〉，《詩序》的詮釋是：

> 疾亂也。幽公淫荒，風化之所行，男女棄其舊業，亟會於道路，歌舞於市井爾。（《詩疏》卷七之一，頁 251）

以為〈東門之枌〉是「疾亂」之詩。由於幽公荒淫，風化所及，導致上行下效，蔚成風氣。陳國的男女都棄置了他們的本業，屢次相會於道路市井之中，婆娑起舞，相與淫亂，因此，詩人遂作〈東門之枌〉來譏刺這種淫亂之事。朱熹詮釋〈東門之枌〉，不取《序》說，而謂：

> 此男女聚會歌舞，而賦其事以相樂也。（《詩集傳》卷七，頁81）

> 言又以善旦而往，於是其眾行。而男女相與道其慕悅之詞曰：我視女顏色之美，如芘芣之華。於是遺我以一握之椒，而交情好也。（仝上，頁82）

> 同上。（按：即「陳國小無事實，幽公但以謚惡，故得游蕩無度之詩，未敢信也。」（《詩序辨說》卷上，頁25）

視〈東門之枌〉為「男女聚會歌舞，而賦其事以相樂也。」、「男女相與道其慕悅之詞」的淫詩㉟。

26.〈**陳風·東門之池**〉

東門之池，可以漚麻。彼美淑姬，可與晤歌。（一章）
東門之池，可以漚紵。彼美淑姬，可與晤語。（二章）
東門之池，可以漚菅。彼美淑姬，可與晤言。（三章）

〈東門之池〉一詩，《詩序》的詮釋是：

> 刺時也。疾其君之淫昏而思賢女以配君子也。（《詩疏》卷七之一，頁252）

㉟ 〈東門之枌〉一詩，朱熹蓋視為淫詩，輔廣詮說〈東門之枌〉謂：「夫民勞則思，思則善心生；逸則淫，淫則忘善，忘善則惡心生，理勢之必然也。陳國之地廣平，又以大姬之化，故其俗游蕩無度，已見於〈宛丘〉之詩，其逸甚矣！故繼以〈東門之枌〉，男女聚會歌舞，婦人棄其所業，相與慕悅，各有所贈，以交情好，動其淫欲者，亦其勢之必然也。」、「好樂不已，則使人氣蕩而志昏，此淫亂之所自起也。又曰：男女雜處而無間，淫亂必生。」（以上並見《詩童子問》卷3，頁343）

《毛詩正義》疏釋《詩序》之意云：

> 此實刺君，而云刺時者，由君所化，使時世皆淫，故言刺時以廣之。……經三章，皆思得賢女之事，疾其君之淫昏，序其思賢女之意耳。（仝上）

又釋〈東門之池〉首章云：

> 東門之外有池水，此水可以漚柔麻草，使可緝績以作衣服，以興貞賢之善女，此女可以柔順君子，使可修政以成德教。既己思得賢女，又述彼之賢女。言彼美善之賢姬，實可與君對偶而歌也。以君淫昏，故得賢女配之，與之對偶而歌，冀其切化，使君為善。（仝上）

據此，《詩序》以為〈東門之池〉是「刺時」之詩，刺時即刺君。由於陳國的國君淫昏，風化所及，導致淫亂成風，因此，詩人希望能夠得到一位賢良的女子來匹配國君，使其有所感悟向善，此〈東門之池〉一詩之所由作。朱熹詮釋〈東門之池〉，不取《序》說，而視之為淫詩，謂：

> 此亦男女會遇之詞。蓋因其會遇之地，所見之物，以起興也。（《詩集傳》卷七，頁82）

> 此淫奔之詩，《序》說蓋誤。（《詩序辨說》卷上，頁45）

27.〈陳風・東門之楊〉

東門之楊，其葉牂牂。昏以為期，明星煌煌。（一章）

東門之楊，其葉肺肺，昏以為期，明星晢晢。（二章）

〈東門之楊〉一詩，《詩序》的詮釋是：

> 刺時也。昏姻失時，男女多違，親迎，女猶有不至者也。（《詩疏》卷七之

一，頁253）

《詩序》之意，《毛詩正義》謂：

> 毛以昏姻失時者，失秋冬之時，鄭以為失仲春之時。言「親迎，女猶不至」，明不親迎者相連眾矣，故舉不至者，以刺當時之淫亂也。（仝上）

據此，《詩序》以為〈東門之楊〉是譏刺淫亂之詩。由於淫亂成風，使得男女都不能在最恰當的時節成婚，甚至有男方已行親迎之禮，而女方仍以心有屬意之男子而不肯相從，因此，詩人藉〈東門之楊〉一詩，來譏刺此種因淫亂成風，導致男女婚姻失時的現象。《詩序》的詮釋，有可能是自詩中「昏為為期」一句所作的生說。《儀禮·士昏禮》記載夫婿親迎新婦，謂：「從車二乘，執燭前馬。婦車亦如之，有裧，至于門外。」（《儀禮疏》卷四，頁 44）此蓋《序》說之所本。朱熹詮釋〈東門之楊〉，不取《序》說，而謂：

> 此亦男女期會而有負約不至者，故因其所見以起興也。（《詩集傳》卷七，頁82）

> 同上。（按：即「此淫奔之詩，《序》說蓋誤。」）（《詩序辨說》卷上，頁25）

亦視〈東門之楊〉為淫奔之詩，並指出《詩序》的詮釋是錯誤的。

28.〈陳風·防有鵲巢〉

防有鵲巢，邛有旨苕。誰侜予美，心焉忉忉。（一章）
中唐有甓，邛有旨鷊。誰侜予美，心焉惕惕。（二章）

〈防有鵲巢〉一詩，《詩序》的詮釋是：

> 憂讒賊也。宣公多信讒，君子憂懼焉。（《詩疏》卷七之一，頁254）

《詩序》之意，《毛詩正義》謂：

> 憂讒賊者，謂作者憂讒人，謂為讒以賊害於人也。（仝上）

鄭玄詮釋〈防有鵲巢〉首章：「防有鵲巢，邛有旨苕」云：「防之有鵲巢，邛之有美苕，處勢自然，興者，喻宣公信多言之人，故致此讒人。」（《詩疏》卷七之二，頁 254）；釋「誰侜予美，心焉忉忉。」云：「誰，誰讒人也。女，眾讒人。誰侜張誑欺我所美之人乎？使我心忉忉然。所美，謂宣公。」（仝上）《毛詩正義》為此疏釋云：

> 言防邑之中有鵲鳥之巢，邛丘之上有美苕之草，處勢自然。以興宣公之朝有讒言之人，亦處勢自然。何則？防多樹木，故鵲鳥往巢焉。邛丘地美，故旨苕生焉。以言宣公信讒，故讒人集焉。公既信此讒言，君子懼己得罪，告語眾讒人輩，汝等是誰誑欺我所美之人宣公乎？而使我心忉忉然而憂之。（仝上，頁 254－255）

據此，《詩序》以為〈防有鵲巢〉是憂懼讒人、讒言傷害的詩。由於宣公好近讒人、好聽讒言，使得君子非常憂懼，恐以此得罪，遂作〈防有鵲巢〉一詩，來加以抒佈內心的憂懼之情。朱熹詮釋〈防有鵲巢〉，不取《序》說，而謂：

> 此男女之有私而憂或閒之之詞。故曰防則有鵲巢矣，邛則有旨苕矣。今此何人，而侜張予之所美，使我憂之而至於忉忉乎？（《詩集傳》卷七，頁 83）

> 此非刺其君之詩。（《詩序辨說》卷上，頁 26）

視〈防有鵲巢〉為一首描寫一對歡愛的男女，憂慮他人來離間的淫詩[36]，並非刺君之詩。

29.〈陳風・月出〉

月出皎兮，佼人僚兮。舒窈糾兮，勞心悄兮。（一章）
月出皓兮，佼人懰兮。舒懮受兮，勞心慅兮。（二章）
月出照兮，佼人燎兮。舒夭紹兮，勞心慘兮。（三章）

〈月出〉一詩，《詩序》的詮釋是：

> 刺好色也。在位不好德而說美色焉。（《詩疏》卷七之一，頁 255）

《毛詩正義》疏釋《詩序》之意云：

> 人於德、色，不得并時好之。心既好色則不復好德，故經之所陳，唯言好色而已。《序》言不好德者，以見作詩之意耳。於經無所當也。經三章，皆言在位好色之事。（《詩疏》卷七之一，頁 255）

據此，《詩序》以為〈月出〉是一首譏刺在位者好色不好德之詩。全詩都在描寫在位好色之事。朱熹詮釋〈月出〉，不取《序》說，而謂：

> 此亦男女相悅而相念之辭。言月出則皎然矣，佼人則僚然矣，安得見之而舒窈糾之悄乎？是以為之勞心而悄然也。（《詩集傳》卷七，頁 83）

> 此不得為刺詩。（《詩序辨說》卷上，頁 26）

---

[36] 〈防有鵲巢〉一詩，朱熹視之為淫詩，輔廣詮釋〈防有鵲巢〉也有所說明：「遊蕩歌舞，陳之俗也。其流為淫邪者宜矣！故〈陳風〉之末，大抵皆淫亂之詩。此詩正與〈鄭風・揚之水〉意相似，『侜』即『迋』也。『忉忉』，憂心多端之貌，『惕惕』，憂懼不寧之貌。」（《詩童子問》卷 3，頁 344）

視〈月出〉為一首描寫男女相悅、相念的淫詩[37]。

30.〈陳風・澤陂〉

彼澤之陂，有蒲與荷。有美一人，傷如之何！寤寐無為，涕泗滂沱。（一章）
彼澤之陂，有蕑與蕑。有美一人，碩大且卷。寤寐無為，中心悁悁。（二章）
彼澤之陂，有蒲菡萏。有美一人，碩大且儼。寤寐無為，輾轉伏枕。（三章）

〈澤陂〉一詩，《詩序》的詮釋是：

〈澤陂〉，刺時也。言靈公君臣淫乎其國，男女相說，憂思感傷焉。（《詩疏》卷七之一，頁 256）

鄭玄箋釋《詩序》之意云：

君臣淫於國，謂與孔寧、儀行父也。感傷，謂涕泗滂沱。（仝上）

《毛詩正義》疏釋《詩序》之意云：

作〈澤陂〉詩者，刺時也。由靈公與孔寧、儀行父等君臣並淫於其國之內，共通夏姬，國人效之，男女遞相悅愛，為此淫泆。毛以為，男女相悅，為此

[37] 〈月出〉一詩，朱熹蓋視之為淫詩。輔廣《詩童子問》謂：「〈陳風〉十篇，男女淫泆之詩，居其大半」（卷 3，頁 344）在〈陳風〉「居其大半」的淫詩之中，〈月出〉即是其中的一篇。輔廣說：「男女相說而至於憂思感傷，如〈月出〉、〈澤陂〉之詩，則其末流之害，當何如哉！男有男之業，女有女之事，今也相與慕悅憂傷，至於寤寐無為，盡廢其事業焉，是亦可憂也已。情思之流，其弊必至於此。」（仝上）又朱公遷疏釋朱熹《詩集傳》：「此亦男女相悅而相念之詞。言月出則皎然矣，佼人則僚然矣，安得見之而舒窈糾之情乎！是以為之勞心而悄然也。」云：「此因所見以起興，蓋月出于夜，正私心所發之時也。意與〈東方之日〉略同。」（《詩經疏義會通》卷 7，頁 220）此外，王柏撰《詩疑》，倡議刪汰淫詩三十二篇，〈月出〉亦列名其中，見《詩疑・總說》，頁 26－32。清儒姚際恒謂：「陳詩十篇，《集傳》以為淫詩者六。」（《詩經通論》卷 7，頁 220）姚際恒指出〈陳風〉十首詩之中，朱熹指為淫詩的即有六篇，〈月出〉也是其中的一篇。

無禮，故君子惡之，憂思感傷焉。憂思時世之淫亂，感傷女人之無禮也。……鄭以為，由靈公君臣淫於其國，故國人淫佚，男女相悅。聚會則共相悅愛，別離則憂思感傷，言其相思之極也。（仝上）

據此，《詩序》以為〈澤陂〉一詩是譏刺時世淫亂之詩。由於靈公君臣與夏姬淫通於國內，致上行下效，淫亂成風，「聚會則共相悅愛，別離則憂思感傷」，因此，詩人作〈澤陂〉一詩來譏刺這種現象。《詩序》的詮釋，蓋自前篇〈株林〉衍申而來。朱熹詮釋〈澤陂〉，不取《序》說，而謂：

此詩大旨與〈月出〉相類。言彼澤之陂，則有蒲與荷矣。有美一人而不可見，則雖憂傷而如之何哉？寤寐無為，涕泗滂沱而已矣。（《詩集傳》卷七，頁 84）

以為〈澤陂〉一詩的大旨與〈月出〉相類，都是描寫男女相悅、相念的淫詩[38]。

四、結語

《詩經》的漢學傳統以美刺說《詩》、以史說《詩》，又視國風諸詩皆具有諷諫、教化、勸誡之義，不論是「論功頌德，將順其美」的美詩，或「刺過譏失，匡救其惡」（《詩譜・序》，《詩疏》卷前，頁 4）的刺詩，或美或刺，大抵皆出於性情之正，符合孔子所謂「思無邪」之旨，而具有揚美聖化、匡正人君、救世濟俗之意。除《二南》諸詩，本諸聖人、賢人之化而作，固不必論之外，其他自〈邶〉、〈鄘〉、〈衛〉以下諸變風，也大都是賢人憫世救俗、義歸於正，所謂「發乎情，止乎禮義」之作。朱熹倡提淫詩，並指出《詩經》的變風中有三十首淫詩（既是淫詩，即非「止乎禮義」之作），淫詩即是淫男、淫女的自道之辭；為淫男、淫女之所自作，而非如《詩序》所云出自於雅人莊士之口，而寄寓其刺淫、刺

---

[38] 〈澤陂〉一詩，朱熹蓋亦視之為淫詩。輔廣、王柏、姚際恆俱有說，輔、王、姚三氏之說，仝註[37]。

時、刺奔、刺君之意。孔子留存此等詩，乃是具有「見上失其教，則民欲動情勝，其弊至此」，及「懲惡勸善」的用意。孔子所謂的「思無邪」，也非指作詩之人皆無邪，而是從讀《詩》的效用來立論，以為「善者可以感發人之善心，惡者可以懲創人之逸志」，最終的目的，都在於導人性情於正。凡此，都顯與《詩經》漢學傳統所持的諸觀點相枘鑿。朱熹從直據詩文、反對《詩序》以美刺說《詩》、以史證《詩》、穿鑿妄說的脈絡中提出淫詩；從詩緣情性，而情性有邪有正的觀點提出淫詩；從國風多述男女之情的特點，而其作者大都為閭巷小人、婦人小夫，未能親被文王之化以成德、得性情之正，提出淫詩；從孔子「放鄭聲」、「鄭聲淫」、「惡鄭聲」的言說及《禮記・樂記》對鄭衛之音是「亂世之音」的貶斥，加上聲詩合一的認知，提出淫詩。淫詩與刺淫，確為《詩經》漢宋學異同的另一項標記。

經　學　研　究　論　叢
第　十　九　輯　 頁193～206
臺灣學生書局　2011 年 11 月

《周禮・考工記》手工業職官系統*

李亞明**

《周禮・考工記》（*The Artificers' Record*，以下簡稱《考工記》）是迄今所見中國最早的手工業技術文獻，附為《周禮・冬官》。❶《考工記》職官系統反映了春秋末期的手工業官制。❷

《考工記》所記工藝分六類三十個工種，包括攻木之工、攻金之工、攻皮之工、設色之工、刮摩之工、摶埴之工等，分別記述木工、金工、皮革、染色、制陶和城市規劃等內容。蔣伯潛《十三經概論》概括《考工記》全篇之大綱如下：❸

---

* 本文寫作得到北京師範大學民俗典籍文字研究中心主任王寧教授的指導，謹致謝忱！

** 李亞明，（1964－）中國廣播電視出版社總編室主任、主任編輯，文學博士。

❶ 關於「考工記」名義，孫詒讓解釋：「百工為大宰九職之一，此稽考其事，論而紀識之，故謂之《考工記》。」亞明案，孫說待商。《禮記・月令》：「孟冬之月……是月也，命工師效功，陳祭器，案度程，毋或作為淫巧，以蕩上心，必功致為上。物勒工名，以考其誠，功有不當，必行其罪，以窮其情。」《管子・立政》：「論百工，審時事，辨功苦，上完利，監壹五鄉，以時鈞修焉，使刻鏤文采，毋敢造于鄉，工師之事也。」《荀子・王制》和《呂氏春秋・季秋》也有類似的論述。鄭玄《禮記注》：「刻工姓名于其器，以察其信，知其不功致。」考古出土文物，映證了上述傳世文獻的說法。《古陶瑣萃》錄有陶文「高閭豆里人陶者曰汨」，《季木藏陶》錄有陶文「獲陽南里陶者期」等字樣。《考工記》之名，蓋源於此。

❷ 時賢認為《周禮》職官系統反映的是春秋時代的官制（詳見李晶：《春秋官制與《周禮》職官系統比較研究》，河北師範大學 2004 年碩士學位論文），可備一說；但該文未涉《冬官考工記》部分。

❸ 蔣伯潛：《十三經概論》（上海：上海古籍出版社，1983 年），頁 318－320。

1.攻木之工七

(1)輪人——為輪，為蓋

(2)輿人——為車（輈人為輈，疑當附此）

(3)弓人——為弓

(4)廬人——為廬器（即戈矛殳戟之柄）

(5)匠人——為城郭道塗宮室

(6)車人——為車柯及耒疵

(7)梓人——為筍簴（鍾磬之架），為飲器，為侯（射侯）

2.攻金之工六

(1)築氏——為削

(2)冶氏——為殺（即兵器之鋒刃）

(3)鳧氏——為鍾

(4)栗氏——為量

(5)段氏——原文闕（段疑通作鍛）

(6)桃氏——為劍

3.攻皮之工五

(1)函人——為甲

(2)鮑人——縫革

(3)韗人——為皋鼓（皋為鼛之借字），為皋陶（皋陶，鼓木）

(4)韋氏——原文闕

(5)裘氏——原文闕

4.設色之工五

(1)畫
(2)繢 ＞原文僅總論畫繢之事

(3)鍾氏——染色

(4)筐人——原文闕

(5)㡆氏——湅絲

5.刮磨（摩）之工五

(1)玉人——治圭璧琮璋

(2)楖人——原文闕

(3)雕人——原文闕

(4)磬氏——為磬

(5)矢人——為矢（矢人隸刮磨（摩）之工，頗為不倫；豈以古矢多用鏃耶？）

6.摶（摶）埴之工二

(1)陶人——為甗、盆、甑、鬲、庾

(2)瓬人——為簋、豆之屬

李約瑟《中國科學技術史》按照現代職業觀念將《考工記》內容重新分類如下：❹

1.玉石工

(1)玉工（玉人）

(2)雕刻工（雕人）

(3)制磬工（磬氏）

2.陶瓷工

(1)陶工（陶人）

(2)磚瓦制模工（瓬人）

3.木工（攻木之工）

(1)制箭工（楖人；矢人）

(2)制弓工（弓人）

(3)細木工（梓人）

(4)武器柄工（廬人）

(5)測工、營造工、木匠（匠人）

4.修建渠道和灌溉溝工（以及一般水利技術人員）（匠人）

❹〔英〕李約瑟《中國科學技術史》，第 4 卷《物理學及相關技術》第 2 分冊《機械工程》（北京：科學出版社、上海：上海古籍出版社，1999 年）。

5.金屬工（攻金之工）

⑴低合金鑄工（築氏）

⑵高合金鑄工（冶氏）

⑶制鍾鑄工（鳧氏）

⑷制量具工（栗氏）

⑸制犁工（段氏）

⑹刀劍工（桃氏）

6.車輛工

⑴輪匠（輪人）

⑵制輪工長（國工）

⑶制車身工（輿人）

⑷制車轅和車軸工（輈人）

⑸車匠（車人）

7.制甲（皮革的，不是金屬的）工（函人）

8.鞣革工（攻皮之工）

⑴鞣革工（韋氏）

⑵生革工（鮑人）

⑶皮貨工（裘氏）

9.制鼓工（韗人）

10.紡織、染色和刺綉工（畫繢）

⑴染羽毛工（鍾氏）

⑵制筐工（筐人）

⑶清絲工（㡛氏）

此外，戴吾三也概括了《考工記》所列技術工種及職責表❺，不贅詳列。綜觀《考工記》全文，其手工業職官系統呈現層次性和有序性的特徵。

---

❺ 詳見戴吾三：《考工記圖說》（濟南：山東畫報出版社，2003 年），頁 24。

一、層次性

層次（Levels）是「表現系統內部結構不同等級的範疇」。❻按照系統辯證論的觀點，「任何事物都是較高級系統的要素，又都是較低級要素的系統，形成向宇宙無限發展的等級序列。」❼《考工記》手工業職官系統也不例外。

㈠一級層次關係

《考工記・總敘》開篇即云：「國有六職，百工與居一焉。」賈公彥《周禮疏》：「此經與下文為總目。」孫詒讓《正義》：「『國有六職，百工與居一焉』者，總述百工之事，以發三十工之端也。」（3106）「總」字概括了「六職」大系統的整體性。〈總敘〉又說：「審曲面埶，以飭五材，以辨民器，謂之百工。」「百工」指周代司空所管轄的各種工匠。百是虛數，舉大數而已。「六職」與「百工」構成一般與個別的層次關係。這是《考工記》手工業職官系統的一級層次關係。

㈡二級層次關係

一般與個別的劃分是相對而不是絕對的。特定的職官既可以作為個別從屬於上一層次詞語的一般，也可以作為一般包容下一層次職官的個別。

例如〈總敘〉：「知者創物，巧者述之，守之世，謂之工。」「工」指工官。❽這裏的「工」既可以作為個別從屬於上一層次「六職」這個一般，也可以作為一般包容下一層次「攻木之工」（製作木器類工官的總稱）、「攻金之工」（製作金屬器類工官的總稱）、「攻皮之工」（製作皮革類工官的總稱）、「設色之工」（繪畫染織類工官的總稱）、「刮摩之工」（雕琢類工官的總稱）、「摶埴之工」（製作陶瓷類工官的總稱）的個別。「工」與「攻木之工」、「攻金之工」、「攻

---

❻ 《中國大百科全書・哲學卷》（北京：中國大百科全書出版社，1988年），「層次」條。

❼ 烏杰：《系統辯證論》（北京：人民出版社，1997年），頁47。

❽ 另如〈總敘〉：「凡攻木之工七，攻金之工六，攻皮之工五，設色之工五，刮摩之工五，摶埴之工二。攻木之工，輪、輿、弓、廬、匠、車、梓。攻金之工，築、冶、鳧、栗、段、桃。攻皮之工，函、鮑、韗、韋、裘。設色之工，畫、繢、鍾、筐、㡛。刮摩之工，玉、楖、雕、矢、磬。摶埴之工，陶、旊。」《築氏》：「攻金之工，築氏執下齊，冶氏執上齊，鳧氏為聲，栗氏為量，段氏為鎛器，桃氏為刃。」

皮之工」、「設色之工」、「刮摩之工」、「摶埴之工」構成一般與個別的層次關係。如表 1：

表 1 「工」層次表

一般	工					
個別	攻木之工	攻金之工	攻皮之工	設色之工	刮摩之工	摶埴之工
職掌	製作木器類	製作金屬器類	製作皮革類	繪畫染織類	雕琢類	製作陶瓷類

㈢三級層次關係

當我們繼續往下讀〈總敘〉時，我們看到「攻木之工」、「攻金之工」、「攻皮之工」、「設色之工」、「刮摩之工」、「摶埴之工」既可以作為個別從屬於上一層次「工」這個一般，也可以作為一般包容下一層次具體工官名。分別來看：

1.攻木之工

〈總敘〉：「凡攻木之工七……攻木之工，輪、輿、弓、廬、匠、車、梓。」「輪」為制輪工官「輪人」的簡稱；「輿」為制車廂工官「輿人」的簡稱；「弓」為制弓工官「弓人」的簡稱；「廬」為制籚工官「廬人」的簡稱；「匠」為營建都城宮室溝洫工官「匠人」的簡稱；「車」為制牛車、柏車、羊車和耒工官「車人」的簡稱；「梓」為制筍虡、飲器和侯工官「梓人」的簡稱。「攻木之工」與「輪」、「輿」、「弓」、「廬」、「匠」、「車」、「梓」構成一般與個別的層次關係。如表 2：

表 2 「攻木之工」層次表

一般	攻木之工						
個別	輪	輿	弓	廬	匠	車	梓
職掌	制輪	制車廂	制弓	制籚	營建都城/宮室/溝洫	大車/柏車/羊車/耒	筍虡/飲器/侯

2.攻金之工

〈總敘〉：「攻金之工六……攻金之工，築、冶、鳧、栗、段、桃。」「築」

為制削工官「築氏」的簡稱；「冶」為制戈、戟、殺矢工官「冶氏」的簡稱；「鳧」為制鍾工官「鳧氏」的簡稱；「栗」為制量器工官「栗氏」的簡稱；「段」通「鍛」，為鍛制農具工官「段氏」的簡稱；「桃」為制劍工官「桃氏」的簡稱。「攻金之工」與「築」、「冶」、「鳧」、「栗」、「段」、「桃」構成一般與個別的層次關係。如表 3：

表 3 「攻金之工」層次表

一般	攻金之工					
個別	築	冶	鳧	栗	段	桃
職掌	制削	制戈/戟/殺矢	制鍾	制量器	鍛制農具	制劍

3.攻皮之工

〈總敘〉：「攻皮之工五……攻皮之工，函、鮑、韗、韋、裘。」「函」為制皮甲工官「函人」的簡稱；「鮑」通「鞄」，為制革工官「鮑人」的簡稱；「韗」為制鼓工官「韗人」的簡稱；「韋」為制熟皮工官「韋氏」的簡稱；「裘」為制裘工官「裘氏」的簡稱。「攻皮之工」與「函」、「鮑」、「韗」、「韋」、「裘」構成一般與個別的層次關係。如表 4：

表 4 「攻皮之工」層次表

一般	攻皮之工				
個別	函	鮑	韗	韋	裘
職掌	制皮甲	制革	制鼓	制熟皮	制裘

4.設色之工

〈總敘〉：「設色之工五……設色之工，畫、繢、鍾、筐、㡃。」析言之，「畫」為負責繪畫工官名；「繢」為負責刺綉工官名。「畫、繢二者，別官同職，共其事者，畫、繢相須故也。」（賈公彥《周禮疏》）「鍾」為負責染羽工官「鍾氏」的簡稱；「筐」為工官「筐人」的簡稱，職事未考，疑為治絲枲布帛；「㡃」為負責湅絲帛工官「㡃氏」的簡稱。「設色之工」與「畫」、「繢」、「鍾」、

「筐」、「㡛」構成一般與個別的層次關係。如表 5：

表 5 「設色之工」層次表

一般	設色之工				
個別	畫	繢	鍾	筐	㡛
職掌	繪畫	刺綉	染羽	治絲枲布帛	湅絲帛

5.刮摩之工

〈總敘〉：「刮摩之工五……刮摩之工，玉、楖、雕、矢、磬。」「玉」為制玉工官「玉人」的簡稱；「楖」同「櫛」，為制梳篦工官「楖人」的簡稱；「雕」為雕琢骨角工官「雕人」的簡稱；「矢」為制箭工官「矢人」的簡稱；「磬」為制磬工官「磬氏」的簡稱。「刮摩之工」與「玉」、「楖」、「雕」、「矢」、「磬」構成一般與個別的層次關係。如表 6：

表 6 「刮摩之工」層次表

一般	刮摩之工				
個別	玉	楖	雕	矢	磬
職掌	制玉	制梳篦	雕琢骨角	制箭	制磬

6.搏埴之工

〈總敘〉：「搏埴之工二……搏埴之工，陶、旊。」「陶」為制陶器工官「陶人」的簡稱；「旊」為制陶簋工官「旊人」的簡稱。「搏埴之工」與「陶」、「旊」構成一般與個別的層次關係。如表 7：

表 7 「搏埴之工」層次表

一般	搏埴之工	
個別	陶	旊
職掌	制陶器	制陶簋

我們看到，底層具體工官整合各類工官子系統，各類工官子系統又整合成較高一級的工官系統，一直到形成手工業職官大系統。

二、有序性

有序（Order）是「一切事物作為系統在結構和功能上的組織程度及其變化趨勢。有序即系統的組織性。」[9]在系統學中，有序指「事物內部的諸要素和事物之間有規則的聯繫或轉化；即在系統內子系統之間存在某種類似數學的偏序關係。」[10]有序是系統組織化程度的標志，主要表現為系統的結構和功能具有使系統趨於穩定的確定性、規則性和方向性聯繫。《考工記》手工業職官系統的有序性主要表現為職官與原材料、成品、製作行為及其工具和方式之間的理據性和規則性。

㈠職官與原材料之間的理據關係

《考工記》某些手工業職官與原材料之間存在一定的內在而必然的理據關係。孫詒讓《周禮正義》已詳述之。如表 8。

表 8　手工業職官與原材料理據關係表

<table>
<tr><th>職官</th><th>行為</th><th>成品</th><th>原材料理據</th></tr>
<tr><td>冶氏</td><td rowspan="5">為</td><td>殺矢</td><td>《說文》仌部云：「冶，銷也。」金部云：「銷，鑠金也。」〈總敘〉云：「爍金以為刃。」故工以冶為名。（3243）</td></tr>
<tr><td>韗人</td><td>皋陶</td><td>亦以事名工也。《祭統》註釋韗為韗磔皮革，明此工主治革以冒鼓，又兼為鼓木。（3296）</td></tr>
<tr><td>梓人</td><td>筍虡</td><td>梓人亦以所攻之材名工也。（3374）</td></tr>
<tr><td>梓人</td><td>侯</td><td>梓人攻木之工，而為侯者，凡侯皆以木為植以張之也。（3392）</td></tr>
<tr><td>車人</td><td>耒</td><td>《山虞》云：「凡服耜，斬季材。」註云：「服，牝服，車之材。」是服耜同材，故耒車亦同工也。（3512）</td></tr>
<tr><td>韋氏</td><td></td><td>熟皮</td><td>以所治之材名工也。（3304）</td></tr>
<tr><td>玉人</td><td></td><td>玉器</td><td>亦以所治之材名工也。（3323）</td></tr>
</table>

[9] 《中國大百科全書・哲學卷》（北京：中國大百科全書出版社，1988 年），「有序」條。
[10] 許國志主編：《系統科學》（上海：上海科技教育出版社，2000 年），頁 180。

㈡職官與成品之間的理據關係

《考工記》手工業職官與成品之間的搭配關係如表 9。

表 9　手工業職官與成品搭配關係表⓫

職官	行為	成品
工	為	器
車人		車①
輿人		車②
輪人		輪
輪人		蓋
輈人		輈
車人		轅
矢人		矢
冶氏		殺矢
工/桃氏		刃/劍
廬人		廬（器）
廬人		殳
廬人		酋矛
弓人		弓（天子之弓，諸侯之弓……）
梓人		侯
函人		甲
鳧氏		聲/鍾
磬氏		磬
韗人		皋陶/皋鼓
梓人		筍虡
鳧氏		遂
栗氏		量
陶人		甗
旊人		簋
梓人		飲器
築氏		削

⓫ 表中，「車①」指大車、羊車、柏車，「車②」指車廂。

匠人		規
匠人		溝洫
匠人		淵
匠人		防
車人		耒
段氏		鎛（器）

其中，某些手工業職官與成品之間存在一定的內在而必然的理據關係。孫詒讓《周禮正義》述之如表 10。

表 10　手工業職官與成品理據關係表

職官	行為	成品	理據
輪人	為	輪	以所制之器名工。（3141）
輪人		蓋	輪圜蓋亦圜，蓋弓之趨于部也，猶輪輻之趨于轂，故兼官也。（3179 引程瑤田語）
輿人		車	鄭玄《周禮注》：「車，輿也。」賈公彥《周禮疏》：「此輿人專作車輿。記人言車者，車以輿為主，故車為總名。鄭為輿者，此官實造輿，故從輿為正。」《說文解字》車部：「車，輿輪之總名也。」「輿，車輿也。」段玉裁語：「輿人不言輿而言為車者，輿為人所居，可獨得車名也。」孫詒讓《周禮正義》：「亦以所制之器名工。」（3191）
輈人		輈	亦以所制之器名工也。（3205）
函人		甲	亦以所作之器名工也。（3285）
磬氏		磬	亦以所作之器名工也。（3350）
矢人		矢	亦以所作之器名工也。（3357）
廬人		廬器	亦以所作之器名工也。（3406）
弓人		弓	亦以所作之器名工也。（3531）
裘氏		裘衣	以所作之器名工也。（3305）
車人		車①、耒	亦以所作之器名工也。（3507）

對於《考工記》手工業職官與成品之間的某些交叉現象，我們認同這樣的理解：「由於手工業部門首先依製造技術的類別進行劃分，其後再依所造之物的不同

類別作進一步的細分，於是在器物製造和生產中出現了以下現象：某一器物的製造有時候需要通過兩個或兩個以上的部門來協作完成，例如像矢、戈等兵器，其頭部蓋由專門從事青銅冶煉工藝的工匠來製作，尾部或柄部則由其它部門的工匠如專事刮摩之工或攻木之工的工匠製作；而另一些情況下，同一個工種從事製造技術相近的不同器類的製造，例如『輪人為輪……輪人為蓋』、『梓人為筍虡……梓人為飲器……梓人為侯』等等。兩者都屬遽細緻的專業化分工和協作的生產組織方式。」⑫這種現象並不影響手工業職官與成品之間存在一定的內在而必然的理據關係。

㈢職官與製作行為之間的理據關係

《考工記》有的手工業職官與製作行為之間存在一定的內在而必然的理據關係。孫詒讓《周禮正義》述之如表 11。

表 11　手工業職官與製作行為理據關係表

職官	行為	成品	理據
畫繢			亦以事名工也。（3305）
㡛氏	湅	絲	亦以事名工也。（3305）
陶人	為	甗	陶人亦以事名工也。（3367）
旊人	為	簋	賈公彥《周禮疏》：「祭宗廟皆用木簋，今此用瓦簋，據祭天地及外神尚質，器用陶匏之類也。」孫詒讓《周禮正義》：「旊人亦以事名工也。」（3370）
匠人	建	國	凡建立國邑，必用土木之工，匠人蓋木工而兼識版築營造之法，故建國、營國、溝洫諸事，皆掌之也。（3415）
	營		
	（為）	（溝洫）	
車人	為	車①	此車人為造車之事。（3516 引賈公彥《周禮疏》語）

㈣職官與製作行為的工具之間的理據關係

《考工記》有的手工業職官與製作行為的工具之間存在一定的內在而必然的理據關係。孫詒讓《周禮正義》述之如表 12。

---

⑫ 徐飈：《成器之道：先秦工藝造物思想研究》（南京：南京師範大學出版社，1999 年），頁 72－73。

表 12　手工業職官與製作行為的工具理據關係表

職官	行為	成品	理據
段氏	為	鎛器	《說文》殳部云：「段，椎物也。」又金部云：「鍛，小冶也。」凡鑄金為喊，必椎擊之，故工謂之段氏。鍛，則所用椎段之具也。（3283）

手工業職官的工具理據證實了王寧先生所述：「工具性與人文性是統一的。用具被賦予人文的規定，物化的東西裏有人文，人文的東西被物化。」⑬

㈤職官與製作行為的方式之間的理據關係

《考工記》有的手工業職官與製作行為的方式之間存在一定的內在而必然的理據關係。孫詒讓《周禮正義》述之如表 13。

表 13　手工業職官與製作行為的方式理據關係表

職官	行為	成品	理據
築氏	為	削	《說文》木部云：「築，擣也。」攻金之事必椎擣而成，故作削之工謂之築氏。（3242）

通過對《考工記》手工業職官詞語的考辨，我們發現《考工記》手工業職官系統各級層次關係呈現為由低層次到高層次逐級整合的系統。並與原材料、成品、製作行為及其工具和方式之間具有理據性和規則性，由此呈現多元的層次性和嚴密的有序性，進而形成由相互聯繫、相互作用的要素（部分）組成的具有一定結構和功能的整體。正如王寧先生所指出的那樣：「《周禮》的名物詞偏重製造物，較少有自然物，《周禮》把它們放在豐富的文化背景和語言環境還，記載了對象的製造過程、使用方法，特別是在闡釋禮制的過程中來介紹對像，突出了對象與人和制度的關係，這正可以集中把這部分依存人的創造力而產生和發展的對象命名的特性突現出來，不但見物，而且見人，使考實的工作可以作得更加深入。」⑭

---

⑬ 北京師範大學民俗典籍文字研究中心主任王寧教授 2005 年 4 月 6 日指導李亞明博士學位論文《《周禮・考工記》先秦手工業專科詞語詞彙系統研究》預開題語。

⑭ 王寧：《周禮名物詞研究・序一》（成都：巴蜀書社，2001 年），頁 1。

經 學 研 究 論 叢
第 十 九 輯　頁207～222
臺灣學生書局　2011 年 11 月

郝敬的《周禮》學

翁敏修*

一、前言

《明史・藝文志》於「《周禮》類」收錄作者二十九人、著作三十七種❶。清代《四庫全書》只收錄明人《周禮》著作三種，分別是王應電《周禮傳》、柯尚遷《周禮全經釋原》與王志長《周禮註疏刪翼》❷，另外於《四庫全書・存目》著錄十九種，共計收錄著作二十二種。而四庫館臣將大多數著作列為存目的理由，蓋因諸說大抵皆為俞庭椿「冬官未亡」論之末流，故無甚可取❸。

宋明經學特色在「疑經改經」，其說自宋人始，而影響至明末仍風流未息。東吳大學中文系陳恆嵩教授所撰碩士學位論文《明人疑經改經考》，談到明人「疑經改經」之風氣來源主要有二：一為承襲宋元疑經改經風氣，一為復古風氣之影響❹。陳氏之書「論《周禮》之部」，於〈辨《周禮》非周公之書〉一節中

*　翁敏修，華梵大學中國文學系助理教授。

❶　《明史・藝文志・經類・禮類》，卷第 96，志第 72。

❷　王應電《周禮傳》十卷，附《周禮圖說》二卷、《周禮翼傳》二卷。柯尚遷《周禮全經釋原》十三卷，附《周禮通今續論》一卷。王志長《周禮註疏刪翼》三十卷。

❸　小島毅著，張文朝譯：〈明代禮學的特點〉，《明代經學國際研討會論文集》（中央研究院中國文哲研究所籌備處，1996 年），頁 393。

❹　陳恆嵩：《明人疑經改經考》（東吳大學中研所碩士論文，賴明德指導，1988 年 4 月），頁 11。

曾提到郝敬的《周禮完解》，其文曰：「郝氏有《周禮完解》十二卷，今未見」❺，只能據《經義考》轉引郝氏之說，是知陳氏二十年前論文寫作之時，猶未能得見此書。今考上海古籍出版社《續修四庫全書》❻與莊嚴出版社《四庫全書存目叢書》❼，均收錄明刊本《周禮完解》十二卷，已為吾人提供了充分完備的學術研究條件。

郝氏遍解群經，著作頗豐，為明末重要經學家，然其著作如《周禮完解》者，於台灣歷數十年而不可得見，研究者自然更少。郝氏之治學歷程，蔣秋華先生〈郝敬的詩經學〉❽一文已論之甚詳，茲不贅述。今以郝氏《周禮完解》及書前〈讀周禮〉一篇為論述中心，探討其解經要旨及其《周禮》學的主要論點。

二、郝敬及其禮學著述

郝敬（1558－1639）字仲輿，號楚望，湖北京山人。天性穎捷，號為神童，嘗殺人繫獄，同邑李維楨援出之，館於家，始折節讀書。萬曆十七年（西元 1589 年）以《詩》成進士，知處州府縉雲縣，調溫州府永嘉縣，從吳興鮑觀白學。入為禮科給事中，改戶科，坐事，謫知江陰縣。萬曆三十二年（1604 年）掛冠乞歸，杜門著書，不通賓客。著有《山草堂集》百卷，生平事蹟詳見《明史》李維楨附傳❾、鄒漪〈郝給事傳〉❿與佘廷燦〈郝京山先生傳〉⓫。

郝氏經學之代表著作為《九部經解》，自萬曆三十三年（1605 年）冬起草，

---

❺ 同前註，頁 156。

❻ 《續修四庫全書・經部・禮類》冊 78，南京圖書館藏明萬曆郝千秋郝千石刻《九部經解》本。

❼ 《四庫全書存目叢書・經部・禮類》冊 83，湖北省圖書館藏明萬曆四十三年至四十七年郝千秋郝千石刻郝氏《九經解》本。

❽ 蔣秋華：〈郝敬的詩經學〉，《中國文哲研究集刊》第 12 期（1998 年 3 月），頁 255。

❾ 《明史・文苑四》，《明史》卷 288，列傳第 176。

❿ 鄒漪：《啟禎野乘》一集（《四庫禁燬書叢刊・史部》冊 40－41，北京圖書館藏明崇禎十七年柳圍草堂刻清康熙五年重修本），卷 7，頁 11－14。

⓫ 佘廷燦：《存吾文稿》（《續修四庫全書・集部・別集類》冊 1456，上海圖書館藏清咸豐五年雲香書屋刻本），頁 113－116。

至四十七年（1619 年）全部刊印完成，歷時十有四年。全書計一百七十五卷，一百六十萬餘言，於《周易》、《尚書》、《毛詩》、《儀禮》、《禮記》、《周禮》、《春秋》、《論語》、《孟子》九書，各為之疏通證明，一洗訓詁之氣。

郝氏於《九部經解》書名各不相同，如《周易》謂之「正解」；《尚書》謂之「辨解」；《毛詩》謂之「原解」等。就三禮而言，書名分別為《禮記通解》二十二卷、《儀禮節解》十七卷、《周禮完解》十二卷，〈九經解敘〉[12]云：

> 禮家之言，雜而多端，迂者或戾於俗，而亡者未睹其全，蓋記非一世一人之手，而禮有所損所益之權。訓詁之士，鑿以附會；理學之家，割以別傳。辭有純駁，義無中邊；舉一隅則矛盾，觀會通則渾圓。作《禮記通解》部第五。

> 《儀禮》十七篇，禮之節文耳，先儒欲引以為經，夫儀烏可以為經也？儀者損益可知，而經者百世相因，其辭繁而事瑣，或強世而違情。昔之讀者，苦於艱深，支分節解，盤錯可尋也。作《儀禮節解》部第六。

> 《周禮》五官，終始五行，司空考工，水藏其精，緯象之言，縱橫之心，說者謂是書周公所以致太平，六官錯簡，河間補經，世儒因加考定，而不知本非闕文也。作《周禮完解》部第七。

觀上引諸文，可知郝氏於書名實頗費斟酌，欲藉由書名來表達他對此部經書的看法，故書名本身即具有特殊的含義。《禮記》由於禮家之言雜而多端，必須綜合訓詁家與理學家之眾說，「觀會通則渾圓」，故曰：《禮記通解》。《儀禮》為禮之節文，後代讀者苦於艱深，「支分節解，盤錯可尋」，故曰：《儀禮節解》。至於《周禮》一書，前人以為〈冬官〉早闕，〈考工記〉為漢人所補，六官又互有錯簡，郝氏認為其實「本非闕文也」，故題此書曰：《周禮完解》。

---

[12] 《小山草》卷 6，頁 2。

至於《周禮完解》一書之說解方式與體例，以下分為三點說明：

㈠書前有〈讀周禮〉一卷，可視為《周禮完解》之序文，計二十頁、四十面，收錄筆記形式之短論四十餘條。或設問而自答，或引世儒之言而批駁，雖苦其冗長而難讀，然此文為郝氏對《周禮》作者源流、鄭玄註解以及制度內容之全面性看法，故不可忽視之。

㈡全書依經文六官次第排列，每官又分上、下卷。

㈢採逐條疏解方式，先列出《周禮》經文，後低一格申以己見，或解釋名物，或批駁鄭注，或闡發義理，中或加一「按」字。今舉〈地官・角人〉為例，略明郝氏解經之大要：

> 角人：下士二人，府一人，徒八人。
>
> 掌徵齒角骨于山澤之農。
>
> 按：自角人至掌蜃七職，取之盡錙銖矣。每事官屬二十餘人，少者亦十人，即謂用不可缺，官屬不可損乎？
>
> 角人：掌以時徵齒角凡骨物於山澤之農，以當邦賦之政令，以度量受之，以共財用。
>
> 山澤居民，以採補為農業，無夫田之稅，以山澤所有當邦賦；度量：計齒角骨物長短多寡也。⓭

其於《周禮》所言之「角人」，首先批評〈地官〉自「角人」以下的「羽人」、「掌葛」、「掌染草」、「掌炭」、「掌荼」至「掌蜃」等七職，每官人數過多；其後引申經文，解釋「角人」職司徵收山澤居民採捕野獸的齒、角、骨等物，計算其長短多寡後，可用以代替田賦。

⓭ 《周禮完解・地官下・角人》，卷4，頁46。

三、郝敬的《周禮》學論點

《周禮完解》十二卷，《明史・藝文志》已著錄⓮。其書所論之要旨，清人鄒漪於〈郝給事傳〉中論曰：

> 解《周禮》畿內五等都邑、畿外五服未試用，又附會周公營洛，而周公成王未居洛，土圭地中，吳澄證其謬，是書殆後人臆說耳。六國處士之學，故密近而疎遠，非治天下規。司空散記五官，即冢宰攝百職。陽分六官成歲序，陰省六官法五行，作者以此縱橫其旨，故〈考工記〉非河間補也。⓯

以下就郝氏《周禮完解》及書前〈讀周禮〉為論述中心，探討其《周禮》學。

㈠《周禮》制度瀆亂不驗

郝敬於〈讀周禮〉及其後各卷的相關論述中，每每認為《周禮》書中許多制度的設計違背常理，令人難以信服。如〈春官・大師〉：「下大夫二人，小師：上士四人，瞽矇：上瞽四十人，中瞽百人，下瞽百有六十人。」，郝氏解云：

> 按：視寡則聽專，故樂工尚瞽矇，非必盡取盲人用之也。且焉得三百人同時皆無目，賢而知音者乎？瀆亂不驗類此。⓰

「大師」為樂官之長，其下設有瞽矇⓱、眡瞭等職。郝氏首先認為樂工須聽專，故多由瞽、矇之人擔任，但非絕對盡取盲人而用之，且依常理判斷，同時有三百名目盲而通曉樂理之人更非易事，故郝氏以漢人林孝存「瀆亂不驗」之語目之。

又如〈秋官〉文末，郝氏云：

⓮ 《明史・藝文志・經類・禮類》，卷第96，志第72。

⓯ 《啟禎野乘》卷7，頁13。

⓰ 《周禮完解・春官下・大師》，卷6，頁13。

⓱ 郝氏解云：「瞽、無目；矇、有目而無見」。

> 通計天官之屬六十有三，其人三千八百二十有奇；地官之屬七十有八，其人二萬七千四百八十有奇；春官之屬七十，其人三千四百六十有奇；夏官之屬七十，其人三萬二千四百三十有奇；秋官之屬六十有六，其人二千七百四十有奇；職存事亡者，又三百四十有七，共人七萬有奇。他如天官世婦九嬪之類……無定數者尚不與。夫以王畿之地不過千里，分封王公子弟、卿大夫食邑外，十萬之眾，日聚而食之，歲入亦不足矣，昔人謂之瀆亂不驗，誠然。⓲

根據郝氏統計，由天官至秋官，五官官職共計七萬多人。而王畿之地有限，若真依《周禮》之制，除了分封王公子弟、卿大夫食邑之外，再加上全國超過七萬名的行政官員，必定造成歲入的嚴重不足，是知《周禮》未足深信。

㈡《周禮》非周公所作

自漢劉歆、鄭玄以來，習《周禮》者大多認為《周禮》為周公所作。彭林云：

> （《周禮》為周公手作）此說昉自劉歆，鄭玄、賈公彥踵之，其後，歷代名家大儒多宗此說。……歷代研究的《周禮》著作堪稱浩繁，但持此說者最眾，如宋王安石《周官新義》、王昭禹《周禮詳解》……胡銓《周禮傳》……元毛應龍《周官集傳》、丘葵《周禮全書》、吳澄《周禮考注》、明王應電《周禮傳》……等均是。⓳

然郝氏認為《周禮》制度既多瀆亂不驗，故進一步推論其書絕非周公所作，以下約舉數例說明之。其於〈天官・大宰〉「以八灋治官府：一曰官屬，以舉邦治。二曰官職，以辨邦治。三曰官聯，以會官治。四曰官常，以聽官治。五曰官成，

⓲ 《周禮完解・秋官下》卷10，頁39。

⓳ 彭林：《周禮主體思想與成書年代研究》（中國社會科學出版社，1991 年 9 月），頁 4－5。

以經邦治。六曰官灋，以正邦治。七曰官刑，以糾邦治。八曰官計，以弊官治。」下解云：

> 按：八灋之目，可芟也。職即常，常即成，成即法。既曰八灋，又曰官灋，不已複乎？……六經言道德，是書專言名法；六經尚簡要，是書專務煩瑣，其非周公之制作，何待知者而後知。⑳

此條郝氏就「大宰」以官屬、官職等八法治官府一事，批評其名稱既重覆，制度設計又過於瑣碎，聖人之作必不如此。

其於〈地官・山虞〉則云：

> 一山大者，官屬百有四人，中者七十四人，小者二十三人。邦畿千里，山林不知幾。假令大山十，則官屬千四十人矣；大山百，則官屬萬四百人矣，而中小不與。益以澤虞、川衡、林衡，深山窮谷，車馬絡繹，魚竭于澤，鳥亂于林。雖桀紂幽厲之貪虐，未有如斯其甚者，豈周公之良法與？㉑

「山虞」掌山林之政令，郝氏認為一國之內名山大澤不知凡幾，若真依《周禮》之制，則全國「山虞」、「澤虞」等職官數量之龐大，勢必令人難以想像。

又郝氏於〈秋官・大司寇〉「以嘉石平罷民，凡萬民之有罪過而未麗於灋，而害於州里者，桎梏而坐諸嘉石。……以肺石達窮民，凡遠近惸獨老幼之欲有復於上而其長弗達者，立於肺石三日。」下解云：

> 按：嘉石、肺石，鄭氏謂設于外朝門左右，堯舜在上，不能去殺。一歲所犯所告不知幾，罪人填集外朝，二石不足以容之。國家有大體，明刑有司

⑳ 《周禮完解・天官上・大宰》，卷 1，頁 10。

㉑ 《周禮完解・地官下・山虞》，卷 4，頁 42。

寇，必欲以一人詳鞫天下刑獄，日亦不足。此等規模名法，豈周公制作？不可欺智者。㉒

郝氏認為一年之內大小案件數量、罪犯人數必多，若罪不致死者俱坐於嘉石、肺石，區區二石勢必不足以容眾，《周禮》之制實不合常理，當非周公制作。

不僅如此，他更嚴詞批評了歷代奉《周禮》為經典，認為其必為聖人所作的學者。其說曰：

嗟夫！讀《周禮》而不知其非周公之書者，暗也；明知其非周公之書，而不敢質言者，欺也。

《周禮》之為周公，亦猶《左傳》之為左丘明也，周公未嘗為禮，左丘明未嘗為傳。好信者耳食其名，為訛而已。㉓

㈢《周禮》成書於戰國衰世

既論《周禮》非周公所作，郝氏於各卷經文疏解之中，復推究《周禮》之成書時代與作者，筆者試董理其說，論述如下。首先其於〈讀周禮〉曰：

作是書者，蓋周衰好古之士，不得有為，技癢求試，故言多摹古，而雜用術數，舛謬踳駁，什常八九，然以自鳴於百氏之林，亦鐵中之錚錚者矣！蓋去古未甚遠，先王規制遺文，猶有存者，今學士欲考古，舍此何適？雖未即真，喜其近似耳。㉔

郝氏認為《周禮》作者為周室衰微之際的好古之士，雖然全書為摹古之作，然作者才識頗高，又去古未遠，故於先王典制遺文仍有可觀之處。郝氏於各卷文中，

㉒ 《周禮完解·秋官上·大司寇》，卷9，頁5。

㉓ 《周禮完解·讀周禮》，頁9。

㉔ 同前註，頁6。

亦多論及《周禮》為衰世之法：

> 按廛人市稅，屠沽酒肆，搜括無遺，衰世之法，復何疑乎？㉕

> 按：肉刑之法嚴矣，其極斬殺之耳，既斬殺而又搏之、焚之、辜之、肆之，五刑所不載。問其罪，唯賊諜為首，雖殺其親者次之，此衰世慮敵之意。㉖

> 按：王饗諸侯，用十有二牢，十有再獻，禮數極矣。若諸侯饗天子，又何加焉？凡是書稱天子所以降禮諸侯者，往往過當，其作于周衰以後諸侯強僭之日無疑也。㉗

郝氏於〈地官〉論「廛人」之職為為王搜括珍異美物；於〈秋官〉論「掌戮」所用之法過於殘忍嚴苛，兩者皆為衰世之法，盛世或聖人之制當不至此。於「掌客」下則據王以十二牢饗禮諸侯，實屬過當，據以斷定《周禮》成於「周衰以後諸侯強僭之日」。

除了屢言「衰世之法」外，郝氏更進一步指出成書時代當為戰國列強並起之時：

> 世儒謂漢儒補〈記〉，謂周公作〈五官〉。夫〈五官〉非聖人之作，而〈記〉亦非漢儒所能補，其諸六國處士之學，其縱橫之言乎？㉘

郝氏於〈讀周禮〉此條中清楚展現其《周禮》學主要觀點：

㉕ 《周禮完解・地官下・廛人》，卷4，頁22。

㉖ 《周禮完解・秋官上・掌戮》，卷9，頁26。

㉗ 《周禮完解・秋官下・掌客》，卷9，頁31。

㉘ 《周禮完解・讀周禮》，頁1。

1.《周禮》全書完整無缺，〈考工記〉非漢人所補。

2.《周禮》實為六國處士之學。

郝氏又於〈秋官・大司徒〉「凡建邦國，以土圭土其地而制其域：諸公之地，封疆方五百里，其食者半；諸侯之地，封疆方四百里，其食者參之一；諸伯之地，封疆方三百里，其食者參之一；諸子之地，封疆方二百里，其食者四之一；諸男之地，封疆方百里，其食者四之一。」下解云：

> 按：此條封建之制，與《孟子》王制相矛盾。……向使周室封國果如是書所云，孟子安得不聞？其大畧明白易曉者如此，尚得不信乎？是書所言，蓋戰國以來處士臆見。[29]

郝氏以《周禮》所言王制與《孟子・萬章》所載不合，斷定《周禮》一書晚出，當為戰國時代作品。

《周禮》一書的作者雖無法確定，郝氏則據全書之佈置經營，認為作者當以儒學為基礎而夾雜了縱橫刑名之學：

> 《周禮》隱藏〈冬官〉，錯列六屬，牢籠百世學者，即此便是縱橫之習。詳觀其布置經營，全似《管子》內政，蓋其學本宗聖，而雜以刑名功利，焉可誣周公也。[30]

> 且如司徒鄉老一職，而公卿大夫至下士，凡一萬八千七百五十人。一市之中，商賈幾何？司事官屬，凡一百四十二人；一商之肆，自肆長至史二百有十人。行此法也，騷擾煩苛，民其能堪乎？此管、商縱橫什伍嚴密之

[29] 《周禮完解・地官上・大司徒》，卷3，頁11。

[30] 《周禮完解・讀周禮》，頁5。

政。[31]

最後論及《周禮》書名之意義。其釋「周」字名義曰：

> 忠信曰周，大道曰周，始終循環亦曰周，語云：「周旋中禮」，豈謂周公中禮與？觀其言曰：「惟王建國，辨正方位」，以五行八卦為方，以天地春夏秋冬為位，五氣循環、周遊不息，故曰周。……其事本顯，而遁以為隱；其文本周，而詭以為不周。更自名曰：《周禮》，將以濫竽于夏、商二代之間，而世儒信以為周公之禮，幾不為其所揶揄也乎？[32]

郝氏以為《周禮》既非周公所作，全書又完整無缺，則「周」字自然與周代、周公無涉，書名之義亦非「周代之禮」或「周公之禮」。故言「始終循環亦曰周」、「五氣循環、周遊不息，故曰周」、「其文本周，而詭以為不周」，認為「周」字當解為「五行循環」、「周全完備」之意。

㈣陽成歲序、陰法五行，〈考工記〉非河間所補

至於《周禮》書中之六官職屬問題，郝氏頗多論及，惟散見於〈讀周禮〉各條之中，今徵引如下：

> 世儒以六官錯雜，疑其為後人所亂……蓋是書取法天地四時，天地之運成於五，五為參兩之合，天惟五行，人惟五事。是書六官以配天辰十二，省司空官屬以法五行而用五數，非闕也。……陽分六官以成歲序，陰省〈冬官〉以法五行，亦猶易數五而爻用六，作者以此變幻其旨，隱晦其文。[33]

> 是書之作，經緯禮樂名物綱紀治教，察其施為次第，實根本五德始終之

[31] 同前註，頁7。

[32] 同前註，頁9。

[33] 同前註，頁1－2。

意，學術原委，可得而窺矣。

天官有統而無為，萬物皆附于地，生長收成皆聽命于春夏秋三時，冬官無事而有終，自然之法象，非強作也。

六官之屬，原無錯簡。❸❹

《周禮》隱藏冬官，錯列六屬。❸❺

郝氏承宋代胡宏、程大昌、俞廷椿以來「冬官未亡」說之餘緒，大膽懷疑傳統討論《周禮》之說法。郝氏首先提出「六官以配天辰十二」，六官之職乃為配合十二天干而設；「省司空官屬以法五行」，名稱雖為六官，為了配合五德終始，因此職掌實只有五類。「冬官無事而有終」，冬官其職已散見於其他五官之中，最後可歸納其說之大要為「陽分六官以成歲序，陰省冬官以法五行」與「隱藏冬官，錯列六屬」。然其說實在荒誕不可從，豈攻鄭之好讖緯，而己亦師事之乎？故「陽成歲序、陰法五行」即遭受四庫館臣批評為「穿鑿尤甚」。

既以為「陽分六官以成歲序，陰省冬官以法五行」，郝氏進一步認為《周禮》原書其實完整無缺，其言曰：

說者謂六官闕司空，以〈考工記〉補之，今觀其函蓋脗合，原非增補。《周禮》有〈考工記〉，亦猶《儀禮》諸篇終各繫以記也。世儒不疑《儀禮》之記為添補，何獨於《周禮》疑之？至《戴記》四十九篇，士儒欲以分附諸禮，非其記者，欲強為記以附經；其為記者，又欲離經以割記，顛倒疑惑，訖無定識，徒為智者所竊笑耳。❸❻

其為《周禮》也，若不周也；其為〈記〉也，若非〈記〉也；其為〈考

---

❸❹ 同前註，頁3－4。

❸❺ 同前註，頁5。

❸❻ 同前註，頁14－15。

> 工〉也，若非〈考工〉也。是以儒者謂是書闕也，河間獻王以〈考工〉補之，欺也。彼以《周禮》為周公作，然則〈考工記〉誰之作邪？其言論、風旨、材具、機軸，本出一手。五官主敘事而辭莊，六工兼風議而氣宕，至于刻意精嚴、峻嶒變態，一也。[37]

前人所謂冬官亡佚而後人補以〈考工〉之說並不可信，〈考工記〉一篇，當為《周禮》書後之〈記〉，作者同為一人。其性質與《儀禮》諸篇有〈記〉者相類，並非闕而由漢人所補。

㈤攻鄭注與駁宋元經注

1.攻鄭注：郝氏解《周禮》，於漢人之說時有批評，而以批駁鄭玄為最力。首先是關於作者的問題，其說曰：

> 禮在天地間，惟三惟五。父子、君臣、夫婦，唐虞氏所謂三也；益以昆弟、朋友，仲尼所謂五也……鄭玄謂《周官》為禮經，夫官可以為禮乎？……大抵禮教不明，一壞于聖遠經殘，百家補葺，淆亂而失真；再壞于鄭玄輩好信寡識，附合以求同；三壞于近代迂儒，妄生疑惑，紛更以亂舊。[38]

> 《周禮》非聖人純粹以精之書，然作者雄材大畧，亦自不可當……鄭康成妄擬周公，世儒閧然附和，遇紕繆輒歸咎于後儒之錯亂，嗟夫！[39]

郝氏既以為書非周公所作，遂承宋儒之論而攻鄭康成誤以《周官》為《周禮》：並妄擬作者為周公以及過分迷信讖緯。

至於批駁鄭玄《周禮》注，為郝氏全書之另一特色，在〈讀周禮〉中郝氏舉

---

[37] 《周禮完解・冬官上》卷 11，頁 4－5。

[38] 《周禮完解・讀周禮》，頁 6。

[39] 同前註，頁 13。

例頗多，並歸納出鄭注有二項缺失：一、有本文明白易曉，而注反牽強不通者；二、有文義不明，而鄭誤猜者。其說曰：

> 鄭康成解《周禮》多紕謬。有本文明白易曉，而註反牽強不通者：如〈天官〉掌次設皇邸，皇者美大之稱也，鄭註云「染鳥羽象鳳凰色為屏風」。〈玉府〉云：王之獻金玉兵器良貨賄，本謂王所受諸侯之獻也，鄭註云：「王作以獻諸侯」……亦有文義不明，而鄭誤猜者：如〈地官・媒事職〉云禁遷葬者與嫁殤者，本謂夫妻合葬信堪輿之說，改域別遷。男女幼未可婚信祿命之說，早嫁免殤，皆非禮也。而鄭謂生非夫婦，死相從為遷葬；女未嫁死與男合葬為嫁殤……其他不及枚舉，附見各章。[40]

而在各卷經文說解中，也時時流露出對鄭注的不滿。如〈地官・調人〉云：

> 按報讐之說，起於世儒說《春秋》非《春秋》本義，必如儒者大復讐，則世道無寧日矣……鄭註殺人而義，為其父母兄弟師長，嘗見辱焉，而殺之者為義，是何言也？父兄見辱，子弟遂殺人，而槩以為義，則天下之人，得保首領者少，而讐家子弟殺人者日多，但避諸他國千里外則已矣，使《周禮》為政，鄭康成為調人，則天下未有不嗜殺人者矣！[41]

調人掌司萬民之難而諧和之，但卻帶有殺人復仇的觀念，鄭注更以為殺人有其正義性，郝氏認為這與儒家所提倡的仁義是相違背的，進而駁鄭氏之非。

2.駁宋、元經注：除了解釋名物、駁鄭注之外，郝敬還針對了宋元以來經說有所批判。如他批評朱熹欲割記以附經之舉：

> 朱元晦篤信好學，志大識短，欲考證六經而其為周易本義，疎淺無當；改

---

[40] 同前註，頁 16。

[41] 《周禮完解・地官下・調人》卷 4，頁 14。

> 毛詩古序，篇篇成錯；晚議變置三禮，割記以附經未果，而世儒承旨，鹵莽磔裂，毀前人之舊章，違作者之初志。如補器，始猶微罅，今支離破碎，不復足觀矣！㊷

另外他也批評了元代吳澄割列五官之舉不足取：

> 六官名屬次第，如《春秋》之有經，《詩》、《書》之有古序，一書之綱領也。……吳幼清考定三禮削而不用，讀其職事，而不知其官爵之崇卑、人數之多寡，與夫宦寺婦女公胥奚奴之異，何以辨其職事哉？朱元晦改〈詩序〉、黜〈易序卦〉，其敝與此同。㊸

四、結語

關於郝敬經學方面的評價，呈現了兩極化的現象。清人黃宗羲在《明儒學案》中提到郝敬的經學成就，認為他的《九部經解》具有相當價值：

> 《五經》之外，《儀》、《禮》、《周禮》、《論》、《孟》各著為解，疏通證明，一洗訓詁之氣。明代窮經之士，先生實為巨擘。

然而清代《四庫全書總目提要》評《周禮完解》，卻以其「穿鑿又橫生枝節，有務勝古人之過」，故置於禮類存目。四庫館臣論曰：㊹

> 此書亦謂〈冬官〉散見於五官，而又變幻其辭，謂陽分六官以成歲序，陰省冬官以法五行，穿鑿尤甚。中間橫生枝節，不一而足，如〈典瑞〉職：

㊷ 同註⑩，頁 14。

㊸ 同註⑩，頁 15。

㊹ 《四庫全書總目・經部・禮類存目一》卷 23。

「王晉大圭、執鎮圭」，晉即搢字，鄭眾註本不誤，賈疏云：「搢、插也，謂插大圭長三尺，玉笏於帶間，手執鎮圭尺二寸」，其意亦最明，而敬謂：「晉、晉行也，行禮從容漸進，如日之升」，以附會於經文朝日之語，果終歲如是乎？此亦務勝古人之過也。

「疑經改經」由宋人始，而其影響經元代至明末而餘波未息，總觀《周禮完解》之主要論點，郝氏力主《周禮》非聖人之作，內容多衰世之法，作者當為六國縱橫之士，確實可歸入「疑經派」。然其于「改經」之觀念，認為六官本無闕，不當任意割裂，已較宋、元以來恣意改經者有所改進。至於全書之中頗多一己獨特之見，以為冬官未亡，「省司空官屬以法五行」；而〈考工記〉與經本為一體，非漢人所補，於鄭注又多所批評，自然會遭到清代以漢學為主流的經學研究風氣排斥。

經　學　研　究　論　叢
第　十　九　輯　　頁223～244
臺灣學生書局　2011 年 11 月

于鬯著述考

游鎮壕*

一、傳略

于鬯（1854－1910），字醴尊，一字東廂，自號香草，清江蘇南匯（今上海南匯）人。生於咸豐四年，卒於宣統二年，年五十有七。

鬯先世有靜樂公者，為忠肅公（于謙，謚忠肅，1398－1457）弟，其子痛忠肅忠而罹禍，戒子孫勿仕；故傳世十四至鬯，惟十世祖出為小官，餘皆隱居不仕，以學行重於時。自八世祖于釗始卜居周浦，遂籍南匯。❶

鬯生有異稟，從叔父冲甫先生深於段氏《說文》學，喜其幼慧，輒與語，多神悟，鬯之治樸學始此。成童入邑庠，專力治經，不屑為俗學。學使長沙王先謙（1842－1917）督蘇學，奇其文，拔冠多士，食餼；後屢以經學受知諸學使，累擢前列，登光緒丁酉拔萃科。廷試後，友人勸之仕，時本生母尚在，鬯亦思得祿養親。既知親老丁單，例得終養，若急欲仕，須偽為一胞弟名以干之；鬯以為不可，遂南歸，絕意仕進，亦以為無負家風云。既歸，杜門不出，著書娛親，凡可得親順親者，靡不曲盡心力。❷本生母卒，哀毀致病，緜延數年，遂以不起，葬本邑天字

*　游鎮壕，臺北大學古典文獻學研究所碩士生。

❶　〔清〕李邦黻：〈于香草先生生傳〉，《國學雜誌》第 8 期（1917 年 1 月），頁 1。

❷　同前註。

圩。❸

鬯於學無所不觀，著述亦勤。邃於三《禮》、《說文》之學，著有讀三《禮》日記、《說文職墨》。復以形聲故訓、展轉通假之例，遍讀周、秦、漢、魏古書，刊正奪誤，稽合同異，成《香草校書》、《香草續校書》。❹另有《周易讀異》、《尚書讀異》、《儀禮讀異》、《卦氣直日考》、《史記散筆》、《古女考》、《花燭閒談》、《閒書四種》、《香草談文》、《澧溪文集》等。

二、專著

鬯雖勤於著述，然其中得以刊行流傳者實寡，大多僅能由目錄著錄或傳記資料中考知一二。茲據《南匯縣續志》（下文省稱《南續志》）〈藝文志〉、《續修四庫全書總目提要（稿本）》（下文省稱《續四庫》）、《中國叢書綜錄》（下文省稱《叢綜》）、《清史稿藝文志拾遺》（下文省稱《拾遺》）等目錄及于氏同門李邦黻〈于香草先生生傳〉❺（下文省稱〈傳〉）中所述，分類排比，繫說於下。

㈠經部

1.《周易讀異》三卷　存

《南續志》、《叢綜》、《拾遺》、〈傳〉俱作三卷。❻

未曾刊行，詳細內容及體例均不詳。收入《于香草遺著叢輯》（下文省稱《遺著》），為稿（抄）本，今藏南京圖書館、上海圖書館。

2.《卦氣直日考》一卷　存

《南續志》、《叢綜》、《拾遺》俱作一卷。❼

---

❸ 繆荃孫：〈于香草墓志銘〉，《藝風堂文漫存》（臺北：文史哲出版社，1973 年 2 月），頁 40。

❹ 同註❶。

❺ 《國學雜誌》所載斯文雖題李氏作，然文末實附顧次英案語，專述于鬯著作，甚可參。

❻ 分見嚴偉修，秦錫田等纂：《南匯縣續志》（臺北：成文出版社，1983 年 3 月影印民國十八年刊本），卷十二，頁 517；上海圖書館編：《中國叢書綜錄（二）》（上海：上海古籍出版社，1982 年 12 月），頁 34 左；王紹曾主編：《清史稿藝文志拾遺》（北京：中華書局，2000 年 9 月），頁 32 上；〈于香草先生生傳〉，頁 2。

❼ 分見《南匯縣續志》，頁 517；《中國叢書綜錄（二）》，頁 28 左；《清史稿藝文志拾

「卦氣直日」是以《易經》各卦與一年各日相配合的一套說法，屬於漢代象數《易》學的討論範疇，歷來講論者眾，與于氏亦有往還的著名學者俞樾（1821－1907）即有同名著作。

是書亦未曾刊行，後人收入《遺著》，為稿（抄）本，一卷，今藏南京圖書館、上海圖書館。

3.《尚書讀異》六卷　存

《南續志》、《叢綜》、《拾遺》俱作六卷。❽

〈傳〉作四卷。❾

未曾刊行，詳細內容及體例均不詳。收入《遺著》，為稿（抄）本，六卷，今藏南京圖書館、上海圖書館。

4.《讀周禮日記》　存

《續四庫》作無卷數。❿

《叢綜》作一卷。⓫

《拾遺》作不分卷。⓬

此書上述各書目著錄卷數標準稍異，然版本無別，俱《學古堂日記》本也。學古堂建於蘇州正誼書院旁，貯書數萬卷，供寒士修習其中。雷浚〈學古堂日記序〉云：

> 今方伯貴筑黃公深知寒士得書之難，於書院西偏得隙地而經營之，建堂曰「學古」。建藏書樓，聚書六萬餘卷，招諸生之有志讀書而無書可讀者，資

遺》，頁 32 上。

❽ 分見《南匯縣續志》，〈藝文志〉，頁 517；《中國叢書綜錄（二）》，頁 48 右；《清史稿藝文志拾遺》，頁 53 下。

❾ 〈于香草先生生傳〉，頁 2。

❿ 中國科學院圖書館整理：《續修四庫全書總目提要（稿本）》（濟南：齊魯書社，1996 年 12 月），第 35 冊，頁 587 下。

⓫ 《中國叢書綜錄（二）》，頁 72 左。

⓬ 《清史稿藝文志拾遺》，頁 83 上。

以膏火，肄業其中。設日記，每日所讀之書，有所得、有所疑，皆記之以俟論定。⓭

《學古堂日記》即自諸生日記中擇其佳者匯刊而成，于氏讀三《禮》日記皆收入其中。

本書凡考〈天官〉十一條、〈地官〉四條、〈春官〉二條，《續四庫》評曰：「約計全書殆不及萬言，而頗多精義。如論小宰職八『聽』字止聽治之義，不必專指聽訟而言。宰夫職『萬民之逆』，謂『逆』為『訴』之假借字，不必釋為迎受。……凡此各條，均足以正《注》、《疏》之失。又如論〈天官〉『內小臣奄上士四人』，謂『奄上士』猶云『奄士』，當三字連文讀。甸師職『共野果蓏之屬』，謂『野』乃不樹而自生者，不必作郊野解。……諸此各條，雖未為確論，亦足以備一說。惟其釋小宰職『聽稱責以傳別』，謂傳別之『傳』疑即今人所謂『簿』，上文『比居』之『居』疑即今人所謂『据』，下文『要會』之『要』疑即今人所謂『票』，此則獨標新義，疑所不當疑矣。」⓮

5.**《讀儀禮日記》 存**

《續四庫》作無卷數。⓯

《叢綜》作一卷。⓰

此書亦《學古堂日記》之一種，凡考〈士冠禮〉三條、〈鄉飲酒禮〉二條、〈鄉射記〉一條、〈大射儀〉一條、〈聘禮〉二條、〈公食大夫禮〉一條、〈覲禮〉一條、〈喪服〉一條、〈既夕〉一條、〈士虞記〉一條、〈少牢饋食禮〉一條、〈有司徹〉二條，共計十七條。又於卷端附〈論儀禮敘次〉一篇、〈闈考〉一篇，〈喪服〉下附〈殤服〉、〈殤服發揮〉二篇。《續四庫》評本書云：「徵引詳明，論斷亦多確當。如論闈之名不可專施於宮中之小門；論侯之制，辨鄭《注》與

⓭〔清〕雷浚：〈學古堂日記序〉，〔清〕雷浚、汪之昌選，〔清〕吳履剛、顧光昌編：《學古堂日記》（光緒十六年蘇州學古堂刊二十二年續刊本），卷首，葉一左至葉二右。

⓮《續修四庫全書總目提要（稿本）》，第 35 冊，頁 587 下至 588 上。

⓯同前註，頁 582 下。

⓰《中國叢書綜錄（二）》，頁 78 左。

俞氏《平議》之誤，皆能發前人之所未發。而其附論殤服二篇，尤為精心之作。」[17]

6.《儀禮讀異》二卷　存

《南續志》、《叢綜》、《拾遺》、〈傳〉俱作二卷。[18]

未曾刊行，詳細內容及體例均不詳。收入《遺著》，為稿（抄）本，二卷，今藏南京圖書館、上海圖書館。

7.《殤服》一卷《殤服發揮》一卷附〈兼祧議〉一篇　存

《叢綜》、《拾遺》、〈傳〉書名、卷數記載俱同[19]，唯《南續志》多附錄〈兼祧續注〉[20]，未知該篇存否。

本書稿（抄）本尚在，收入《遺著》，今藏南京圖書館、上海圖書館。又，本書雖未單獨刊行，然考于氏《讀儀禮日記》中附錄有〈殤服〉、〈殤服發揮〉二篇，殆即此中《殤服》、《殤服發揮》。殤服乃為殤亡者居喪之服制，其文見諸《儀禮》，其制宋元猶存，明以後始行刪汰。于氏見禮之不行、文之不講，遂著此書以明殤服之制，「一以《禮經》為主，補其所略，而刪其所不宜於今者。表列差等，推著月算。凡列論議，所執惟中。」[21]

8.《今服表》　佚

本書僅見諸〈傳〉，作一卷。[22]倘于氏友人顧次英記憶無誤，香草當有是書。今《遺著》失收，恐已亡佚。又考其題名，是書當言喪服之制，故類附於此。

9.《讀小戴日記》　存

---

[17] 同註[14]，頁 582 下。

[18] 分見《南匯縣續志》，頁 518；《中國叢書綜錄（二）》，頁 82 右；《清史稿藝文志拾遺》，頁 89 下；〈于香草先生生傳〉，頁 2。

[19] 分見《中國叢書綜錄（二）》，頁 81 左；《清史稿藝文志拾遺》，頁 89 上；〈于香草先生生傳〉，頁 2。

[20] 《南匯縣續志》，頁 518。

[21] 〔清〕于鬯：《讀儀禮日記》（影印清光緒十六年刻學古堂日記本），收入續修四庫全書編纂委員會編：《續修四庫全書》（上海：上海古籍出版社，1995－2002 年），第 93 冊，頁 355 上。

[22] 〈于香草先生生傳〉，頁 2。

《續四庫》作無卷數。㉓

《叢綜》、《拾遺》俱作一卷。㉔

此書亦《學古堂日記》之一種，凡考〈曲禮〉五條、〈檀弓〉二條、〈王制〉一條、〈月令〉一條、〈文王世子〉一條、〈禮運〉一條、〈禮器〉二條、〈內則〉二條、〈明堂位〉一條、〈喪服小記〉三條、〈樂記〉四條、〈雜記〉二條、〈喪大記〉一條、〈緇衣〉一條、〈奔喪〉三條、〈深衣〉二條、〈投壺〉二條、〈射義〉一條，共計三十五條。《續四庫》評云：「其書雖無多，而攷訂舊說則頗有足稱者。如〈檀弓〉『齊穀王姬之喪』，鄭《注》謂『穀』當為『告』，聲之誤也。鬯疑『穀』當讀為『愨』，愨者，諡法也，『穀王姬』即『愨王姬』。……立說不為無據。又如〈雜記〉『三年之喪，祥而從政』，鄭君意以三年之喪即父母之喪，致與〈王制〉『父母之喪，三年不從政』之文相違。鬯謂此三年之喪不指父母之喪，……陳義亦殊確當。又如釋〈文王世子〉『慮之以大，愛之以敬』，謂『大』、『愛』二字疑互倒。……亦均可採以備一說。惟其釋〈檀弓〉『二夫人相為服』，謂此『二夫人』蓋據天子有三夫人而言之，與上文『從母之夫，舅之妻』當別為一項，『同爨緦』一語專指二夫人而言，駁鄭《注》以二夫人承上文言之為誤，其說殊不可信。」㉕

10.《夏小正家塾本》一卷　存

《南續志》、《叢綜》、《拾遺》、〈傳〉俱作一卷。㉖

本書《南續志》題作《夏小正塾本》，無「家」字，殆著錄偶誤。

《夏小正》為古代曆書，原收入《大戴禮記》之中，後世散佚，今本已非舊觀。審是書之名，當為于氏手定之《夏小正》版本。

未曾刊行，有稿（抄）本，一卷，收入《遺著》，今藏南京圖書館、上海圖書館。

㉓ 《續修四庫全書總目提要（稿本）》，第 35 冊，頁 588 下。

㉔ 分見《中國叢書綜錄（二）》，頁 87 右；《清史稿藝文志拾遺》，頁 91 上。

㉕ 《續修四庫全書總目提要（稿本）》，第 35 冊，頁 588 下至 589 上。

㉖ 分見《南匯縣續志》，頁 518；《中國叢書綜錄（二）》，頁 93 左；《清史稿藝文志拾遺》，頁 95 下；〈于香草先生生傳〉，頁 2。

11.《四禮補注》四卷　存

《南續志》不著卷數。㉗

《叢綜》、《拾遺》、〈傳〉俱作四卷。㉘

所謂「四禮」，《南續志》本條下注云：「〈奔喪〉、〈投壺〉、〈諸侯遷廟〉、〈釁廟〉」，為《禮記》及《大戴禮記》中之篇章，是以本書〈傳〉著錄作《禮經四篇補注》。

未曾刊行，有稿（抄）本，四卷，收入《遺著》，今藏南京圖書館、上海圖書館。

12.《新定魯論語述》二十卷　存

《南續志》不著卷數。㉙

《叢綜》、《拾遺》、〈傳〉俱作二十卷。㉚

本書《南續志》題作《新定魯論語疏正》，〈傳〉題作《新定魯論語》。

《魯論語》為漢代流傳的一個《論語》版本，凡二十篇，是今本《論語》的前身之一。審于氏此書題名卷數，當為香草所定《魯論語》版本，一篇為一卷，並具說解。

未曾刊行，有稿（抄）本，二十卷，收入《遺著》，今藏南京圖書館、上海圖書館。

13.《鄉黨補義》一卷　存

《叢綜》、《拾遺》俱作一卷。㉛

〈鄉黨〉為《論語》之一篇，審其題名，本書當為釋〈鄉黨〉之作。

未曾刊行，有稿（抄）本，一卷，收入《遺著》，今藏南京圖書館、上海圖書

㉗ 《南匯縣續志》，頁 518。

㉘ 分見《中國叢書綜錄（二）》，頁 95 右；《清史稿藝文志拾遺》，頁 97 下；〈于香草先生傳〉，頁 2。

㉙ 同註㉗，頁 519。

㉚ 分見《中國叢書綜錄（二）》，頁 144 右；《清史稿藝文志拾遺》，頁 146 上；〈于香草先生生傳〉，頁 2。

㉛ 分見《中國叢書綜錄（二）》，頁 144 左；《清史稿藝文志拾遺》，頁 146 上。

館。

14.《孟子分章考》一卷　存

《叢綜》、《拾遺》俱作一卷。[32]

本書稿（抄）本尚在，收入《遺著》，一卷，今藏南京圖書館、上海圖書館。是書雖未單獨刊行，然民國二十三年，上海大達圖書供應社出版之新式標點《蘇批孟子》，即根據原稿標點整理附錄於末，這本書在臺灣有民國四十四年臺北遠東圖書公司的重印本，題作《增補蘇批孟子》。

香草是書專論《孟子》分章問題，擇其中可疑者，皆先錄其全文，後下案語，論其當分當合。

15.《爾雅讀異》　佚

《南續志》作一卷。[33]

〈傳〉作二卷。[34]

本書僅見諸《南續志》與〈傳〉，而卷數有所出入，未知孰是。〈傳〉中所錄，皆于氏友人所親見，香草必著有是書。然《遺著》失收，恐已亡佚。

16.《爾雅釋親宗族考》一卷　存

《南續志》、《叢綜》、《拾遺》、〈傳〉俱作一卷。[35]

本書稿（抄）本尚在，收入《遺著》，一卷，今藏南京圖書館、上海圖書館。是書雖未單獨刊行，然曾登載於民國四年《國學雜誌》第五期，惟不知是否為全帙。

《爾雅》〈釋親〉分為「宗族」、「母黨」、「妻黨」、「婚姻」四段，本書專釋「宗族」。根據《國學雜誌》第五期所刊內容來看，全書首列經文；次依經文所述繪為表格，示其輩分親疏；次繫說解，並對經文作補充與修正。

17.《新方言眉語》一卷　存

---

[32] 分見《中國叢書綜錄（二）》，頁 149 右；《清史稿藝文志拾遺》，頁 148 下。

[33] 《南匯縣續志》，頁 519。

[34] 〈于香草先生生傳〉，頁 2。

[35] 分見《南匯縣續志》，頁 519；《中國叢書綜錄（二）》，頁 165 右；《清史稿藝文志拾遺》，頁 193 下；〈于香草先生生傳〉，頁 2。

《南續志》、《叢綜》、《拾遺》、〈傳〉俱作一卷。[36]

未曾刊行，詳細內容及體例均不詳。收入《遺著》，為稿（抄）本，一卷，今藏南京圖書館、上海圖書館。

18.《說文職墨》三卷　存

《南續志》、《續四庫》、《叢綜》、《拾遺》俱作三卷。[37]

此書為《南菁書院叢書》之一種。南菁書院位於江蘇江陰，建於清光緒年間。王先謙督蘇學，嘗於此設局刊刻《皇清經解續編》。《南菁書院叢書》為王氏刻成《皇清經解續編》之後所刊，其〈敘〉云：

> 光緒戊子秋，予刊《皇清經解續編》成，時試事既畢，還暨陽候代。檢舊藏及近得之書，裨益藝文者尚數十種，遂以餘力促召梓人刊為叢書。……自來叢書之刻多雜廁前代或汎及詞章，茲編專錄國朝，非有裨考訂者不入。書分八集，皆可喜可觀。予未及搜采者，又屬吾友院長繆筱珊編修賡續成之，板存南菁書院，因以名其書。四、五集則院中高材生所撰述。[38]

本書即收入該叢書之第四集。

書分三卷，依《說文》次序，擇其可疑或待闡明者，先錄其原文，次辯說於下。《續四庫》評本書云：「許書有段、桂、嚴、王四家，博大精深，各極其勝。是書後出，補苴罅漏，多所發明。」[39]

19.《說文平段》一卷　存

---

[36] 分見《南匯縣續志》，頁 519；《中國叢書綜錄（二）》，頁 226 右；《清史稿藝文志拾遺》，頁 197 下；〈于香草先生生傳〉，頁 2。

[37] 分見《南匯縣續志》，頁 519；《續修四庫全書總目提要（稿本）》，第 4 冊，頁 412 下；《中國叢書綜錄（二）》，頁 189 左；《清史稿藝文志拾遺》，頁 203 上。

[38] 〔清〕王先謙：〈敘〉，〔清〕王先謙輯：《南菁書院叢書》（清光緒十四年江陰南菁書院刊本），卷首，葉一。

[39] 《續修四庫全書總目提要（稿本）》，第 4 冊，頁 412 下。

《南續志》、《叢綜》、《拾遺》俱作一卷。[40]

未曾刊行，詳細內容及體例均不詳。收入《遺著》，為稿（抄）本，一卷，今藏南京圖書館、上海圖書館。

20.《說文集釋》不分卷　存

本書著錄於《中國古籍善本書目》、《拾遺》，作者題于鬯、沈毓慶。[41]

沈毓慶與于氏同為南匯人，《南續志・人物志》有傳云：「沈毓慶，字肖韻。居川沙。父樹鏞，舉人，內閣中書，嗜金石，書畫收藏之富甲於江左。毓慶承其家學，亦精鑑別。工詩，能作大篆，摹其舅吳大澂體，幾可亂真。嘗出榆關佐吳大澂戎幕，無功而還，遂絕意進取，以廩貢生候選府經歷終。」[42]

是書為抄本，現藏南京圖書館。未曾印行，詳細內容及體例均不詳。

21.《古文考》六卷《補考》一卷　未見

本書僅《南續志》著錄[43]，入經部小學類，其餘目錄及于氏傳記資料中均未見。考其所錄書名卷數，極類于氏他著《古女考》六卷、《補考》一卷，二者僅一字之殊。抑或「女」、「文」手書形似，撰志者未見原書，誤析為二，僅憑題名類附歟？別無確證，俟考。

㈡史部

1.《史記散筆》二卷　存

《南續志》不著卷數。[44]

《叢綜》、《拾遺》俱作二卷。[45]

〈傳〉作六卷。[46]

---

[40] 分見《南匯縣續志》，頁 519；《中國叢書綜錄（二）》，頁 187 左；《清史稿藝文志拾遺》，頁 199 下。

[41] 分見中國古籍善本書目編輯委員會編：《中國古籍善本書目（經部）》（上海：上海古籍出版社，1989 年 10 月），頁 425；《清史稿藝文志拾遺》，頁 203 上。

[42] 《南匯縣續志》，卷十三，，頁 604。

[43] 《南匯縣續志》，頁 519。

[44] 《南匯縣續志》，頁 521。

[45] 分見《中國叢書綜錄（二）》，頁 264 左；《清史稿藝文志拾遺》，頁 249 上。

[46] 〈于香草先生生傳〉，頁 2。

本書卷數記載略有出入，未知各家所見是否相同。亦未曾刊行，詳細內容及體例均不詳。收入《遺著》，為稿（抄）本，二卷，今藏南京圖書館、上海圖書館。

2.《戰國策注》三十三卷《序錄》一卷《年表》一卷 存

《南續志》、《叢綜》、〈傳〉書名、卷數著錄俱同。[47]

本書為于氏用力至深之作，《南續志》於本條下注云：「校訂鮑、吳注，兼采群書，以注姚本，還劉向原次之舊。博考精研，歷二十年始成書」，又顧次英回憶道：「今年（鎮壕按：指宣統二年，即香草去世之年）夏晤君，詢及近箸，君以《戰國策注》對，且曰：『治此二十年，稿四易矣』」[48]，足見香草治學之嚴謹及對是書之重視。

本書亦未曾刊行，後人收入《遺著》，為稿（抄）本，今藏南京圖書館、上海圖書館。惟其中《戰國策年表》曾據上海圖書館藏本標點整理，附錄於一九七八年上海古籍出版社點校出版之《戰國策》末。《戰國策年表》表列各國紀年，繫《戰國策》文中所述之事於其下，足資閱讀參考。

3.《古女考》六卷《補考》一卷 存

《南續志》、《叢綜》、《拾遺》、〈傳〉書名、卷數著錄俱同。[49]

未曾刊行，詳細內容不詳。考其題名，殆亦劉向《列女傳》一類之作。收入《遺著》，為稿（抄）本，今藏南京圖書館、上海圖書館。

㈢子部

1.《種樹瑮聞》 佚

《南續志》不著卷數。[50]

〈傳〉作一卷。[51]

---

[47] 分見《南匯縣續志》，頁 522；《中國叢書綜錄（二）》，頁 296 左；〈于香草先生生傳〉，頁 2。

[48] 同註[46]，頁 3。

[49] 分見《南匯縣續志》，頁 522；《中國叢書綜錄（二）》，頁 438 右；《清史稿藝文志拾遺》，頁 337 上；〈于香草先生生傳〉，頁 2。

[50] 同註[44]，頁 525。

[51] 同註[46]。

本書僅見諸《南續志》與〈傳〉，〈傳〉中所錄，皆于氏友人所親見，香草必著有是書。然《遺著》失收，恐已亡佚。

2.**《香草校書》六十卷《續》二十二卷　存**

《香草校書》，《南續志》、《叢綜》、《拾遺》、〈傳〉俱作六十卷。[52]

《香草續校書》，《南續志》無著錄；《叢綜》、《拾遺》俱作二十二卷[53]；〈傳〉作二十三卷[54]。

《南續志》雖無著錄《香草續校書》，然於《香草校書》下注云：

> 已梓者：《易》四卷、《書》四卷、《周書》二卷、《詩》八卷、《周禮》七卷[55]、《儀禮》三卷、《禮記》五卷、《大戴禮》三卷、《春秋左氏傳》七卷、《穀梁傳》二卷、《公羊傳》二卷、《國語》三卷、《孝經》一卷、《論語》二卷、《孟子》二卷、《爾雅》二卷、《說文》四卷。未梓者：《荀子》三卷、《墨子》二卷、《管子》一卷、《晏子春秋》一卷、《列子》一卷、《楊子》一卷、《商君》一卷、《韓非子》一卷、《呂氏春秋》一卷、《孫子》一卷、《老子》一卷、《莊子》二卷、《淮南子》一卷、《素問》二卷、《水經注》一卷。[56]

其中所謂「未梓者」，即《香草續校書》的內容。

又，《香草續校書》的卷數，各家著錄稍有出入。今南京圖書館、上海圖書館所藏稿（抄）本，收入《遺著》者為二十二卷；〈傳〉及繆荃孫（1844－1919）〈于香草墓志銘〉均作二十三卷[57]；而上述《南續志》所謂「未梓者」，合之則為

[52] 分見《南匯縣續志》，頁 528；《中國叢書綜錄（二）》，頁 178 左；《清史稿藝文志拾遺》，頁 174 上；〈于香草先生生傳〉，頁 1。

[53] 分見《中國叢書綜錄（二）》，頁 178 左；《清史稿藝文志拾遺》，頁 174 上。

[54] 〈于香草先生生傳〉，頁 1。

[55] 《南續志》原訛作「《周易》七卷」，此正之。

[56] 《南匯縣續志》，頁 528。

[57] 繆荃孫：〈于香草墓志銘〉，《藝風堂文漫存》，頁 40。

二十卷。未知各家所據是否相同。

《香草校書》有光緒年間刻本，然未刊刻完成，缺卷四十三至五十一以及卷五十四[58]（即《校左傳》第七卷、《校國語》三卷、《校穀梁傳》二卷、《校公羊傳》二卷、《校孝經》一卷及《校孟子》第二卷），凡十卷；《香草續校書》則只有稿（抄）本。今二書皆有北京中華書局出版之點校本，原未梓行者均據上海圖書館藏本整理補足，是目前最普遍也最完整的版本。

此二書為于氏之讀書劄記，於上列諸書之疑義處，均錄其原文，加案語於其下。「以形聲故訓、展轉通假之例」，「刊正奪誤，稽合同異」[59]，最足以顯示香草深厚的學術功力。繆荃孫將其與俞樾及孫詒讓（1848－1908）書相提並論，以為「近時與俞氏《平議》、孫氏《札迻》卓然為三大師，非他人小小補苴能語矣」[60]。

3.《花燭閒談》一卷　存

《南續志》、《叢綜》、〈傳〉俱作一卷。[61]

本書為于氏著作中版本最多者，大凡有光緒三十三年（1907）木活字本（一云刻本）、《香豔叢書》本、《說庫》本等[62]，《遺著》所收者為光緒三十三年的本子。

前有沈毓慶的〈序〉，末有「梅老人」、「眉韻舊主」、胡咸章及于氏的跋語。題名「花燭」者，婚禮之謂也。于氏言：「此書為潘甥味言婚時作，一夕而告成。」[63]全書均為筆記體，凡四十餘條，言古代婚禮儀節與夫制作之意，乃及當世禮俗。雖以「閒談」為名，而酌古證今，非一般著作可比。然其中所述亦未必盡

[58] 中華書局編輯部：〈出版說明〉，頁 1，〔清〕于鬯：《香草校書》（北京：中華書局，1984 年 8 月）。

[59] 同註[54]。

[60] 同註[57]。

[61] 分見《南匯縣續志》，頁 528；《中國叢書綜錄（二）》，頁 462 左；〈于香草先生生傳〉，頁 2。

[62] 《中國叢書綜錄（二）》，頁 462 右。

[63] 〔清〕于鬯：《花燭閒談》（影印香豔叢書本），收入周光培編：《清代筆記小說》（石家莊：河北教育出版社，1996 年 8 月），第 10 冊，頁 37。

是，「則此書特名曰『閒談』，原不為典要」[64]也。

4.**《閒書四種》一卷　存**

《南續志》、〈傳〉不著卷數。[65]

《叢綜》一錄總題[66]，又分錄四種，各作一卷[67]，《拾遺》承後者著錄。[68]

本書有稿（抄）本，一卷，收入《遺著》，今藏南京圖書館、上海圖書館。所謂「閒書四種」，乃指〈畫話〉、〈酒話〉、〈偶語〉、〈適言〉。由於本書未曾刊行，〈偶語〉、〈適言〉的內容不詳。然〈畫話〉、〈酒話〉曾由倪軼池據抄本刊登於民國卅三年《紫羅蘭》第十四期，題曰〈香草閒書〉。二者皆為筆記體，摭拾古來掌故，縱言畫、酒，雖香草治經餘力之作，亦可見其風致云。

5.**《香草隨筆》　佚**

《南續志》不著卷數。[69]

〈傳〉作十卷。[70]

本書僅見諸《南續志》與〈傳〉，〈傳〉中所錄，皆于氏友人所親見，香草必著有是書。然《遺著》失收，恐已亡佚。

㈣集部

1.**《楚詞新志》　未見**

本書僅見於《南續志》[71]，不著卷數，其餘目錄及于氏傳記資料中均未見，不知香草是否真有其書。

2.**《澧溪文集》十一卷　存**

---

[64] 〔清〕沈毓慶：〈花燭閒談序〉，〔清〕于鬯：《花燭閒談》，收入周光培編：《清代筆記小說》，第 10 冊，頁 8。

[65] 分見《南匯縣續志》，頁 529；〈于香草先生生傳〉，頁 2。

[66] 同註[62]，頁 1740 左。

[67] 《畫話》見頁 934 右，《酒話》見頁 1080 右，《適言》、《偶語》見頁 1081 左。

[68] 《畫話》見頁 1340 下，《酒話》、《適言》、《偶語》見頁 1473 上。

[69] 《南匯縣續志》，頁 528。

[70] 〈于香草先生生傳〉，頁 2。

[71] 同註[69]，頁 532。

《南續志》不著卷數。72

《叢綜》、《拾遺》俱作十一卷。73

〈傳〉作十六卷。74

本書卷數記載略有出入，未知各家所見是否相同。未曾刊行，各卷內容不詳。收入《遺著》，為稿（抄）本，十一卷，今藏南京圖書館、上海圖書館。

3.《澧溪外集》　佚

本書僅見諸〈傳〉75，作六卷，其他目錄不著錄。此書為于氏友人親見，香草當有是書。又審其題名，應與《澧溪文集》別為二書。今《遺著》失收，恐已亡佚。

4.《雜詩》　未見

本書僅見諸〈傳〉76，作一卷，其他目錄不著錄。此書為于氏友人親見；又香草於《續詩人徵略》有傳，言其「校書之暇，耽於詩酒」77，並錄其詩作〈閎翁自題雲瞬山居圖用汪鈍翁堯峯山莊韻予適自杭歸次韻和之〉二首，則鬯有詩集當無疑也。然不知其詩集收入《澧溪文集》歟？抑或散佚歟？

5.《香草文鈔》一卷　存

據「日本所藏中文古籍數據庫」著錄，本書有「宣統元年南匯于氏上海排印本」78，當為作者自印。南京圖書館、上海圖書館、日本京都大學人文科學研究所均有藏，臺灣公藏單位似未見，內容俟考。

6.《香草尺牘》二卷　存

---

72 《南匯縣續志》，頁534。

73 分見《中國叢書綜錄（二）》，頁1516右；《清史稿藝文志拾遺》，頁2043下。

74 〈于香草先生生傳〉，頁2。

75 同前註。

76 同註74。

77 〔清〕吳仲輯：《續詩人徵略》，卷一，收入周駿富輯：《清代傳記叢刊》（臺北：明文書局，1985年5月），第24冊，頁14。

78 日本所藏中文古籍數據庫，網址：http://kanji.zinbun.kyoto-u.ac.jp/kanseki?record=data/FA019705/tagged/0554015.dat&back=1，2010年10月3日查找。

《叢綜》、《拾遺》俱作二卷。[79]

本書應為于氏之書信集，未曾刊行，收入《遺著》，為稿（抄）本，二卷，今藏南京圖書館、上海圖書館。

7.《香草談文》一卷　存

《南續志》不著卷數。[80]

《叢綜》、《拾遺》、〈傳〉俱作一卷。[81]

本書有稿（抄）本，一卷，收入《遺著》，今藏南京圖書館、上海圖書館。又有據上海圖書館藏本標點排印者，收入王水照編、上海復旦大學出版社出版之《歷代文話》第六冊。

本書為筆記體，凡六十條，專言古文文法，舉例以先秦古籍為主。「於古書妙處及後人誤讀之處，多所發明，擊中要害，頗能見出其小學功底。對古書中『對』、『承』、『省』諸法，又能不囿於音訓句讀，而以文章氣脈為準的，顧及前後，探求要旨，剔出後人錯訛之所在，發人所未發，言人所未言。」[82]

㈤叢部

1.《于香草遺著叢輯》一百九十卷　存

此書僅《叢綜》、《拾遺》著錄[83]，茲據《叢綜》迻錄其子目於下：

⑴首一卷遺像遺墨一卷　張履中輯　一九五四年油印攝影本

⑵香草校書六十卷續二十二卷　光緒宣統間刊本卷四十三以下稿本

⑶戰國策注三十三卷序錄一卷年表一卷

⑷周易讀異三卷

⑸尚書讀異六卷

---

[79] 同註[73]。

[80] 同註[72]，頁 528。

[81] 分見《中國叢書綜錄（二）》，頁 1588 右；《清史稿藝文志拾遺》，頁 2456 上；〈于香草先生生傳〉，頁 2。

[82] 王水照編：《歷代文話》（上海：復旦大學出版社，2007 年 11 月），第 6 冊，總頁 6073。

[83] 分見《中國叢書綜錄（一）》（上海：上海古籍出版社，1982 年 12 月），頁 565；《清史稿藝文志拾遺》，頁 2549 下。

⑹儀禮讀異二卷

⑺四禮補注四卷

⑻爾雅釋親宗族考一卷

⑼殤服一卷殤服發揮一卷附兼祧議一篇

⑽新定魯論語述二十卷

⑾鄉黨補義一卷

⑿孟子分章考一卷

⒀說文平段一卷

⒁夏小正家塾本一卷

⒂香草談文一卷

⒃史記散筆二卷

⒄古女考六卷補考一卷

⒅花燭閒談一卷　光緒三十三年（1907）刊本

⒆澧溪文集十一卷

⒇卦氣直日考一卷

㉑新方言眉語一卷

㉒閒書四種一卷

㉓香草尺牘二卷

㉔留香閣詩問二卷　（清）張祖綬撰

一九六三年北京中華書局出版的《香草續校書》前有一篇〈點校說明〉，提及「于氏的女婿張以誠在抗日戰爭時期保存了于氏的手稿，並抄校了副本。一九五四年，張以誠等把于氏著作的全部稿本和抄本分別捐獻給江蘇省人民政府和上海市人民政府」[84]，這份稿（抄）本指的就是這部叢書。捐給江蘇省人民政府者現藏南京圖書館，捐給上海市人民政府者現藏上海圖書館。倘若〈點校說明〉無訛，則南京圖書館所藏方為稿本，上海圖書館所藏乃抄本，《叢綜》的著錄稍誤。又，南京圖

[84] 張華民：〈點校說明〉，頁 1，〔清〕于鬯著，張華民點校：《香草續校書》（北京：中華書局，1963 年 3 月）。

書館著錄子目種數二十五[85]，卷數則無異，當是二館對子目認定有別，內容並無不同。

除了卷首、遺像、遺墨和《留香閣詩問》之外，其餘子目已於上文說明。卷首、遺像、遺墨題「張履中輯」，張履中未詳何人，疑即上引《香草續校書·點校說明》中的于氏女婿張以誠。

《留香閣詩問》，《南續志》亦作二卷，下題「張祖綬著。德清俞樾序。祖綬，上海孝廉方正張承頤女，于鬯室。」[86]則祖綬為于氏妻室，即繆荃孫〈于香草墓志銘〉中所謂「元配張氏」是也。至於此書的寫作緣起與內容，俞樾〈留香閣詩問序〉云：

> 于香草明經之配綠硯女史，名祖綬，姓張氏。工詞翰，曉經義，香草治經，往往得內助焉。嘗欲為《經統》一書，未就；身歿之後，惟《留香閣詩問》二卷完善可讀。乃其課女讀《毛詩》時，意有所疑，綠硯問，而香草答也。則是香草之書，而非綠硯之書。然能疑能問，亦足見其所學。[87]

是本書雖題祖綬之名，而其中多為于鬯之言，編入《遺著》，於體亦合。

《遺著》為于氏現存著作之集成，乃香草畢生學思所萃，天壤間僅南京、上海二本，然所收至今大部分猶未整理印行。

附錄：《公法平議》

本書僅見諸〈傳〉[88]，為于氏友人顧次英追憶香草諸作之一，鬯殆著有是書，今《遺著》失收，恐已亡佚。審其題名，未知內容為何，難以類附，故附錄於諸作

---

[85] 南京圖書館館藏查詢系統，網址：http://ntaleph98.jslib.org.cn/F/MNTIX94DDECTMYKADTAX971NK7V4ARY5CBD89KBMSYVGQ6F4LL-01837?func=full-set-set&set_number=006185&set_entry=000010&format=999，2010年10月5日查找。

[86] 《南匯縣續志》，頁517。

[87] 〔清〕俞樾：〈留香閣詩問序〉，《春在堂襍文》（清光緒二十五年刻春在堂全書本），五編，卷七，葉二十四。

[88] 〈于香草先生生傳〉，頁2。

之末焉。

三、文章

于氏除上述專著外，尚有一些著作被後人刊登於期刊之中。這些期刊文章有些擇取于氏生前已刊行的著作，有些是根據于氏後人保存的稿本或抄本整理刊行。茲據筆者所見，條列繫說於下。

㈠〈于氏易說〉

連載於民國元年《中國學報》第一期及第二期，各十二及十三頁。全文與《香草校書》同一體例，凡讀《易》劄記卅二條，當中有數條亦見於《香草校書》，而文字有些微差異。

㈡〈昏禮今論〉

連載於民國四年《國學雜誌》第一期及民國六年《國學雜誌》第八期，各二及三頁。文分九條，專言古代婚禮及當世禮俗，俱摘自《花燭閒談》者也。

㈢〈喪服今論〉

連載於民國四年《國學雜誌》第二期（目次誤題〈喪禮今論〉）及民國六年《國學雜誌》第八期，各二頁。文分廿九條，專言喪服制度。內容不見上述已刊行諸作，當據于氏稿本錄出者。

㈣〈爾雅釋親宗族考〉

刊登於民國四年《國學雜誌》第五期，凡五頁，說詳上文《爾雅釋親宗族考》條下。

㈤〈爾雅新志卷上〉

刊登於民國五年《國學雜誌》第七期，未完，凡二頁。全文與《香草校書》同一體例，凡讀《爾雅》劄記四條，俱摘自《香草校書》者也。

㈥〈讀王氏說文釋例〉

刊登於民國四年《國學雜誌》第一期，凡三頁。《說文釋例》為清代《說文》學名家王筠（1784－1854）之作，凡二十卷，《續四庫》云：「『釋例』云者，即許書而釋其條例，猶杜元凱之於《春秋》也」[89]，例目凡五十餘。本文為于氏讀《說文釋例》之心得，中多駁正之語。亦不見於上述已刊行諸作，當據于氏稿本錄出者。

㈦〈香草閒書〉

刊登於民國卅三年《紫羅蘭》第十四期頁一四〇至一五〇，說詳上文《閒書四種》條下。

結　語

承前所述，于鬯著作可考者凡三十餘種，存世者尚有二十餘種之多。除此之外，顧次英還提及「其隨手紀錄，或未經編定者尚夥」，「又君風歌樓藏書眉端校訂，朱墨爛然，有極精諦語，而無從編次成書者，亦復不少」[90]，是于氏舊時所讀書中，仍有許多劄記之語，若經董理，亦《香草校書》一類之作也。考《中國古籍善本書目》著錄有如下四條：

1.尚書集解三十卷　清卞斌撰　稿本　清于鬯跋[91]

2.泉志十五卷　宋洪遵撰　續志三卷補遺二卷　清邱承宗撰　清抄本　清于鬯校[92]

3.黃帝內經素問二十四卷　明吳崐注　明萬歷三十七年刻本　清于鬯跋[93]

4.楚辭十七卷　漢王逸章句　宋洪興祖補注　清同治十一年金陵書局刻本　清于鬯校[94]

當皆于氏昔日藏書之存於今者。其中《尚書集解》收入《續修四庫全書》之中，其于氏跋語曰：「此書同門李深秋（鎮壕按：即李邦黻）茂才見贈，云於村塾中見一

---

[89] 《續修四庫全書總目提要（稿本）》，第4冊，頁183。

[90] 〈于香草先生生傳〉，頁2。

[91] 《中國古籍善本書目（經部）》，頁119。

[92] 《中國古籍善本書目（史部）》（上海：上海古籍出版社，1993年4月），頁1488。

[93] 《中國古籍善本書目（子部）》（上海：上海古籍出版社，1996年12月），頁177。

[94] 《中國古籍善本書目（集部）》（上海：上海古籍出版社，1998年3月），頁4。

童子作讀本，因購蔡《傳》易之」[95]云云，寥寥數語，略言得書緣由，不及其內容，學術價值並不高。顧氏所謂「朱墨爛然，有極精諦語」者，當就上列題「于鬯校」者而言；然為數甚寡，與「亦復不少」之說不符，則香草藏書散佚之情形可見一斑。

于鬯一生未曾仕進，治學著述以終，學問具有根柢，立說亦極可觀；俞樾許為「畏友」[96]，繆荃孫讚為「大師」，諒非虛美。卻因著作流傳不廣，後人認識未深，論者頗稀，乃至漸遭遺忘，實為憾事。文獻整理工作雖曰為保存文化遺產，但更重要的還是發揚與促進學術。觀于氏是例，舊籍整理工作之迫切自不待言。而與于氏情形類似的學者諒必還不少，亦待有心者之發掘和表彰，方不致埋沒了他們在學術傳承的過程中曾作出的努力及貢獻。

---

[95] 〔清〕卞斌：《尚書集解》（影印稿本），收入《續修四庫全書》，第 48 冊，頁 473。

[96] 〔清〕俞樾：〈于香草所校書序〉，《春在堂襍文》，六編，卷七，葉十六左。

經　學　研　究　論　叢
第 十 九 輯　頁245～250
臺灣學生書局　2011 年 11 月

楊筠如著作目錄

何銘鴻*

一、小傳

楊筠如先生，字德昭，清光緒二十九年（1903 年）生，湖南省常德縣人，民國三十五年（1946 年）於西北大學教授任內去世。是民國時期眾多研究經史之學的著名學者之一，早歲攻讀北平清華學校國學研究院，在著名國學大師王國維教授悉心指導下，完成畢業論文《尚書覈詁》，榮獲甲一等級之成績，為該研究院第一屆第一名畢業生。畢業後，先後任教廈門集美學校國學專門部、廣州市國立第一中山大學、上海市暨南大學、青島市青島大學、開封市省立河南大學、成都市國立四川大學、長沙市湖南大學、西安市西北大學等。著作頗富，除刊行專書《尚書覈詁》外，尚有《九品中正與六朝門閥》、《荀子研究》，及學術論文十餘篇。是故，楊筠如對於民國以來之學術具有一定之貢獻。

二、著作目錄

(一)專著

1.《九品中正與六朝門閥》

北平　商務印書館　1930 年 7 月

上海　上海書店　1992 年（《民國叢書》第三編）

---

*　何銘鴻，臺北市立教育大學中國語言文學系博士生。

2.《尚書覈詁》

北平　商務印書館　1931 年 9 月

北平　北強學社　1934 年 4 月

西安　陝西人民出版社　1959 年 6 月

《尚書類聚初集》（杜松柏編）　新文豐出版公司　1984 年 10 月

3.《尚書覈詁》（黃懷信點校）

西安　陝西人民出版社　2005 年 12 月

4.《荀子研究》

臺北　臺灣商務印書館　1965 年臺一版

臺北　臺灣商務印書館　1975 年臺二版

臺北　學海出版社　1978 年重印

《中國邏輯史資料選》現代卷　上　周雲之主編　中國邏輯史研究會資料編選組

蘭州　甘肅人民出版社　1991 年 11 月

上海　上海古籍出版社　1992 年（《民國叢書》第四編）

上海　上海書店　1992 年

㈡期刊論文

1.〈評荀孟哲學〉

《國學叢刊》第二卷第一期　1924 年 3 月

2.〈孔子仁說〉

《國學叢刊》第二卷第二期　1924 年 6 月

3.〈伊川學說研究〉

《國學叢刊》第二卷第四期　1925 年 10 月

4.〈媵〉

《國學論叢》第一卷第一號　1927 年 6 月

《婦女風俗考》高洪興等編　上海市　上海文藝出版社　1991 年 10 月

5.〈春秋時代之男女風紀〉

《國立第一中山大學語言歷史學研究所週刊》　第二集第十九期　1928 年 3 月

《中國婦女史論文集》第 2 輯　李又甯，張玉法編　臺北市　臺灣商務印書館

1988年5月

6.〈周代官名略考〉

《國立第一中山大學語言歷史學研究所週刊》 第二集第二十期 1928年3月

《三禮研究》 耿素麗，胡月平選編 北京市 國家圖書館出版社 2009年5月

7.〈三老考〉

《國立第一中山大學語言歷史學研究所週刊》第二集第二十一期 1928年3月

8.〈尚書覈詁（一）〉

《國立第一中山大學語言歷史學研究所週刊》 第五集第五十三、五十四期 1928年11月

9.〈尚書覈詁（二）〉

《國立第一中山大學語言歷史學研究所週刊》 第五集第五十五期 1928年11月

10.〈尚書覈詁（三）〉

《國立第一中山大學語言歷史學研究所週刊》 第五集第五十七、五十八期 1928年12月

11.〈尚書覈詁（四）〉

《國立第一中山大學語言歷史學研究所週刊》 第五集第五十九、六十期 1928年12月

12.〈堯舜的傳說〉（一）

《國立第一中山大學語言歷史學研究所週刊》 第五集第五十九、六十期 1928年12月

13.〈堯舜的傳說〉（二）

《國立第一中山大學語言歷史學研究所週刊》第六集第六十一期 1928年12月

14.〈兩漢賦稅考〉

《國立第一中山大學語言歷史學研究所週刊》 第六集第六十六期 1929年1月

15.〈讀何定生君《尚書文法研究專號》〉

《國立第一中山大學語言歷史學研究所週刊》第六集第七十二期 1929年3月

16.〈姜姓的民族和姜太公的故事〉

《國立第一中山大學語言歷史學研究所週刊》第七集第八十一期　1929年5月
《古史辨》第二冊　上編　北平　樸社（景山書社總發行）　1926 年；上海　開明書店　1938 年；上海　上海書店　1938 年 9 月；香港　太平書局　1962 年；臺北　明倫出版社　1970 年 3 月；上海　上海古籍出版社　1982 年 2 月；臺北　藍燈文化事業公司　1987 年 11 月；上海　上海書店　1992 年 12 月（民國叢書　第四編）

17.〈周公事蹟的傳疑〉
《國立第一中山大學語言歷史學研究所週刊》第八集第九十一期　1929年7月

18.〈春秋初年齊國首稱大國的原因〉
《國立第一中山大學語言歷史學研究所週刊》第八集第九十二、九十三期　1929年8月

19.〈由歷史上觀察的中國南北文化〉（桑原騭藏著，原載《東洋史論集》）
《國立武漢大學文哲季刊》第一卷第二號　1930年7月

20.〈關於荀子本書的考證〉
《古史辨》第六冊　上編　北平市　樸社（景山書社總發行）　1926 年；上海　開明書店　1938 年；上海市　上海書店　1938 年 9 月；香港　太平書局　1962 年；臺北　明倫出版社　1970 年 3 月；上海　上海古籍出版社　1982 年 2 月；臺北　藍燈文化事業公司　1987 年 11 月；上海　上海書店　1992 年 12 月（民國叢書　第四編）

21.〈中國史前文化的推測〉
《暨大文學院集刊》2 集 1 期　1931 年 6 月

22.《尚書覈詁（前半部）》（與裴學海《老子正詁》合刊）
北平　北強學社　1934 年 4 月

23.《尚書覈詁》（續）
《北強月刊》　1935 年 12 月

24.〈元代對於西南徭區之開發〉
《邊聲月刊》第 1 卷第 2 期　1940 年 7 月

25.〈古代媵制之研究〉

《社會科學雜誌》第 1 期　1928 年

《社會科學雜誌》第 1 卷第 1 號　1929 年 2 月再版

三、後人研究目錄

1.〈評楊筠如《尚書覈詁》〉

《童書業史籍考證論集》　童書業　北京　中華書局　2005 年 10 月

《浙江省立圖書館館刊》　第四卷第六期　1935 年 12 月

2.〈楊筠如〉

《常德市教育志（1840-1988.6）》　常德市　常德市教育委員會　1989 年

3.〈經史學家楊筠如事跡繫年（一）〉　何廣棪

古籍整理研究學刊　2010 年第 1 期　2010 年 1 月

4.〈經史學家楊筠如事跡繫年（二）〉　何廣棪

古籍整理研究學刊　2010 年第 1 期　2010 年 1 月

5.〈關於楊筠如先生晚年事蹟的補正〉　李學勤

《古籍整理研究學刊》　2010 年第 3 期　2010 年 5 月

6.〈上升與隕落：國立青島大學講師楊筠如〉　臺東鎮

豆瓣網　http://www.douban.com/group/topic/9996581/　2010 年 2 月 23 日

經　學　研　究　論　叢
第 十 九 輯　頁251～266
臺灣學生書局　2011 年 11 月

安井小太郎編纂經學入門書目的學術意義

林慶彰*

一、前言

中國傳統學問分經、史、子、集四大類，各個類留下多少成果？文淵閣《四庫全書》已收了三千四百五十七種，這些學問在清末民初時，統稱為「國學」。國學的內涵既是這麼豐富，要入門應當如何？最佳的指南，是開一份國學入門書的書目，以解決讀者內心的疑惑，這種工作在民國十二年（1923）時，胡適、梁啟超都做了。當時，胡適為清華學生擬定了一份〈一個最低限度的國學書目〉，分工具書、思想史、文學史三部份，收書一百九十種。同年，梁啟超也應《清華周刊》記者之邀，撰寫《國學入門書要目及其讀法》，收書一百六十種，梁氏並擬定一份〈最低限度的必讀書目〉，附於該書之後，這是為國學開立的入門書目。至於有沒有學者為經、史、子、集四部開立入門書？經過仔細的檢索，在中國顯然沒有。在日本，安井小太郎在 1933 年由大東文化學院研究部印行《經學門徑》，這是中、日、韓研究經學的大事情，對於這本東亞唯一的經學入門書目，我們怎麼來看待它，並發掘其中的意義。

由於這本書目在國內很少學者提到，前人也沒有留下什麼研究成果，所以本文

* 林慶彰，中央研究院中國文哲研究所研究員。

所作的敘述和論析，大抵是個人的意見，如有不妥當的地方，敬請諒解。

二、安井氏生平的三個時期

安井小太郎，日本安政五年（1859）生，名小太郎，字朝康，號朴堂。日向（宮崎縣）人。是江戶末年昌平黌教授安井息軒（1799－1876）的外孫。安井氏一生可分為三個階段：

㈠第一階段：求學時期

從安政五年（1858）到明治十七年（1894），二十七歲之前。

安政五年（1858），一歲，六月十九日生於麴町三番町安井息軒家。

慶應元年（1865），八歲，移居宮崎郡清武村息軒的故里。開始讀《孝經》。

明治二年（1869），十二歲，讀完《孝經》。接著在城下學校就學，讀完《論語》、《孟子》。

明治四年（1871），十四歲，至東京，入安井息軒的三計塾，專研《左傳》、《史記》、《戰國策》、《貞觀政要》、《周禮》、《管子》等經傳子史的書籍。

明治九年（1876）十九歲時入島田篁村之門。

明治十一年（1878）赴京都跟草場船山學習。

明治十五年（1892）東京帝國大學古典科入學。卒業後，任學習院助教授、教授。

從此一階段的記事，可知安井氏求學時期曾師事安井息軒、島田篁村、草場船山三大儒，已讀完《孝經》、《論語》、《孟子》、《左傳》、《周禮》等經學的典籍，也奠定後來成為經學大家的基礎。

㈡第二階段：撰述經學著作時期

從明治十八年（1885）到大正十年（1921），安井氏二十八歲到六十四歲之前。

明治二十七年（1894）三十七歲，出版《大學講義》、《中庸講義》、《論語講義》（哲學館）。

明治二十八年（1895）三十八歲，出版《本邦儒學史》。

明治三十五年（1902）四十五歲，應聘京師大學堂當教習。

明治四十年（1907）五十歲，回國，任第一高等學校教授。

大正十年（1921）六十四歲，撰述《禮記譯注》。

此一時期完成的經學專著有：《本邦儒學史》、《大學講義》、《中庸講義》、《論語講義》、《禮記譯注》。單篇論文有：〈古文尚書考〉、〈周禮考〉、〈孟子論〉、〈鄭王異同辨〉、〈王陽明與論語〉、〈關於慊堂翻刻漢籍意見〉。

㈢第三階段：撰述經書解題時期

從大正十一年（1922）到昭和十三年（1938）過世。安井氏六十五歲至八十一歲時期。

大正十四年（1925），六十八歲，退官，轉任大東文化學院教授。又擔任二松學舍專門學校、駒澤大學講師。

昭和三年（1928）七十一歲，任斯文會顧問。

昭和八年（1933）七十六歲，出版《經學門徑》。

昭和十年（1935）七十八歲，出版《論語講義》（大東文化協會）。

昭和十二年（1937）八十歲，出版《曳尾集》。

昭和十三年（1938）八十一歲，四月二日過世。

此一時段約有十五年，完成的專著有《經學門徑》、《論語講義》、《曳尾集》等。單篇論文有〈正平板論語解〉、〈讀南淵書〉、〈讀揚雄傳〉、〈論偽古文孔傳〉、〈宋代異學禁〉、〈論語孔注辨疑〉、〈車乘考並序〉、〈朱子之經學〉、〈春秋正義解說並缺佚考〉、〈先秦至南北朝之經學史〉、〈毛詩詁訓傳撰者考〉〈經學研究之方針〉、〈清代於學術上之功績〉、〈續詩疑〉、〈周代井田無公田辨〉、〈讀伯夷傳〉等。然最重要的是他在此一階段為日本學者之經學著作所撰寫的解題，如果以學派來分，這些著作解題分屬江戶時期的各個學派：

1.古學派

伊藤仁齋：〈大學定本解題〉、〈中庸發揮解題〉、〈論語古義解題〉、〈孟子古義解題〉

龜井南冥：〈論語語由解題〉

廣瀨淡窗：〈讀孟子解題〉

2.折衷學派

冢田大峰：〈孟子斷解題〉

猪飼敬所：〈孟子考文解題〉

豐島豐洲：〈論語新注解題〉

3.**陽明學派**

佐藤一齋：〈大學欄外書解題〉、〈中庸欄外書解題〉、〈孟子欄外書解題〉

4.**懷德堂學派**

中井履軒：〈大學雜義解題〉、〈中庸逢原解題〉、〈孟子逢原解題〉

5.**考證學派**

皆川淇園：〈論語繹解解題〉

吉田篁敦：〈論語集解考異解題〉

市野迷庵：〈正平本論語札記解題〉

東條一堂：〈論語知言解題〉

撰述經籍解題的工作大概在昭和元年（1926）結束。這工作從大正十一年（1922）開始，安井氏整整作了四年。這些解題包括江戶時代各個學派的著作，後來大部份收入關儀一郎所編《日本名家四書注釋全書》中，這可能是關儀一郎請求安井氏為他所編的叢書所作的解題。

另外，在安井氏過世的第二年，即昭和十四年（1939）東京富山房出版他的《日本儒學史》和《日本漢文學史》。

《經學門徑》出版的昭和八年（1933），安井氏的解題工作已結束七年，將一生所讀的經學著作選出適合初學者入門的，加上解題，編成這本《經學門徑》書目，對七十多歲的安井來說，因為做的是自己熟悉的事，應該不會太過勉強。

三、《經學門徑》的結構

根據〈朴堂先生著述論文目錄〉，安井小太郎這本《經學門徑》刊行於昭和八年（1933），由松雲堂發行❶，這年安井氏七十六歲，可以說是晚年的著作。昭和

---

❶ 〈朴堂先生著述論文目錄〉，見《斯文》第 22 編第 7 號（1938 年 7 月），頁 23－25。該《目錄》將「經學門徑」誤排作「經學問徑」。

四十六年（1971）四月有松雲書院重印本。這部書沒有序文，因此安井氏編纂這書的動機、目的、內容編排，都不得而知。現在，我們先討論以下幾個問題：

㈠分類

基本上這本《經學門徑》的分類，大抵採用《四庫全書》的分類體例，再略作修正。我們先看《四庫全書總目》經部的分類：

易類、書類、詩類、禮類（周禮、儀禮、禮記、三禮總義、通禮）

春秋類、孝經類、五經總義類、四書類、樂類、小學類

而安井氏《經學門徑》的分類是：

周易部、尚書部、詩部、周禮部、儀禮部、禮記部、春秋部、論語部、

孝經部、爾雅部、孟子部、四書部、群經部

把《經學門徑》的分類與《四庫全書總目》作比較的話，有數點值得注意：

其一，《四庫全書總目》的禮類又分周禮、儀禮、禮記、三禮總義、通禮、雜禮等小類，安井氏的書目只分周禮、儀禮、禮記三類，另有聶崇義《三禮圖》、豬飼敬所《讀禮肆考》、秦蕙田《五禮通考》、徐乾學《讀禮通考》、江永《禮書綱目》、淩廷堪《禮經釋例》五本書附在禮記之後。朱子《儀禮經傳通解》，《四庫全書總目》入通禮類，安井氏將其改入禮記類，這樣的安排並非完全妥當。

其二，《四庫全書總目》把論語、孟子都納入四書類。安井氏不採《四庫全書總目》的分類法，改採朱彝尊《經義考》，於《四書》之前仍立論語部、孟子部，只不過安井氏在論語部之後、孟子部之前插入孝經部、爾雅部。

其三，《四庫全書總目》有小學類，安井氏的時代小學已逐漸獨立成所謂「語言文字學類」，但《爾雅》仍是經書，所以把它獨立成爾雅部。

其四，《四庫全書總目》在四書類之前有「五經總義類」，安井氏的《經學門徑》則改在「四書部」之後，這樣的改動也比較合理。

㈡各類收書數目

1.周易部：收書 27 種，中國學者著作 22 種，日本學者著作 5 種。

2.尚書部：收書 25 種，中國學者著作 23 種，日本學者著作 2 種。

3.詩　部：收書 27 種，中國學者著作 22 種，日本學者著作 5 種。

4.周禮部：收書 13 種，中國學者著作 12 種，日本學者著作 1 種。

5.儀禮部：收書 12 種，中國學者著作 11 種，日本學者著作 1 種。

6.禮記部：收書 15 種，中國學者著作 14 種，日本學者著作 1 種。

7.春秋部：收書 37 種，中國學者著作 33 種，日本學者著作 4 種。

8.論語部：收書 43 種，中國學者著作 25 種，日本學者著作 18 種。中國學者著作中有兩種《論語義疏》，是日本的版本。

9.孝經部：收書 16 種，中國學者著作 9 種，日本學者著作 7 種。

10.爾雅部：收書 8 種，中國學者著作 6 種，日本學者著作 2 種。

11.孟子部：收書 21 種，中國學者著作 13 種，日本學者著作 8 種。

12.四書部：收書 22 種，中國學者著作 9 種，日本學者著作 13 種。

13.群經部：收書 28 種，中國學者著作 23 種，日本學者著作 5 種。

所收中國學者著作 222 種，日本學者著作 72 種，合計收書 294 種。每一種書之下，都有或長或短的提要，篇幅短的，如周易部所收明何楷的《古周易訂詁》（乾隆十六年郭氏再刻本）十六卷，該書的提要是：

> 明何楷著。此書雜采漢晉以來之舊說，不株守一家。其取捨多徵實之言，是明人著書中的白眉。傳本絕少，不足供應好學之士，可惜。（頁 4）

篇幅長的，如陳啟源的《毛詩稽古編》，提要說：

> 清陳啟源著。舉篇名，解釋篇中字句。敘例曰：參酌舊詁，不創立新解。《集傳》、《大全》，今日經生尚之、而注疏亦立於國學，故所辨證，此二書為多。又引據之書以經傳為主，而兩漢諸儒文語次之，以漢世近古也，魏晉六朝及唐又次之，以去古稍遠也，宋元迄今去古益遠，又多鑿空之論。此書體例大約如此，釋義親切詳到，譯著有據者多，是清儒詩注的翹楚，卷末附經詁、舉要、考異、正字、辨物、稽疑六門，附錄尤佳。

引陳啟源《毛詩稽古編》之〈敘例〉以說明該書之體例，並略作評價。

四、編纂《經學門徑》的學術意義

《經學門徑》既收有294種中日學者的著作，其中中國學者的著作222種，日本學者著作 72 種，我們可以從安井氏為這些著作所作的提要，來檢視他的學術立場。

㈠中日學者著作並重

從《經學門徑》所收的中日學者著作，也可以看出安井氏是否有國家主義的立場，把日本學者的著作收錄特別多。周易部收書 27 種，日本學者的著作僅收伊藤東涯《周易經翼通解》、伊藤仁齋《易經古義》、□原篁洲《易學啟蒙諺解大成》、東條一堂《繫辭答問》、真勢中洲創、松井羅洲修飾《周易釋古義》等五種而已。尚書部收書25種，日本學者的著作僅收2種。

收錄日本學者著作較多的是論語部、孟子部和四書部。論語部收書 43 種，收入日本學者著作 15 種，所收之書有：伊藤仁齋《論語古義》、荻生徂徠《論語徵》、片山兼山《論語徵廢疾》、松平賴寬《論語徵集覽》、龜井南溟《論語語由》、龜井昭陽《論語語由述志》大田錦城《論語大疏》、安井息軒《論語集說》、竹添井井《論語會箋》、伊藤仁齋《語孟字義》、並河天民《天民遺言》、木山楓谿《語孟字義辨》、冢田大峰《論語群疑考》、吉田篁墩《論語集解考異》、林泰輔《論語年譜》等十五種，另有正平本❷《論語集解》、藤堂本《論語集解》❸、天文本《魯論》❹等三本《論語》古本。

孟子部，收書21種，日本學者著作8種。四書部，收書22種，日本學者著作13 種，這已超過半數。安井氏所以在這幾部收錄較多日本人著作，蓋《論語》和《四書》在日本流傳一千多年，累積相當豐富的著作，足供研究者參考之用。

---

❷ 指後村上天皇正平十九年（1364）九月，堺浦的道祐居士刊刻的何晏《論語集解》。這是日本最早翻刻的中國經籍。

❸ 是舊鈔卷子本，抄寫年代不能確定。江戶時期為津藩（今三重縣）藤堂氏所藏，故稱「藤堂本」。有各種傳刻本，嚴靈峰所編《無求備齋論語集成》有收錄。

❹ 日本天文年間（1532－1555）刊刻的《論語》，是《論語》單經本（無注）最古的本子。刻板藏泉州堺南宗寺，有清原宣賢的跋。

㈡無今古文的成見

編輯入門書最忌有作者的成見，但是每一位作者都有他的學術立場，難免有成見。像皮錫瑞作《經學歷史》一書，很多地方都顯示了他的今文學的立場❺。安井氏不是中國學者，比較沒有今古文的包袱，所以他沒有陷入今古文的漩渦中，這點我們可以從《經學門徑》書目所收書得到證明。

今古文問題比較嚴重的是《詩經》和《春秋》兩經。《詩經》有齊、魯、韓三家詩，是為今文。毛詩一家為古文。三家詩在魏、晉間都已亡佚，歷來一直是《毛詩》獨盛，從晚清開始，今文三家詩崛起，以前亡佚的齊、魯、韓三家佚文也陸續被輯出來，有取代《毛詩》的氣勢。安井氏所處的晚清時期，正好是今文學最興盛的時代，他的《書目》所收錄的書，從《毛詩正義》到段玉裁《詩經小學》，其中除魏源《詩古微》是今文系統外，大抵都是《毛詩》系統。接著收錄的是陳壽祺的《三家詩遺說考》、范家相的《三家詩拾遺》、馮登府《三家詩異文疏證六卷．補遺三卷》三種，和前面提到的《詩古微》，就有四種，這是合乎當時《詩經》發展的歷史事實。

再看看今古文之爭比較激烈的《左傳》與《公羊傳》問題，安井氏的書目，從《春秋左傳注疏》到《左氏會箋》，共收錄 9 種《左傳》的著作，接著著錄《春秋公羊傳注疏》、孔廣森《春秋公羊通義》、劉逢祿《公羊何氏釋例》、陳立《公羊義疏》等四種《公羊》學的著作，兩傳的重要著作都收錄了，可見安井氏並沒有偏今文或古文，態度非常客觀。

㈢兼收漢宋學著作

經學史上有所謂漢、宋之爭，「漢」是指漢學傳統，宋人一出現，都要面對漢人所遺留下來的學術傳統，宋人對漢人的傳經，往往持否定的態度，所以鄭樵有「秦人焚書而書存，諸儒窮經而經絕」❻的說法。這漢、宋之爭到清中葉變得更厲害，幾已達到水火不容的地步。許多學者本來考察今文學發展，以作為編輯各種教

---

❺ 詳細情形可參考吳仰湘：〈皮錫瑞《經學歷史》研究〉，《經學研究論叢》第 14 輯（臺北市：臺灣學生書局，2006 年 12 月），頁 1－52。

❻ 見鄭樵：《通志》（臺北市：新興書局，1959 年），卷 71，〈校讎略〉。

材的補充之用。安井氏的書目對漢宋學問題，沒有較深入的研究，但我們從他所收的著作，仍可看出安井氏的態度。例如：詩部收錄《毛詩正義》，代表的是漢學的知識傳統，接著著錄歐陽修的《毛詩本義》、呂祖謙的《呂氏家塾讀詩記》、朱熹的《詩集傳》、嚴粲的《詩緝》等四種，可見安井氏也是很重視宋人注經的成就。

㈣學術研究的步調問題

日本江戶時代中期起，經學著作的步調，往往比中國還要快，譬如：山井鼎的《七經孟子考文》傳入中國後，阮元用來作為校勘《十三經注疏》的主要材料，對阮元作《十三經注疏校勘記》是頗有幫助的。另外，經學家太宰春臺作《詩書古傳》、《論語古訓》、《論語古訓外傳》，都比中國阮元、陳鱣同類型的著作要早六、七十年。❼即至明治時代，日本的井上哲次郎有《日本朱子學派之哲學》、《日本陽明學派之哲學》、《日本古學派之哲學》，這種符合現代學術規範的著作都已出版。在中國還停留在編學案的學術格局中，這樣來看待中、日、韓的經學才會有較實質的意義。

五、《經學門徑》對所收書之評價

《經學門徑》因為有提要，對所收的書往往有或長或短的批評，把這些批評彙集起來觀察，就可以看出安井氏對某一經學問題的看法。由於提要有將近三百篇，要從這麼多提要中看出安井氏的經學觀點，的確要費一番功夫。本小節擬將同一類型的著作歸納，然後按時間先後排列。

㈠對清初考辨易圖著作的評價

首先，看安井氏對考辨易圖的幾本著作的評價。《經學門徑》周易部收錄，胡渭的《易圖明辨》十卷、黃宗羲《易學象數論》六卷、張惠言《易圖條辨》一卷三種。安井氏所撰《易圖明辨》的提要說：

> 河圖、洛書、五行、九宮、參周契、先天易、太極圖、龍圖、易數鈎隱圖、

---

❼ 太宰春臺作《詩書古傳》、《論語古訓》、《論語古訓外傳》，阮元作《詩書古訓》，陳鱣作《論語古訓》，太宰氏的著作，比阮元、陳鱣的著作要早六七十年。

> 啟蒙、先天古易、後天之學、卦變等，多出於道士之說，力論其非根據易學而來，考證學給易學的功用，尤為顯著。（頁 10）

胡渭的《易圖明辨》是用考據的方法，明白的舉出證據來證明坊間流傳之易圖，並非本於《周易》，而是出於道士之說。黃宗羲《易學象數論》的提要說：

> 漢易以京房、焦延壽為首，一直到鄭玄，重視卦象、方術者之易，至宋陳摶、劉牧，是道士之易。此書先論河洛、先天、方位、納甲、納音、月建、卦氣、卦變、互卦、筮法、占法，皆屬於象。其次，論太玄、乾鑿度、玄包、乾虛、洞極、洪範數、皇極數、六壬、太乙、遁甲，是屬於數，在此書之後，出版的有毛奇齡的《圖書原舛編》、胡渭《易圖明辨》，皆袪除易學迷妄大有功的著作。（頁 11－12）

對胡渭的著作，安井氏特別強調考證學方法在該書中的應用，在《易學象數論》中則強調黃宗羲此書，與毛奇齡、胡渭之作，掃除易學迷障，大有功於易學。

至於，張惠言的《易圖條辨》，安井氏的提要說：「辨河圖、洛書、太乙、九宮、太極圖、納甲圖、皇極經世、卦變圖、朱子卦變、程蘇卦變，與《易圖明辨》等相同，是破圖易家之說的書。」（頁 12）

㈡對宋代詩經學著作的評價

宋代《詩經》學著作，安井氏的書目收錄了呂祖謙的《呂氏家塾讀詩記》、朱熹的《詩集傳》、嚴粲的《詩緝》，稱為「宋代詩學三大著作」（頁 29），《呂氏家塾讀詩記》的提要說：

> 呂祖謙是朱熹的好友，對詩學的觀點完全相反，祖謙固守毛鄭，相信《詩序》，作為宋代古義學家的解釋，有一讀的價值。（頁 28）

強調呂祖謙與朱熹相反的解詩立場，但要了解古義，仍有一讀的價值。朱熹《詩集傳》的提要說：

> 朱熹廢《詩序》不用，不拘泥於《詩序》，因詩中文句，定作詩的時代，和作詩的緣由，又因其文句，定是否是淫詩，這與毛鄭的古義大不相同，然屬訓詁者多從毛鄭。又《毛詩》於一篇詩，注興也，不注比、賦。朱熹於各篇每章，皆注比也、興也，或注比而興也。這也是和古義不同的地方。（頁28－29）

這裡特別強調朱子廢《詩序》不用，其實朱子的說法遵循《詩序》者多達百分之七十五，並不如一般人所說「廢詩序」。近人有關此一問題的研究不少❽，安井氏都無法見到這些著作，所以仍然依照傳統的說法來立論，至於提要中點明「訓詁多從毛鄭」，倒是合乎事實的說法。前人往往以為漢宋學是對立的，宋學就是揚棄漢學，所以才能稱為「新經學」。這個觀點不太能適用於宋代的朱子學派，除了朱子的《詩集傳》，訓詁多從毛、鄭之外，蔡沈的《書集傳》，訓詁也多從《古文尚書》孔傳，所以漢、宋學的關係不是對立的，應是一種批判繼承的關係。嚴粲《詩緝》的提要說：

> 以呂氏《讀詩記》為主，雜採諸說，發明呂氏之意，論大小雅之別，不從〈大序〉來解詩體，後儒多從之。朱熹《集傳》、呂祖謙《讀詩記》、嚴粲《詩緝》，宋代詩學三大著作。（頁29）

㈢對宋元禮記著作的批評

安井氏的《書目》收錄宋衛湜《禮記集說》、元陳澔《禮記集說》和元吳澄的《禮記纂言》三本著作，安井氏對這三書有比較詳盡的提要。衛湜書的提要說：

---

❽ 相關的研究成果有：⑴李家樹：《國風詩序與詩集傳之比較研究》（香港大學中文系碩士論文，1976 年），後來改寫書名作《國風毛序朱傳異同考析》（香港九龍：學津出版社，1979 年 1 月）。⑵王清信：《詩經二雅毛序與朱傳所定篇旨異同之比較研究》（臺北市：東吳大學中國文學系碩士論文，1998 年）。⑶林慶彰：〈朱子詩集傳二南的教化觀〉，收入《朱子學的開展——學術編》（鍾彩鈞主編）（臺北市：漢學研究中心，2002 年 6 月），頁 53－68。

> 取鄭玄以下一百四十四家之說，作為參稽之資，而其書多亡佚，為此書僅存。且取捨采擇之書者多，陳澔之注立於學官風行天下，此書讀者少，《禮記義疏》中多取自此。與澔書相比，不可同日談。（頁 52）

安井氏以為衛湜之書不立於學官，讀者少，清人修《禮記義疏》，多從此書取材。陳澔書與其相比，不可同日而語。陳澔之書的提要說：

> 此書頗便初學，澔之學淵源於朱熹之壻黃榦，為朱學派所尊，得立於學官，其徵引多誤筆，《四庫全書提要》曾舉數條加以討論。得《禮記》大要是好事、禮制之精細方面，比孔穎達的《疏》稍差一點。（頁 52）

指出陳澔之書有不少錯誤，整體來說，不如孔穎達的《禮記注疏》，元吳澄書的提要說：

> 割裂經文以類相從，各篇亦類聚，通禮九篇，喪禮十一篇，祭禮四篇，通論十篇，把《曲禮》、《少儀》、《玉藻》作一篇，《大學》、《中庸》別為一書。考禮制之人便利，猶冠《禮記》之名則不可，朱熹《儀禮經傳通解》以《儀禮》為經，稍可免受批評。（頁 53）

指出吳澄割裂《禮記》一書，其書不可冠以《禮記》之名。這是對疑經改經者較嚴厲的批判。

㈣對安井息軒著作的評價

安井息軒是安井小太郎的外祖父，安井小時候一直住在外祖父家，受外祖父的調教，是形塑安井氏學術性格的重要人物。安井息軒的著作甚多，有《論語集說》、《孟子定本》、《大學說》、《中庸說》、《毛詩輯疏》、《左傳輯釋》等經學著作，可說是江戶時代很具代表性的經學大家。安井氏之《書目》收錄其祖父之著作有《毛詩輯疏》、《左傳輯疏》、《論語集說》、《孟子定本》等四種。安井氏為這四部書所作的提要並不長，且並未特別論揚安井息軒，《毛詩輯疏》的提要說：

> 雖本毛傳鄭箋，解釋多從傳意，多前人未發之見，引清儒陳啟源等人之說，通暢詩義。（頁 33）

安井氏強調他祖父的著作解釋雖多從傳意，但時有前人未發之見，且常引清儒陳啟源等人之說來通暢詩意。《左傳輯疏》的提要說：

> 舉清人和國人之說並加以批判，往往有所見，應一讀。（頁 60）

強調該書對清儒和日本學者之著作採批判的態度，而時有所見，有一讀的必要。《論語集說》的提要說：

> 以《集解》為底本，引《集注》、《古義》、《徵》及清朝考據家之說，斷以己意，整理複雜的論語各家之說，井然有序。（頁 77）

他強調安井息軒的書是引朱子《論語集注》，伊藤仁齋《論語古義》、荻生徂徠《論語徵》等人之說法和清代考據家之說，然後斷以己意，且強調安井息軒善於整理前人複雜的說法，使之條理井然。《孟子定本》的提要說：

> 以趙注本為底本，參酌朱熹《集注》、焦循《孟子正義》、伊藤仁齋《孟子古義》，以及自家之見。（頁 98）

指出安井息軒的書是以趙岐《孟子章句》為底本，參取朱子、焦循、伊藤仁齋等人之作而成。

㈤對竹添井井著作的評價

竹添井井（1842－1917），名光鴻，通稱進一郎，號井井。是安井息軒的學生。有《毛詩會箋》、《左傳會箋》、《論語會箋》三部大著作，前人稱為「三會箋」，安井氏的書目三本書都收錄了。《毛詩會箋》的提要說：

> 多取馬瑞辰、胡承珙等考據家之說，也有自家獨得之說。雜以邦儒之說，有稍失氾濫之憾，近代優良的著作。（頁33）

指出《毛詩會箋》取材的來源，惋惜該書稍流於氾濫，但還是肯定該書是優良著作。《左傳會箋》的提要說：

> 據秘府藏卷、古抄本訂正經注文字，引國內外先儒之說，作為參稽之資，唯舉先儒之說皆沒其名，不能知何人之說者甚多，可惜。（頁60）

指出《左傳會箋》引前人之說皆沒其名，這是竹添氏三會箋中最受人詬病的地方，近數十年來，探討此一問題的論文甚多❾，但早在八十年前安井氏已先指出。《論語會箋》的提要說：

> 體例與《左傳（會箋）》、《毛詩（會箋）》相同，《論語（會箋）》多引清朝近代人之說，又引國人之說，和《毛詩會箋》相比，是更能得要領的好著作。（頁77）

指出《論語會箋》多引清人、近代人之著作，如和《毛詩會箋》相比，更能得要領。安井氏指出三會箋的優缺點，《毛詩會箋》稍流於氾濫，《左傳會箋》「舉先儒之說皆沒其名」，只有《論語會箋》比較沒爭議，但安井氏仍以為三部書都是優良著作。

---

❾ 孫赫男：〈竹添光鴻《左傳會箋》研究述要〉對此事有詳細的討論，見《北京大學學報》，2006年3期（2006年5月），頁147－150。

六、結論

民國以來為國學開入門書目，最有影響的應該是胡適所編的〈一個最限度的國學書目〉和梁啟超的《國學入門書要目及其讀法》，至於為經學開立入門書目的，古今中外僅有安井小太郎的《經學門徑》書目。此書的出版，個人覺得有數點學術意義：

其一，經學自中國傳到日本，從江戶時代起就逐漸有周邊顛覆中央之舉。自明治時代起日本因受西學的影響，經學研究也有獨立發展的空間，在中國流行編輯國學入門書目之際，安井氏發揮他的經學素養，編輯一份經學入門書目，也是理所當然的事。這證明了中國沒有的，日本也可以有，這也是日本經學獨立發展的重要例證。

其二，安井氏所以能在經學上有較大的成就，得力於外祖父安井息軒和島田篁村、草場船山等老師的細心教導，再加上為江戶時代經學家撰寫經學著作解題，有整整四年的歷練，於七十六歲時完成《經學門徑》，這可說是水到渠成的事。

其三，安井氏編纂《經學門徑》的態度是相當客觀的，這書目的特色是中日著作並重，無今古文學的偏見，也無漢宋問題。各書之解題文字儘量簡潔，但都能抓住重點來批評。這本《經學門徑》代表安井氏研究經學七十年的心血結晶。這書雖已出版近八十年，用來作為當代的經學入門書目，仍舊不會過時。這就是安井氏識見高明的地方。

經學研究論叢
第十九輯　頁267～308
臺灣學生書局　2011年11月

簡帛文獻與《楚辭》研究

黃靈庚*

自二十世紀五〇年代以來，在戰國的荊楚的版圖之內，即今湖北、湖南、河南、安徽省等地，接二連三地出土戰國楚簡帛書和秦、漢簡帛書，比較著名者則有：湖北省江陵市望山楚墓竹簡，包山楚墓竹簡，荊門市郭店楚墓竹簡，雲夢睡虎地秦墓竹簡，王家臺秦墓竹簡，江陵張家山漢墓竹簡，湖南省長沙市戰國楚帛書，馬王堆漢墓帛書，河南省信陽市長臺關戰國楚墓竹簡，新蔡葛陵楚墓竹簡，安徽省阜陽市雙古堆漢墓竹簡等等，還有流入香港文物市場而為上海博物館收回、整理出版的《戰國楚竹書》。學術界統稱為「簡帛文獻」或「簡帛古籍」。

簡帛文獻直接出自地下，沒有人為加工、刪改痕跡，較之傳世文獻更為真實可信。有時判別、驗證一部書的年代或真偽，出自簡帛的一條書證，真抵上了十條或數十條傳世文獻材料的價值，甚者將動搖、推翻、改寫上千年來所形成的結論。而且，簡帛文獻大都是久已失傳的佚書或佚篇，其學術價值更是不可估量。王國維說，「古來新學問起，大都由於新發現」，「紙上之學問賴於地下之學問」❶，於是身體力行，倡導「二重證據法」，即以地下出土的「新材料」以證明、補充傳世的「紙上之材料」。❷王氏科學地揭示了傳統學術的生命所在及其發展趨勢。現在，愈來愈多的學者參與簡帛文獻研究，重視簡帛文獻印證傳世文獻，在學術界已

* 黃靈庚，浙江師範大學中文系教授。

❶ 傅傑編校：《王國維論學集》（北京市：中國社會科學出版社，1997年6月版），頁207。

❷ 同上註，頁39。

經呈現出一個多年未有的新「熱點」。

簡帛文獻有其明顯的地域特徵，多出土於楚地的戰國、秦、漢的古墓，與傳世《楚辭》文獻關係比較密切，二者可以互證的內容甚多。筆者忝列《楚辭》研究三十餘年，踵武靜安先生的「二重證據法」，運用歷年出土的戰國楚簡帛文獻及秦、漢簡帛文獻，重新檢討、研究傳世《楚辭》，探索在新材料、新發現的條件下《楚辭》研究的新方法和新途徑。經過多年來的努力和嘗試，略有些心解和收獲，將作為引玉之磚，求教於當今的楚學界。本文將從五方面分別予以討論，由於筆者才疏學淺，粗鄙之處勢所難免，祈同道者批評、指正。

一、簡帛文獻對傳世《楚辭》文本的校訂

通常說法，漢文字的規範劃一是在秦統一中國以後。在秦以前，「言語異聲，文字異形」。❸這個觀念根深蒂固地盤踞人們的腦子裏，即是說，春秋列國之間的語言文字是有區別的，楚國既有自己的語言，又有自己特殊的文字系統，習慣地被稱為「楚文字」❹、「楚系文字」❺。而楚國的文字與中原六國文字比較，其「形體結構和書寫風格」的差異尤為突出。屈原、宋玉等書寫的《楚辭》作品，其使用的文字是有別於六國的「楚系文字」，與傳世《楚辭》文本更是迥然不同的。《楚辭》文本在口授、筆抄乃至翻刻等漫長的流傳過程中，大概是先由「楚系文字」轉換為其時的通行文字、秦統一以後的小篆文字，再轉換為以後楷體、行書，而後成為幾經翻刻的傳世《楚辭》定本，誰也無法保證其沒有走樣、不被人為改動。一部古書幾經傳抄往往變得面目全非，則是常有的事。何況是彌歷二千三百年之久、經過不同文字體系轉換的《楚辭》呢！

屈原當年書寫〈離騷〉等文學作品，究竟使用怎樣的一種文字體系呢？在沒有弄清戰國楚文字面貌以前，對傳世《楚辭》文本的真實可靠性提出這樣或那樣的懷

❸〔漢〕許慎：《說文解字後序》，見段玉裁：《說文解字注》（上海市：上海古籍出版社，1981年10月版），頁757。

❹ 李守奎：《楚文字編》（上海市：華東師範大學出版，2003年12月版），頁5。

❺ 滕壬生：《楚系簡帛文字編》（武漢市：湖北教育出版社，1995年7月版），頁1。

疑，是順理成章的事情。

如果連《楚辭》文本的可靠性都成為問題，那麼研究屈原及其文學作品失去了基礎，會變得毫無價值、毫無意義。而簡帛文獻的發現，終於為當今學者釋解了由不同系統文字轉換而產生對《楚辭》文本的滿腹疑慮，重新認定了傳世《楚辭》文獻的應有價值。

一九九一年，湖北江陵市包山二號楚墓的竹簡首次公佈於世❻。這是歷史上首次面世的達萬字以上的楚簡文獻材料，單字一千六百零五個，合文三十一個，基本上真實、全面地反映了當時楚國通用文字的基本面貌和使用情況。包山二號墓的墓主是楚懷王時期的左尹邵旅，是和屈原生活在同一歷史時期的人。這批楚簡材料自然引起研究屈原、研究《楚辭》學者極大興趣。屈原《楚辭》作品的書寫文字，應該是與包山楚墓的文字相同的。包山楚簡的發現，為傳世《楚辭》文本提供了書寫文字的參照系。筆者一方面在企圖從包山楚簡中直接索隱與屈原事蹟有關聯的材料的同時，另一方面又特別關注所謂的「楚系文字」的「形體結構和書寫風格」方面的特徵。

我細心地用許慎《說文解字》的小篆及其所收錄的古文、籀文，與包山楚簡文字逐一對勘，意外發現：百分之九十五以上的楚簡文字在《說文解字》裏對上了號，沒有對上號的少數文字，只能說是為許慎所遺漏的「古文」，真正屬於異形的楚國特有寫法的文字是極少數，根本無法構成「形體結構和書寫風格」不同的「文字系統」。說明至少在戰國之世，語言基本上是統一的，文字也是統一的。由此推斷，不僅「楚系文字」、「秦系文字」等提法不科學，不真實，即是秦「統一文字」的傳統說法，也很值得質疑。中國語言文字史，由於楚簡材料的發現，恐怕得重新檢討，重新編寫。再說，語言和文字都是約定俗成的，當時的人愛寫怎樣的文字，完全受其時社會的制約，權勢至上的秦始皇帝奈何不得。史稱「同書文字」，是指秦王朝使用文字方面所作某些「規範」（如異體字、通假字之類）而已，不可過分地誇大其作用。而屈原、宋玉書寫的《楚辭》作品，是使用其時社會通行的統一文字。《楚辭》作品在漫長的流傳過程中，只存在因時間的差異而發生過古今文

---

❻ 湖北省荊沙鐵路考古隊編：《包山楚簡》（北京市：文物出版社，1991 年 10 月版）。

字的轉換，而不存在因南北地域的差異而發生過不同系統的文字轉換。

這個發現非常重要，人們毋需為傳世《楚辭》文本因「文字異形」而產生的疑慮費盡心機了。在二千多年的流傳過程中，《楚辭》文本與所有現存的先秦文獻一樣，只曾有過古今文字的轉換。楚簡文字和傳世《楚辭》文本的差異，是通常的古今文字的差異，沒有其他特殊的地方。傳世《楚辭》文本的文獻價值應予以充分肯定。之後，又有《郭店楚墓竹簡》❼、《新蔡葛陵楚墓》❽、《上海楚竹書》❾、《九店楚簡》❿以及《睡虎地秦墓竹簡》⓫、《龍崗秦簡》⓬、《張家山漢墓》⓭、《馬王堆漢墓帛書》⓮等簡帛文獻陸續出版，與傳世《楚辭》文獻可以參照的文字材料更為豐富了。

由於古今書寫文字的轉換，《楚辭》文本失真、走樣的情況畢竟存在的。利用地下的簡帛文獻以疏通《楚辭》在文字方面歷代遺留下來的障礙，雖然其作用是有限的，但是，簡帛文字材料對傳世《楚辭》文本某些字句的校訂，確是一條非常有效的途徑。限於篇幅，以下臚舉五事來說明。如：

【常／恒】〈離騷〉：「民生各有所樂兮，余獨好修以為常；雖體解吾猶未變

---

❼ 荊門市博物館編：《郭店楚墓竹簡》（北京市：文物出版社，1998年5月版）。

❽ 河南省文物考古研究所編著：《新蔡葛陵楚墓》（鄭州市：大象出版社，2003年1月版）。

❾ 馬承源主編：《上海博物館藏戰國楚竹書》（一）（上海市：上海古籍出版社，2001年版）；《上海博物館藏戰國楚竹書》（二）（上海古籍出版社，2002年版）；《上海博物館藏戰國楚竹書》（三）（上海市：上海古籍出版社，2003年版）。

❿ 湖北省文物考古研究所、北京大學中文系編：《九店楚簡》（北京市：中華書局，2000年5月版）。

⓫ 睡虎地秦墓竹簡小組編：《睡虎地秦墓竹簡》（北京市：文物出版社，2001年版）。

⓬ 中國文物研究所、湖北省文物考古研究所編：《龍崗秦簡》（北京市：中華書局，2001年版）。

⓭ 張家山漢墓竹簡整理小組編：《張家山漢墓竹簡》（北京市：文物出版社，2001年1月版）。

⓮ 馬王堆漢墓帛書整理小組編：《馬王堆漢墓帛書》（壹）（北京市：文物出版社，1980年3月版）；《馬王堆漢墓帛書》（貳）（北京市：文物出版社，1982年版）；《馬王堆漢墓帛書》（參）（文物出版社，1983年版）；《馬王堆漢墓帛書》（肆）（北京市：文物出版社，1985年3月版）。

兮，豈余心之可懲。」〈離騷〉常、懲二字是協韻的。常，古屬陽部；懲，古屬蒸部。則二字出韻。戴震《屈原賦注》：「懲，讀如長，蓋方音。」江有誥《楚辭韻讀》：「常、懲謂陽、蒸合韻。」聞一多《楚辭校補》：「常、懲母音近，韻尾同，例可通叶。」諸說無據，皆不可信。孔廣森《詩聲類》：「常，本恒字，漢人避諱改為常耳。慎勿又據為陽可通蒸也。」梁章鉅《文選旁證》曰：「常，當作恒，與懲為韻。此避漢諱改。」其說得之，可惜皆無書證。《郭店楚墓竹簡》凡謂固常字悉作「恒」。《老子》（甲種本）「知足之為足，此恒足矣」；「是故聖人能輔萬物之自然，而弗能為，道恒亡為也」；「道恒亡名，樸雖微，天地不敢臣」。此三「恒」字，長沙《馬王堆漢墓帛書》甲、乙二本《老子》亦同，知其為漢初本，即在文帝之前，而今諸通行本《老子》皆改作「常」字。又，《郭店楚墓竹簡・五行篇》：「口而不傳，義恒口口。」〈魯穆公問子思篇〉：「子思曰：『恒稱其君之亞（惡）者，可謂忠臣矣。』」〈成之聞之篇〉：「古之用民者，求之於己為恒。」〈尊德義篇〉：「因恒則固。」又：「凡動民必順民心，民心有恆。」皆用「恒」而不用「常」。據此，〈離騷〉此「常」字可逕校改為「恒」。

【成堂／盈堂】〈九歌・湘夫人〉「匊芳椒兮成堂」，王逸注：「布香椒於堂上。」洪氏《補注》引一本作「播芳椒兮盈堂」。聞一多《楚辭校補》云：「成猶飾也。《儀禮・士喪禮》『獻素，獻成亦如之』。注：『飾治畢為成。』成與素對舉，未飾者為素，已飾者為成。粉飾屋壁也稱成。《考工記・匠人》『白盛』，注云：『盛之言成也。以蜃灰堊牆，所以飾成宮室。』《周禮・掌蜃》『共白盛之蜃』，注：『盛猶成也。謂飾牆使白之蜃也。』『播芳椒兮成堂』，是用椒末和泥來粉飾堂壁，即所謂椒房。」⑮朱季海《楚解詁》襲用聞說。⑯姜亮夫《屈原賦校注》以成為盛，說是「盛滿」。⑰徧考漢、唐古訓，成即「成就」之意，《周禮》說飾就為成，而不謂飾為成。聞氏有妄改古訓以強就己說之嫌。再說，《楚辭》無

---

⑮ 聞一多：《聞一多全集》（二）（北京市：三聯書店，1982年8月版），頁378。

⑯ 朱季海：《楚辭解故》（上海市：上海古籍出版社，1963年12月版），頁230。

⑰ 姜亮夫校注：《重訂屈原賦校注》（天津市：天津古籍出版社，1987年3月版），頁211－212。

盈滿義用為盛字者。古書裏不存在「盛堂」之類的語詞。故二說不可信。成堂，即盈堂，說滿堂。楚人謂滿為盈。成，即涅字之借。涅，古盈字。《九店楚簡‧日書》：「乃涅（盈）其志。」又云：「處之不涅（盈）志。」《郭店楚墓竹簡》凡盈滿字皆作「涅」。如《老子》（甲種本）：「金玉涅（盈）室，莫能守也。」又云：「恃而涅（盈）之，不不若已。」又云：「長短之相型也，高下之相涅（盈）。」又云：「保此道，者不穀（欲）尚涅（盈）。」（乙種本）云：「大涅（盈）若中，其用不窮。」〈太一生水篇〉：「罷（一）缺罷（一）涅（盈），以紀為萬物經。」〈語叢篇（四）〉：「金玉涅（盈）室不如謀，眾強甚多不如時。故謀為可貴。」涅、盈、成音同通用。《補注》引別本作「盈堂」，是正確的。楚簡本《老子》「金玉涅室」，今通行本作「金玉滿堂」。楚語只有「涅（盈）室」而無作「滿堂」。〈離騷〉：「薋菉葹以盈室兮，判獨離而不服。」以叶韻故，乃易為「涅（盈）堂」。屈原辭賦盈滿字多作盈，少為滿。〈離騷〉「戶服艾以盈要兮」，〈天問〉「何由竝投，而鮌疾修盈」，〈大招〉「魂乎無往，盈北極只」，「室家盈庭，爵祿盛只」。據此，〈東皇太一〉「芳菲菲兮滿堂」，當作「盈堂」。〈少司命〉「滿堂兮美人」，宜為「盈室」。今本改作「滿堂」，是漢世避惠帝的名諱。明代黃省曾本、夫容館本、王鏊本、朱燮元本、大小雅堂本等翻刻《楚辭章句》悉作「盈堂」，猶存其舊，與楚簡文獻印證，完全吻合。

【本迪／倍迪】〈九章‧懷沙〉「易初本迪兮，君子所鄙」，王逸注：「本，常也。迪，道也。鄙，恥也。言人遭世偶，變易初行，遠離常道，賢人君子之所恥，不忍為也。」《史記‧正義》：「本，常也。言人遭世不道，變易初行，違離常道，君子所鄙。」[18]張守節的注釋即存王注原文。則唐本王逸《楚辭章句》以「本由」為「違離常道」。「本」字無「遠離」、「違離」之義。朱熹《集注》：「易初，變易初心也。本迪，未詳。」[19]則為「於其所不知則闕疑」之意。自此以後，注家異說蜂起，未知所適。遂成為研究《楚辭》文獻的一大難題。《郭店楚墓竹簡》及《馬王堆漢墓帛書》，凡背畔字、背膺字皆作「伓」，或省作「不」。

---

[18] 《史記三家注》（八）（北京市：中華書局點校本，1996年版），頁2488。

[19] 〔宋〕朱熹：《楚辭集注》（上海市：上海古籍出版社，1979年10月版），頁88。

伓，即「倍」字古文。如，〈淄衣〉篇：「信而結之，則民不伓（倍）。」〈五行〉篇：「忠人亡偽，信人不伓（倍）；君子如此，故不皇（誑）生，不伓（倍）死也。」又云：「至忠亡偽，至信不伓（倍），夫此之謂此。」《老子》（甲種本）：「絕智棄辯，民利百伓（倍）。」〈窮達以時〉：「善伓（倍）己也。」〈語叢〉（二）：「念生於欲，伓（倍）生於念。」《馬王堆漢墓帛書・式法》第三〈天地〉：「凡徙、〔娶〕婦，右天左地貧，左地右天吉，伓（倍）地逞天辱，伓（倍）天逞地死，並天地左右之大吉。凡戰，左天右地勝，伓（倍）天逆地勝而有口關，伓（倍）地逆天大敗。」《經法・四度》：「伓（倍）約則窘，達刑則傷。伓（倍）逆合當，為若又（有）事，雖無成功，亦無天央（殃）。」〈懷沙〉「本迪」，當作「不迪」、「伓迪」。本，是「不」之訛。不、伓是「背畔」的意思。迪有「道」義，通作「由」。王注釋「本迪」為「違離常道」，而今作「遠離常道」，「遠」是「違」的訛字。可知兩漢時的古本，「本」作「不」、「伓」，則未誤。後世誤「不」、「伓」為「本」，遂作「本由」、「本迪」。幸二千三百餘年前之竹簡文字今得重見，千年未決之訟渙然冰釋，大白於世，豈不快哉！

【居／處】〈九章・悲回風〉：「愁鬱鬱之無快兮，居戚戚而不可解。」王逸注：「思念憔悴，相連接也。」王注「思念憔悴」云云，以「居」為「思念」的意思。可是，居字無「思念」之意。聞一多《楚辭校補》謂「居」為「思」字之訛。[20]居、思音形皆殊，無因致訛。徐復《後讀書雜志》謂居即平居，「猶言平日」。[21]則未審「居戚戚」、「愁鬱鬱」相對為文，居，即愁的意思。何劍熏《楚辭拾瀋》讀居為慮。[22]居、慮非雙聲，絕不通用。《郭店楚簡》處字皆作処，〈成之聞之〉：「君哀絰而処立，一宮之人不勝。」又：「朝廷之立（位），讓而処戔（賤）。」〈性自命出〉：「蜀（獨）処而樂，又（有）內讟者也。」又：「蜀（獨）処則習父兄之所樂。」〈語叢〉（三）：「牙（與）為飬（義）者遊，益。牙（與）莊者処，益。」又，《包山楚墓竹簡》、上海博物館《戰國楚竹書》、

---

[20] 《聞一多全集》（二），頁435。

[21] 徐復：《後讀書雜志》（上海市：上海古籍出版社，1996年4月版），頁148。

[22] 何劍熏：《楚辭拾瀋》（成都市：四川人民出版社，1984年10月版），頁111。

《新蔡葛陵楚墓》等楚簡文字材料多以凥為処，書證至富，舉不勝舉。「居」字古文作「凥」，與「処」字形似，古書多相訛。《儀禮・既夕禮》「士處適寢」，鄭注：「今文處作居。」《禮記・檀弓》上「不晝夜居於內」，《孔子家語》卷一〇〈曲禮・子貢問〉「居」作「處」。「処戚戚」之「処」，讀如《詩・雨無正》「鼠思泣血」之「鼠」，鄭箋：「鼠，憂也。」或作癙字，〈正月〉「癙憂發癢」，《毛傳》：「癙、癢，皆病也。」《釋文》：「癙音鼠。」《爾雅・釋詁》：「癙，病也。」孫炎注：「癙，畏之病也。」處、鼠、癙音同通用。《呂氏春秋》卷八〈仲秋紀・愛士〉「陽城胥渠處」，高注：「處，猶病也。」即「癙」的假借。如果沒有楚簡文字材料，則「居戚戚」是個永遠無法揭開的啞謎。

【夜／亦】〈遠遊〉「於中夜存」，王逸注：「恒在身也。」王注「恒在身」云云，中，即身。《禮記・檀弓》下「文子其中退然如不勝衣」，鄭注：「中，身也。」《國語・楚語》上「余左執鬼中，右執殤宮。」韋昭注：「中，身也。」「存」即「在」。夜，王氏以「恒」義為解，當讀作「亦」。在傳世文獻中找不到二字可以通假的書證，而在簡帛文獻裏出現了。《戰國楚竹書》（二）〈容成氏〉：「既為金桎，或（又）為酒池，厚樂於酒。溥亦（夜）以為槿（淫），不聖（聽）丌邦之正（政）。」山東銀雀山漢墓殘簡：「勝夜戰，不勝夜戰。」兩「夜」字，皆借作「亦」。㉓亦，有「恒常」的意思。《補注》引《孟子》「梏之反復，則其夜氣不足以存；夜氣不足以存，則其違禽獸不遠矣。」說之，則非其旨。又，沈約〈桐柏山金庭館碑〉：「食正陽於停午，念孔神於中夜。」襲用此語，則在南朝已誤「中夜」為「夜半」。幸此二條簡帛材料的發現，可謂一字千金，糾正了千年以來的文字訛誤。

二、簡帛文獻對屈原作品的辯證及闡釋

根據王逸對每篇《楚辭》作品的小序，《楚辭》十七卷自〈離騷〉至〈漁父〉七卷是屈原的作品，〈九辯〉、〈招魂〉是宋玉的作品，〈大招〉以下八卷是漢代的《楚辭》作品。在王逸釐定的屈原作品中，涉及到著作權的問題仍然存在，至今

㉓ 《朱德熙文集》（五）（北京市：商務印書館，1999年9月），頁142。

聚論紛紜，莫衷一是。譬如，〈九歌〉十一篇，近代有學者認為是「最古老的南方民族文學」，與「屈原的傳說」沒有關係。㉔自南宋以來，有學者說〈九章〉九篇凡涉及到歌頌伍子胥之作，如，〈涉江〉、〈惜往日〉、〈悲回風〉等，皆非屈原所作。爭論者各執一詞，誰也說服不了誰，皆恨不能起地下之屈原與之對質。簡帛文獻的新材料，至少為弄清這些重大問題方面提供了非常有價值的證據。

先說〈九歌〉問題。據王逸〈九歌序〉，屈原創作〈九歌〉有流傳於沅、湘民間〈九歌〉作為藍本。而〈九歌〉在屈原作品裏出現三次，王逸認定是「禹樂」，為「夏啟所作樂」。但是，原始〈九歌〉決非如王逸所說，是《左傳》的「六府三事，謂之九功。九功之德皆可歌也，謂之〈九歌〉」。據《山海經・大荒西經》「有人珥兩蛇，乘兩龍，名曰夏后開。開上三嬪於天，得〈九辯〉與〈九歌〉以下」云云，其本是夏后氏頌天帝神禹之德的宮廷之樂。九即虯，是夏后氏的神龍。〈九歌〉是夏后氏在太廟裏禮典先祖大神的圖騰之歌，當年在夏后氏王朝的封域廣為流傳。㉕

夏人活動的區域是比較小的，大抵局限在今豫西和晉西南一帶。《逸周書・度邑解》對夏墟的版圖有具體描述：「自雒汭延于伊汭，居陽無固，其有夏之居。我南望過於三塗，我北望過於嶽鄙，丕顧瞻過於河，宛瞻延于伊、雒，無遠天室。」天室，《左傳》昭四年作「大室」，杜注：「在河南陽城縣西北。」《山海經・中次七經》作「泰室之山」，郭璞注：「即中嶽嵩高山也，今在陽城縣西。」三塗，又見於《左傳》昭四年，杜注：「山名，在河南陸渾縣南。」《水經・伊水》「又東北過陸渾縣南」，酈道元注：「伊水歷崖口，山峽也。歷峽北流，即古三塗山也。」三塗在今之嵩縣境內。嶽鄙之地，《史記・周本紀・索隱》謂近太行山。雒汭，是雒水的入河之處，在鞏縣北。伊汭是伊水的入河之處，在偃師縣西南五里。據此，有夏之居以中嶽嵩山為中心，北有黃河，南有伊、洛二水，北有太行山，南有三塗山，包括今河南省的嵩縣、臨汝、洛甯、宜陽、伊川、洛陽、孟津、偃師、鞏縣、密縣、新鄭、澠池、陝縣、登封、禹縣等地和山西省西南角的夏縣、聞喜、

㉔ 胡適〈讀楚辭〉，見載蔣善國《楚辭》（梁溪圖書館，1924年版），頁6。

㉕ 詳參黃靈庚：〈九歌源流叢論〉，載《文史》2004年第2期。

永濟、運城、翼城、河津、稷山、絳縣、侯馬、襄汾、臨汾等地。即在夏桀之世，其居也不過是「左河濟，右泰華，伊闕在其南，羊腸在其北」㉖，局限於豫西、陝東和晉西南之間。現在，考古學界基本上認定，以「河南偃師的二里頭遺址和山西夏縣的東下馮遺址為代表而介於河南龍山文化與商文化之間的一種青銅文化」㉗是典型的夏文化遺存，前者集中分佈在以嵩山為中心的豫西南地區，後者主要分佈在晉西南，大抵上與傳世文獻所記載者相符合。這二種夏文化類型雖然已經影響到周邊地區，如前者「西延及陝西省東部，其南或已至湖北省東部長江以北地區，最東可能達到安徽省西邊，縱橫均約千里左右，其影響或遍及長江中下游地區」，而始終「以伊、洛、潁、汝四流域為其中心」。㉘至今未見有夏文化延擴至長江以南的遺跡。即是說，夏朝的原始〈九歌〉只在豫西、陝東和晉南之間流傳，如何越過了長江而傳播到離有夏之居甚為遙遠的沅、湘之地？這是古今學者苦苦思索而一時難以解決的困難。

現在總算有了線索，這是戰國楚簡文獻提供了非常有價值的依據。〈容成氏〉這篇佚文在記載夏桀敗亡時有一段十分珍貴、十分精采的史料：

> ……〔桀〕述（遂）迷，而不量其力之不足，起師以伐岷山氏，取其兩女琰、琬，斝北迲（去）其邦，囗為丹宮，築為璿室，飾為瑤臺，立為玉門。其驕泰如是狀。湯聞之，於是乎慎戒升（登）賢。德惠而不展，秕十㞩是能之。如是而不可，然後從而攻之，陞（升）自戎述（遂），入自北門，立於中囗，桀乃逃之鬲山氏。湯又從而攻之，降自鳴攸（條）之述（遂），以伐高神之門，桀乃逃之南巢氏。湯又從而攻之，述（遂）逃，迲（去）之蒼梧之埜（野）。㉙

㉖ 見《史記·孫子吳起列傳》。

㉗ 鄒衡：《夏商周考古學論文集》（北京市：文物出版社，1980年10月版），頁103。

㉘ 鄒衡：《夏商周考古學論文集》，頁133。

㉙ 《上海楚竹書·容成氏篇》（二）。

這條楚簡材料實在是太重要了，尤其「迲（去）之蒼梧之埜（野）」一語，一下子將有夏之墟與遙遠的蒼梧重新繫結起歷史文化的紐帶，使原始〈九歌〉到沅、湘〈九歌〉，再到屈原創作〈九歌〉的序列變得清晰明朗起來。

夏桀兵敗有娀之虛之後，便一路亡命不暇，始至鳴條，次至南巢。鳴條、南巢皆在長江之北，楚簡文獻與傳世文獻所記載的地貌是一致的。終至「蒼梧之野」，則為傳世文獻所闕如。夏桀終後的駐蹕地帝舜所葬之處。〈離騷〉「朝發軔於蒼梧兮」，王逸注：「蒼梧，舜所葬也。」洪興祖《補注》：「《山海經》云：『蒼梧山，舜葬于陽，帝丹朱葬于陰』。《禮記》曰：『舜葬於蒼梧之野。』注云：『舜征有苗而死，因葬焉。蒼梧于周，南越之地，今為郡。』如淳云：『舜葬九疑。九疑在蒼梧馮乘縣，故或曰舜葬蒼梧也。』」《史記・蘇秦列傳》「南有洞庭、蒼梧」，〈索隱〉：「地名，《地理志》有蒼梧郡。」《正義》：「蒼梧山在道州南。」即在今湖南省的衡陽一帶。說明夏桀最後一次逃亡，則越過長江，深入到了沅、湘以南地區。

夏桀越江逃亡，決非祇是他一人或數人出走，而是率領其夏室宗子向江南大規模的舉族遷徙。一個部落、一個氏族、一個王朝的整體遷徙，常常是一種氏族文化的大轉移、大傳播。如，秦始皇遷山東六國宗族於嶺南以後，中原文化隨之南遷，所以嶺南地區至今還保留著先秦時期的「客家文化」。又如，東晉王朝從中原流亡到江左以後，中原傳統文化也隨之南移，江左六朝便很快成為中原傳統文化的中心。揆之夏桀，當也如是觀。夏桀逃亡南下，必將夏朝的宗廟社稷、文物典章制度及大量的文獻材料等等從有夏之居搬遷到江南、沅、湘流域及其蒼梧地區。如，崇山即今之中嶽嵩山，是有夏氏的發源地，禹之父鯀稱「崇伯」。[30]可是，這個「崇山」，後又出現在沅、湘以南。[31]最有可能是在夏桀南逃蒼梧之後，夏人將中原的祖廟崇山也隨之移入了衡、嶺之間。這樣，夏后氏頌祖祭天的〈九歌〉，隨著夏桀王朝的南逃，最終流傳到了江南、沅、湘流域及其蒼梧地區。

---

[30] 《尚書・堯典》「於，鯀哉」，孔傳：「鯀，崇伯之名。」

[31] 〈舜典〉「放驩兜於崇山」，孔傳：「崇山，南夷。」孔疏：「〈禹貢〉無崇山，不知其處，蓋在衡嶺之南也。」

聚居在江南、沅、湘流域及其蒼梧地區的部落是以揚越、駱越為主的越人，而非楚人。揚越，是百越諸族之一，其聚居分佈甚廣。《史記・楚世家》：「熊渠甚得江漢間民和，乃興兵伐庸、揚粵，至於鄂。」〈索隱〉：「有本作『揚雩』，音吁，地名也，今音越。譙周亦作揚越。」〈貨殖列傳〉：「九疑、蒼梧以南至儋耳者，與江南大同俗，而揚越多焉。」《正義》：「揚州之南，越民多焉。」《戰國策・秦策》：「吳起為楚悼王罷無能，廢無用，損不急之官，塞私門之請，壹楚國之俗，南攻揚越，北並陳、蔡。」據岑仲勉先生所考，「自〈禹貢〉荊州而南者皆稱揚越」㉜，但比較集中地聚居還是在以長沙為中心、北起洞庭、沅、湘流域南至蒼梧之間。據文獻記載，楚國勢力入侵湖南，大概在吳起相楚悼王之後，「楚人進入以前，這裏是越人聚居之地，直到楚滅越前，長沙的東南一直為越人勢力範圍」。即使在典型的戰國楚墓中也「存在較多的越文化因素」。㉝如，墓底設腰坑，墓內時見大量的越式鼎和硬陶罐等等。屈原當年渡過長江，獨自在沅、湘之域漂泊時，感歎「哀南夷之莫吾知」㉞，南夷，不是楚人，大約是指聚居湖、湘一帶的越人。史載夏、越二族有著同宗共祖的關係。〈越王勾踐世家〉：「越王勾踐，其先禹之苗裔，而夏后帝少康之庶子也。」《正義》：「《吳越春秋》云：『禹周行天下，還歸大越，登茅山以朝四方群臣，封有功，爵有德，崩而葬焉。至少康，恐禹跡宗廟祭祀之絕，乃封其庶子於越，號曰無餘。』」正因為如此，夏、越二族有著共同的宗教文化基礎。兩種文化相碰撞，既有交融的一面，又有排異的一面，而異質文化的排斥性相對要比交融性大一些。夏桀亡命到有娀、歷山、鳴條、南巢等這些東夷、殷商文化區域時，東夷、殷商文化對夏文化無疑有排異性，〈九歌〉沒有可能在這些地方異質文化的區域間流傳開去。夏桀遷徙至蒼梧之地，情況就不同了。有著與有夏共同文化基礎的越人會以熱情歡迎、全盤接受的態度，至少不會加以拒斥，一方面收留、安置下這些遠道從中原投奔而來、無家可歸的同族兄弟，另一方面從中學習到夏后氏從中原帶入的先進文化，不斷進行吸收、改造、熔化，

㉜ 呂思勉：《呂思勉讀史筆記・揚越》（上海市：上海古籍出版社，2005 年 12 月），頁 416。

㉝ 湖南博物館等編：《長沙楚墓》（上）（北京市：文物出版社，2000 年 1 月版），頁 547。

㉞ 見〈九章・涉江〉。

因而夏后氏的〈九歌〉不但在洞庭、沅、湘流域南至蒼梧之間很快廣泛地流傳下來，為後世保留下這份珍貴的文化遺產，而且隨著時間的推移、歷史的變遷而發生根本性變化，從宮廷走向民間，即由原來的夏王朝的宮廷祀典之樂，逐漸演化為帶有沅、湘地方色彩的民間娛神之歌。這大概就是屈原當時「出見俗人祭祀之禮，歌舞之樂」以及「其詞鄙陋」的〈九歌〉之曲。

這個問題解決以後，現存〈九歌〉之所以有「冀州」、「雲中」、「空桑」、「九坑」等夏后氏版圖內的地名，之所以有〈雲中君〉、〈大司命〉、〈東命〉、〈河伯〉為夏人所祀典之神靈，也就不言而喻了，則是保留原始〈九歌〉夏文化的遺存緣故。〈湘君〉、〈湘夫人〉、〈少司命〉、〈山鬼〉四篇帶有濃郁的沅、湘地區越文化的標記，其乘龍升天、競渡水澤的祭神習俗，與楚人以鳳鳥為先導的神游習俗和楚人崇鳳、崇日的文化面貌格格不入。〈湘君〉等四篇作品是越人在夏后氏〈九歌〉基礎上改造、增益的祭歌，是越式的〈九歌〉。屬於屈原創作的只有〈東皇太一〉、〈國殤〉二篇。東皇太一的楚人所禮敬的始祖神、上帝，是高陽氏顓頊大帝的化身。國殤，是屈原祀典為國捐軀的陣亡戰士。二篇莊重恭肅，氣勢磅礴，都帶有楚文化的印記。但是，〈九歌〉十一篇畢竟經過屈原潤色、改造，「去其鄙陋」，在用語、用韻等歌詞形式方面，清秀典雅，整齊劃一，無不具有文人創作的個性化的特徵。[35]這樣，夏后氏的原始〈九歌〉從宮廷祭神之樂，因夏桀亡命於蒼梧之野而流入了沅、湘之域，逐漸成為充滿南國風韻的越人的民間娛神之歌，最後由楚國詩人屈原「更定」之後，又成為極具個性化的文人之作。這樣一個過程，整整經歷了一千多年。其文化積層之厚重、歷時之久長，恐怕很少有這樣的作品能與之媲美。自屈原以後二千三百多年來，〈九歌〉之所以具有歷久彌新的藝術感染力、且贏得後世文人青睞，其根本原因也即在於此。它不僅汲取了夏文化、越文化和楚文化的藝術精華，而且充分展現一個天才藝術家的才華和睿智，永遠是一顆閃耀在中國文學史上的璀璨奪目的藝術明珠。正是由於一條夏桀「迲（去）之蒼梧之埜（野）」的楚簡材料的發現，〈九歌〉的源流演變、屈原對〈九歌〉的著作權及其文學價值才得以重新認定。

---

[35] 詳參黃靈庚：〈九歌源流叢論〉，載《文史》2004年第2期。

其次，屈原歌頌伍子胥與否，確是正確認識和評價〈涉江〉等作品的一大難題。對楚國來說，伍子胥犯下了十惡不赦之罪，是一個大逆不道的叛臣，但是屈原居然三度正面稱引他：〈涉江〉：「伍子逢殃兮，比干菹醢。」王逸注：「伍子，伍子胥也。為吳王夫差臣，諫令伐越，夫差不聽，遂賜劍而自殺，越竟滅吳，故曰逢殃，」〈惜往日〉：「吳信讒而弗味兮，子胥死而後憂。」王逸注：「宰嚭阿諛甘如蜜也，竟為越國所誅滅也。」〈悲回風〉：「浮江湘而入海兮，從子胥而自適。」洪興祖《補注》：「《越絕書》曰：『子胥死，王使捐于大江，乃發憤馳騰，氣若奔馬，乃歸神大海。』自適，謂順適己志也。」後人對此感到不可思議。首先發疑的是南宋魏了翁，他在《鶴山渠陽經外雜抄》卷二說：「子胥挾吳敗楚，幾墟其國。三閭同姓之鄉，義篤君親，決不稱胥以自況也。」㊱魏氏對〈涉江〉採取較為謹慎的態度，沒有否定採取較為謹慎的態度，沒有否定〈涉江〉為屈原之作，認為〈涉江〉的伍子為伍奢、伍尚，不是伍子胥。而〈惜往日〉、〈悲回風〉二篇的「子胥」，分明是伍子胥，遂以為非出自屈原，乃「後人哀原弔之之作」。今人龔維英先生便斷然否定〈涉江〉為屈原所作，他在《屈原賦辨偽》中說，「屈原，作為楚王的王族，楚國的臣屬，他對楚王和宗邦，是忠貞不二的」，「如果屈原竟又為背叛宗邦、甚至借外寇伐滅宗邦的『逆臣』伍子胥大唱其頌歌，豈不太自相矛盾了嗎？」「答案似乎只有一個：推崇伍子胥的詩句不出自屈原的筆下。〈九章〉內有偽作，〈涉江〉、〈悲回風〉、〈惜往日〉就是」。㊲

王逸以〈涉江〉的「伍子」為伍子胥的鐵案，未可移易。《楚辭》既有內證，又有外證。內證是〈惜往日〉「子胥死而後憂」與〈悲回風〉「從子胥而自適」。外證是漢代的《楚辭》作品，如東方朔〈七諫・沈江〉、〈怨世〉、〈怨思〉，嚴忌〈哀時命〉，王褒〈九懷・尊嘉〉，劉向〈九歎・惜賢〉、〈遠逝〉，悉以子胥比屈原，其意與屈原作品是一致的。都證明〈涉江〉的「伍子」是子胥，而不是伍奢、伍尚或伍舉等。現在還有一個更為有力的新證。即是出土於荊門市的《郭店楚

㊱ 〔宋〕魏了翁撰：《鶴山渠陽經外雜鈔》，北京市：中華書局《叢書集成初編》本，1985年。

㊲ 龔維英〈屈原賦辨偽〉，《南京師範學院學報》1981年第4期。

墓竹簡》，在東宮之師的當年一篇〈窮達以時〉教科書裏，有「子胥前多功，後翏（戮）死，非其智衰也」的話，說明楚國宮廷並沒有將子胥當作是「叛臣」、「賊子」，而是與屈原一樣當作忠臣孝子一類正面人物來看待的。

問題的癥結在哪兒？

伍子胥「挾吳敗楚」，目的是為了圖報殺父之讎。我國古代的社會文明，最初是建立在血親關係的基礎上的。至少在春秋戰國之世，維繫社會關係的紐帶，仍然是以氏族為基礎的宗法制度。所謂的「國家」，原不過是出於同一血緣的氏族組織、宗法社會。儘管氏族內部有大宗、小宗之別，但是所有宗派、支脈，都維繫在同一血緣的世統之內，血緣利益高於一切。由此而產生的事親之道的「孝」，便成為「百行之宗，五教之要」，冠於一切倫理道德之首。虞舜為古今第一孝子，帝堯正因為發現了他的孝道，才肯把帝位禪讓於他，這便是「君子之事親孝，故忠可以移於君；事兄悌，故順可移於長。居家理，故治可移於官。是以行成於內，而名立於後世」[38]的道理。這便是後來所謂「先齊其家」、而後「平天下」儒家倫理基礎。殺父之讎，視如不共戴天，所以，圖報血親之讎，向來被孝子賢孫視為天經地義的義務，形成具有獨特內涵的復讎文化。遠在夏后氏之世，靡氏經歷了后羿、寒浞之亂，乃「奔有鬲氏」，「收二國之燼」，目的在於「思報父兄之讎」，復夏后氏之政。這是孝子「復讎」的最早記載。後來，周武王討伐殷紂之時，「載尸集戰」（〈天問〉），即「載文王木主，稱太子發」，恐怕也是在孝子「復讎」的大纛下替天行道的。

《周禮》設有「調人」之職，以調解怨讎雙方關係。律法規定：當「調人」的「和難」、對仇讎雙方調解無望時，允許被害一方刀兵相迫，挺而復讎，而讎家不受國家法律保護，似乎只有躲避一途可走，「父之讎辟諸海外，兄弟之讎辟諸千里之外，從父兄弟之讎不同國。君之讎父，師長之讎眡兄弟，主友之讎眡從父兄弟」。即使「殺人而義者」，也要使讎家「不同國」，「令勿讎，讎之則死」。如楚勝身負殺父之讎，其讎家是鄭人。楚師伐鄭，楚勝參與其事，意在復其父讎。後來，楚出於與晉國爭霸中原的策略，當鄭國受晉師威脅時，遂命子西、子期率師救

---

[38] 見《孝經》第十四章〈廣揚名〉，北京市：中華書局《十三經注疏》本。

鄭。楚勝即將子西、子期當作讎家，說：「鄭人在此，讎不遠矣。」便殺了子西、子期二人。似乎理當如此，一點也沒有受到時輿論的非議和譴責。「孝子思其親，不得不報」，乃至置君國利益之不顧的地步。

如果讎家是國君，孝子該怎樣去施行復讎？這很讓古代的孝子賢孫感到為難。《左傳》襄公二二年：「楚觀起有寵于令尹子南，未益祿而有馬數十乘。楚人患之，王將討焉。子南之子棄疾為王禦士，王每見之，必泣。棄疾曰：『君三泣臣也，敢問誰之罪也？』王曰：『令尹之不能，爾所知也。國將討焉，爾其居乎？』對曰：『父戮子居，君焉用之？泄命重刑，臣亦不為。』王遂殺子南於朝，轘觀起於四竟。子南之臣謂棄疾：『請徙子尸於朝。』曰：『君臣有禮，唯二三子。』三日，棄疾請尸，王許之。既葬，其徒曰：『行乎？』曰：『吾與殺吾父，行將焉入？』曰：『然則臣王乎？』曰：『棄父事讎，吾弗忍也。』遂縊而死。」棄疾處於兩難的境地，即後世所謂「忠孝不能兩全」。若要「兩全」，棄疾別無選擇，只好去自殺。晉杜預說：「于事為讎，於實是君，故雖謂讎，而不敢報。」此乃皮相之說。其實，在「孝」與「忠」之間有是非尺度的。明白於此，棄疾大不必去縊死。其父子南在世之時，濫用職權，網羅黨羽，寵信觀起，實有不規之心。所以，子南之死，是國法所難容，罪有應得。這一點，棄疾就不如後來的鬥辛。據《左傳》昭公十四年載，楚平王令尹鬥成然「有德于王，不知度，與養比，而求無厭」。平王不得已才殺了鬥成然，使其子鬥辛居鄖。及平于丑王子楚昭王落難逃奔於鄖，鬥辛之弟懷將殺昭王，以復父之讎，說：「平王殺吾父，我殺其子，不亦可乎？」辛曰：「君討臣，誰敢讎之？君命，天也。若死天命，將誰讎？《詩》曰：『柔亦不茹，剛亦不吐。不侮矜寡，不畏強禦。』唯仁者能之。違強陵弱，非勇也；乘人之約，非仁也；滅宗廢祀，非孝也；動無令名，非知也。必犯是，余將殺女。」《正義》：「若父本無罪，而枉被誅殺，如伍員之徒，志在復讎，適國亦可矣。若父以罪受誅，如鬥辛之徒，本不合怨君，故辛亦不敢怨也。」可見，鬥成然與子南一樣，是罪有應得，鬥辛便覺得沒有理由向昭王復讎。

伍子胥的情況未可同日而語了。其父伍奢、其兄伍尚忠以被謗，無罪受誅，他完全可以理正辭嚴向楚平王討還父兄的血債。在當時以及後來的楚人，不論忠奸與否，對伍子胥藉吳復讎之事未見有所異議。即使是以「存楚」為己任、與子胥復讎持對立態度的申包胥，在聽了子胥「我必覆楚」的誓言後，沒有正面去阻攔他、譴責他：只在得知子胥掘墓鞭屍後，才派人傳話說：「子之報讎，其以甚乎！」㊴僅僅是責怪子胥做得太過分了一些，沒有從根本上否定其復讎之舉。《公羊傳》定四年議論子胥復讎，說：「事君猶事父也，此其為可以復讎奈何？曰：父不受誅，子復讎可也。」何休注：「不受誅，罪不當誅也。本取事父之敬以事君，而父以無罪為君所殺。諸侯之君與王者異，於義得去，君臣已絕，故可也。」都從正面去肯定子胥的報讎行為。據《吳越春秋》卷三載，子胥「道遇申包胥，謂曰：『吾聞父母之讎，不與戴天履地；兄弟之讎，不與同域接壤；朋友之讎，不與鄰鄉共里。今吾將復楚讎，以雪父兄之恥。』」子胥復讎之舉是在特定的復讎文化背景下出現的產物，是符合當時的倫理道德的。

伍子胥稱得上是一個「忠」、「孝」兼備、完美無缺的正面英雄，他的人生際遇，可以分作兩個階段：一是挾吳復讎，二是無辜被戮。前者實踐了「孝」，後者實踐了「忠」。

在後人，忠、孝二者對立，似不能兩全，而在儒家的倫理裏，忠、孝是可以統一起來的。《論語・子路》：「葉公語孔子曰：『吾黨有直躬者，其父攘羊而子證之。』孔子曰：『吾黨之直者異於是，父為子隱，子為父隱，直在其中矣。』」《正義》：「孔子言此，以拒葉公也。言吾黨之直者，異于此證父之直也。子苟有過，父為隱之，則慈也。父苟有過，子為隱之，則孝也。孝慈則忠，忠則直也。故曰『直在其中矣』。」在孔子看來，忠、直決不可以犧牲「孝」為前提，只有與「孝」相一致時，才算是完美的。只有到了秦漢大一統以後，中央集權的國家機器才使孝、忠的位置顛倒了過來。《郭店楚墓竹簡》有不少篇段討論到孝、忠的關係。如〈唐虞之道〉說：「愛親忘賢，仁而未義也。尊賢遺親，義而未仁也。古者吳（虞）舜篤事〔瞽〕寞，乃弋其孝；忠事帝堯，乃弋其臣。愛親尊賢，吳（虞）舜其人也。」愛親，是孝，是仁的表現；尊賢是義，是忠事君王的表現。虞舜就是一個孝、忠兩全的不朽典範。但是，孝與忠不是一架天秤上兩個相等的砝碼。〈六德篇〉說：「為父絕君，不為君絕父。」在父親與君王之間，必須作出選擇時，只

㊴《史記・伍子胥列傳》（七），頁2176。

能選擇孝，孝行是第一位的。又說：「君義臣忠。」說明在楚國宮廷的教科書裏，在東宮太子及貴族宗子必修課目中，明明白白地寫著：子對父孝，是絕對的，無條件的；而臣對君忠，是相對的，有條件制約的。君有道，有信義，臣才可以忠行事。反之，君無道無義，臣未必要承擔其忠君的義務。孟子也說過：「君之視臣如手足，則臣視君如腹心；君之視臣如犬馬，則臣視君如國人；君之視臣如土芥，則臣視君如敵寇。」趙岐注：「臣緣君恩，以為差等，其心所執若是也。」㊵都是用平等的態度對待君臣的恩讎問題。楚平王暴虐無道，信用讒人，排斥忠臣，無辜殺害子胥的父兄，子胥理所當然可以反其道而行之。這符合楚國朝野的倫理道德。博聞強志的屈原對此不會一無所知，他反復稱引伍子胥，恐怕也是以楚簡所載「為父絕君，不為君絕父」、「君義臣忠」這樣的倫理尺度來肯定伍子胥的復讎之舉的，沒有超越其時的文化背景，是不可以秦漢以後的倫理原則、道德標準來解釋的。

如果追究一下子胥復讎的本末，可以追遡到為太子建迎婦于秦。秦、楚向來是敵讎之國，「仇讎之人，非所以接婚姻也。」㊶如果當年沒有迎娶秦婦的事，恐怕不會有伍奢父子被害乃至子胥報讎等一系列變故。楚平王背棄了這條古訓，竟與讎敵之國通婚，這是咎由自取，歷史的教訓是非常深刻的。然而這樣的悲劇又在屈原的眼前重演。眾所周知，歷史上的楚懷王死得最冤，最讓楚人痛心疾首。由於楚懷王沒有聽取屈原、昭睢的忠諫，而經不起少子子蘭的誘勸，貿然赴武關與秦昭王約會，結果被拘，卒客死于秦，「楚人憐之，如悲親戚」。無獨有偶，身為懷王長子楚頃襄王及少子子蘭等，生前沒有盡其事父之孝，死後也未見其復讎之舉。「君弒，臣不討賊，非臣也。子不復讎，非子也」㊷的倫理原則，在楚頃襄王及其追隨者那裏則蕩然無存，分別於頃襄王七年和十四年，二次「迎婦于秦」，與之結為婚姻。㊸這種鮮廉寡恥、認賊作父的苟且之行，與楚平王比較，實在是有過之而無不及，更與伍子胥挾吳復讎的壯舉形成巨大反差。司馬光為之感歎說：「甚哉秦之無

㊵ 《孟子・離婁章句下》，《十三經注疏》本。
㊶ 《穀梁傳》莊西元年，《十三經注疏》本。
㊷ 《公羊傳》隱公十一年，《十三經注疏》本。
㊸ 《史記・楚世家》（五），頁 1729。

道也，殺其父而劫其子；楚之不競也，忍其父而婚其讎！」㊹對楚頃襄王西迎秦婦這件事，屈原在〈離騷〉西行求女一段有所寄寓，像明人黃文煥《楚辭聽直》、清人屈復《楚辭新注》等都有很好的論述，毋須贅引。聯繫其時的復讎倫理原則和秦、楚歷史變故，屈原對楚頃襄王迎秦婦事不能明說，又不能不說。他反復詠歎伍子胥，把這個光明磊落的前朝榜樣，擺在楚頃襄王及其權貴面前，終於說出了不便明說、又不能不說的話，他決非只將子胥當作是忠臣孝子來同情，假子胥這個「酒杯」，來發洩一下自己心中的「傀儡」而已，實有暗斥頃襄王棄父讎、迎秦婦的諷喻意味，其用心頗為良苦。

因此，屈原稱引、詠歎伍子胥是符合當時的社會道德標準的，帶有濃厚的先秦時期復讎倫理的印記，楚簡文獻材料直接印證這一點。不容置疑，屈原對〈九章〉中的〈涉江〉、〈惜往日〉、〈悲回風〉等作品擁有著作權，是不可輕易否定的。

三、簡帛文獻對《楚辭》文化習俗的發微和補證

《楚辭》作品，尤其是屈原、宋玉的作品保留著較為豐富的戰國時期盛行於南方的文化習俗，反映了當時楚國朝野政治社會、日常生活的方方面面的內容。但是，在現存的傳世典籍中很難找到可以相互印證、補充的材料，故後人在閱讀這些內容時候，往往百思不得其解。甚者強為之說，經常是失之毫釐，繆以千里，其去作品之本意甚遠。

楚國朝野巫風甚烈，遇事必占卜，楚簡文獻均證明了這一事實。如《包山楚墓竹簡》內容之二為〈卜筮祭禱記錄〉，所卜之事大到「出入侍王」的人生仕途的泰否，小到疾病、出行等生活細事。望山楚墓竹簡殘缺雖然比較嚴重，而其所卜內容與《包山楚墓竹簡》完全相同。《九店楚簡》及《睡虎地秦簡日書》連製衣、嫁女、納妾、建房、遷徙、帶劍等都要占卜擇日。〈離騷〉在求帝、三求女不果之後，屈原處在「懷朕情而不發兮，余焉能忍與此終古」之情感糾葛中，處在生也不是，死也不能兩難之際，向神巫靈氛占卜，求神靈給他指示一條出路。於是，屈原

㊹〔宋〕司馬光：《資治通鑑·赧王（中）二十三年》（北京市：中華書局點校本，1997 年版），頁 50。

「索瓊茅以筳篿兮，命靈氛為余占之。曰：「兩美其必合兮，孰信美而慕之？思九州之博大兮，豈唯是其有女？曰：勉遠逝而無狐疑兮，孰求美而釋女？何所獨無芳草兮，爾何懷乎故宇？」簡帛文獻確實為〈離騷〉提供了一個切實可信的、可以相互取證的、占卜文化的背景。

〈離騷〉這段文字表現楚人的占卜習俗，有一連串的疑惑至今困擾著《楚辭》研究者。首先是占卜的工具「瓊茅」和「筳篿」，王逸注：「瓊茅，靈草也。筳，小折竹也。楚人名結草折竹以卜曰篿。」然而「瓊茅」是一什麼樣的「靈草」？「筳篿」又是一種什麼樣的卜具。在傳世文獻裏根本無法取證。尤其是後者，漢世以後的古籍引用王逸注「小折竹」異文雜出。隋騫公《楚辭音》殘卷本、龐元英《文昌雜錄》引王逸注、《文選》本「小折竹」作「小破竹」。《玉蠋寶典》卷八引王逸注：「楚人折竹結草以卜謂為蓴也。」《漢書・揚雄傳》「又勤索彼瓊茅」，顏師古曰：「筳篿，析竹所用卜也。」《後漢書・方術傳》「日者挺專、須臾、孤虛之術」，李賢注：「挺專，折竹卜也。《楚辭》曰：『索瓊茅以筳專。』注云：『筳，八段竹也。楚人名結草折竹曰專。』」《柳河東集》卷一四《天對》童注：「《楚辭》云：『索瓊茅以莛篿』，注謂『折竹卜曰篿。』」《御覽》卷七二六〈方術部〉「卜下」條引王逸注：「楚人折竹結草以卜謂為籌也。」又引《荊楚歲時記》：「秋分以牲祠社，其供帳盛于仲春之月。社之餘胙悉貢饋鄉里，周於族。社餘之會，其在茲乎。此其會也，擲教於社神，以占來歲豐儉，或折竹以卜。」真可謂眾說紛紜，莫衷一是了。新發現的簡帛文獻所提供的材料，終於幫助我們在紛紜雜亂之中清理出了一條思路。

瓊，是「茅」的修飾語，僅僅表示茅的珍貴。瓊茅，即《包山楚簡》的「保豪」、「琛豪」。保、琛，通用寶。《左傳》僖公四年：「爾貢包茅不入，王祭不共，無以縮酒，寡人是征。」包，也是「寶」的假借字。杜預注：「包，裹束也。茅，菁茅也。束茅而灌之以酒為縮酒。」則以「包」為「包裹」義。非是。豪，古毫字，與「茅」字音近通用。或謂之靈茅。《漢書・郊祀志》「江淮間一茅三脊」，張晏云：「謂靈茅也。」《新蔡葛陵楚墓》竹簡卜筮或用「大央」，即大英，是「瓊茅」之類靈草。

筳，是「小策」，即小竹簽。湯炳正《楚辭類稿》說：「據《說文》云：

『筳，纕絲筦也。』是〈離騷〉之筳字當為引申義而非本義。但王逸注所云：『筳，小折竹也。』以文義推之，似是而非，疑當為『筳，小策也』之誤。『策』即《楚辭・卜居》『乃端策拂龜』之『策』；亦即《周易・繫辭》言筮法所謂『乾之策二百一十有六，坤之策百四十有四』之『策』，皆指筮卦之工具而言。近年出土之中山壺銘文，『策』作『箭』，下半『所』即古『析』字。因『析』與『策』古音皆為支部之入聲字，故古書『策』多作『箖』。如今本《老子》二十七章『善數者無籌策』，近年馬堆出土帛書《老子》甲本作『善數者不以檮箖』。『箖』即『策』字。因後人多見『策』字，少見『箖』字，故王逸注原作『小箖也』之『箖』被誤分為『竹析』二字，而抄校者又以意乙轉『竹析』為『析竹』，遂誤成今本『小析竹也』之注。從《楚辭音》作『小破竹也』，知隋唐時尚作『析竹』不作『折竹』，其誤猶未遠。而今作『折竹』之本，乃一誤再誤之結果。至於王逸注下文云：『楚人名結草折（析）竹以卜日篿。』其中『結草』即上承『茅』字而來，『析竹』即承『筳』字而來。因『茅』、『筳』皆名詞，故解釋時加『結』、『析』以足其義。誤王注『小策也』為『小析竹也』，除字形易混而外，或跟下文『析竹』之文亦有關。但『筳』字不能訓『析竹』，亦猶『茅』字之不能訓為『結草』。其義甚明，無容置疑。」[45]湯氏辨「筳」字為「小策」之義，可以說泰山不移。而其所用材料，即取證於出自馬王堆漢墓的帛書及中山壺銘文，得力於出土文獻。《包山楚墓竹簡》竹制的卜具有「彤答」，望山楚簡有「小籌」，皆同「筳篿」之類的「小策」，二者皆可相互印證。

其次，屈原求卜於靈氛，而靈氛告語為何有二「曰」字？王逸沒有說明。洪興祖《補注》說：「再舉靈氛之言者，甚言其可去也。」汪瑗《楚辭集解》說：「此靈氛因占兆吉，復推其說，以勸屈子之詞，而決其遠之志也。」王夫之《楚辭通繹》說：「再言『曰』者，卜人申釋所占之義，謂原抱道懷才，求賢者自不能舍。」蔣驥《山帶閣注楚辭》說：「再言『曰』者，叮嚀之辭。」又，清魯筆《楚辭達》說：「此『曰』字乃原問辭，下章『曰』字，是靈氛答語。」戴震《屈原賦注》謂上「曰」下四語，屈原問卜之辭，下「曰」下四語，「靈氛之告以吉占

---

[45] 湯炳正：《楚辭類稿》（成都市：巴蜀書社，1988年1月版），頁212。

也」。陳本禮《屈辭精義》也以上「曰」字為「原問卜之詞」，下「曰」字為「靈氛占詞」。諸說皆不可通。《包山楚墓竹簡·卜筮祭禱記錄》謂「屈宜習之以彤答為左尹邵㐌貞」。[46]以「彤答」貞卜，即〈離騷〉「折竹卜」之意。習，通作襲，因襲之意。習卜，即襲卜，說繼第一卜之後因襲再卜。望山楚簡謂「痼以黃靈習之」，黃靈，是龜，說卜用龜。習者，即因襲二卜。以索隱〈離騷〉靈氛占詞用二「曰」者，當為「習卜」遺義。靈氛以襲貞二卜，故占語用兩「曰」字。初用靈草以筮，後用篿竹以貞。二占之貞詞，用兩「曰」字以分別之。上「曰」字以下「兩美其必合兮，孰信修而慕之；思九州之博大兮，豈唯是其有女」四句，用「藑茅」以筮之詞，後「曰」以下「勉遠逝而無狐疑兮，孰求美而釋女；何所獨無芳草兮，爾何懷乎故宇」四句，用「筳篿」以卜之詞。二占之辭皆吉，所以說「吉占」。〈九章·惜誦〉：「吾使厲神占之兮，曰『有志極而無旁』，終危獨以離異兮，曰『君可思而不可恃』。」兩「曰」字，也「襲二卜」之占詞。殷商卜辭，已有「習二卜」之古法。[47]《曲禮》有「卜筮不過三」的遺制。《穀梁傳》哀元年：「郊三卜，禮也。四卜，非禮也。五卜，強也。」楊疏：「僖三十一年以十二月下辛卜正月上辛；不從，則以正月下辛卜二月上辛，不從，則以二月下辛卜三月上辛。所謂三卜，禮也。今以三月以前不吉，更以三月下辛卜四月上辛，則謂四卜，郊，非禮也。成十年以四月以前四卜不吉，又于四下辛卜五月上辛，則五卜，強也。四卜，『非禮』，五卜變文『強』者，四卜雖失，猶去禮近，容有過失，故以『非禮』言之。若至五卜，則是知其不可而強為之，去禮已遠，故以『強』釋之。」古之貞卜「三占從二」者有二種情況：一種是「三人貞從二人」。《包山楚簡·卜筮祭禱記錄》型夃屄之月乙未之日貞卜者有醢吉、石被裳、郦會三人，三人占皆吉。[48]夏柰之月乙丑之日貞卜者有五生、醢吉、苛嘉三人，三人占皆吉。[49]㝅月乙酉之日占卜

---

[46] 《包山楚墓竹簡》，頁 34。

[47] 詳參郭沫若：《郭沫若全集·考古編》（二）（北京市：科學出版社，1983 年 6 月版），頁 586。

[48] 《包山楚簡》，頁 32。

[49] 《包山楚簡》，頁 33。

有礜吉、苛光、郙巃三人，三人占皆吉。[50]再者是一人三占從二。楚簡凡用「習」者即屬此例。〈離騷〉靈氛占卜、〈惜誦〉厲神占卜，當屬後一種情況。若二卜皆吉或皆凶，則不三卜。若一吉一凶，則以第三卜決之。兩卜皆吉為大吉，兩吉一凶者小吉，兩凶一吉者小凶，而兩卜皆凶為大凶，故曰「卜筮不過三」。四卜，非禮；五卜，猶為勉強不得意而為。又，《史記・龜策列傳》：「卜先以造灼鑽，鑽中已，又灼龜首，各三；又復灼所鑽中曰正身，灼首曰正足，各三。」「各三」者，謂占卜皆以三為限。《易經》以三爻為一卦，而演八卦之圖，卜筮也為限於三次。二卜同，就不必三卜。靈氛為二卜，以其皆「吉」，所以也沒有卜三。〈離騷〉以及〈惜誦〉有關占卜內容以及分用兩「曰」字的問題，因楚簡「習卜」的材料發現，終於得到徹底解決。

古人舉事，非常講究日辰之吉凶，選擇吉日良辰，是古代特有的文化現象，在《楚辭》文獻裏有所反映。〈離騷〉：「靈氛既告余以吉占兮，歷吉日乎吾將行。」王逸注：「言靈氛既告我以吉占，歷善日吾將去君而遠行也。」〈九歌・東皇太一〉：「吉日兮辰良，穆將愉兮上皇。」王逸注：「日謂甲乙，辰謂寅卯。」怎樣的「日」算是「吉」？怎樣的「日」算為「凶」？是否有一定的可以操作的依據？古今《楚辭》學者都在探索這個秘密。朱季海先生據〈湘中記〉「其俗八月上辛日祀以祓神」，謂「然稱吉日，其上辛與」？[51]《包山楚簡・卜筮祭禱記錄》，卜筮禱詞有日記錄者凡二十四例：乙未日者三、癸丑日者二、癸卯日者一、乙丑日者三、己酉日者三、乙卯日者九，丙辰日者二、己亥日者一。於甲、乙十見，乙日居多，凡十五見，其次己日三見，癸日三見、丙日二見。唯獨未見「辛」日。朱說不可靠。又有人推斷，邵𦻠卜筮宜必擇吉宜之日，如果據此推斷，則楚俗是否以乙、己、癸、丙為日之吉日了？這種簡單的歸納法也不能說明任何問題。《九店楚簡日書》終於揭開了這個啞謎，說：「凡春三月，甲乙丙丁，不吉；壬癸，吉。凡夏三月，丙丁庚辛，不吉，甲乙，吉。凡秋三月，庚辛壬癸，不吉；丙丁，吉。凡

[50] 《包山楚簡》，頁 34。

[51] 朱季海：《楚辭解故》，頁 84。

冬三月，壬癸甲乙，不吉；庚辛，吉。凡吉日，利以祭祀，禱祠。」[52]說明楚俗擇日之吉凶，是因四時而異。根據這個「遊戲規則」，《包山楚簡》用「乙」者居多者，邵㐌卜筮之吉日必在夏季。而《包山楚簡》用「乙卯」、「乙未」之日者，楚曆為亯月之月，當秦曆四月，夏曆為春正月，偏偏不在夏季，可知「乙卯」、「乙未」皆非「吉日」。其用「丙辰」之日者，宜在秋季，《包山楚簡》為楚曆㚇月，當秦曆十月，夏曆為秋八月，則與〈日書〉吻合，丙辰確是為「吉日」。這說明什麼問題呢？邵㐌卜筮之日，並不忌諱日之吉凶，僅僅是記時而已，絕不可據此斷定楚俗以「乙」之日或「丙」之日為「吉日」。只有像《楚辭》作品十分明確指定是「吉日」的前提下，才可以依據《九店楚簡日書》進行推斷。〈日書〉說：「凡吉日，利以祭祀，禱祠。」楚俗如果祠祀東皇太一必擇「吉日」、「良辰」，據此則宜在春季，其吉日者當必擇壬、癸之日。而〈離騷〉屈原西行的「吉日」，因月相不明，只好暫且存疑了。

〈哀郢〉有個記載屈原流放的特別的日期，說：「民離散而相失兮，方仲春而東遷。」王逸注：「仲春，二月也。言懷王不明，信用讒言而放逐己，正以仲春陰陽會時，徙我東行，遂與家室相失也。」又說：「出國門而軫懷兮，甲之朝吾以行。」王逸注：「甲，日也。朝，旦也。屈原放出郢門，心痛而思，始去正以甲日之旦而行。紀時日清明者，刺君不聰明也。」洪氏《補注》：「馮衍賦云：『甲子之朝兮，汩吾西征。』注云：『君子舉事尚早，故以朝言也。』」其皆失之旨。《九店楚簡日書》說：「凡春三月，甲、乙、丙、丁不吉，壬、癸吉。」又說：「刑层、夏层、享月，春不可以東徙。」又說：「夏层、八月、九月，不可以南徙。」[53]楚月夏层，即夏曆仲春二月。二月東徙、南徙，皆為不可。據日者所說，仲春二月甲之日以東徙而行，則必凶。而屈原被放，不得已去離郢都之時，正是犯此大忌。所以屈原特別所作交代，楚簡文獻提供其文化背景。則知王逸「始去正以甲日之旦而行，紀時日清明者，刺君不聰明」云云，屬附會之說。

屈原作品寫到楚國戰士使用的武器，不但有「吳戈」，而且有「秦弓」。〈國

---

[52] 《九店楚簡》（北京市：中華書局，2000年5月版），頁49－50。

[53] 同上註，頁54。

殤〉說：「操吳戈兮被犀甲，車錯轂兮短兵接。」又說：「帶長劍兮挾秦弓，首身離兮心不懲。」楚人使用「吳戈」，比較容易理解。吳國其時已經滅亡，歸屬於楚，吳、楚不再是敵國了。而秦、楚是讎仇之國，楚人居然使用「秦弓」和秦人交戰，不是有些匪夷所思麼？楚人的「秦弓」當然不可能是秦國饋送的，它到底來自何方？是秦人的「走私」武器，還是屈原創作〈國殤〉時留下的筆誤？都不太可能。洪氏《補注》說：「《漢書・地理志》云：『秦地迫近戎狄，以射獵為先。』又：『秦有南山檀柘，可為弓幹。』」這二條材料並不能說明楚人何以有「秦弓」的問題。出土的楚簡文獻發現大量的關於「秦弓」的材料，如《曾侯乙墓・遣策》簡文載有「秦弓」，皆作「鄰弓」，凡十七見。[54]準確地說，楚人使用的「秦弓」，是仿製秦式之弓。說明戰國時期的楚文化是開放的、積極進取的，楚人對於鄰國的先進文化、技術從不採取排斥的態度，而是博採眾長，廣為吸收。在戰國之世，秦弓優於六國所制者，故楚人仿製之，為己所用，其制弓的工匠、材料皆出自楚國。而其名為「秦弓」，僅僅保留這種先進武器的來源，非必產自秦國。

楚國的習俗文化更多表現在日常飲食生活之中，《楚辭》裏的〈招魂〉、〈大招〉堪稱為保留內容最為完整的、戰國南楚飲食文化的「雙璧」。但是，在二〈招〉作品裏，有些食譜的用料、烹飪方法於今很難考證，原因是傳世文獻中很難找到材料來印證，而新發現的簡帛文獻彌補了傳世文獻這方面的空闕。如，〈招魂〉：「露雞臛蠵，厲而不爽些。」王逸注：「露雞，露棲之雞也。言乃復烹露棲之肥雞，臛蠵龜之肉，則其味清烈不敗也。」露棲雞，又稱為「承露雞」。《藝文類聚》卷九一〈鳥部〉中「雞」條引《江表記》：「南郡獻長鳴承露雞。」《太平御覽》卷九一八〈羽族部〉五「雞」引《南越志》，說承露雞，「雞冠四間如蓮花，鳴聲清澈也」。均以「承露雞」為「長鳴」、「鳴聲清澈」之雞，而未見其肉的「肥腯」、「鮮美」。將「露雞」釋「承露雞」，實非〈招魂〉原意。《包山楚簡・遣策》有「囂（熬）雞」、「庶（炙）雞」。[55]則「露雞」之露，讀如烙。音近通用。《慧琳音義》卷九四「又烙」條：「烙，熨烙也。」亦通作格。《荀子・

[54] 《曾侯乙墓》（北京市：文物出版社，1995 年版）。
[55] 《包山楚簡》，頁 37。

議兵篇》「為炮烙之刑」，王先謙《集解》：「盧文弨曰：炮烙之刑，古書亦作『炮格之刑』。」則「烙雞」，猶楚簡之「囂（熬）雞」、「庶（炙）雞」，即今之燒雞、烤雞也。類此例子還有一些，如「鵠酸臇鳧，煎鴻鶬些」，王逸注：「言復以酸酢烹鵠為羹，小臇臛鳧，煎熬鴻鶬，令之肥美也。」長沙馬王堆漢墓竹簡《遣策》則有「熬鵠」、「熬鳧」，可見「煎」、「熬」是相同的烹飪之法。「粔籹蜜餌，有餦餭些」，洪氏《補注》：「粔籹，蜜餌也。吳謂之膏環。」長沙馬王堆漢墓竹簡《遣策》作「居女」。王逸注：「餦餭，餳也。」長沙馬王堆漢墓竹簡《遣策》省作「唐」。二者皆可以互相印證。關於這方面問題，筆者準備進一步收集材料，別作專文研討。

四、簡帛文獻對楚族先世的鉤沉和補證

楚族的先世究竟出自何人，來自何方，涉及到南楚文化的源淵所在，是古今研究《楚辭》的一大熱點。〈離騷〉首二句直接交代了楚族先世由來：「帝高陽之苗裔兮，朕皇考曰伯庸。」王逸注：「德合天地稱帝。苗，胤也。裔，末也。高陽，顓頊有天下之號也。〈帝系〉曰：『顓頊娶於騰隍氏女而生老僮，是為楚先。』其後，熊繹事周成王，封為楚子，居於丹陽。周幽王時生若敖，奄征南海，北至江、漢。其孫武王求尊爵于周，周不與。遂僭號稱王，始都於郢。是時生子瑕，受屈為客卿，因以為氏。屈原自道本與君共祖，俱出顓頊胤末之子孫，是恩深而義厚也。」王氏認定楚族始祖「高陽」、「顓頊」是一人，然後又提到第二世祖「老僮」，應該是有先秦文獻作為依據的。《山海經．大荒西經》：「顓頊生老童，老童生祝融，祝融生太子長琴。是處榣山，始作樂風。」郭璞注：「《世本》云：『顓頊娶于滕玟氏，謂之女祿，產老童也。』」袁珂說：「滕玟，宋本、藏經本作滕墳，《大戴禮．帝系篇》作『滕奔』。云：『顓頊娶于滕氏，滕氏奔之子謂之女祿氏，產老童。』《西次三經》云：『神耆童居之，其音常如鐘磬。』郭璞注：『耆童，老童，顓頊之子。』即此老童也。」王氏引〈帝系〉「滕隍氏」是錯誤的，明代翻刻《楚辭章句》本作「滕隍墳氏」，則衍一「隍」字。滕，國名；墳，人名。《戰國楚竹書》（二）〈訟城是〉（容成氏）：「武王是虖（乎）為革車千

乘，帶甲萬人，戊午之日，涉于孟津，至於共、縢之閑，三軍大犯。」[56]縢，即滕字。《左傳》閔公二年「益之以共、滕之民為五千人」，杜注：「共與滕，衛別邑。」清高士奇《春秋地名考》卷七〈衛〉「共」條云：「蓋其地逼近衛都，故先為國而後併于衛也。」楚簡和傳世文獻皆證明，古滕國，近衛國的濮陽。滕氏奔之國，非兗州之滕。說明楚族的始祖出自帝顓頊是有來歷的。

《新蔡葛陵楚墓》楚簡還發現了一條更為重要文獻材料。甲三第一一、甲三第二四簡：「昔我先出自郮道，宅茲沂（沮）、章（漳），台（以）選遷処（處）。」[57]

這條楚簡的文獻價值，在於直接說出楚先的出處。何琳儀先生近為〈楚都丹陽地望新證〉一文，對「郮道」一詞有釋讀。何氏謂「郮」字通用均，是地名，即唐代均州，在今湖北丹江口一帶。又釋「道」為「追」字，通作歸。歸字屬下，「歸宅」有「往居」之意。[58]

何氏對此簡釋讀，兩個問題不能自圓其說。第一，誠如何氏所徵引，古書行文「出自」下固有用作地名者，但是，在先秦兩漢文獻，如果「出自」上是某一氏族的先祖人名，則「出自」下必亦是一人名。如：

《國語・周語》中：「鄭出自宣王。」

〈周語〉下：「我姬姓，出自天黿。」韋昭注：「天玄，即玄帝嚳。」

〈晉語〉四：「先君叔振出自文王，晉祖唐叔出自武王。」又曰：「狐氏出自唐叔。」

《墨子・非攻》下：「越王繄虧，出自有遂，始都於越。」庚案：有遂，即有遂氏也。

〈穆天子傳〉：「赤烏氏出自宗周。」

《史記・晉世家》「鄭之出自厲王，而晉之出自武王。」

〈楚世家〉：「楚之先祖出自帝高陽顓頊。」

---

[56] 《戰國楚竹書》（二）（上海市：上海古籍出版社，2003年12月版），頁290。

[57] 《新蔡葛陵楚墓》（鄭州市：大象出版社，2003年1月版），頁189。

[58] 何琳儀：〈楚都丹陽地望新證〉，《文史》，2004年第2輯。

《漢書・地理志》：「秦之先曰柏益，出自帝顓頊。」

〈揚雄傳〉：「揚雄字子雲，蜀郡成都人也。其先出自有周伯僑者，以支庶初食采于晉之（楊）〔揚〕，因氏焉。」

〈王莽傳〉：「惟王氏，虞帝之後也，出自帝嚳；劉氏，堯之後也，出自顓頊。」

班固〈高祖頌〉：「漢帝本系，出自唐帝。」

崔瑗〈河間張平子碑〉：「河間相張君者，南陽西鄂人，諱衡，字平子，其先出自張老，為晉大夫。」

應劭《風俗通義》卷一〈六國〉：「楚之先出自帝顓頊。」

《世族譜》：「管氏出自周穆王。」

以上書證皆說明將楚簡「昔我先出自郇道」之「郇」，釋為地名，實屬不當。再者，以「郇」為均陵，而「均陵」之地名，未見先秦文獻所載，在戰國有無稱為「均陵」之地，需要有更堅實的證據。

第二，追，音陟堆反；古屬端紐。歸，音舉韋反；古屬見紐。舌、牙二部相去甚遠，不相通用。又，《說文》：「𠂤，小阜也。」都回反。又曰：「𡴎，危高也。讀若臬。「𡴎字當從𠂤、從屮。魚列反。俗作㠯字，誤從𠂤作從山也。𠂤、𡴎為二字，非一字繁省。歸字從婦省、𠂤聲，實𡴎聲也。則何氏謂追、歸通用，非知音之選。

長沙戰國《楚帛書》：「曰故□能（熊）雹𧆞（祖）出自喘霆。」其行文格式與楚簡一轍。姜亮夫氏釋「喘霆」為「顓頊」。[59]其說可信。霆，從走、雨聲，與「頊」字音近通用。此例可推，郇道，即顓頊。長沙馬王堆漢墓《刑德》乙本〈九宮圖〉，北方曰水位，其神曰湍玉。湍玉，即顓頊。說明其字在周秦、漢初，皆未有一定，不論顓頊、郇道，還是喘霆、湍玉，都僅僅是其名的記音符號。

但是，考釋「郇道」是否即「顓頊」，在沒有直書證的情況下，確實需要融會貫通文字、音韻、訓詁知識加以綜合考查，需要有文字「通轉」的旁證材料，光「音近通轉」是不能說明問題的。郇，川聲，古屬文部，與元部通轉。《周禮・春

[59] 姜亮夫：〈離騷首八句解〉，《社會科學戰線》1979 年第 3 期。

官・巾車》「孤乘夏篆」，《說文・車部》引篆作輴。輴，川聲，文部；篆，彖聲，元部。其為一證。《詩・車舝》「辰彼碩女」，《列女傳・續傳》引辰作展。辰，文部，展，元部。此為二證。《禮記・雜記》上「載以輲車」，《儀禮・既夕禮》鄭注引輲作團，云：「《周禮》謂之蜃車。」蜃，從辰聲，元部；輲，端聲，元部。此為三證。䖏、顓，為照、穿旁紐雙聲，故聲近通用。逍字從峊，讀若櫱，音魚列反，疑紐，月部。頊，魚玉反，疑紐，屋部。櫱、頊同疑紐雙聲。月、屋為旁轉。《說文》：「竘，讀若櫱。」竘，屋部字。即其證。所以，「䖏逍」、「顓頊」確實可以通轉。「逍」字又見《郭店楚簡》，〈窮達以時〉：「白（百）里迲逍五羊，為敀斅牛，釋板柽而為朝卿，遇秦穆。」迲逍五羊，裘錫圭先生據《史記・秦本紀》「秦穆公以五羖羊皮贖百里奚之身」，謂逍即遖，「讀為『賣』，通『鬻』」。❻鬻，雖屋部字，而其聲為喻四，與逍字非雙聲，絕不通用。逍，即通貨，二字為歌月平入對轉，疑、匣旁紐雙聲。宋本《玉篇・貝部》：「貨，賣也。」迲逍五羊，謂轉貨五羊。所以，逍，釋為「鬻」字是錯誤的，更不能充當「䖏逍」即「顓頊」的直接證據。

楚簡「我先」即楚先，皆特指楚族先祖老童、祝融等而不指他人者。如：

《包山楚簡》第二三八簡：「舉禱楚先老僮、祝韓、媸（鬻）酓（熊）各兩羖，亯祭，篙之高𠀉（丘）、下𠀉（丘）各一全豢。」❻則舉楚先為老僮、祝韓（融）、媸（鬻）酓（熊）三人。

《江陵望山沙塚楚墓》第一一九、一二〇、一二一簡：「囗（楚）先老僮、祝韓、媸（鬻）酓（熊）各一痒。」❻

「媸酓」是何人？朱德熙、裘錫圭、李家浩云：「簡文媸酓是指《山海經》的長琴，還是指《史記》的穴熊或鬻熊，待考。」❻則採取比較謹慎態度。

第一二二、一二三簡：「囗先老僮、囗囗、媸（鬻）囗各一豢。」參照上條簡

---

❻ 《郭店楚墓竹簡》，頁 146。

❻ 《包山楚墓竹簡》，頁 36。

❻ 《江陵望山沙塚楚墓》（北京市：文物出版社，1996 年 4 月版），頁 244。

❻ 《江陵望山沙塚楚墓》，頁 272。

文，補其缺字，蓋作：「楚先老僮、祝韇、媸（鬻）熊各一牂。[64]

《新蔡葛陵楚墓》甲三第一八七、一九七簡：「嬰禱楚先，老童、祝韇、媸（鬻）酓（熊）各二痒（牂）。」[65]

甲三第一八七、一九七簡：「嬰禱楚先，老童、祝韇、媸（鬻）酓（熊）各二痒（牂）。」[66]

據此，楚人稱楚先者，為老僮、祝韇（融）、媸（鬻）酓（熊）三人，或老僮、祝融、鬻熊三人。但是，《新蔡葛陵楚墓》所禱楚先，更多的是老僮、祝融、穴酓三人。如：

甲三第三五簡：「口（老）童、祝融、穴熊芳屯一口。」[67]

甲三第八三：「口口、祝韇、穴熊、卲王、獻惠王……」[68]

甲三二六八簡：「是日就禱楚先：老童、祝口（韇）、口口。」[69]

乙一第二二簡：「又（有）敓（祟）見於司命、老童、祝媸、穴酓（熊）。」[70]

零第二五四、一二六簡：「口口（老童）、口（祝）韇、穴酓（熊），就禱北口。」[71]

零第二八八簡：「口口（老童）、口（祝）韇、穴酓（熊），各口。」[72]

零第五六〇、五二二、五五四簡：「口口（老童）、口（祝）韇、穴熊、卲王口。」[73]

老童、祝融都是遠古之世傳說的人物。《史記》卷四〇〈楚世家〉：「高陽生稱，稱生卷章。」《集解》引譙周曰：「老童即卷章。」《索隱》：「卷章名老

---

[64] 同註[62]。

[65] 《新蔡葛陵楚墓》（鄭州市：大象出版社，2003 年 1 月版），頁 194。

[66] 同前註。

[67] 《新蔡葛陵楚墓》，頁 190。

[68] 《新蔡葛陵楚墓》，頁 191。

[69] 《新蔡葛陵楚墓》，頁 197。

[70] 《新蔡葛陵楚墓》，頁 202。

[71] 《新蔡葛陵楚墓》，頁 216。

[72] 《新蔡葛陵楚墓》，頁 217。

[73] 《新蔡葛陵楚墓》，頁 225。

童。」屈原稱楚族先祖為帝高陽，而不從老童始，大概是其大一統思想的體現。帝高陽不僅是楚人的先祖，又是秦人的先祖。卷五〈秦本紀〉：「秦之先，帝顓頊之苗裔。」屈原以為秦能統一中國，楚也有統一中國的資格，因為二國皆出於帝高陽。而楚簡文獻首稱老童，以老童確為楚人之先祖。

祝融氏世襲火正，甚有功於天下。〈楚世家〉說：「卷章生重黎。重黎為帝嚳高辛居火正，甚有功，能光融天下，帝嚳命曰祝融。共工氏作亂，帝嚳使重黎誅之不盡，帝乃以庚寅日誅重黎，而以其弟吳回為重黎後，復居火正，為祝融。」又，《國語・鄭語》「夫黎為高辛氏火正，以淳耀敦大，天明地德，光照四海，故命之曰祝融，其功大矣。」《左傳》昭公二十九年：「火正曰祝融，顓頊氏有子曰犂，為祝融。」可見，祝融是重黎、吳回等世襲「火正」的官爵之號，其中包含重、黎、吳回等幾代傑出人物，不專屬某個人。故楚人對祝融氏極為尊敬，世世祀為先祖。《左傳》僖二六年：「夔子不祀祝融與鬻熊，楚人讓之。對曰：『我先王熊摯有疾，鬼神弗赦，而自竄於夔，是以失楚，又何祀焉？』」說明凡楚人必祀祝融，夔子無故不祀，則要追治夔子之罪。

穴熊、鬻熊，則是楚之所以為楚的有國之君。〈楚世家〉：「季連生附沮，附沮生穴熊，其後中微，或在中國，或在蠻夷，弗能紀其世。周文王時，季連之苗裔曰鬻熊。鬻熊子事文王，早卒。」鬻熊，為周文王之師。《左傳》僖公二十六年：「吾先鬻熊，文王之師也。」杜注：「鬻熊，祝融之十二世孫。」卷四七〈孔子世家〉：「楚之祖封于周。」《漢書・藝文志》：「《鬻子》二十二篇，名熊，為周師，自文王以下問焉，周封為楚祖。」卷四〈周本紀〉載，周文王時，「太顛、閎夭、散宜生、鬻子、辛甲大夫之徒皆往歸之。」《集解》引劉向《別錄》：「鬻子名熊，封于楚。」穴熊事蹟不詳，但是，楚簡稱穴熊明顯多於鬻熊。這可能有兩種情況：一是穴熊、鬻熊本是一人，而《史記》誤析為二人。二是穴熊聲望在鬻熊之上，其開創楚國之功甚偉，漢世已湮沒莫聞，而楚簡猶存其舊。要而言之，楚人列舉其先老祖，必以老僮、祝融、穴熊三人或老僮、祝融、（鬻）熊三人為代表。由於三人皆為楚國宗族所曉習，故楚簡或徑以「三楚先」稱之。如：

《新蔡葛陵楚墓》甲三第一〇五簡：「廌（薦）三楚先，客（各）口。」[74]

甲三第二一四簡：「就禱三楚先屯一痒。」[75]

乙一第一七簡：「就禱三楚先屯一痒（牂）。」[76]

乙三第三一簡：「就禱三楚口（先）。」[77]

乙三第四一簡：「舉禱三楚先各一痒（牂）。」[78]

乙四第二六簡：「口三楚先、地主，二天子……」[79]

零第三一四簡：「之，就禱三楚口（先）。」[80]

楚簡或者徑稱以「楚先」。如：

《新蔡葛陵楚墓》甲三第一三四、一〇八簡：「乙亥禱楚先與五山。」[81]

零第九九簡：「口于楚先與五山口。」[82]

通過對上述材料的排比、歸綜、比較，基本可以確定，「我先」即楚先老童、祝融、穴熊或鬻熊、那末「䣄道」則非「顓頊」莫屬了。楚簡文獻記載楚之先祖老童等出自䣄道（顓頊），和屈原〈離騷〉「帝高陽之苗裔」也完全一致。而「宅茲沮、漳，以選遷居」，與傳世文獻記載楚國開創時期的歷史材料也可以相互印證、補充，充分體現了這條楚簡材料對於研究楚國歷史、為傳世文獻所不可替代的巨大的史料價值。

《新蔡葛陵楚墓》上述關於老童、祝融、穴熊的楚簡材料，對於印證〈離騷〉「昔三后之純粹」之「三后」，也極有啟發性和說服力。

〈離騷〉：「昔三后之純粹兮，固眾芳之所在。」王逸注：「后，君也，謂禹、湯、文王也。」《文選》張銑注：「三后，謂禹、湯、文王也。」漢、唐人皆

---

[74] 《新蔡葛陵楚墓》，頁 191。
[75] 《新蔡葛陵楚墓》，頁 195。
[76] 《新蔡葛陵楚墓》，頁 202。
[77] 《新蔡葛陵楚墓》，頁 204。
[78] 《新蔡葛陵楚墓》，頁 205。
[79] 《新蔡葛陵楚墓》，頁 206。
[80] 《新蔡葛陵楚墓》，頁 218。
[81] 《新蔡葛陵楚墓》，頁 192。
[82] 《新蔡葛陵楚墓》，頁 212。

以「三后」為夏、殷、周三代，則與下文「彼堯舜之耿介兮，既遵道而得路」敘三代以前事不相接榫，故招致後世治〈騷〉學者質疑。

朱熹《楚辭辯證》：「三后若果如舊說，不應其下方言『堯舜』。疑謂三皇，或少昊、顓頊、高辛也。」[83]朱駿聲《離騷補注》：「三后，謂黃帝、顓頊、帝嚳也。」[84]王樹枏《離騷注》：「三后，謂黃帝、顓頊、帝嚳也。《史記》依《世本》、《大戴禮》，以黃帝、顓頊、帝嚳、堯、舜為五帝；譙周、應劭、宋均並同其說。此文上言『三后』，下言『堯舜』，故知三后指黃帝、顓頊、帝嚳而言。」[85]

汪瑗《楚辭集解》：「三后，謂楚之先君，特不知其何所的指也。」其《蒙引》復云：「先言楚之先君，而後及堯舜，在屈子則得立言之序也。吾嘗謂顓頊高陽氏為楚之鼻祖矣，其餘如祝融氏、季連氏、鬻熊氏，及熊繹為受封之始，熊通為稱王之始，熊貲為遷都之始，皆楚之先君有功德秘當法者焉。但不知其所擲耳。昔夔不祀祝融、鬻熊而楚成王滅之，則二氏為楚之尊敬也久矣。然此所謂『三后』者，以理揆之，當指祝融、鬻熊、熊繹也。」[86]王夫之《楚辭通釋》：「三后，舊說以為三王。或鬻熊、熊繹、莊王也。」[87]戴震《屈原賦注》：「三后，謂楚之先君賢而昭顯者，故徑省其辭，以國人共知之也。今未聞。在楚言楚，其熊繹、若敖、蚡冒三君乎？」[88]馬其昶《屈賦微》：「熊繹為始封君，若敖、蚡冒為楚人所常誦，『三后』當指此。」[89]聞一多《楚辭校詁》：「《左傳》成公十三年曰：『楚人惡君之名二三其德也，亦來告我曰：「秦背令狐之盟，而求盟於我，昭告昊天上帝，秦三公，楚三王。」』〈楚世家〉『熊渠立其長子康為句亶王，中子紅為

---

[83] 〔宋〕朱熹撰：《楚辭集注》，頁 176。

[84] 朱駿聲：《離騷補注》，清道光 30 年臨嘯閣刻《朱氏叢書》本。

[85] 〔清〕王樹枏：《離騷注》，清光緒新城王氏石印本。

[86] 汪瑗：《楚辭集解》（北京市：北京古籍出版社，1996 年 10 月版），頁 314。

[87] 〔清〕王夫之：《楚辭通釋》，清同治金陵書局《船山遺書》本。

[88] 戴震：《屈原賦注初稿》，《戴震集》第二冊（北京市：清華大學出版社，1992 年版），頁 879。

[89] 〔清〕馬其昶：《屈賦微》，清光緒 25 年刊《集虛草堂叢書》本。

鄂王，少子執疵為越章王』。是為楚稱王之始。楚三王或即指此。三后，知即三王否？」⑩湯炳正《離騷今注》：「三后，指楚莊王、楚康王、楚悼王，同是楚國有革新之功的先王。」⑪綜觀自朱熹以下諸說，大致上可以分為二類：一是從上下文審視，以「三后」為堯舜以前的聖君。二是指楚國有德先君。

從文意揣摩，〈離騷〉之所以先「三后」而後「堯舜」，是從「路」字說鋪張開來的。三后純粹，承「先路」而來，然後屈原自答何為「先路」的問題，即「昔三后之純粹兮，固眾芳之所在；雜申椒與菌桂兮，豈維紉夫蕙茝」四句，是用自注方式，解釋「先路」之意。楊樹達云：「古人行文，中有自注，不善讀書者，疑其文氣不貫，而實非也。」⑫這種文中有「自注」方式，現在稱之為「插敍」。而「彼堯舜之耿介兮」以下四言，進一步申說何以得「路」，又何以失「路」。「惟夫黨人之偷樂兮」以下則轉敘「世路」之險隘。其前後行文縝密、緊湊，真若天衣密縫，並不可以拘其時之先後。朱熹等必以「三后」為先堯舜之聖王，為皮相之解。這段文字的表達內容，既然不存在按時間先後次序的問題，則以「三后」為「禹、湯、文王」三代，似乎亦未嘗不可，況且稱「禹、湯、文王」三代為「三王」、「三后」，是戰國通常說法。但是，「乘騏驥以馳騁兮，來吾導夫先路」之「先路」，是楚國先王至治之路，不當泛指「禹、湯、文王」三代。故以「三后」為楚之有德先君，確乎可信。問題在於到底指楚有德先君中哪三人，可謂人言人殊。由於各自的眼光不同，標準也不一樣，終莫知所從。只有楚簡為解決這個難題提供了新的有力文獻證據。「三后」即楚簡的「三楚先」、「楚先」，指老僮、祝融、穴熊三人或老僮、祝融、媸（鬻）熊三人。以其楚人皆曉知之，故屈原〈離騷〉徑稱為「三后」。

五、簡帛文獻爲破釋《楚辭》疑難問題提供全新證據

《楚辭》作品，尤其是屈原、宋玉作品頗多遺留歷史積案，是古今研究《楚

---

⑩ 聞一多：《楚辭校補》，《聞一多全集》（二），頁357。

⑪ 湯炳正：《楚辭今注》（上海市：上海古籍出版社，1996年12月版），頁6。

⑫ 俞樾等：《古書疑義舉例五種》（北京市：中華書局，1983年6月版），頁214。

辭》疑難問題。從內容上分析，小到字義訓詁方面的問題，大到作品整體結構方面的問題，還有《楚辭》作品所記載的神話傳說和三代歷史方面的問題。其之所以成為難題，學者苦於沒有可靠的文獻材料可與質證。然後，簡帛材料的新發現，從中可以得到啟發、印證，乃至解決問題。如：

從詞義訓詁上說，則以「謇謇」為例。〈離騷〉「余固知謇謇之為患兮」，王逸注：「謇謇，忠貞貌也。《易》曰：『王臣謇謇，匪躬之故。』」唐寫本《文選》卷九四袁彥伯〈三國名臣序贊一首〉李善注引王逸注《楚辭》：「蹇蹇，思忠信行艱也。」《慧琳音義》卷八五「謇謇」條引王逸《楚辭》注：「謇謇，威儀貌也。」又引《考聲》：「謇謇，詞無避也。」《東雅堂昌黎集注》卷六〈贈別元十八協律六首〉注引王逸注《楚辭》：「蹇蹇，忠正貌。」在唐、宋之世，不僅「謇謇」這個詞語，而且連漢人注釋頗多異文，必是後人傳鈔、妄改所致。朱熹《集注》：「謇謇・難於言也。直詞進諫，己所難言，而君亦難聽，故其言之出有不易者，如謇吃然也。」朱氏此說多為後世注家所採用，以為解「忠貞」之「謇」，實「謇難」義的引申。漢馬王堆帛書本《易經》作「王僕蹇蹇，蹇，是「蹇」的異體文，不從言作「謇」。之後，《戰國楚竹書》（三）《周易》作「王臣訐訐」。說明其字當戰國、秦漢之世未有定形。《郭店楚簡・性自命出篇》：「有其為人之迴迴如也，不有夫柬柬之心則采；有其為人之柬柬如也，不有夫恒怡之志則縵。」又云：「君子執志必有夫生生之心，出言必有夫柬柬之信，賓客之禮必有夫齊齊之容，祭祀之禮必有夫齊齊之敬。」二例「柬柬」，皆為「忠慤」之意，即同〈離騷〉的「謇謇」。謇、柬二字音同義通。故「謇謇」之解「忠貞」，與「謇難」之字漢有關係。其聲轉之字或作拳拳。《漢書・司馬遷傳》「拳拳之忠，終不能自列。」顏注：「忠謹之貌。〈劉向傳〉作惓惓字，義同耳。」《文選》李善注引《禮記》鄭玄注：「拳拳，奉持之貌。」皆忠誠懇切之意。或作恨恨，《文選》卷二九李陵〈與蘇武詩〉「恨恨不能辭」，唐呂向注：「恨恨，相戀之情。」桂馥《札樸》卷五「恨恨」條曰：「恨恨即懇懇，言誠款也。慕容翰謂逸豆歸追騎曰：『吾居汝國久，恨恨不欲殺汝。』」或作款款，〈卜居〉「吾寧悃悃款款樸以忠乎」，王逸注：「竭誠信也。」款款，即言忠慤之意。《漢書・司馬遷傳》：「見主上慘愴怛悼，誠欲效其款款之愚。」悃悃實亦同。《後漢書・竇融傳》：「悃悃安豊，亦稱才雄。」或作區區。《三國志・魏書・曹真傳》注引〈魏未傳〉：「令師、昭兄弟結君為友，不可相舍去，副懿區區之心。」或作叩叩。繁欽〈定情詩〉：「何以致叩叩，香囊繫肘後。」謇謇、蹇蹇、訐訐、柬柬、拳拳、款款、區區、悃悃、叩叩，都是表示「忠誠」這個詞義的記音字，學者宜因聲求義，沒有必要求其本字本義。楚簡材料不但印證了漢人古訓之不可移易，而且對於系統疏理「謇謇」詞語的演變非常有益。

「高丘」之地在何處？是研究《楚辭》的一個難題。〈離騷〉：「忽反顧以流涕兮，哀高丘之無女。」王逸注：「楚有高丘之山。女以喻臣。言己雖去，意不能已，猶復顧念楚國無有賢臣，心為之悲而流涕也。或云，高丘，閬風山上也。無女，喻無與己同心。舊說：高丘，楚地名也。」王氏對「高丘」列舉三說，說明他也未能決斷。劉向《九歎・逢紛》：「聲哀哀而懷高丘兮，心愁愁而思舊邦。」王逸注：「言己放斥山野，發聲而唫，其音哀哀，心愁思者，念高丘之山，想歸故國也。」〈惜賢〉：「望高丘而歎涕兮，悲吸吸而長懷。」王逸注：「言己遙望楚國而不得歸，心為悲歎，涕出長思也。」〈思古〉：「還顧高丘，泣如灑兮。」王逸注：「顧視楚國，悲戚泣下，如以水灑地也。」三例「高丘」，王氏皆釋「楚國」，當為劉向遺義。後世注家說「高丘」，可謂聚訟紛紜，而根柢皆未出王注三說之外。其實，〈離騷〉求帝、三求女，都是表現屈原歸宗返本的死亡歷程。屈原生自帝高陽，其死也當歸于帝高陽，前後相互呼應。[93]高丘，本指「帝高陽」的丘陵、祖廟，從帝顓頊之墟濮陽遷徙而來。大凡諸侯或氏族的遷徙，必將其文化習俗、宗教祖廟，重建於新開闢之居地，且擇境內名山大川而建觀立廟，而其名猶仍其舊。楚國有過三次大遷都，故「高丘」也非止一處。在楚文王遷都之前，楚都在漢北丹、淅之間的丹陽，則「高丘」宜在漢北的「附禺」之山。之後，遷都於江陵，高丘也南遷於近郢都之山。當屈原作〈離騷〉之世，高丘當在近郢之地。〈鄂君啟節・車節〉：「自鄂往，庚陽丘，庚方城，庚象禾，庚畐焚，庚緐陽，庚高丘，庚下蔡，庚居巢，庚郢。」譚其驤氏謂高丘即《水經・淮水注》的高塘坡，在

---

[93] 黃靈庚：《離騷：生與死交響曲》，首都師大中國詩歌研究中心《中國詩歌研究》（二）（北京市：中華書局，2003 年）。

今安徽臨泉縣北。[94]其說是正確的。但必須指出，〈鄂君啟節〉的「高丘」，是楚頃襄王二十一年東徙郢于壽春之後的「高丘」，非屈原〈離騷〉的「高丘」。《包山楚簡・卜筮祭禱記錄》：「舉禱楚先老僮、祝融、媸酓各兩羖，亯祭，筥之高丘（丘）、下丘（丘）各一全豣。」這個「高丘」，才是楚懷王時期的近郢的宗廟，楚人祭禱高陽、老僮以下的先祖皆在於此。祭老僮用兩羖，而祭高丘、下丘用全豣，其禮明顯優於老僮。其禱辭又云：「舉酟吉之祟，亯祭，筥之高丘（丘）、下丘（丘）各一全豣。」則省去了「老僮」等楚先。高丘（丘），帝高陽之丘（丘）。而下丘（丘），是指高陽氏以下的楚先之居。〈離騷〉「哀高丘之無女」，說屈原為未見帝高陽而傷心落淚。高陽稱「女」，即同《山海經・大荒西經》「有魚偏枯，名曰魚婦，顓頊死即復蘇」的「魚婦」了。而〈離騷〉的「下女」，指同出自高陽氏而與楚族非直系之先。高丘之於下丘，類大宗之於小宗、旁宗。屈原返本之路，始求高陽之不遂，則繼以「相下女之可遺」，別求旁系先祖了。這樣一來，楚簡文獻新材料的啟迪，繞開「女以喻臣」的君臣比喻，走出了漢人以經義解釋〈離騷〉的死胡同，深入到屈原的生命意識以及楚人的死亡觀念的探索，從而使研究進入了「柳暗花明又一村」的新境界。

古今學者對〈九歌〉十一篇排列次序頗傷腦筋。今本〈九歌〉的序次是：〈東皇太一〉、〈雲中君〉、〈湘君〉、〈湘夫人〉、〈大司命〉、〈少司命〉、〈東君〉、〈河伯〉、〈山鬼〉、〈國殤〉、〈禮魂〉。聞一多先生說，〈東皇太一〉、〈禮魂〉迎神、送神曲，是祭歌，其他九篇非祭歌，是侑神之樂曲。[95]筆者同意〈禮魂〉是送神曲的說法，好比是〈離騷〉、〈涉江〉、〈哀郢〉、〈抽思〉、〈懷沙〉等篇中的「亂辭」。但是，說〈東皇太一〉是迎神曲，則不敢苟同。誠如上述，夏、越人的〈九歌〉均當有祭其先祖之歌，後被屈原所作的〈東皇太一〉換了下來。而〈國殤〉一篇是屈原外加之作，沅、湘〈九歌〉本無此祭。去掉此篇，正好九篇，頗合〈九歌〉之數。可是，有些學者對〈九歌〉的整體結構、即對十一篇排列的次序難以理解，於是按照天神、地祇、人鬼的系統重作編次，以

---

[94] 譚其驤：〈鄂君啟節銘文釋地〉，見《中華文史論叢》1962 年第 2 期。

[95] 聞一多：〈〈九歌〉的結構〉，《中國社會科學》1980 年第 4 期。

為〈東君〉應該在〈東皇太一〉之後，而與〈雲中君〉相配，二〈司命〉應該在二〈湘〉之前，因為它們是天神。[96]此乃皮相之說，未可信據。其實，〈九歌〉十一篇祭歌的序次，不是隨意而為，更不是亂無次序的錯簡，而是與當時楚人所特有的宇宙哲學觀相符合的，是屈原依據其時楚人所共有的宇宙哲學觀而對〈九歌〉整體結構重作一番別具心匠的調整的結果。如果需要瞭解一下楚人對天體宇宙的識認及其哲學觀，不妨讀一讀《郭店楚簡》裏的〈太一生水〉這篇奇文。

> 太一生水，水反桶（輔）太一，是以成天；天反桶（輔）太一，是以成地。天地復相桶（輔），是以成神明，神明復相桶（輔）也，是以成陰陽；陰陽復相桶（輔）也，是以成倉（滄）然（熱）；倉（滄）然熱復相桶（輔）也，是以成濕澡（燥）；濕澡（燥）復相桶（輔）也，成貢（歲）而止。古（故）貢（歲）者，濕澡（燥）之所生也。濕澡（燥）者，倉（滄）然（熱）之所生也。倉（滄）然（熱）者。四時者，陰陽之所生也。陰陽者，神明之所生也。神明者，天地之所生也。天地者，大一之所生也。是古（故）大一贇（藏）于水，行于時，周而或□□□□萬勿（物）母。罷塊（缺）罷浧（盈），以忌（紀）為萬勿（物）經。此天之所不能殺，地之所不能厘，陰陽之所不能成。[97]

太一是宇宙的本源，宇宙間的一切都從太一開始，所以楚人首祭生成宇宙的無始尊神，〈東皇太一〉便為〈九歌〉第一篇。包山楚簡禱祝也以「大（太）」或「杕（祅）」（即太一）神居於首祭之位。太一以後便是「水」的階段，這大約就是指那一種「天地未形，馮馮翼翼，洞洞灟灟」[98]的混溷狀態。戰國《楚帛書》說太始之時，也是「夢夢墨墨，亡章弼弼」[99]，處在一種溷混未分若水的狀態。這

---

[96] 姜亮夫：《重訂屈原賦校注》（天津市：天津古籍出版社，1987 年 3 月版），頁 173。
[97] 荊門市博物館編著：《郭店楚墓竹簡》（北京市：文物出版社，1998 年 5 月版），頁 125。
[98] 《淮南子．天文篇》（北京市：中華書局《叢書集成》本，1985 年）。
[99] 饒宗頤：《楚地出土文獻三種研究》（香港：中華書局，1995 年版），頁 234。

種觀念與遠古之世的洪水創世傳說有密切關係。〈天問〉一篇的結構，先問宇宙洪荒，然後問大禹治洪，然後再問天地志怪，然後再轉入人事。其與「太一生水」的序列也基本一致。在「太一生水」的序列中，水神的地位顯得特別尊貴，〈雲中君〉、〈湘君〉、〈湘夫人〉便緊跟在元始天尊〈東皇太一〉之後。雲興而雨降，雲神、雨師當屬水神之列。殷商卜辭祭祀雲神之禮非常隆重，幾與上帝同列，故稱雲神為「帝雲」。[100]夏、越〈九歌〉的水神，應該首祭河伯，在夏、越〈九歌〉中，〈河伯〉一篇當在二〈湘〉之前。但是，古禮「祭不越望」，在屈原，楚人祭河屬「越望」，視如「淫祀」，不當入〈九歌〉之典，他或許為了表示對沅、湘民俗的尊重，經其改造以後的〈九歌〉仍然保留了〈河伯〉之祭，只是河神的位置被挪到〈東君〉後面去了。過了溷混未分的「水」的階段之後，才有天地之分，然後是進化到「神明」的序列。根據《易・繫辭》「近取諸身，遠取諸物，於是始作八卦，以通神明之德，以類萬物之情」說法，神明，即神靈，既指已經出現的太一天尊、水神之類，又包括後來出現的司掌萬物的司命神，大、小二〈司命〉便安措在二〈湘〉之後。「神明」以後的序列是「陰陽」。陰陽者，日、月也。這樣一來，〈東君〉一篇又在二〈司命〉之後。接下來是祭地祇山神、殤鬼，則〈山鬼〉、〈國殤〉又在其次。〈禮魂〉的諸祭的送神曲，措於末後。認識〈九歌〉的整體結構及其諸神序列，這篇〈太一生水〉便是最具有說服力的文獻依據，從中可以看出屈原依據楚人的觀念而對原始夏、越〈九歌〉重作構思、調整的蹤跡。

《楚辭》作品記載夏、商、周三代歷史的典故，與傳世文獻所載多所不同，或完全為傳世文獻所闕如。如，〈離騷〉：「啟〈九辯〉與〈九歌〉兮，夏康娛以自縱。不顧難以圖後兮，五子用失乎家巷。」王逸注：「啟，禹子也。言禹平治水土，以有天下，啟能承先志，纘敘其業，育養品類，故九州之物，皆可辯數，九功之德，皆有次序，而可歌也。夏康，啟子太康也。言太康不遵禹、啟之樂，而更作淫聲，放縱情欲，以自娛樂，不顧患難，不謀後世，卒以失國，兄弟五人，家居閭巷，失尊位也。〈尚書序〉曰：『太康失國，昆弟五人，須於洛汭，作〈五子之

---

[100] 胡厚宣：《殷代之天神崇拜》六〈雲神〉，《甲骨學商史論叢初集》（河北省石家庄市：河北教育出版社，2002 年 11 月版），頁 231。

歌〉』，此佚篇也。」王逸將夏啟當作聖明之主，完全是依據漢師經義，用儒家道統的說法來解釋《楚辭》。儒家文獻美化夏啟，將其視如夏禹一樣的明君。《孟子・萬章》上：「禹薦益於天，七年，禹崩。三年之喪畢，益避禹之子於箕山之陰，朝覲訟獄者不之益而之啟，曰：『吾君之子也。』謳歌者不謳歌益而謳歌啟，曰：『吾君之子也。』」又以夏之亂政在夏啟之子太康以後，是依據《書・五子之歌》。屈原則不然，其視夏啟為無道之君。〈天問〉：「啟代益作后，卒然離蠥。何啟惟憂，而能拘是達？皆歸射鞠，而無害厥躬。何后益作革，而禹播降？啟棘賓商，〈九辯〉、〈九歌〉。何勤子屠母，而死分竟地？」夏啟不但以暴力代益，縱放聲色，居然兇殘到了要「屠母」，使其屍分竟地，真比禽獸不如了。但是，〈天問〉並沒有提到「太康」。汪瑗《楚辭集解》：「康娛，猶言逸豫也。」戴震《屈原賦注》：「『康娛』二字連文，篇內凡三見。」其說甚是。出土於西晉初期的《汲冢竹書》曾有「益干啟位，啟殺之」的記載，對夏啟也持否定態度，和屈原作品大致相同。由於《汲冢竹書》年久失傳，兼之儒家道統的習慣勢力，對此類殘簡零句，多不為學者重視。而今又得到了戰國楚簡文獻的證實。《戰國楚竹書》（二）〈容成氏〉：「禹又（有）子五人，不以丌（其）子為后，見咎咎（咎繇）之賢也，而欲以為后。咎秀（咎繇）乃五壤（讓）以天下之賢者，述（遂）偁疾不出而死。禹於是虖（乎）壤（讓）益，啟於是虖（乎）攻益自取。」[101]據此，〈離騷〉「五子用失乎家巷」的「五子」，當指禹之「五子」，而非啟之「五子」，即非太康兄弟五人。大概禹死之後，其子啟等兄弟五人初始並心合力，戰勝了益，而後為了爭奪王位內訌不已，互相屠殺，最後是夏啟取得成功。但是，代價十分慘重，不僅兄弟反目為讎，連母親「屍分竟地」，其內亂直至少康之世才平定下來。因而，夏朝初期的這段歷史，由於楚簡文獻的新發現，恐怕得重新認識。

〈天問〉：「禹之力獻功，降省下土四方。焉得彼嵞（塗）山女，而通之于臺桑？閔妃匹合，厥身是繼。胡維嗜不同味，而快鼂飽？」王逸注：「言禹治水道娶者，憂無繼嗣耳。何特與眾人同嗜欲，苟欲飽快一朝之情乎？故以辛酉日娶，甲子日去，而有啟也。」王氏「以辛酉日娶，甲子日去，而有啟」云云，完全依據

[101] 《戰國楚竹書》（二），頁 275－276。

《書・皋陶謨》：「予創若時，娶于塗山，辛、壬、癸、甲。啟呱呱而泣，予弗子，惟荒度土功。」孔《傳》：「塗山，國名。辛日娶妻，至於甲日，復往治水，不以私害公。啟，禹子也。禹治水，過門不入，聞啟泣聲，不暇子名之，以大治度水土之功故。」都是說禹娶塗山氏的婚期是自「辛」至「甲」，凡四日。而《史記・夏本紀》改作「辛、壬娶塗山，癸、甲生啟」，小司馬《索隱》批評說：「豈有辛壬娶妻，經二日生子？不經之甚。」其駁甚當。雲夢睡虎地秦簡〈日書〉（八九四反）：「癸丑、戊午、乙未，禹以取梌（塗）山之女日也。」[102]從癸丑至戊午，經六日，再至乙未，經四十日，凡四十六日。顯然和儒家經書所載不同。可惜〈日書〉記載十分簡略，具體情況也不可詳悉。但是，至少說明傳世文獻載禹娶塗山氏在辛、壬、癸、甲四日是有問題的，目前還不能匆忙作結論，唯有存疑而已。其秘密之揭櫫，有待於將來地下新材料的發現。

出土的簡帛文獻對《楚辭》研究的推動作用是多方面的，運用簡帛文獻材料來印證傳世《楚辭》文獻，是當今《楚辭》研究的一條新途徑。我們這代研究《楚辭》的學者幸生於簡帛文獻大量出土之世，有機會見到前人所未曾見到的簡帛文獻資料，占了時代的便宜。在這樣的新條件下，預示《楚辭》研究必將超越前人，取得豐碩成果。但是，從目前出土的簡帛文獻看，有《楚辭》內容的簡帛材料，僅二支漢代的殘簡，只存十個字，多數內容和《楚辭》文本、屈原事蹟沒有直接關係。故誠如上述，簡帛文獻的作用是非常有限的，切不可任意誇大、濫用。尤其在《楚辭》研究的重大問題上，運用簡帛材料更要採取謹慎、嚴肅態度，切忌輕率從事。如，有人據包山楚墓的墓主為「東宮之師」，便毫無根據地斷定這「東宮之師」是屈原。[103]如果不是有意在嘩眾取寵、搞新聞「炒作」，則顯得十分輕率了。運用簡帛文獻材料從事《楚辭》研究不能誤入簡單化、庸俗化的迷途，要謹慎地、科學地利用它、發揮它，類此和當今的整體學術研究狀況不相協調的「奇談怪論」應該杜絕，避免再度發生。

---

[102] 《睡虎地秦墓竹簡》（北京市：文物出版社，1990 年版），頁 208。

[103] 高正：〈論屈原與郭店楚墓竹簡的關係〉，見《光明日報》1999 年 7 月 2 日第 7 版。

經　學　研　究　論　叢
第　十　九　輯　　頁309～316
臺灣學生書局　2011年11月

王樹榮研究文獻目錄

趙雪君*

一、小傳❶

王樹榮（1871－1952），字仁山，別號戟髯、王晚山、卐龕老衲、苕上騎驢客，浙江湖州人（籍貫歸安，民國元年烏程、歸安合併為吳興縣），近代法學家，師從清代法學家沈家本。一八九四年光緒甲午科舉人，京師法律學堂畢業。一九一○年九月第八次萬國監獄大會於美國華盛頓召開，清大理院奏請特派金紹城、李芳為專員，王樹榮為隨員；法部奏請特派徐謙、許世英為專員，沈其昌、羅文為隨

* 趙雪君，清華大學中國文學系博士生。

❶ 王樹榮小傳撰寫資料來源如下：

・王樹榮編纂：《王氏族譜》，收於中國國家圖書館地方志家譜文獻中心：《清代民國名人家譜選刊》第1冊（北京市：北京燕山出版社，2006年）
・郭明：《中國監獄學史綱》（北京市：中國方正出版社，2005年）
・吳仲輯：《續詩人徵略》（臺北市：明文書局，1986年）
・徐友春：《民國人物大辭典》增訂版（石家莊市：河北人民出版社，2007年）
・周金冠：《近現代書齋室名趣錄》（石家莊市：河北教育出版社，1998年）
・楊廷福、楊同甫：《清人室名別稱字號索引》（上海市：上海古籍出版社，1988年）
・王樹榮孫女王務荊口述、王聽蘭整理：〈近代著名法律工作者王樹榮家史與貢獻〉於中國王氏網 http://www.chinawang.org/index.php?option=com_content&task=view&id=1049&Itemid=81，2007年7月15日
・湖州中學網站：http://www.hzhs.net/Index.asp

員，分途與會並考察俄、奧、德、瑞士、法、比、荷、英、美等國的監獄、審判制度。此行所得資料經編定後初名《第八次萬國監獄協會報告書提要》，主要由王樹榮負責譯述編撰。歷任江蘇高等審判廳推事，直隸高等審判廳推事、民庭庭長。一九一五年十月，任山西高等檢查廳檢查長；十二月，任江蘇高等檢查廳檢查長。一九二二年，任湖北高等檢查廳檢查長，後任安徽高等法院首高檢查官，國民政府司法行政首高檢查官。抗戰勝利後王樹榮在上海吳淞口以江蘇省檢察廳名義主持焚燒鴉片，《蘇州日報》曾報導稱他為第二個林則徐。以剛齋、相人偶居、紹邵軒為書室名，為地方知名士紳，亦曾任湖州府中學堂（今湖州中學）學堂監督（即校長），一生著述頗豐，於獄制律法、經史詩文均有著作。

二、專著

1. 紹邵軒叢書　七種 18 卷

   線裝書　安慶東方印書館　1935 年

   臺北縣板橋市　藝文印書館　1961 年

   - 本書包括：《續公羊墨守》3 卷、《續穀梁廢疾》3 卷、《續左氏膏肓》6 卷、《公羊何注攷訂》1 卷、《葴箴何篇》1 卷、《續公羊墨守附篇》3 卷、《讀左持平》1 卷

2. 治公羊家言

   出版項不詳

   - 見於橋川時雄《中國文化人物總鑑》，註明本書為未刊稿

3. 確尊何劭公

   出版項不詳

   - 見於橋川時雄《中國文化人物總鑑》，註明本書為未刊稿

4. 元秘史潤文　15 卷

   臺北市　文海出版社　891 頁　1974 年

   - 手稿本完成於 1906 年

5. 史論課孫草　2 卷

   線裝書　民國間（1912－1949）出版

- 出版項資料根據中國國家圖書館館藏資料

6. 剛齋吟草漫錄　3卷

   線裝書　民國間（1912－1949）出版

   - 出版項資料根據中國國家圖書館館藏資料

7. 相人偶居詩文稿

   出版項不詳

   - 見於中國國家圖書館地方志家譜文獻中心所編之《清代民國名人家譜選刊》中，編者簡述《王氏族譜》歷史中、介紹編纂者王樹榮。亦見於徐友春《民國人物大辭典》，橋川時雄《中國文化人物總鑑》，註明本書為未刊稿

8. 墨守家法

   出版項不詳

   - 見於中國國家圖書館地方志家譜文獻中心所編之《清代民國名人家譜選刊》中，編者簡述《王氏族譜》歷史中、介紹編纂者王樹榮。亦見於徐友春《民國人物大辭典》，橋川時雄《中國文化人物總鑑》，註明本書為未刊稿

9. 王氏族譜　14卷　王樹榮等纂修

   線裝書　1936年

   北京市　北京燕山出版社　538頁　2006年　《清代民國名人家譜選刊》1

10. 第八次萬國監獄協會報告書提要

    線裝書　太原市　太原監獄　民國間（1912－1949）出版

    - 出版項資料根據中國國家圖書館館藏資料

11. 各國監獄制度譯略　金紹城譯、王樹榮筆述

    線裝書　太原市　太原監獄　民國間（1912－1949）出版

    - 出版項資料根據中國國家圖書館館藏資料

12. 第八次萬國監獄報告提要

    北京市　京師監獄　348頁　1911年

    微縮品　北京　全國圖書館文獻縮微中心　2006年

    - 此為著者參加該會報告書的提要。分8編，包括監獄協會緣起、美國改良監獄之成績、各國改良監獄之成績，以及改良監獄、改良刑法、預防犯罪等議

案。此外本書尚包括《考查各國監獄制度報告書提要》、《十五國審判監獄調查記》、《各國監獄制度譯略》三部分內容

13. 考察各國司法制度報告書提要

線裝書　著者自刊　1914 年　剛齋法學叢刊

- 出版項資料根據中國國家圖書館館藏資料

14. 考察各國監獄制度紀要五種

著者自刊　364 頁　1923 年（2 版）

- 本書為 1911 年《第八次萬國監獄報告提要》一書重印。包括：《第八次萬國監獄協會報告書提要》（王樹榮）、《第八次萬國監獄協會報告書原本》（金紹城、李芳譯，王樹榮主述）、《考察各國監獄制度報告書提要》（王樹榮）、《十五國審判監獄調查記》（金紹城、李芳）、《各國監獄制度譯略》（金紹城、李芳譯，王樹榮筆述，包括美、法、荷、意、匈、奧 6 國）

15. 廢止無期徒刑芻議

漢口市　漢康印書局

- 本書見於台灣國家圖書館民國 1 至 38 年出版圖書之回溯建檔書目

16. 剛齋法學叢書

出版項不詳

- 見於中國國家圖書館地方志家譜文獻中心所編之《清代民國名人家譜選刊》中，編者簡述《王氏族譜》歷史中、介紹編纂者王樹榮。亦見於橋川時雄《中國文化人物總鑑》，註明本書為未刊稿
- 《剛齋法學叢書》於橋川氏一書中為《剛齋法學叢刻》，亦有《剛齋法學叢刊》之說法，見本目錄專著第 13 條

三、單篇文章

1. 莊周即子莫說

古史辨　第六冊　北平市　樸社　1938 年

古史辨　第六冊　上海市　開明　1938－1941 年

古史辨　第六冊　香港　太平　1963 年

古史辨　第六冊　臺北市　明倫出版社　1970 年

古史辨　第六冊　上海市　上海古籍出版社　1982 年

古史辨　第六冊　上海市　上海書店　1992 年　《民國叢書》

古史辨　第六冊　海口市　海南　2005 年

2. 樂府補題跋

彊村叢書　歸安朱氏刊本　1922 年

彊村叢書　臺北市　廣文　1970 年

彊村叢書　上海市　上海古籍出版社　1989 年

彊村叢書　揚州市　廣陵書社　2005 年

- 本文完成於 1920 年 6 月。彊村叢書為朱孝臧所刊印，朱孝臧為王樹榮姻親
- 1970 年廣文版《彊村叢書》並無收錄此篇

3. 重刊《瘦碧詞》跋

大鶴山房全書　第八冊　鄭文焯　光緒三十年（1904 年）蘇州周氏刻本

4. 烈婦王氏流芳橋碑記

- 未出版，非書面資料。由王樹榮撰，沈尹默書，陳伯玉刻於碑上。見於翁小杭所藏〈沈尹默書流芳橋碑記民國拓本〉，翁小杭說明如下：

　　沈尹默書烈婦王氏流芳橋碑記一本，吳興王樹榮撰，時約在民國三年（1914）。烈婦王祿，年二十適同邑朱鳳祥茂才，明年五月茂才以暴疾卒，烈婦服鹽鹵以殉，遇救而醒。時方有孕，越六月生一男，名驥，年十三驥亦患疾暴卒，烈婦服毒自盡。其婆婆為出資重建邑北鄉安化區蔣婆橋，更名曰流芳，以資表揚，呈大總統加褒獎，以崇節烈。此碑為沈尹默早年所書，功力彌深共 622 字，沈氏書法集均未收入。

網址：http://www.sh518.cc/bbs/dispbbs.asp?boardID=45&ID=16035&page=1

5. 王謝世表序

王謝世表　黃大華編　1934 年

- 〈王謝世表序〉為研究小湖王氏一脈重要史料，疑為黃大華所編之《王謝世表》一書序文。《王謝世表》書目資料見於《中國家譜綜合目錄》，藏於以下圖書館：江蘇蘇州市圖、河南圖、江西圖、陝西圖、美國

6. 續修宗譜序

   王氏祖譜　王樹榮纂修　頁 5－6　1936 年

   王氏祖譜　北京市　北京燕山出版社　2006 年　《清代民國名人家譜選刊》1

7. 改良司法意見書

   法律評論　1925 年 1－3 月

   - 見於程燎原〈中國近代法政雜誌的興盛與宏旨〉一文，文中提及《法律評論》於 1925 年 1－3 月間曾刊載王樹榮等數人對司法改革之意見。

     網址：http://www.law-culture.com/shownews.asp?id=14347

附錄一：後人研究論文

1. 王樹栄研究序説——『讀公羊墨守』を中心として　若松信爾著

   東洋文化　73 號　頁 11－30　1994 年 3 月

2. 王樹榮研究序說——以《續公羊墨守》為中心　若松信爾著，呂祥竹譯

   臺北市　臺灣學生書局　《經學研究論叢》第 17 輯　頁 225－242　2009 年 12 月

3. 王樹榮《紹邵軒叢書》評介　張厚齊著

   臺北市　臺灣學生書局　《經學研究論叢》第 17 輯　頁 189－224　2009 年 12 月

附錄二：王樹榮於金城女弟金章畫卷《金魚百影》後題詩

奇姿秀筆慧心靈赭染丹還黛點青池小綴紅花灩
瀲鏡圓浮碧荇瓏玲遲遲出水穿深草發發游波唼碎萍
詩裏畫傳争逸品知誰夜月立堤汀
汀堤立月夜誰知品逸争傳畫裏詩萍碎唼波游發發草
深穿水出遲遲玲瓏荇碧浮圓鏡瀲灩花紅綴小池青點
黛還丹染赭靈心慧筆秀争姿奇

相人偶王樹榮未是草

經　學　研　究　論　叢
第　十　九　輯　　頁317～326
臺灣學生書局　2011 年 11 月

李源澄之死

李弘毅*

在華夏歷史上，不知有多少能人志士被逼無奈最終走上了絕路。特別是上世紀五六十年代，在歷次整人運動中，有不少胸懷社會良知的士人，面對邪惡，表現出「士可殺不可辱」的崇高氣節，選擇了「寧為玉碎，不為瓦全」的歸宿。我大伯李源澄便是其中之一。

關於他的事蹟和學術成就，學界多有論述，但就筆者目前所掌握的史料看來，多源於他自己的敘述和師友之評價等，可以說尚有許多值得補充之處，特別是分析導致他死亡之原因、求學經歷和學養等，對於全面瞭解他的一生，尤其在釐清學術傳承及思想脈絡方面，就更具有了重要參考價值。

一般來說，外人對他的死因均不甚清楚。顧頡剛先生言：「文通告我，李源澄已於前數年以神經病死於重慶師院（西南師範學院），是與之同在成都文廟讀書者也。年不過五十，惜哉！」❶而稍詳細一點的僅見於《吳宓日記續編》：「1958 年 5 月 5 日星期一，夕 6:00 歸，則開桂陪委與熊家璧在舍坐候。❷兩人泣述兄澄病歿情形。前此月餘，學校由歌樂山市立精神病院召澄歸，將作處理。此時澄已甚清醒，曾函上張院長認罪，並願改造，勉作歷史教師。在家掃地，勞動，讀史書及新教本。五月二日，忽云不適。先請市中某中醫，三日至本校衛生科就診，立即輿

---

*　李弘毅，西南大學圖書館副研究館員。

❶　顧頡剛：《顧頡剛日記》（臺北市：聯經出版公司，2007 年），第九冊，頁 760。

❷　委是指我家父，原來叫李源委，後改名為李端深。我母親叫熊家碧。

送九醫院，斷為肝臟僵縮（已小如拳）之症，且謂其發已久。歌樂山病院只治瘋疾，未作全部檢查，是以致誤，今只有 1/10 之生望，云云。四日下午二時二十五分歿。其時全身盧黃，口中流出血甚多，污染衣被。歿時長女知勉侍側。澄命知勉往見吳伯伯（宓）陳述一切。」❸但是從我大姐李知勉後來回憶其父臨死前的症狀來看，應屬自殺，視口中所吐汙物，乃為服用大劑量藥物所致。其實學校在未給他定案之前，意識「已甚清醒」，當得知處理結果，如此重擊難以承受。智窮罪極，不能自勉，卒就以死抗爭。以其一貫性格來看，秉性剛直，非能苟合，也就是吳伯伯所言「特立而獨行」。從主觀上分析，他的「仕進之心太熱，有為之念太重」，其實這一切均緣於傳統儒家積極入世之觀對他的教育和啟發；以求學經歷來看，廖季平先生和章太炎先生對他性格影響較大。記得劉又辛先生曾向我這樣談到：「1956 年我因事到成都去見到了蒙文通先生，蒙先生要我給源澄帶話，叫他辭去行政職務，退下來自己專心做教學和研究。回來後我也如實將先生之言進行了轉告，他回到說：『讓我再幹兩年，如果此時突然辭去還真不好說。』」❹看來恩師的規勸也仍未能動搖他那執著仕進之心；從客觀因素看，其「有為之念」實為時代所不容。自鳴放及轟轟烈烈的反右運動開展以來，凡「經此一擊，全國之士，稍有才氣與節概者，或瘋或死，一網打盡矣。」❺家父曾告訴我說：「您大伯在被逼瘋後，曾坐於西師大校門石梯上痛哭怒吼：『張院長呀，我沒有反黨呀！』」

依據後來的平反檔看當時他們對我大伯李源澄在反右中所定罪名分析，❻主要有以下幾條：❼

第一、李是民盟潘大逵右派集團在重慶的三條黑線之一的骨幹分子，重慶市盟

---

❸ 吳宓著，吳學昭整理注釋：《吳宓日記續編》（北京市：三聯書店，2006 年），第 III 冊，頁 281。

❹ 後來此言也被劉先生寫入〈史林一株參天樹——記李源澄教授〉一文中。劉又章：《縉雲山下一支歌》（第一輯）（重慶市：西南師範大學出版社，2000 年），頁 64－67。

❺ 吳宓著，吳學昭整理注釋：《吳宓日記續編》，第 III 冊，頁 135。

❻ 見《中共重慶市文教衛生辦公室黨組文件》，市文黨摘【1979】083 號。

❼ 在反右時給他定罪的一些重要材料後來被徹底銷毀了，唯一保存下來的也就只有後來原西南師範學院上報中共重慶市文教衛生辦公室黨組的材料：「關於李源澄同志被錯劃為右派的改正結論」，看來整人的人也害怕留下歷史的證據。

內右派集團智囊團的核心分子。

第二、貫徹執行章、羅聯盟招兵買馬的大發展計畫。

第三、企圖取消黨對高等學校的領導，篡奪西師領導權。

第四、攻擊黨對知識分子的政策。

第五、在《人民日報》社論〈這是為什麼？〉發表後說：「人民日報社論有礙鳴放」，「反右鬥爭是黨中央受不了批評。」並為右派勢力「打招呼，策劃退卻。」

從以上所羅織罪名來看，最重之點就是攻擊黨和篡權。論其導火線還得從他去參加重慶市民盟的一次會議談起。據李運益先生回憶，❽他曾經代表學校去調查過此事，云：「在 1957 年大鳴大放時期，《重慶日報》刊登了一條消息，報到重慶市民盟智囊團向黨提交了一份攻擊黨對知識分子政策的報告。同時也涉及到了李源澄，於是學校黨委非常重視，就派遣我去調查此事，並取回了報告交給了學校。」他還接著說：「他們（智囊團）曾經在重慶解放碑心心咖啡館有過商量，是由劉又辛負責起草。在原稿寫成後，李源澄見其言辭尖銳，隨即又親自對全文進行了徹底修改，其實後來提交的報告語言很平和。」按事實而論，我大伯所承擔的社會工作和承擔的職務來看，本屬於正常範圍，但是這些卻被別有用心之人將本質的東西扭曲了，然後再將其無限放大，同反黨篡政掛上鉤來。最終使他在聲勢浩大反右運動中被劃成了右派，受到了撤銷一切職務和政治安排，實行留用察看，並降低原有待遇（由教授三級降為學校行政十二級）之處分。這種沉重打擊對於一個純學者來說是致命的，回想當年在川大工作時也曾同國民黨督學四川大學校長黃季陸發生過激烈爭執，後來他卻拂袖而去，隨即投入到自己所喜歡的研究中。如今整個社會環境變化了，看來在其尊嚴和睿智被無端摧毀後，也只有選擇死來證明自己的清白。當然這一切也緣於他那剛毅的個性，正如曹慕樊先生在〈又悼浚公〉詩中所寫：「徒有清如水，空嗟直似繩。運斤人已去，彈鋏客何能！熱腹承嚴譴，寬腸置物嗔。途

---

❽ 李運益（1924 年 8 月－），男，漢族，重慶銅梁人，民盟盟員，中共黨員，教授，原西南師範學院文獻所所長。長期致力於古籍整理和漢語史教學和研究工作，《漢語大字典》副主編。

窮非所痛，白頭負中興。」❾可以說他的死是生不逢時，是屬於時代之悲劇！雖然我大伯李源澄的問題於 1979 年得到了改正，並且也恢復了政治名譽，2008 年黎小龍副校長即代表學校在我校召開的出土文獻與巴蜀文獻研討會暨中國歷史文獻研究會第 29 屆年會發言上稱李源澄為著名史學家。特別是近年來學界愈來愈注意到他對中國學術的傑出貢獻，其中臺灣中央研究院率先整理出版了《李源澄著作集》，四川大學出版社在最近編纂出版的二十世紀儒學大師文庫中也將其著作收錄，遺憾的是這一切均來得太晚。人既已冤死，不可復生，但是對於家人來說，今仍有賢者看重了他的傑出學術成就，並加以整理重新刊版，方能藏之名山，傳予後世，也正是對於亡靈的告慰吧！

關於他的學風和為人品格，除先期出版的《吳宓日記續編》有所記載外，另還有些以前從未公開過的史料，可視為內容翔實的原始文獻，諸如西南大學檔案館藏李源澄檔案便是其彌足珍貴的材料之一，諸如師友們對他的真實評價，就是屬於很重要的佐證材料。蒙文通先生云：「李的政治歷史一般表現，我覺得他一貫是教書和研究學術，他對反動政權是不滿意的。他在解放後進步很快，他對祖國有深切的熱情，對黨的認識也深刻，我在 52 年到重慶時會見他，他對我說：『他想忘我真不容易』。這句話使我震驚，因為我是不敢想這一句話的，至今我還不敢考慮這一點，我覺得他是真正準備改造自己的。」❿繆鉞先生云：「他的生活一向很儉樸的。他為人沉靜、誠實、坦率，治史學很用功，著述也不少，常與我討論學術。在解放前，他的思想受封建社會儒家學說的影響相當深。」⓫傅平驤先生云「李源澄從 1935 年在蘇州章太炎的講習會和我訂交，直到 1949 年，我們又在勉仁文學院共事，其間交往有十多年的歷史。我所提供的材料便是這十多年所聞所見的事情。說老實話，解放前的朋輩中，我最敬重的只有李源澄。」⓬蒙思明先生說：「他和我熟悉是在 1944 年前一、二年中，他在偽省立圖書館工作時，他對反動政權是不滿

---

❾ 語見曹慕樊：〈又悼浚公〉，《重慶詩詞》2，重慶詩詞學會主辦，頁 9。

❿ 1965 年 3 月 29 日〈蒙文通證明材料〉。

⓫ 1953 年 4 月 1 日〈繆鉞證明書〉。

⓬ 傅平驤《我所知的李源澄》，此史料寫於 1957 年或 1958 年。

的，生活是自由散漫，當時吸旱煙很利害，沒有旁的嗜好。」⓭從以上諸位師友的敘述來看，反映出他對前輩的尊重，對朋友的坦誠和直率，治學的嚴謹。個性突出，是非鮮明。曾言：「我是一個富有熱情的人，最初因為專一於學問，不問世事。但是我並不是清高思想，我的民族意識極強。（這是受歐陽竟無先生和章太炎先生的影響。）我講史學表面上是完全在做考證，實在我心中還是有所探求，絕不是為學術而學術，不過我的思想系統未完成，表現出來的止是一堆考據文字罷了。因為沒有政治覺悟，我雖然痛恨反動派，我僅是從人看，不知提高到階級本質看，在這點就有參加反動派的可能，現在想來，真正可怕。」⓮所以人們敬重他、愛戴他。尤其在他逝世以後，吳宓先生始終如一對他家人的關照方可證明一切。好友曹慕樊先生也曾尋訪其墓：「浚公之歿，臨穴無由。今年清明，往尋其墓，則荒煙蔓草，亂塚縱橫。莫知埋骨處，吞聲而返。」詩中還寫到：「不謂中郎沒，盲詞唱尚多。遺書難汗簡，傾淚欲成河。嬌女啼應數，孀妻老見訶。不須披宿草，駿骨已消磨！」⓯

其實在他的人生經歷中，也曾有能避開政治禍害的良好機會。他曾言：「在舊社會我的思想同他們很接近，記得唐（指唐君毅）在江南大學作教務長，錢（指錢穆）作文學院長的時候，要我去作歷史系主任，當時待遇很高，我怕熟人多了擔誤讀書時間，並且不願幹系務，才到雲南大學去。假如去了，真有與他們同到香港之可能。」⓰以這些真實敘述來看，反映出他對學術研究十分執著，但是他並未預料到社會之複雜性。因此，不僅殘害了自己，也殃及到家人，其中我伯媽在大伯自殺後又以地主身分帶著二姐李知芳被遣送回了犍為農村，其弟妹也在歷次運動中受到了牽連。回想起來，在這個問題上早已有前車之鑒，剛解放時政府稱我爺爺是開明人士，他也很配合政府，協助解放軍捐錢、捐物和興辦公益事業，但是等到土改運動一來，即被劃為地主，因受不了這樣的沉重打擊，最後帶著屈辱與絕望上吊了。

⓭ 1953年3月31日〈蒙思明的證明〉，此人為四川大學副教務長，歷史系教授。

⓮ 李源澄：〈我的簡單歷史〉，此文撰寫於1951年。

⓯ 曹慕樊：〈又悼浚公〉，《重慶詩詞》2，重慶詩詞學會主辦，頁9。

⓰ 李源澄1952年撰寫他的《社會關係》。

回顧歷史運動的發展規律，先是剝奪你的財產，然後從意識上施以承重打擊和摧殘，橫加精神折磨，逐漸消磨並直至徹底摧毀你的意志，其酷刑折磨了許多人。在他的好朋友中有些是研究佛學的，雖有同樣坎坷，仍艱難活了下來，諸如梁漱溟、熊十力等。今以我大伯所做的學問來看，似亦存在知識缺陷，以致導致終身遺憾。突出之點表現在以下方面：

第一，只重視和偏愛傳統學術，未能接受新學問。曾言：「南京內學院是歐陽竟無先生講學的地方，藏書頗多，也不限於研究佛學，四川人從歐陽先生學的人很多，我就在 1933 年到南京，歐陽先生對於寒士是供給的，我在那裏生活也就無憂了。但是我並不喜歡佛學，在舊來所學經子之外，專門讀理學書籍。」⓱在致力於傳統學術研究中，窮理善思是他治學方面的重要特色，同時也映襯出其研究中偏執和保守的一面，故此導致主觀上對於儒家以外之優良文化的排斥。如果說在其知識中多點道家的無為、佛家之禪理，也就具備了抵禦災禍的能力。

第二，書呆子習氣太重，未能看清政治形勢，施展工作凡遇棘手問題，表面上看是積極，其實內心仍覺痛苦和壓抑。曾言：「解放以後，我眼見中華民族站起來了，我非常高興，這是我十多年治歷史苦思不得的。把我過去畏懼共產黨的心情，一變而為熱愛共產黨員。後來我有四五個月專門讀馬列主義毛澤東思想，才知有中國化的馬列學說，深信世界人類必然得救，一切污穢必然肅清，自己雖然半生過著疲蔽生活，一旦得見光明，也就有路可走了。」⓲尤其是他在做副教務長後，工作開展並不順利，其中給他定罪的第三點就明確指出他「企圖取消黨對高等學校的領導，篡奪西師領導權。」諸如「57 年春，李曾向當時代理中文系主任的曹慕樊同志徵求過關於該系主任人選的意見」等。本屬於正常推賢進能，顯岩穴士人之務，卻被小人無端歪曲和詆毀，最可惡的是無限拔高到所謂取消黨對高等學校的領導，企圖篡奪西師領導權的可怕境地，由此可見，幹事業之艱難，官場之險惡。即使在被逼瘋後，也仍有小人還在揣測他，是以置於死地而後快。據《吳宓日記續編》記載：「澄承重力大，步履極健，能飽餐；敬以此疑之，謂其病全是假裝，佯狂以避

⓱ 李源澄：1951 年撰〈我的簡單歷史〉。

⓲ 李源澄：1951 年撰〈我的簡單歷史〉。

供招。」⑲此時說的「敬」，就是指方敬，當時是教務長，後來成為西南師範學院的副院長。一位純學者型的怎能經受得住方敬這樣小人所玩弄的鬼蜮伎倆？凡希望的均變成泡影，現實終將殘酷無情，可見這就是導致他極度苦惱和憤懣的最根本原因。

雖才懷隨和，行若由夷，終不被用，致使身心長期處在極度疲憊之中。尤其在反右鬥爭中，民盟內部也互相斫殺，亦多對其謗毀，上下苟合，推波助瀾。看來明槍易擋，暗箭難防。遭遇此禍，心理越漸承重。如此重壓之下，意志崩潰了，逼迫無奈，最終選擇了絕路。

再說他的求學經歷。我大伯於一九三〇年畢業於公立四川大學中國文學院（讀書期間曾經蒙文通先生介紹又師從廖季平先生學經學），一九三一年在成都錦江公學教國文，一九三二年在開封從邵次公先生學「齊詩」，一九三三年到南京內學院從歐陽竟無先生學，一九三四年到考試院參事處任科員，一九三五年到蘇州章氏國學講習會並在無錫國專兼課，一九三六年改專任，主要講授《國學概論》，年僅27 歲。一九三七年在川大上課兩周，一九三八年在成都蜀華中學，一九三九年到浙大，一九四一年到大理民族文化書院半年，一九四二年在四川省圖書館半年，一九四二到川大，一九四四年到南充西山書院半年，一九四五年到灌縣自辦靈岩書院，一九四七年到雲大及五華學院，⑳一九四八年到勉仁文學院，一九四九年到川教院（後與女師院併為西南師範學院）。他一生最重要的研究成果均集中在古代，大凡上起三代，下至魏晉南北朝時期，尤以《經學通論》、《諸子概論》、《秦漢史》和魏晉南北朝史研究享譽學術界。

要深入瞭解其他嚴謹治學過程和思想變化，僅讀其著作非能詮釋，恰好我在整理史料過程中意外發現了大伯親筆撰寫的〈我的簡單歷史〉一文，此文獻的發現，有助於我們走入他的內心世界，可從字裏行間之細密處解讀出他的治學軌跡。曾敘

⑲ 吳宓著，吳學昭整理注釋：《吳宓日記續編》，第 III 冊，頁 184。

⑳ 學院之辦學特色及教學品質，曹慕樊先生曾於《昆明紀遊》六首中讚美到：「五華華屋蔽高丘，無復當時第一流。煙景為看千頃浪，懷人獨上大觀樓。注：抗戰中商人立五華書院於昆明，錢穆、李源澄皆受其聘。」此文見《重慶詩詞》2，頁 5。

述到：「我在一九三七年以前是喜歡思想史的，一九三七年以後才專力於歷史，我對一般歷史都有相當根柢，用功更多的是在秦漢到隋唐一段。在思想史上自己認為比較成熟的，是《先秦諸子與儒術》一書，這是繼我的《諸子概論》而加深的。在歷史方面，我出了《秦漢史》一書；專題研究論文發表的還有幾十篇。這時候我對於新的史學著作很反對，勸學生不要看，是我不瞭解他的政治意義，純從學術出發的原故。現在想來不知道阻礙了多少人的進步。解放以後，學習進步理論，才發現我的錯誤。我過的是教書生活，表面上是與政治比較疏遠，但是提高到政治，我依然麻痺了不少青年。……我的思想並不受美帝的奴化，封建毒素也並不深，因為學歷史肯用心思考問題，對於學習馬列主義，實在幫助不小，如何使他同民族歷史結合起來，這是我現在想努力的方向。」說他並不排斥學習馬列理論。

在自我思想解剖中，他曾坦誠地表白到：「我是擁護封建文化的人，所以三次離開大學到書院，我的思想是反動的，但未曾參加過何種活動，也未有反動政論文章和公開反動言論。我對黨沒有認識，私人談話當中反動言論是會有的。一九四七以後在雲大和勉仁文學院，當時學運頗多，我沒有政治覺悟，私下總是勸學生不參加，也就是多多少少有些破壞作用。」㉑說明他向來處事謹慎，一生所追求的僅為文化傳承問題，故此才有了「三次離開大學到書院」的舉動。我大伯也十分酷愛學生，更懼怕他們涉世不深，在參與政治運動時遭受不必要的傷害。在其弟子中有一位天資聰明的王樹椒，該生從浙江大學一直追隨他而來。尤其在學術上頗有靈氣，曾視其為了傳人，可惜在他從四川遂寧過合川的路上因患急性盲腸炎而病逝了，其噩耗傳來，我大伯曾極度傷悲過。

他在談到民族意識時云：「我是一個富有熱情的人，最初因為專一於學問，不問世事。但是我並不是清高思想，我的民族意識極強。（這是受歐陽竟無先生和章太炎先生的影響。）我講史學表面上是完全在做考證，實在我心中還是有所探求，絕不是為學術而學術，不過我的思想系統未完成，表現出來的只是一堆考據文字罷了。因為沒有政治覺悟，我雖然痛恨反動派，我僅是從人看，不知提高到階級本質看，在這點就有參加反動派的可能，現在想來，真正可怕。我過的是教書生活，表

㉑ 李源澄 1952 年撰寫《個人歷史》。

面上是與政治比較疏遠，但是提高到政治，我依然麻痺了不少青年。……我的思想並不受美帝的奴化，封建毒素也並不深，因為學歷史肯用心思考問題，對於學習馬列主義，實在幫助不小，如何使他同民族歷史結合起來，這是我現在想努力的方向。」㉒從以上敘述來看，他完全是把自己當做社會文化的承擔者來看待，文化傳承不僅僅是學術，而更重要的是社會文明和培養人的民族意識。醜惡的政治歷來讓他深感苦惱和驚恐，不過他也善於用歷史慧眼來看待問題。我們試想，如果一個古老民族把自己優良的傳統文化都丟掉了，而全面去追求那些移置來的東西，那麼本民族的靈魂又怎樣安置？幾千年來的文明歷史又何以述說？

終上所述，可以說我大伯李源澄之死無疑是對社會邪惡勢力最嚴厲的控訴，是正義者的吶喊，是對正統教育事業和學術文化慘遭摧殘的抗議。當然他的死，對於學者來說也僅能稱為「惋惜」罷了！但是，從歷史意義來講，我們認為他的死仍比泰山還重。今日來緬懷他，紀念他，探討他對於中國學術史之貢獻，或許能留給後人更多的是警示。

㉒ 1951 年撰寫〈我的簡單歷史〉。

經 學 研 究 論 叢
第 十 九 輯　頁327～342
臺灣學生書局　2011 年 11 月

研究敦煌學卓有成就
——訪浙江大學古籍所許建平教授

沈明謙・鄭誼慧*

時間：2008 年 11 月 28 日下午 2－4 時

地點：中央研究院

訪問整理者：沈明謙・鄭誼慧

請問老師的生活背景與家庭影響

我出生在一個貧農家庭裡，是浙江省慈溪縣裡的一個小村莊。我母親出生於一個大家，我的外祖父原是個小業主，開一間小商店，家裡有點錢。一九四九年後，把我外祖父家的財產全都沒收了，外祖父後來生病去世，家道中落。之後，我母親就嫁給我父親，我父親是農村裡純樸青年。

在那個時代，大家環境都一樣，家裡都很窮。但是我母親有一個想法，只要小孩能讀書，就讓他讀下去；所以只要有錢，就讓小孩讀書。當時大陸盛行讀書無用論，也就是說讀書無用，還不如種田。可是我母親堅持只要能讀，就要讀下去。我母親非常支持我們讀書，所以我母親對我的支持也最大，而我也很努力的讀書，希

* 沈明謙，臺灣師範大學國文學系博士生。鄭誼慧，淡江大學中國文學學系博士生。

望有好的表現。

請問老師的求學過程及為何選擇「敦煌學」為目標

唸書時，我在小學時成績還不錯，中學時候數學理化就不太好，我一直都很喜歡文科，從小就是了，一直到考取大學。

我一九八一年考上了杭州大學歷史系，但是我其實對歷史沒太大興趣。那時候是因為我的歷史成績最高，所以老師就讓我填報了歷史系。可是我一直喜歡中文，中學時我的中文成績也是最好。進了歷史系以後，我仍然很喜歡中文，對歷史的興趣一直不大。所以大學畢業後考研究所時，我就選擇了古籍研究所。對一個外系的學生來說，考古籍研究所其實是很吃力的。因為古籍研究所是屬於中文系統的，所以我也花了大量的時間去學習中文系的課程，也花了很多時間自己去找中文系的書來讀，運氣好我也考上了。不過當時我們是研究生班。這是特殊時代的特殊產物，這可能先要介紹一下背景。

因為文革的關係，大陸的古典研究基本崩潰。有很多老先生都被鬥倒了，剩下來的老先生不多。而這十年中也沒有大學生或是研究生，因為全部都取消了，因此人才方面便出現了青黃不接的情形。當時有人提出了一個意見，說要拯救中國傳統文化，拯救古籍，首先就要培養古籍整理人才，也就是要培養古籍的點校、整理、研究人才。於是國務院就成立了一個「高等學校古籍整理研究工作委員會」，隸屬於教育部。由這個委員會去物色全國文史哲方面比較強的大學，這些學校都要成立古籍研究所，以培養古籍整理研究人才。共選了二十四個學校，杭州大學便是其中之一。而各個古籍研究所的定位並不是一樣的，是看各個學校的特色及領域專長，有的學校是中文，有的是歷史。杭州大學其實中文、歷史兩個領域都很強，但中文又更強一點。所以杭州大學以中文為主，歷史為輔，也就是說從這兩個系中去挑選老師來共同成立這個古籍研究所，首任所長是姜亮夫先生。古籍研究所的專業方向是古典文獻學，重點在先秦文獻與敦煌文獻。

杭州大學古籍研究所是一九八三年成立的（一九九八年四校合併，改名為浙江大學古籍研究所），我是八五年考進去的，是第三屆的學生。我那一屆原本是要錄取十個人的，但實際上合格的只有七個人，我當時是第三名。古籍研究所是一個特殊制度。因為一般研究生學制是三年，但是三年太長，必須要儘快訓練出古籍整理研究人才，好整理、點校及出版古籍。所以當時的規定是研究生讀兩年書，至於碩士論文呢，畢業以後再寫；也就是寫好以後再回去原本求學的學校去答辯，答辯通過後才授予學位。所以授予碩士學位的那年，其實已經在工作了。

另外，我們是「研究生班」並不是「研究所」，研究生班的制度是要培養通才，所以進去以後，並不循用研究所的方式，由具體的導師指導，而是由研究所集體指導，也就是說所有的老師都是你的導師。在這種制度下，我們上了各式各樣的課程。專科課程譬如文字學、訓詁學、校勘學、版本學、中國古代數學史、中國古代建築史等，當然還有共同課程如外語課、政治課等，這樣的課程持續上了兩年。我那時候沒事時就看雜書，《史記》、《漢書》、《詩經》、《禮記》等，什麼書都拿來看，雜七雜八的看，看到看不下去時，就換一本來看。以現在來說，似乎是沒系統的樣子。不過我現在的感覺是，那兩年看雜書對我是很有好處的，因為拓展了我的知識面，變寬變廣了。

兩年畢業後，我就要到杭州師範學院中文系去當教師。緊接而來的便是論文的問題了，碩士學位是肯定要拿的，否則這兩年不就白讀了嗎？可是快要畢業的時候，我還不知道要寫什麼題目。我就去請教我上一屆的學長們，問碩士論文怎麼辦？有人建議我寫「敦煌學」的論文，因為最容易也最方便。當時的敦煌學研究起步不久，還在發展中，而且大半的敦煌卷子是沒人研究過的。我說敦煌學研究要找誰指導？他說找張金泉老師，他是做敦煌學研究的。於是我就去找張老師，我跟老師說：「我馬上要畢業了，要寫論文，我想寫敦煌學的相關題目」。他說：「你要寫敦煌學，那好啊」。我說：「可是我從來沒碰過敦煌學，我也沒看過敦煌卷子，我不知道要怎麼研究。」他說：「這樣啊，好，你跟我來」。他就把我帶到資料室裡，從書架中拎出一捆複印材料。當時能看到的敦煌卷子材料主要是數位膠卷，這是他去北京圖書館時，從數位膠卷中複印出來的一批資料。他說：「你看看，這裡面有沒有什麼是你喜歡的？」我翻一翻，裡面沒有一個東西是我碰到過的、我知道的。你們想，我是個從來沒有跟學術研究有任何接觸過的學生，我根本不知道現在學術界裡在做什麼事情，什麼東西是需要做的，我什麼都不知道。張金泉老師也隨便翻一翻，拿了一個問我說：「你看看這個，要不要研究？」我一看那是佛經，佛經我哪裡懂呢？後來再翻一翻，看到一個《劉子》。我看到這個是子部的，之前我經史子集的書雜七雜八的也看了不少，而且看看這個也還有好幾張紙，我就說我先拿回去試試。我馬上就去資料室查王重民的《敦煌遺書總目索引》，看總共有幾個寫卷。然後又查關於《劉子》有什麼書。有一本書是林其錟、陳鳳金寫的《劉子集校》，上海古籍出版社出版的。我就借回去跟敦煌〈劉子〉殘卷核對。《劉子集校》也收了敦煌卷子，但我核對了以後發現，《劉子集校》的校勘記中沒有什麼考證。沒有考證那有什麼意義呢？我就跟張老師說我就做這個，因為它沒有考證。張老師說：「那好吧，你就去做吧」。所以我就開始查資料、開始做研究。這就是我研究敦煌學的開始。

八七年的時候，我從研究生班畢業，就到杭州師範學院中文系，準備上課了。報到的時候是九月初，已經開學了，但那一學期並沒有安排我上課。我跟系主任張學誠教授說，我現在正準備做碩士論文，可能要到處跑到處查資料，請別安排我太多的工作。其實系上對新進教師大都安排當班導師，但系主任非常好，就沒安排我其他的工作，這半年就專心的寫論文。其實那個時候我們算是比較早的研究生，研究生是從七八年開始招生的，第一屆博士生都還沒有畢業，所以學校都很歡迎研究生去。那我就是一邊工作，一邊開始研究敦煌卷子。另外也到處去查資料，像上海圖書館、北京圖書館等都去過。

那一年，教育部有個規定，所有剛剛參加工作的研究生都必須到中學去上課一年，而且要到最貧困的地方去。本來我是八七年到杭州師範學院時就要去的，但我跟系上要求了先讓我寫論文，明年才去。所以我推遲半年，在八八年年初時到了浙江淳安縣的中學去教書。我去的地方當然不是在風景秀麗的千島湖附近，而是在很偏僻的深山裡，一個叫唐村中學的學校。那是一個很窮的地方，至於這地方窮成什麼樣子，我告訴你們一個數字，就可以想像了。我在那兒待了一年，體重減輕十一公斤，因為沒什麼東西吃，營養嚴重不良。而且從那地方去縣城排嶺鎮（現在改名為千島湖鎮）是沒辦法當天來回的，一定要過夜，路途非常遙遠，交通很不便。

我在那邊是教初中的歷史課，還有一門政治課。政治課你們懂嗎，不知臺灣有沒有這樣的課？這一年裡我就帶了一些書去讀，主要是先秦兩漢諸子的書，有空時我就一本一本的看。因為《劉子》這本書有個特點，它裡面的內容幾乎都有來歷，這些東西都必須從先秦兩漢的著作中去找。我那時候就把先秦兩漢的書一本一本的讀，一本一本的看。《劉子》寫卷我是先抄在白紙上，然後再用其它的版本一個一個校對，總共用了十六個版本。十六次校過以後，我就記住了，背是沒辦法背出來，但內容卻是非常熟悉。然後我再去把《尚書》、《詩經》這些書一本一本地拿來看，書裡面如果有一些句子或是詞語是《劉子》裡面有的，我就把它抄註在《劉子》那句話的旁邊。譬如說《禮記．樂記》裡的什麼句子，在第幾頁，我就註下來。就這樣，我利用那半年的時間，把所有的書都看了一遍。在那邊時我就把稿子都寫得差不多了，暑假回來以後就再整理修改，把論文寫好了。八八年九月時，我回古籍研究所去答辯，答辯通過後就拿到碩士學位。當然，答辯結束，我又回到唐村中學教歷史與政治去了，直到第二年的一月寒假回校。

在這段期間裡，也發生一件很有趣的事。八八年暑假時，北京有個國際敦煌學會議，我提交的一篇論文通過了審查，就去開會了。我提交的論文是〈敦煌本《劉子殘卷》舉善〉，就是把別人沒有校出來而我校出來的東西，整理整理寫成一篇文章。我去的時候是獨行大俠，也沒人幫我。會議期間，有一天我就在想，我還沒去過故宮，那我今天就先去故宮玩吧。傍晚回來時，他們問我你去哪裡了？今天找你，你今天發言要發表文章啊！我說我不知道呀，沒人通知我要發表文章啊！那時候真的什麼都不懂。

那時我們現在的所長張涌泉教授也參加了會議，後來他跟我說，周紹良先生非常讚賞我的文章，說我寫得很好。當時開會的方式是這樣的，雖然是會議，但是提交的文章必須先通過論文審核，合格以後才會允許你參加會議；如果不夠好是不會讓你參加的。我當時並不知道我寫得好不好，因為都是自己摸索著做的，沒人告訴我該怎麼做。既然有人跟我說寫得好，我想那應該寫得好吧。我就去問張金泉老師說，那這篇可以拿去哪裡發表呢？張老師就說那就去投《敦煌研究》吧！那是我第一篇論文正式發表，題目叫做〈敦煌本《劉子殘卷》舉善〉。後來我碩士論文完成後，也想要拿去發表。也是問張老師說可投到哪裡呢？老師就說投學報吧，學校裡都有學報的。我就拿去杭州師範學院學報，學報說太長了，因為學報規定最長只能八千字，我就把校證部分拆成兩篇發表。現在想想，那時候真是幼稚。

我的生活一直都很平順，沒有什麼挫折。比較大的挫折就是在寫碩士論文時，因為一直沒有比較好的環境，在這方面我花費的時間跟心力也都比別人更多，那段期間對我來說比較辛苦的。

請老師談談關於《敦煌文獻叢考》、《敦煌經籍敘錄》與《敦煌文獻合集》

碩士學位拿到以後，我就開始教書、上課。平常沒事時我就回去古籍所裡頭轉轉，順便看看老師聊聊天。有一天，有一位周啟成老師說他要申報一個課題，問我要不要參加？那時他打算要做的是嚴可均《全上古三代秦漢三國六朝文》的補編，已經都分工分好了，只剩下金石部分沒人做。他說我是做敦煌學的，認識俗字；碑刻部分裡面都是俗字，別人看不懂，所以問我要不要做。我就說好，然後就開始收集資料，把一些考古相關的書跟雜誌都找來讀，把一些有照片有碑文有論文的都錄了下來，而且也抄了很多卡片。大概弄了一年多，周老師跟我說這個課題單位不同意申報。不能做就不能做，我也沒想太多，反正我也看了很多碑刻跟資料，也不算沒有收穫。

後來有一次與張金泉老師聊天，談起現在沒事做。他說我們申報了一個課題，是「敦煌音義研究」。裡面有一個教授退出了，你要不要做？我說好，反正我沒事幹，不管是什麼事我都做，有事做總比沒事做好。因為自己沒有一個方向，也沒有專業，所以自己是不可能會想出自己的題目來。也就是從這個時候，我又再做敦煌學了。我先要把所有有注音的敦煌卷子編號都找出來，那時我先去看王重民的《敦煌遺書總目索引》，除了註明《禮記音》、《毛詩音》等已定名的寫卷以外，其他的是看不出來哪些卷子有注音的，那就要去看數位膠卷。當時古籍研究所已經買了一套，但只能在暗室裡面看。我把所有的卷子都過了一遍，把有注音的都找了出來。弄完以後張老師就要我做四部書音義，其他的佛經音義部分由他來做。我印象中我做的第一篇就是《禮記音》。

其實做這個的時候，我什麼都不懂。做《禮記音》時首先要懂音，那時我不懂。老師來上課時，就算有提到這個，但我們也不一定會懂。我們那邊的大學與研究生教育跟你們這邊不一樣。我就邊做，邊去看書學習音韻學，找了很多書來讀。敦煌寫卷《禮記音》大概有一百八十行，共一千五百多條注音，每一條注音我都抄一張卡片。當時是八十年代末期，還沒有電腦呢，我正式用電腦是一九九九年。所以當時全都是手工抄卡片，一個注音一張卡片，抄好後就用《廣韻》去查，當時我用的是沈兼士《廣韻聲系》。因為它後面有索引，比較方便。我就把每個字的字頭的聲韻調，以及它的反切上字聲韻調，反切下字聲韻調全部注出來。每張卡片都查，一個字一個字的查，全部都查出來。這些是從音韻學書上韻部歸類、聲紐歸類的作法學來的。發現不合的聲跟韻，例如被切字是匣母，反切上字是曉母，這不是不合嗎？這就要去找資料證明、查原因。後來我就寫出了一篇文章，叫〈唐寫本禮記音考〉，也是在《敦煌研究》發表的，現在看起來當然是非常不成熟的文章。文章分成兩個部份，第一部份是王重民他們認為這個卷子應該是徐邈的《禮記音》；但我從用字及注音等方面來考證並不是。第二部份從音韻系統來考證，應該是西北方音。這個做好以後，我就繼續作其他的，然後又讀了很多的音韻書。就發現原來我那篇文章講錯了，那篇文章的後半部基本上是錯誤的。因為我不懂音韻學，所以從幾個關鍵詞，幾個音的關係就認為是西北的方言。但後來才發現這個東西的分佈在很多方言裡都是這樣的，並不僅在敦煌才是這樣的。所以我的那篇論文基本上得到的是錯誤的結論。當然能發現到自己的錯誤，就表示自己程度已經有所提高了。後來我就又寫了一篇文章，叫〈唐寫本禮記音著作時代考〉。除了《禮記音》以外，像其他《毛詩音》等也都做好了，就交給張金泉老師，後來出版了《敦煌音義匯考》這本書。

一九九四年時，我從杭州師範學院調回了杭州大學。調回來的原因之一是我在《文史》發表了一篇〈伯三六〇二殘卷作者考〉，就是〈莊子音義〉寫卷。我考證它的作者。王重民認為這個寫卷是陸德明的《經典釋文》，我考證出來不是，應該是徐邈的《莊子集音》。這篇文章我投到了《文史》，《文史》是當時大陸的重要雜誌，文章要很好才能發表在《文史》上。所以我申請要調回杭大時，當時的校長沈善洪先生很快就批准了。我能調回杭大古籍研究所任教職，黃征學長幫了很大的忙。當時遭遇了很大的阻力，是黃征學長把我介紹給蔣禮鴻先生，由蔣先生具名推薦，黃征學長直接把推薦信送到學校，才得校長首肯的。

一九九六年底，《敦煌音義匯考》出版了，所以我又暫時沒事可做。剛好張涌泉從北大博士後回來了，他打算做一個項目叫「敦煌文獻合集」，也找我參加。因為我已經把《禮記》、《詩經》等這些經部的書都讀過了，我就說那我來弄經部吧，我對經學也挺有興趣的。我還記得那時是一九九七年，從那個時候開始我才正式開始做經學的研究；也是從那個時候，我才算是真正找到自己的研究方向。

做的時候，也是每天都在看敦煌寫卷，然後再去讀再去校。那個成果就是二〇〇八年出版的《敦煌經部文獻合集》。經部分為三個部分，群經、字書及韻書。我負責群經部分，張涌泉教授是字書部分，另一位關長龍教授是韻書部分。我那部分有五冊，張涌泉老師有三冊半，關老師兩冊半，共十一冊。總字數有六百萬字，我那部分大概有二百五十萬字。在做這個項目的過程裡，我同時也寫了幾篇期刊論文發表，就是後來的論文集《敦煌文獻叢考》。另外一本書是《敦煌經籍敘錄》，也是我的博士論文。

蘭州大學敦煌學研究所有規定，是他們的博士，論文必須由敦煌學研究所指定的出版社出版。當時的中華書局副總編徐俊先生跟張涌泉說，我的論文應在中華書局出版，因為這是《敦煌經部文獻合集》的副產品。《敦煌經籍敘錄》內容是對每個敦煌寫卷都寫個提要，其實也就是《敦煌經部文獻合集》的題解部分，每個卷子的題解。但是在《敦煌經部文獻合集》裡我並不能寫得很詳細，也有很多個人的想法不能反映出來，所以我才寫了《敦煌經籍敘錄》，把我的一些想法跟心得寫出來。《敦煌經部文獻合集》是中華書局出版的，那《敦煌經籍敘錄》也必須在中華書局出版。但是當時蘭州大學那邊的工作銜接發生一點問題，那個出版社的書號用完了，當年不能出版。大陸的制度是出版必須要申請書號，每個出版社每一年發給的書號有一定的數量，如果書號用完了，就不能出版，跟臺灣這邊無限制的情況不同。我說不行，因為今年要申請教授，這本書一定要出版。鄭炳林老師為了我的前途，放棄了我的書一定要在他們那兒出版的主張，張涌泉老師就跟中華書局聯繫，於是就在中華書局出版。所以我在那一年裡就申請為教授。這幾年則投入《敦煌經部文獻合集》，二〇〇八年時終於完成並出版。

我在一九九七年前跟學術界的聯絡來往基本沒有，因為一個沒有根基的人，是沒有人來跟你交往的。我覺得對我最好的老師，是我讀碩士班時的周啟成老師，他是周紹良先生哥哥的兒子。常常主動來問我、幫助我。讀博士班時，鄭炳林老師對我非常好，很照顧我，幫助我很多。學校裡張涌泉老師也很關心我。另外來說，我也結交非常多的朋友，很多朋友在不同的方面都會幫助我，譬如說我需要什麼資料，他們都會幫我。我能有現在的一點小小成績，跟他們的幫助是分不開的。

研究敦煌學的意義

其實所有的學問都是一樣的，理工科當然是為我們生活創造條件；社會科學就是為我們的生活提供資訊，文科像我們這些做古典的，著重在人文精神，提昇我們的素質。像敦煌學是我們中國傳統文化的一部分，它的現實關懷與傳統文化要求的關懷其實是一樣的，在實質上是一樣的。跟其他學科來比較，專業雖然不一樣，作用不一樣，但是它的要求、目的都是一樣的，都是為了要弘揚國家的傳統文化。一個民族要它消亡，最好的辦法就是消滅它的文化。若一個民族要能發揚廣大，能在世界上抬起頭來，那必須發揚、宏大它的傳統文化，也就是自己的本土文化。

我們到敦煌去，是去旅遊不是去考察。因為敦煌學是一個非常繁雜、非常龐大的學科，不像我們所說的語言學、經學是個專精的學科。所以敦煌學界有個特別的現象，幾乎每個人的專業都不一樣。我們在開會時，我在上面講，下面的人很多聽不懂；他在上面講，我在下面也聽不懂。我講我的經學，他講文學，那個人講建築學，還有人講繪畫、藝術、舞蹈等，那我們怎麼懂？我們分為兩個部分，一個是實證，一個是紙本。像我們研究文獻的，研究寫卷的，是不用特地跑到敦煌去，反正那邊也沒有這些東西，就是去看看敦煌是什麼樣子。但那些研究藝術的，就要實地去敦煌考察，去看敦煌莫高窟裡面的壁畫。那還算是比較舒服的，最辛苦應該是那些研究敦煌地理的，因為要去敦煌做野外考察，他們才是最辛苦的。

敦煌學的特點是集聚了中國中世紀時大量的寫本，大量的壁畫、雕塑，呈現了中國中世紀時的一個面相。中世紀是中國歷史上最興旺強盛的時代，作為現代人，當然要吸收我們歷史上最強盛、先人所創造的最燦爛的文化，對我們現在的文化注入一些好的因素。吸收古人的精華，然後創造屬於我們自己的、現代的文化。具體的一些內容，跟傳統儒家文化是一樣的，要看中國中世紀時的歷史狀況。例如說在藏經洞裡的大量藏文寫卷，那不就表示出在當時吐蕃與唐朝的密切關係嗎？還有現在常常看到的那些「飛天」，飛天也是從敦煌裡來的。另外大量的精美文物，像壁畫，畫冊現在都印出來了，給大家美的享受，而且現在美術界裡也在模仿、學習敦煌的繪畫方式。像張大千的繪畫，就是因為他臨摹了敦煌莫高窟裡的壁畫，所以他的藝術有了質的飛躍。對張大千來說是如此，對其他的畫家也是如此。有很多東西，古人是比我們強，很多東西是很值得學習與借鑒的。

請老師談談敦煌經學的價值

發現敦煌，並不是什麼大事，就好像是發現一個大的資料庫，大的圖書館。一個很大的圖書館，裡面有很多書都是大家沒看到過的。但這些書裡也有不少內容，在現在還是有的，但是版本不同。有一本書，一直在流傳著，但敦煌的發現，讓我們看到了這本書的另外一種版本。我們把敦煌的寫本拿來跟我們現在傳世的版本進行對照，因為它比較早，它裡面會有很多東西跟現在流傳的不一樣，所以我們要進行證明，看誰是對的，誰是錯的。其中有不少東西它是對的，我們傳世的是錯的。這就是它的價值，還原經典。我們從清朝以來，這麼多的學者重視校勘，做經部的校勘。王念孫、王引之、段玉裁等清代學者的大量考據，他們在幹甚麼？主要在校勘。校勘的目的是什麼？就是在還原經典，要把這本書還原到它原本寫出來的樣子，當然愈早的材料愈好；但並不是最早的材料都是對的。

其實，敦煌卷子裡錯的不少，這是因為它的流傳方法跟我們傳世本的方法不一樣，因為傳世本是傳下來最好的東西，當然也有把對的給改錯的。再者，傳世本是官方留下來的，是當時最好、最頂尖的學者做出來的東西。打個比方來說，傳世本可以說是國家的法定教科書，像《十三經》等，科舉考試要考這些東西，所以它肯定是最好的。但敦煌裡面，有很多都是社會下層百姓執筆的，或者是中學生、小學生所抄的東西。有些是教科書，有些是學生練習本。老師說今天把《論語》第一章抄一遍，學生就去抄了，抄了以後有的是很多錯字，有的是使用通假字。有的本身是敦煌人，就用敦煌方言抄。這個字抄下來以後，我們看得莫名其妙，這種情況很多。但它依據的畢竟是當時的本子，所以有些字，在傳統的本子裡已經改掉了，但是在敦煌裡並沒有改。另外一種情況是傳世本已經失傳了，消失了，而我們在敦煌裡發現了，我們看到從沒有看到過的書，那價值就更大，這個價值當然不需要更多說明了。

再舉一個例子，例如《五經正義》。我們一直都不知道，唐朝孔穎達剛寫出來的《五經正義》，它的體裁、格式是什麼樣子的？後來有很多學者在爭論，因為我們能看到的最早版本是宋朝的，那已經改成另外一種樣子了。它有好幾種格式，到底哪個對、哪個錯，我們一直都不知道。蘇瑩輝先生就寫過論文，探討這個問題。潘重規先生也寫過相關的論文，大陸、日本也有很多學者寫過，探討《五經正義》的原本面貌。現在發現了敦煌卷子裡，就有《五經正義》。有《毛詩正義》，有《左傳正義》。那是唐朝時抄的，格式、體裁等都是孔穎達那個時候的，所以我們就知道，《五經正義》原來是這個樣子的。這是從版本學的角度上，我們知道了《五經正義》在唐朝的樣子。

除了校勘、版本以外，另一個便是「文字」，特別是字形。唐朝使用大量的俗字，現在傳世的本子裡也有很多俗字。宋元明清的很多字典裡也有大量的俗字，那些字經過了翻刻、重刻，有些字已經錯掉了，有些字寫錯了，有些字我們根本不認識。現在在敦煌寫卷裡發現了很多字，可以糾正那些字典裡的錯字。還有，那個字我們現在不認識，但是敦煌卷子裡，這個字出現在一個句子裡，字被放在前後文裡，這個字一下就認出來了。這在近代文字學裡，也有它的價值。

另外還有避諱方面，敦煌寫本是當時唐朝人所抄的。從他怎麼抄寫的，怎麼運用避諱，我們就知道唐朝人使用避諱的情形。其實在很多地方，唐朝人避諱並沒有那麼嚴格，不像宋代以後那樣，絕不能犯諱。唐人避諱是很自由的，想避就避，不想避就不避。很多情況是很有趣的，譬如說這個地方，我們現在版本寫的是「人」，但是敦煌寫本卻寫成「民」，這句話看起來就不通。這是怎麼回事呢？原來是抄的那個人，在抄的時候，看到這個「人」字時，覺得這本書肯定是在避諱，避太宗李世民的諱，所以把「民」改成了「人」，那現在我在抄時，就把它改回來，把「人」改回「民」字。沒想到改了以後，反而就錯了，更搞不通，因為原本就是「人」字。當然還有其他的缺筆避諱等，敦煌寫卷裡的東西，很可能會改變我們現有的避諱學理論。

請問老師的治學方法

我最佩服的老師是郭在貽老師，雖然我的研究後來並沒有跟著郭老師走，但我很佩服他的水平。其實我的研究方式是乾嘉學派的方法，我是學二王的《經義述聞》，學他們的做法，但又有所不同。所以我偶爾也在想，我的這套方法是怎麼形成的。

其實我看起來好像文字學、音韻學、訓詁學什麼都學，但我的做法很實用，對我有用的我就學，對我沒用的我就不學。我的做法對你們來說可能不太好，但我有我個人的特殊因素，不值得大家仿效。因為學生們都有自己的老師指導，但自己也要去開拓自己的路。我也跟學生講，不能完全跟著老師的路子走，那是不行的。跟我一模一樣，跟東施效顰一樣的，那是永遠超不過我的。要自己去想，創造出另一個東西，你以後就會有發展前途，否則你以後永遠不如我。

一個人的學問以後會怎麼做，跟他的知識結構非常有關係，所以知識結構很重要。你掌握了哪些方面的知識，你去看書的時候，你發現問題會跟你的知識結構有關係，你沒這方面的知識，這方面的問題擺在你面前，你也不會知道，你就略過去了。我看了很多的雜書，原來是認為這個對自己的損失很大，但現在看起來還是很有好處的，只是花費的代價太大。像音韻學、文字學，我都沒有去系統的學過，特別是音韻學，必須要有師父的，沒有師父自學很難學得好，因為它有方法。在我的文章裡，若是有音韻的題目，內容都跟音韻學無關。只不過是使用了與音韻有關的材料，利用了一些前人已經得出的結論來辯證；用我自己的研究方法，把這些東西貫通了。大量的結論其實是人家的結論，但人家並不是考證這個的，他是考證其他的，我只是把它借過來用。具體的用音韻學，像用音系去考證一個寫卷，那我是不行的。我年輕時所寫的那篇〈唐寫本禮記音考〉就犯了這個錯誤。我那時候什麼都不懂，在幾本書裡看到有這樣的一個說法，我就拿過來用了。但其實是不能拿到這裡用的，用進去之後就錯了。後來我才發現這是錯的，之後我就格外的小心。後來我就不走音系考證這條路，因為這個不是我的專長，而且我也不懂音韻學界處理這種問題的方法。所以我只是用他們的材料，大量地蒐集相關的著作，看他們的書。等以後我要做考證時，他們的結論我就可以拿來借用，然後注明是來自誰的論文就可以了。假如不去關心這些材料，不去關注這些研究發表，在自己寫文章的過程裡，在這個地方便會略過去，得出的結論可能是錯的。

有很多人在寫文章時會出現一些問題，譬如會說這個字是錯字，那個音是不對的；但其實別人已經解決這些問題，只是他不知道而已。其他方面像古文字、訓詁學也是一樣的。我也不研究訓詁學，我訓詁相關的論文大概也只有兩三篇，後來我就專做文獻了。但我平常還是持續蒐集訓詁材料，把各種材料儘量讀，看到我就會記下來，例如說考訂詞語，某某人考證出來是什麼意思，某某人考訂出來又是什麼意思，我都記下來。然後我在做經部文獻考訂時，我就可以利用，來解決我遇到的問題，所以在我的論文裡，也可以出現別人的訓詁成果。

請問老師未來的規劃

我以前在上課時候，曾經跟學生提到過。我現在想做的事情，就算給我一百年也做不完；所以一些東西我就讓學生去做了。《敦煌經部文獻合集》出版以後，我覺得在校勘部份已經告一段落了；在幾十年之內應該不可能會有超過我們的成果出現。在敦煌學領域裡，就校勘方面來說，我們浙江大學應該是領先的。當然我們自己也發現了一些錯誤，其他的學者也有提出問題及指出錯誤的地方。但十年內做出六百萬字，就速度上來說已經是非常快的了。所以這部書還是有很多問題，可能會有很多學者寫文章批評我們，說內容裡面這邊錯、那邊錯，這當然是可以理解的。所以現在是陸續蒐集資料，將來再修改。

所以我現在的想法，在敦煌學方面有兩個，一個是敦煌的群經音義，像《毛詩音》、《禮記音》、《經典釋文》等，做一個疏證。做《敦煌經部文獻合集》時，做的是校勘，那比較簡單。只是一個簡單的考證過程，不能太詳盡，我有很多的想法，是不能寫在校勘記裡的。所以我想做個疏證，做敦煌群經音義疏證。例如說《禮記音》，《禮記音》的校勘記我已經寫了四萬多字，《禮記音》的音義疏證如果寫完的話，可能會超過十萬字。敦煌經部目前有十六個音義卷子，所以經部的全部音義疏證寫完的話，大概也要到數十萬字。另一個想做的是，好幾年前我已經在收集吐魯番那邊出來的經部寫卷。敦煌的歸敦煌的，吐魯番歸吐魯番，所以我想做吐魯番的經部寫卷匯校。其實一直都在蒐集資料，大概這幾年想把它做出來，我個人的計畫是這樣的。

但上面也分派了任務下來，因為我們已經把敦煌的經部做完了，所以我們接下來要做的是史部、子部、集部。史部是張涌泉教授負責，子部是我負責。申請計畫已經批准了，樂觀估計的話應該是二〇一二年會出版。子部跟經部比較起來，子部又比經部好做，經部難做。在這麼多年裡，經部雖然也發表了不少文章，但普遍來說質量並不太好，所以我們都寫得非常慢。子部、史部裡發表的成果比較好也比較多，所以我們會比較好做。我初步估計，除掉佛經外，子部可能會有八百萬字。另外一個是蘭州大學那邊，他們申請了一個教育部哲學社會科學研究重大課題攻關專案，是「百年敦煌學史研究」，也就是對一百年以來的研究做個綜述，共分為八本書。我負責其中一本，《敦煌古籍卷》，也就是給敦煌卷子裡的古籍書，寫個研究綜述，規定是三十萬字。那寫是比較簡單，也就是四部書。只是這一百年來出版的相關敦煌學方面的著作、論文等全都要看一遍。這是要求這三、四年內要完成的。還有一個是甘肅教育出版社要做的一個「敦煌講座」叢書，叢書出版的目的是普及與學術，既帶有普及性，但也要帶有學術性。主要的閱讀對象是大學生與研究生，要讓他們都看得懂，但也不能講得太簡單。讓我做的題目是「敦煌經部文獻與中古經學」，也是三十萬字。

傳統經部方面，我本人最想做、最感興趣的是《尚書》、《詩經》。我對《尚書》的隸古字非常有興趣，所以老早就有打算想做《尚書》隸古字的研究，也不斷地在收集資料。所以我對古文字很感興趣，也有一個原因是因為這個。從現在的情況看，這些研究，不是三年內就能完成的；就算沒有其他的事情，光做《尚書》這個題目，十年也做不出來，因為這些計畫都非常龐大。

給有志從事敦煌學同學的建議

除了要不怕吃苦外，另外就是功底一定要紮實。不僅僅是文獻方面的功底，最重要的是小學，語言文字聲韻訓詁等，這個非常重要。因為對於文獻，若要對它進行深度的研究探析時，沒有小學的功底是不可能做到的。因為它裡面的句子，必須要從小學的角度去破解它、解釋它。所以有人這麼認為，文獻走到最後，那就必須要用到小學。如果不用小學，到後面無法發展、無法解釋。例如說《禮記》，要怎麼研究都可以，但唯一一個研究是沒有其他辦法，只能用小學的，就是還原。你說那些異文，哪個是原貌？你必須要從小學的角度來考察。

小學的基礎第一當然是《說文》，《說文》是最重要的，因為它是橋樑。對我們現在來說，古文字是必不可少的。我的作法是蒐集材料，而不是去研究。對我這個研究，古文字那個方面的成果對我是有用的，我就把他蒐集起來。例如說某個字，最早出現是在什麼時候？《說文》裡有沒有，若是沒有，出土文獻裡有沒有？這些材料都要記下來。

經　學　研　究　論　叢
第 十 九 輯　頁343～348
臺灣學生書局　2011 年 11 月

變動時代的經學與經學家（1912－1949）第七、八次國際學術研討會

編輯部

一、主辦單位：臺灣臺北市：中央研究院中國文哲研究所經學文獻研究室

二、會議時間：第七次學術研討會：2010 年 6 月 10 日（星期四）－2010 年 6 月 11 日（星期五）

第八次學術研討會：2010 年 11 月日（星期四）－2010 年 11 月日（星期五）

三、會議地點：臺灣臺北市：中央研究院中國文哲研究所二樓會議室

四、論文篇數：第七次學術研討會：18 篇

第八次學術研討會：21 篇

五、舉辦緣起：中央研究院中國文哲研究所經學文獻研究室執行「民國以來經學研究計畫」第一階段「變動時代的經學與經學家（1912－1949）計畫」，自 2007 年 1 月 1 日起至 2010 年 12 月 31 日止，為時四年，每年召開國際學術研討會二次。第七、八次為本計畫第一階段最末二次國際研討會。

六、議　　程：

第七次國際學術研討會

■2010年6月10日（星期四）

◎開幕儀式

主持人：林慶彰（中央研究院中國文哲研究所）

◎第一場

主持評論人：張壽安（中央研究院近代史研究所）

1.姬秀珠（空軍官校通識中心）：《禮經舊說》喪服今議

2.程克雅（東華大學中國文學系）：曹元忠（1865－1923）禮學研探

◎第二場

主持評論人：黃復山（淡江大學中國文學系）

1.嚴壽澂（南洋理工大學國立教育學院）：讀楊樹達《春秋大義述》

2.周德良（淡江大學中國文學學系）：洪業〈白虎通引得序〉辨

◎第三場

主持評論人：張素卿（臺灣大學中國文學系）

1.陳進益（清雲科技大學通識教育中心）：從《續修四庫全書總目提要・易類》看尚秉和易學

2.陳榮開（香港科技大學人文學部）：變動時代經學家對《中庸》義理的探索與發揮

◎第四場

主持評論人：詹海雲（元智大學中國文學系）

1.何廣棪（香港樹仁大學中國語言文學系）：讀章太炎先生《原儒》札記

2.江勇振（美國印第安那州德堡大學歷史系）：作聖與宗教情懷——胡適留美時期的孔教觀

3.王祥齡（逢甲大學中國文學系）：荀子禮、義之義

■2010年6月11日（星期五）

◎第五場

主持評論人：張曉生（臺北市立教育大學中國語文學系）

1.陳金木（慈濟大學東方語文學系）：程樹德《論語集釋》「案語」論《朱注》
2.曾聖益（輔仁大學中國文學系）：《清儒學案》案主傳記資料考論

◎第 六 場

主持評論人：楊晉龍（中央研究院中國文哲研究所）

1.林素娟（成功大學中國文學系）：由始祖神話及豐產儀典角度探討聞一多的古籍詮釋
2.邱惠芬（長庚技術學院通識教育中心）：郭沫若的《詩經》研究

◎第 七 場

主持評論人：范麗梅（中央研究院中國文哲研究所）

1.李麗文（臺北市立教育大學中國語文學系博士班）：江蔭香《詩經譯注》研究
2.謝淑熙（臺北市立教育大學中國語文學系博士班）：羅倬漢《詩樂論》析論

◎第 八 場

主持評論人：蔣秋華（中央研究院中國文哲研究所）

1.呂珍玉（東海大學中國文學系）：聞一多說《詩》中的原始社會與生殖文化
2.陳文采（臺南科技大學通識教育中心）：《續修四庫全書總目提要（稿本）》「詩經類」之分析研究
3.黃偉豪（香港浸會大學文學院語文中心）：鄭振鐸的經學思想

第八次國際學術研討會

■2010 年 11 月 4 日（星期四）

◎開幕儀式

主持人：林慶彰（中央研究院中國文哲研究所）

◎第 一 場

評論主持人：楊晉龍（中央研究院中國文哲研究所）

1.曾聖益（輔仁大學中國文學系）：《清儒學案》之論著選輯與案主學術成就簡論
2.陳進益（清雲科技大學通識教育中心）：技進於道，從術到學——數、象、理、圖兼重的杭辛齋《易》學

3.程克雅（東華大學中國文學系）：民國初年《三禮》刊刻考述及相關研究評議

◎第 二 場

評論主持人：蔡長林（中央研究院中國文哲研究所）

1.周少川（北京師範大學古籍與傳統文化研究院）：吳承仕的經學史研究——以《經典釋文序錄疏證》為中心

2.許振興（香港大學中文學院）：清遺民經學家寓居香港時期的史學視野——區大典《史略》考索

3.梁秉賦（南洋理工大學國立教育學院）：變動時代的經學——從顧頡剛的讖緯研究考察

◎第 三 場

評論主持人：馮曉庭（嘉義大學中國文學系）

1.邱秀春（萬能科技大學通識中心）：從《經學通詁》看葉德輝之經學思想

2.朱孟庭（臺北大學中國文學系）：民初《詩經》白話註譯的形成與發展——以疑古思潮的影響為論

◎第 四 場

評論主持人：蔣秋華（中央研究院中國文哲研究所）

1.陳恆嵩（東吳大學中國文學系）：曾運乾《尚書正讀》述論

2.魏怡昱（臺灣師範大學歷史研究所博士候選人）：面向世界的經學——廖平《尚書》學中的「周公」論述與意義

3.徐其寧（清華大學中國文學研究所博士班）：民國時期的科學治學爭議——以何定生教授編撰之《治學的方法與材料及其他》為討論中心

◎第一場座談會：「民國時期經學家後代談親人」

主持人：林慶彰（中央研究院中國文哲研究所）

引言人：張銘洽（張西堂之子）、童教英（童書業之女）、聞黎明（聞一多之孫）、顧潮（顧頡剛之女）

■2010 年 11 月 5 日（星期五）

◎第 五 場

評論主持人：張曉生（臺北市立教育大學中國語文學系）

1.陳韻（中正大學中國文學系）：黃侃禮學研究（四）——經典詮釋篇之二：《禮學略說》箋釋

2.商瑈（中央研究院中國文哲研究所）：南菁書院與張錫恭的禮學

3.張政偉（慈濟大學東方語文學系）：梁啟超對經學文獻整理之理論與實踐

◎**第 六 場**

評論主持人：張素卿（臺灣大學中國文學系）

1.陳金木（慈濟大學東方語文學系）：《論語集釋》對朱子《論語》論著的輯錄與評論

2.何志華（香港中文大學中國語言文學系）：《周易》、諸子文義互補——兼論楊樹達《周易古義》體例問題

3.鄭月梅（嘉義大學中國文學系）：顧頡剛對崔東壁辨偽學的接受

◎**第 七 場**

評論主持人：張壽安（中央研究院近代史研究所）

1.嚴壽澂(南洋理工大學國立教育學院)：經術與救國淑世——唐蔚芝與馬一浮

2.聞黎明（中國社會科學院近代史研究所）：聞一多的詩經學研究軌跡——以《詩經》為例

◎**第 八 場**

評論主持人：范麗梅（中央研究院中國文哲研究所）

1.許華峰（臺灣師範大學國文學系）：馬宗霍的《國學摭談》與《中國經學史》

2.蔡妙真（中興大學中國文學系）：憤懣書寫——馮玉祥《讀春秋左傳札記》

◎**第二場座談會：「顧頡剛先生逝世三十週年紀念座談會」**

主持人：陳廖安（臺灣師範大學國文學系教授）

引言人：丁亞傑、林慶彰、車行健、蔡長林、劉德明、顧潮

經學研究論叢
第十九輯　頁349～352
臺灣學生書局　2011年11月

中日韓經學國際學術研討會

編輯部

一、主辦單位：香港：香港浸會大學中國語言文學系、中國傳統文化中心
　　　　　　　臺灣臺北市：中央研究院中國文哲研究所

二、會議時間：2010年5月27日（星期四）－2010年5月28日（星期五）

三、會議地點：香港：香港浸會大學逸夫校園逸夫行政樓國際會議中心五樓

四、論文篇數：42篇

五、舉辦緣起：香港學界近年來與臺灣學界交流頻繁，經學研究風氣日盛，為因應學風、加強國際交流，香港浸會大學中國語言文學系、中國傳統文化中心特與中央研究院中國文哲研究所經學文獻研究室合作，召開「中日韓經學國際學術研討會」。

六、議　　程：

■2010年5月27日（星期四）

◎開幕儀式

※逸夫行政樓五樓SWT501室

主辦單位人員致辭：

1. 周國正：香港浸會大學中國語言文學系
2. 劉楚華：香港浸會大學中國傳統文化中心
3. 林慶彰：中央研究院中國文哲研究所

◎專題演講

主持人：劉楚華

1.林慶彰：安井小太郎編纂經學入門書目的意義

2.夏含夷：興與象：簡論占卜和詩歌的關係

3.野間文史，金培懿翻譯：《春秋左氏傳》之構成與基軸

◎第 一 場

※第一組：逸夫行政樓五樓 SWT504 室

主持人：單周堯

1.何廣棪：陳振孫《書》學之研究

2.趙生群：《左傳》校讀札記

3.張曉生：傅遜《春秋左傳註解辨誤》述評

4.劉寧：中唐春秋義例學的特點

※第二組：逸夫行政樓五樓 SWT505 室

主持人：何志華

1.張壽安：清儒「說經」的基礎知識

2.田浩：郝經論五經（Hao Jing's Discussions of the Five Classics）

3.末永高康：「孔子三朝記」中之名

4.盧鳴東：朝鮮禮圖的編製方法和標準——金長生《家禮輯覽》婚圖研究

◎第 二 場

※第一組：逸夫行政樓五樓 SWT504 室

主持人：張宏生

1.蔡根祥：江永與戴震學術關係研究——以《詩經》學說為討論範圍

2.車行健：現代學術獎勵機制觀照下的羅倬漢之經學成就——以《詩樂論》為核心之探討

3.鄧國光：《春秋》與「素王」：漢代「經學義理」旨釋

4.呂宗力：兩晉南北朝的經學與緯學

※第二組：逸夫行政樓五樓 SWT505 室

主持人：陳　致

1.單周堯：竹添光鴻《左氏會箋》論五情說管窺

2.何志華：《史記》詮釋《論語》考

3.傅熊：Huang Kan’s Lunyu yishu and Qing scholarship

4.金培懿：作為道德／語文教育教材的《論語》——以近代日本中學校教科書／漢文學參考書所作的考察

■2010 年 5 月 28 日（星期五）

◎第 三 場

※第一組：逸夫行政樓五樓 SWT504 室

主持人：汪學群

1.蔡長林：今文學與義理《易》——讀皮錫瑞《易學通論》

2.賴貴三：佐藤一齋易學初探——以《言志四錄》與《九卦廣義》為核心

3.蘇費翔：《周易》卦名的語義學特徵

4.吳家怡：《漢書・敘傳》述《易》考

※第二組：逸夫行政樓五樓 SWT505 室

主持人：蔣秋華

1.郜積意：《召誥日名考》的歷學背景及相關問題

2.范麗梅：郭店〈成之聞之〉若干引《書》的詮釋問題

3.牟堅：朱子的實理觀與《中庸》詮釋

4.宗靜航：從詞彙角度淺議《湯誥》與《仲虺之誥》的成書年代

◎第 四 場

※第一組：逸夫行政樓五樓 SWT504 室

主持人：張壽安

1.舒大剛：邢昺《孝經注疏》雜考

2.丁亞傑：生命禮儀中的兩性位置：方苞禮學中的女性

3.許子濱：《左傳》「公喪之如稅服終身」解

※第二組：逸夫行政樓五樓 SWT505 室

主持人：蔡長林

1.李雄溪：《小雅・都人士》「綢直如髮」解

2.方向東：古代尊師禮淺論

3.黃梓勇：論章太炎的今古文經學觀

◎第 五 場

※第一組：逸夫行政樓五樓 SWT504 室

主持人：李雄溪

1.許振興：真德秀《大學衍義》的「齊家」思想

2.馮曉庭：從《兼明書》看唐末五代說經方向的轉折

3.黃冠雲：重構子思學說的兩個定點

※第二組：逸夫行政樓五樓 SWT505 室

主持人：車行健

1.郭鵬飛：讀王引之《經義述聞・爾雅札記》

2.孔炳奭：《禮記》喪服制度的人文意識

3.鄭時烈：退溪《論語釋義》的解釋學的特徵

◎第 六 場

※逸夫行政樓五樓 SWT501 室

主持人：劉楚華

1.金時晃，孔炳奭翻譯：孔子從時俗行夏之時正解

2.汪學群：費密經學思想試探——以《弘道書》為例

3.蔣秋華：試論吳汝綸《尚書故》的訓詁

◎閉幕典禮

※逸夫行政樓五樓 SWT501 室

主持人：劉楚華、林慶彰

經　學　研　究　論　叢
第 十 九 輯　頁353～356
臺灣學生書局　2011 年 11 月

正統與流派——歷代儒家經典之轉變國際學術研討會

Orthodoxy and Schools of Thought -- Changes in the History of Confucian Canon Studies

編輯部

一、主辦單位：德國慕尼黑：德國慕尼黑大學亞洲研究所漢學系
臺灣臺北市：中央研究院中國文哲研究所

二、會議時間：2010 年 7 月 25 日（星期日）－2010 年 7 月 26 日（星期一）

三、會議地點：德國慕尼黑：德國慕尼黑大學亞洲研究所漢學系二樓

四、論文篇數：24 篇

五、舉辦緣起：近年歐洲學者赴臺灣進行學術交流風氣日盛，同時交流內容也自文學、思想等籠統範疇轉而為專門學科方向，例如古代經典研究、經學研究便是其間大宗。為加強國際學術交流，德國慕尼黑大學亞洲研究所漢學系特與中央研究院中國文哲研究所經學文獻研究室合作，召開歐洲地區第一次經學專門性國際研討會——「正統與流派——歷代儒家經典之轉變國際學術研討會」。

六、議　　程：

■2010 年 7 月 25 日（星期日）

◎開幕儀式

主持人：蘇費翔（Christian Soffel，Universität München）

◎**專題演講**

林慶彰（Lin Ching-Chang，中央研究院中國文哲研究所）：史記所述儒家經典作者之檢討

◎**第 一 場**

主持人：葉翰（Hans van Ess，Universität München）

1.車行健（Che Hsing-Chien，政治大學中國文學系）：有為之言，是否可以解經？

2.林啟屏（Lin, Chi-Ping，政治大學中國文學系）：先秦儒學思想中的「君」、「臣」與「民」

3.金培懿（Chin, Pei-yi，臺灣師範大學國文系）：高拱論語經筵進講析論——以《論語直講》為考察核心

4.甯麕（Marc Nürnberger，Universität München）：鬼的消亡？略談過與不及 Wither Ghosts? On Transgression and Failure

◎**第 二 場**

主持人：林慶彰

1.葉翰：Textual Problems in the Book *Mengzi*

2.吳儀鳳（Wu, Yi-Feng，東華大學中國文學系）：漢賦與經學關係述評

3.傅熊（Bernhard Fuehrer，SOAS London）：Qing scholars on Huang Kan's *Lunyu yishu*

4.蔣秋華（Chiang, Chiu-Hua，中央研究院中國文哲研究所）：論顧棟高《尚書質疑》的問與答

◎**第 三 場**

主持人：傅熊

1.陳致（Chen Zhi，香港浸會大學中國語言文學系）：A Reading of "Nuo" (Mao 301) in light of bronze inscriptions：The English translations of the Book of Songs revisited

2.范麗梅（Pham, Lee-Moi，中央研究院中國文哲研究所）：釋寷——兼論上

古方言寫詞與經典解釋

3.黃冠雲（Huang, Kuan-Yun，清華大學中國文學系）：Shifts in Warring States Readings of the "Shijiu"

4.普塔克（Roderich Ptak，Universität München）：Real Species or Literary Species? -- Notes on Animals in the Classics

■2010年7月26日（星期一）

◎第 四 場

主持人：張壽安（Chang, So-an，中央研究院近代史研究所）

1.盧鳴東（Lo Ming-tong，香港浸會大學中國語言文學系）：家規・學說・鄉約——論朝鮮婚俗「禮儀化」的深度和廣度

2.馮曉庭（Feng, Hsiao-Ting，嘉義大學中國文學系）：蓬左文庫春秋公羊疏鈔本述略

3.王基倫（Wang, Chi-Lun，臺灣師範大學國文系）：《春秋》書法與桐城三祖方苞、劉大櫆、姚鼐的古文創作

4.梅道芬（Ulrike Middendorf，Universität Heidelberg）：What Were the Poems Used for? -- Technique and Function of Quotation and Allusion in the *Kongzi Shi lun*

◎第 五 場

主持人：陳致

1.程艾蘭（Anne Cheng，Collège de France, Paris）：The use of canonical sources by the New Confucians

2.蔡長林（Tsai, Chang-Lin，中央研究院中國文哲研究所）：皮錫瑞「論劉逢祿魏源之解尚書多臆說不可據」平議

3.張素卿（Chang Suching，臺灣大學中國文學系）：惠棟的易微言探論

4.曹美秀（Chao, Mei-shiou，中央大學中國文學系）：黃式三的尚書學

◎第 六 場

主持人：程艾蘭

1.張壽安：清儒段玉裁「二十一經」的學術史意義

2.戴謹琳（Licia Di Giacinto，Universität Bochum）：In and out of the canon: The strange history of the Confucian apocrypha (*chenwei*)

3.蘇費翔：Huang Gan, Chen Chun and the Canonization of the Sages' Heritage in the 13th Century

4.林素芬（Lin Su-fen，慈濟大學東方語文學系）：張載、司馬光與儒家經典的傳承

經 學 研 究 論 叢
第 十 九 輯　頁357～360
臺灣學生書局 2011 年 11 月

第六屆青年經學學術研討會

編輯部

一、主辦單位：臺灣高雄市：高雄師範大學經學研究所。（高雄市經典文教學會、中華經典學會協辦）

二、會議時間：2010 年 10 月 30 日（星期六）

三、會議地點：臺灣高雄市：高雄師範大學和平校區行政大樓十樓會議室

四、論文篇數：19 篇

五、舉辦緣起：高雄師範大學經學研究所自 2004 年起每年舉辦「青年經學學術研討會」，鼓勵經學研究生參與發表論文，頗受各界好評。2010 年 10 月 29 日（星期五）依例舉辦「第六屆青年經學學術研討會」。

六、議　　程：

■2010 年 10 月 29 日（星期五）

◎開幕儀式

主持人：鄭卜五（高雄師範大學經學研究所所長）

◎第 一 場

※十樓會議室 A

主持人：鄭卜五

1.謝弟庭：《戴氏注論語》經解特質——公羊義之運用（特約討論：鄭卜五）

2.魏怡昱：面對世界的經學——廖平春秋中的二伯之理想與意義（特約討論：楊濟襄）

3.李俊宏：明末儒者鹿善繼《四書說約》之《中庸》思想探析——以「誠」、

「聖」為範圍（特約討論：李幸長）

※十樓會議室 B

主持人：黃忠天

1.王詩評：郝大通易圖學中的三才之道（特約討論：黃忠天）

2.林彥邦：古琴治療初探——以《莊子》意義治療為核心展開（特約討論：簡光明）

3.林彥廷：論何鏈經學詮釋的兩個面向——宗教性與政治性（特約討論：黃明誠）

◎第 二 場

※十樓會議室 A

主持人：蔡根祥

1.陳癸宏：朱駿聲《尚書古注便讀・堯典》中天文觀之初探（特約討論：黃忠天）

2.張家勝：《史通・疑古》中的孔子觀（特約討論：鄭卜五）

3.鍾哲宇：任大椿、孫星衍引用玄應《音義》輯佚相關問題試論（特約討論：蔡根祥）

※十樓會議室 B

主持人：楊濟襄

1.吳惠娟：桂文燦《經學博采錄》析論（特約討論：楊濟襄）

2.姚彥淇：孟子「性命對揚」章義蘊再探（特約討論：劉昌佳）

3.劉昆誠：清末民初聖諭宣講與勸善書之施行——以澎湖「一新社」與高雄市「文武聖殿」為中心探討（特約討論：李幸長）

◎第 三 場

※十樓會議室 A

主持人：林文欽

1.張青松：戴震治《易》歷程展現之漢宋學風格（特約討論：林文欽）

2.謝何美雪：從冠禮看古代的家庭教育（特約討論：杜明德）

3.林穎政：《四庫全書總目》對明代春秋學的評價內涵析論（特約討論：蔡

鴻江）

◎**第 四 場**

※十樓會議室 A

主持人：顏美娟

1.謝成豪：清儒汪紱《準孟》探析（特約討論：汪治平）

2.姜龍翔：《尚書・君奭》寫作動機蠡測（特約討論：劉滌凡）

3.洪楷萱：毛奇齡與太宰春臺對朱熹《詩集傳》之批評比較（特約討論：蔡根祥）

4.謝智光：程樹德《論語集釋》的解經特色（特約討論：吳伯曜）

◎**閉 幕 式**

主持人：鄭卜五

經　學　研　究　論　叢
第 十 九 輯　頁361～364
臺灣學生書局　2011 年 11 月

第一屆中華經學國際暨
第三屆全國經學研討會

編輯部

一、主辦單位：臺灣高雄市：高雄師範大學經學研究所

二、會議時間：2010 年 10 月 30 日（星期六）

三、會議地點：臺灣高雄市：高雄師範大學和平校區行政大樓六劉、十樓會議室

四、論文篇數：21 篇

五、舉辦緣起：高雄師範大學經學研究所於 2005 年舉辦「第一屆全國經學學術研討會」，主題為「經典與宗教」，討論的方向為「經典的詮釋」、「治經的方法」、「經學與宗教的關係」、「經典的傳承與影響」等。2008 年舉辦「第二屆全國經學學術研討會」，以中國經典為主軸，主題不限。兩次研討會均受學界極度肯定，為賡續前烈、推動經學研究風氣。又於 2010 年 10 月 30 日（星期六）舉辦首屆「中華經學」國際暨「第三屆全國經學學術研討會」。

六、議　　程：

■2010 年 10 月 30 日（星期六）

◎開幕儀式

主持人：鄭卜五（高雄師範大學經學研究所所長）

◎第　一　場

主持暨特約討論人：周虎林

1.謝向榮：《周易・渙》上九「血去逖出」考釋

2.李隆獻：元明復仇觀的省察與詮釋

3.黃忠天：《中庸》釋疑——以書中五章九則為例

◎**第 二 場**

※十樓會議室

主持暨特約討論人：李威熊

1.鄧國光：王國維清代經學三變論釋義

2.汪啟明：二重證據法不始于王國維論

3.南澤良彥：北朝隋唐明堂研究

※六樓會議室

主持暨特約討論人：張高評

1.蔡根祥：《左傳》「實難」一詞訓詁之研探

2.楊濟襄：康有為《春秋董氏學》要義發凡探析

3.程奇立：論漢代今、古文經學與齊、魯之學的關係

◎**第 三 場**

※十樓會議室

主持暨特約討論人：楊晉龍

1.湯恩佳：經學的現代價值

2.謝維揚：漢代經學的發展對中國古代文獻傳統形成的意義

3.谷　敏：天一閣藏數種經部明抄本版本考論

※六樓會議室

主持暨特約討論人：林文欽

1.王宏星：中國經學中的禮文化與漢代明器

2.林月秀：《論語》是開啟中華民族文明之匙

3.吳伯曜：別出心裁、融通三教與講說故事——論林兆恩《四書正義》的解經特色

◎**第 四 場**

※十樓會議室

主持暨特約討論人：李隆獻

1.孫劍秋：「箕子之明夷」說

2.楊志剛：明清時代《朱子家禮》的普及與傳播

3.館野正美：易之形而上學

※六樓會議室

主持暨特約討論人：湯恩佳

1.朱榮智：孔子人文教育思想的現代意義

2.吳　銳：二十世紀五十年代方孝岳對《尚書》的研究

3.汪志平：從「忠信」到「忠恕」——子以四教「文信忠信」續探

◎閉 幕 式

主持人：鄭卜五

與談人：黃忠天、蔡根祥

經　學　研　究　論　叢
第　十　九　輯　　頁365～372
臺灣學生書局　2011 年 11 月

2010 年中國經學國際學術研討會

編輯部

一、主辦單位：中國南京市：南京師範大學文學院古典文獻學系
臺灣臺北市：中央研究院中國文哲研究所

二、會議時間：2010 年 11 月 15 日（星期一）－2010 年 11 月 16 日（星期二）

三、會議地點：中國南京市：南京師範大學隨園校區南山專家樓

四、論文篇數：75 篇

五、舉辦緣起：近年來中國大陸經學研究風氣日盛，經常召開的經學專門會議，南京師範大學文學院古典文獻學系素來以經典研究為主要工作方向，為增進國際交流、鳩集經學研究能量，南京師範大學文學院古典文獻學系特與中央研究院中國文哲研究所經學文獻研究室合作，召開「2010 年中國經學國際學術研討會」。

六、議　　程：

■2010 年 11 月 15 日（星期一）

◎開幕儀式

※隨園校區貽芳報告廳

主持人：趙生群（南京師範大學文獻學系）

◎專題演講

※隨園校區貽芳報告廳

主持人：嚴壽澂

1.林慶彰：經典權威消解的幾個原因

2.顧史考：《酒誥》、《賓之初筵》與中國酒禮之濫觴

3.末永高康：《孔子三朝記》初探

4.單周堯：「五情」之相關問題

5.鄧國光：清代經學的生發探要

6.方向東：錢玄先生與禮學

◎第 一 場

▲第一組

※南山專家樓二層第二會議室

主持人：陳鴻森、邵炳軍

1.黃懷信：《周易》「坤」、「坎」、「巽」三卦卦德獻疑（特約討論人：方向東）

2.焦桂美：讀《尚書今古文注疏》條議（特約討論人：蔣秋華）

3.嚴壽澂：《史微》要旨表詮（特約討論人：鄧國光）

4.漆永祥：清代學術拾零（特約討論人：陳鴻森）

5.吳儀鳳：張衡帝京書寫中的經典依據（特約討論人：何銘鴻）

▲第二組

※南山專家樓四層第四會議室

主持人：虞萬里、林素英

1.楊天宇：鄭玄注《儀禮》以今況古所涉漢代名物考（特約討論人：林素英）

2.石立善：吐魯番出土儒家經籍殘卷考異（特約討論人：鄭卜五）

3.程克雅：王國維《傳書堂藏善本書志》三禮類典籍著錄考述（特約討論人：王鍔）

4.宋金華：整理本《儀禮注疏》標點商榷（特約討論人：張濤）

5.王鍔：再論宋本《纂圖互注禮記》的特徵及其影印本（特約討論人：虞萬里）

▲第三組

※南山專家樓五層第五會議室

主持人：趙伯雄、周鳳五

1.趙生群：《左傳》疑義新證（成公上）（特約討論人：趙伯雄）

2.張素卿：杜預「張本」說述論（特約討論人：趙生群）

3.徐克謙：《孟子》「天下之言性也」章探微（特約討論人：周啟榮）

4.馮曉庭：蓬左文庫春秋公羊疏鈔本考釋（特約討論人：蘇芃）

5.俞志慧：《國語》分章商兌（特約討論人：郭萬青）

◎**第 二 場**

▲第一組

※南山專家樓二層第二會議室

主持人：黃懷信、徐有富

1.錢宗武：《孔傳》或成於漢末晉初（特約討論人：蔡根祥）

2.陳鴻森：臧庸著述考（特約討論人：漆永祥）

3.邵炳軍：《詩・鄘風》系年輯證——春秋詩歌系年輯證之四（特約討論人：徐有富）

4.車行健：陳古諷今與《毛詩序》的歷史詮釋（特約討論人：蔡長林）

5.許建平：慧琳《一切經音義》引《尚書》考（特約討論人：吳新江）

▲第二組

※南山專家樓四層第四會議室

主持人：呂友仁、傅傑

1.虞萬里：王國維與漢魏石經研究（特約討論人：嚴壽澂）

2.林素英：《大戴禮記・哀公問五義》思想析論（特約討論人：末永高康）

3.汪少華：《考工記》點校商榷（特約討論人：呂友仁）

4.周啟榮：儒家禮教思潮的興起與清代考證學（特約討論人：程克雅）

5.張濤：戴震輯本《儀禮集釋》質疑（特約討論人：傅傑）

▲第三組

※南山專家樓五層第五會議室

主持人：

1.趙伯雄：讀左劄記二則（特約討論人：張素卿）

2.周國林：試論《公羊春秋經傳通義》的解經方法（特約討論人：黃覺弘）

3.刁小龍：《春秋公羊音義彙校》訂補（特約討論人：許建平）

4.丁亞傑：文：姚永樸經史之學的意涵（特約討論人：楊新勛）

■2010年11月16日（星期二）

◎第 三 場

▲第一組

※南山專家樓二層第二會議室

主持人：錢宗武、漆永祥

1.呂友仁：北大本《毛詩正義》下冊標點破句例析（特約討論人：黃懷信）

2.蔡根祥：唐代陳嶽《春秋折衷論》輯逸及研探（特約討論人：武秀成）

3.劉立志：「《詩》意畫」史料鉤稽（特約討論人：車行健）

4.鍾信昌：從宋代帝王教育觀點探《論語》的淑世理想（特約討論人：史應勇）

▲第二組

※南山專家樓四層第四會議室

主持人：

1.方向東：從阮刻《儀禮注疏》看中華書局影印本和南昌府本的差異（特約討論人：周國林）

2.鄧聲國：曹元弼《禮經學》禮學價值探微（特約討論人：楊天宇）

3.董恩林：清經解類型及價值分析——以《皇清經解》正續編為例（特約討論人：張宗友）

4.蔣秋華：《陳氏禮記集說補正》作者考——兼論清初冒名之作（特約討論人：曹書傑）

5.顧遷：《禮書通故》禮圖撰作思想初探（特約討論人：刁小龍）

▲第三組

※南山專家樓五層第五會議室

主持人：趙生群、朱傑人

1.吳仰湘：劉逢祿《春秋》學著述考辨（特約討論人：徐其寧）

2.蘇芃：《穀梁傳》劉兆注發微——以日藏《玉篇》殘卷引書為討論中心（特約討論人：馮曉庭）

3.曾聖益：春秋望禮補義（特約討論人：郭靜雲）

4.徐其寧：《春秋繁露》中的「治國養身」論（特約討論人：曾聖益）

5.吳杜：春秋盟誓研究之「歃血」考——兼論日本《說文》的一條「佚文」（特約討論人：吳仰湘）

◎第 四 場

▲第一組

※南山專家樓二層第二會議室

主持人：武秀成、劉立志

1.韓高年：《詩經》中的倫常及其意義（特約討論人：吳儀鳳）

2.史應勇：經典詮釋學視域下的文獻分析（特約討論人：連文萍）

3.許結：漢賦用經考（特約討論人：韓高年）

4.連文萍：詩歌與帝王學——以明代皇族《詩經》教習為論述中心（特約討論人：劉立志）

▲第二組

※南山專家樓四層第四會議室

主持人：周啟榮、鄧聲國

1.伏俊璉：清華簡《耆夜》與西周時期的「飲至」典禮（特約討論人：單周堯）

2.郭靜雲：先秦儒家言行論（特約討論人：周啟榮）

3.李晶：《周禮》的時代及國別問題補議（特約討論人：鄧聲國）

4.周忠：讀《禮記質疑》劄記（特約討論人：柳向春）

▲第三組

※南山專家樓五層第五會議室

主持人：周國林、楊新勛

1.姚曼波：「克己復禮」論辨——儒學正本清源之一（特約討論人：陳逢源）

2.劉永祥：納經學入現代學術體系的先行者——謝無量的經學研究略論（特約討論人：丁亞傑）

3.黃覺弘：李瑾佚著《春秋指掌》考說（特約討論人：董恩林）

4.吳昱昊：阮元《十三經注疏校勘記》引據《史記》訂補（特約討論人：謝秉洪）

◎**第 五 場**

▲第一組

※南山專家樓二層第二會議室

主持人：蔡根祥、許建平

1.徐有富：《詩集傳》對《詩經》篇章結構的探討（特約討論人：林慶彰）

2.何銘鴻：莊存與《尚書》學探析（特約討論人：焦桂美）

3.張宗友：鄭玄《詩譜・小大雅譜》脫文問題之探討（特約討論人：邵炳軍）

4.武秀成：段玉裁「二名不偏諱說」辨正（特約討論人：錢宗武）

5.李言：《千頃堂書目・經部》校讀劄記（特約討論人：陳敏傑）

▲第二組

※南山專家樓四層第四會議室

主持人：伏俊璉、董恩林

1.楊華：上古中國的四方神崇拜和方位巫術（特約討論人：伏俊璉）

2.傅傑：錢鍾書先生說《論語》述例（特約討論人：許結）

3.柳向春：桂文燦《經學博采錄》初探（特約討論人：江慶柏）

4.郭鵬飛：讀王引之《經義述聞・爾雅》劄記（特約討論人：汪少華）

5.楊傑：「三禮」所見西周射侯形制考釋（特約討論人：李晶）

▲第三組

※南山專家樓五層第五會議室

主持人：徐克謙、俞志慧

1.詹海雲：儒學氣節觀內涵及其價值意義之探討（特約討論人：徐克謙）

2.楊新勛：《論語》詁解五則（特約討論人：鍾信昌）

3.陳逢源：官學進程與詮釋脈絡：《四書大全》纂修體例芻議（特約討論人：詹海雲）

4.郭萬青：《國語・魯語上》、《禮記・祭法》比勘（特約討論人：俞志慧）

◎**大會總結報告及閉幕式**

※隨園校區貽芳報告廳

主持人：蔣秋華、朱傑人

第一組總結報告人：陳鴻森

第二組總結報告人：虞萬里

第三組總結報告人：趙伯雄

大會總結報告人：王鍔

經　學　研　究　論　叢
第 十 九 輯　頁373～438
臺灣學生書局　2011 年 11 月

出版資訊

一、專欄收 2010 年 1 月－2010 年 12 月國內外最新出版，有關經學和經學人物之相關專著。第十八輯應收而未收者（2009 年出版），本輯也酌量加以補收。惟舊籍重印或再版書，則不予收入。

二、各提要略依經學通論、經學史、周易、尚書、詩經、三禮、三傳、四書、孝經等之順序排列。

三、提要前之目錄項，分別依書名、作譯者、出版地及機構、頁數（冊數）、出版年月等項排列。

四、各提要以介紹各書之內容為主，如有所評論，僅代表作者之意見。

五、歡迎各界人士提供與本專欄性質相符之著作，以便推介，來書請寄臺北市和平東路一段 75 巷 11 號臺灣學生書局《經學研究論叢》編輯部收。

孔子文學思想研究

《孔子文學思想研究》　趙玉敏著　北京市：北京大學出版社　317 頁　2010 年 3 月

孔子作為儒家思想的重要主軸，透過傳授「六經」，即《詩》、《書》、《禮》、《樂》、《易》、《春秋》，對後世的文學體裁與思想發展有著重要的影響。在文史哲不分家的啟蒙時代，「六經」就相當於後世的文學範本，有著豐富的文學思想與內涵。孔子的學術思想不僅確立了中國的傳統文化，可以說無論在經學、史學或是文學等領域之上有其原始的經典性。

本書共分成引言、正文、參考文獻與結語四個部分。引言部分介紹出土文獻與孔子文學思想的再發現，對二十世紀以來出土的金石簡帛文獻作個探討。正文的部分共有七章，第一章是周代禮樂文明與孔子文學思想的文化淵源；第二章是「文言」與春秋時代文學思想的經典表達；第三章是以《孔子詩論》為中心看孔子對《詩》文本的闡釋；第四章是「詩亡隱志」：孔子《詩》學理論的系統考察；第五章是「樂亡隱情」：孔子樂論思想的文學意義；第六章是「春秋筆法」與孔子的歷史書寫；第七章是孔子哲學的詩性智慧和詩化的人生理想；後有參考文獻與結語的部分供讀者閱讀。全書將孔子的文學思想與人生態度作深入探討與研究，文筆流暢，是值得閱讀的優良著作。

著者趙玉敏教授，1975 年生，2007 年畢業於哈爾濱師範大學，為文學博士。現任吉林師範大學文學院副教授。著作有本書《孔子文學思想研究》與〈孔子「文言」思想及其文學意義〉、〈「思無邪」本義辨正〉、〈孔子的君子觀〉、〈出土文獻與孔子文學史地位的重構〉等多篇學術論文。（莊喬惠）

孔子：即凡而聖

《孔子：即凡而聖》 〔美〕赫伯特・芬格萊特著，彭國翔、張華譯 南京市：江蘇人民出版社 149 頁 2010 年 7 月

本書緊扣論語的文本，細緻入微地分析了論語中孔子的思想觀念，力圖呈現孔子的思想特質。作者認為從心理主義和主體主義的角度來解讀論語，是出自西方知識背景的誤解而孔子思想的主旨在於禮儀行為的強調。禮儀是人類經驗歷史積淀所形成的人性的表現，禮儀的踐行可以使人性在社群的整體脈絡中趨於完善。而人們純熟地實踐人類社會各種角色所要求的禮儀行為，最終便可以從容中道，使人生煥發出神奇的魅力。聖人境界就是人性在不離凡俗世界的禮儀實踐中所透射出的神聖光輝。

赫伯特・芬格萊特（Herbert Fingarette），美國著名哲學家。1921 年出生，加州大學洛杉磯分校哲學博士。1948 年起長期任教於加州大學聖巴巴拉分校，現為該校哲學系榮休教授（Emeritus Professor）。曾任美國哲學學會主席。主要研究領域除了哲學、心理學、法學等。由於其傑出的學術成就，曾應多所著名大學邀請開設講座。主要著作除了本書之外，還有《轉化中的自我》（*The Self in Transformation*, 1963），《犯罪精神病的意義》（*The Meaning of Criminal Insanity*, 1972）《酗酒：酒精中毒症的神話》（*Heavy Drinking: The Myth Alcohol-holism as*

Disease, 1988），《死亡：哲學的探測》（*Death: Philosophical Deception*, 1996），《自欺》（*Self-Deception*, 2000）等。 （廖秋滿）

日本中國經學研究三種

《日本中國經學研究三種》 耿素麗、代坤選編 北京市：國家圖書館出版社 上、下二冊 2010年9月

二十世紀三、四十年代在中國知識界風靡一時的「整理國故運動」，對中國學術產生了深遠影響。倡導者提出的運用新科學方法整理和研究國學精粹的想法，不僅在學人之中得以廣泛實踐，在出版界也引起迅速回應。一方面，傳統的國學史料被重新挖掘、整理和研究；同時國外特別是日本的一些相應研究，也引起國內學界的注意，一些重要的學術著作被翻譯過來進行出版，國際視域下的「漢學」概念自此逐漸形成。

本書收錄的便是這一時期日本有關中國經學研究文獻三種：1.《四書研究》，日本教育學會編著，王向榮編譯，天津直隸書局民國二十二年（1933）十月出版。當時曾是日本研究中國儒家中心思想的名著，曾用作檢定中等學校修身科及漢文科教員的參考書。2.《經學史論》，〔日〕本田成之著，江俠庵譯，商務印書館民國二十三年（1934）五月出版。江俠庵所譯《經學史論》，原名為《支那經學史論》，由於譯者和出版者不同，導致出現兩個不同譯本。另外一個譯本為《中國經學史》，孫俍工譯，中華書局民國二十四年（1935）六月出版。3.《中國經學史概說》〔日〕瀧熊之助著，陳清泉譯，商務印書館民國三十年（1941）八月出版。《經學史論》和《中國經學史概論》出版後，一直被作為研究中國經學史的必讀書，以及中國思想史研究領域的重要參考書。

這三種經學經典研究著作自民國期間出版之後，至今沒有在中國內地重新出版，這無疑構成中國經學研究的一種缺憾。現在合併影印出版，從中可見當時日本中國經學研究的概貌，也是國際視域下中國學研究的一個縮影。

全書分上、下冊，第一冊收《四書研究》和《經學史論》，第二冊收《中國經學史概說》。 （廖秋滿）

朱子與閩學

《朱子與閩學》 傅小凡著 長沙市：岳麓書社 342頁 2010年1月

朱子思想體大蘊深，是中國文化的綜合體。由於朱子以及與孔子有關的儒家典籍，大都經過朱子整理注釋過，研究孔子思想，實際上是研究朱子的孔子思想。因此，朱子學的研究範圍至為廣泛。當前，國內外對朱子本身的研究已十分深入，成果層出不窮，顯示朱子學研究已達到相當高的水準，必須開闢出子學研究的新領域。《朱子學研究叢書》即是因此而產生，由樂愛國教授主編，大都是從不同角度立論，如朱子與閩學、朱子學與徽學、朱子與格物致知等，擴大朱子學研究的範圍。

《朱子與閩學》一書，作者希望在前人研究的基礎上，可能從全新的角度，審視朱子與閩學的關係。書的主題是「朱子與閩學」，「與」字決定了將要討論的內容限制在三個範圍內：一是朱子的師承。閩學是洛學的南傳，因此朱子的師承自然要上溯到程穎、程顥，由二程而游酢、楊時，由楊時而羅從彥，由羅從彥而朱松、劉子翬和李侗。二是朱子學本身。朱子學的內容非常豐富，限於篇幅，以朱子理學的哲學內容為核心。三是考亭學派。朱子學自宋元以後，逐漸成為全國性的學術思想和官方意識型態，就閩學而言，只能將討論對象限於考亭學派中朱熹的四位親傳弟子，蔡元定、黃榦、陳淳和蔡沈。以上三個討論範圍在時間上的連續，構成了朱子與閩學之間縱向關係的歷史脈絡。在這個基礎上，作者以主要的哲學問題為框架，梳理每一位被闡述對象的文本材料。全書分第一章〈洛學南渡〉，第二章〈朱熹師承〉，第三章〈朱子理學〉，第四章〈考亭學派〉，參考文獻，後記。

傅小凡，1957 年生，遼寧遼中人。哲學博士。廈門大學哲學系副教授。主要著作有：《晚明自我觀研究》、《東方微笑——麥積山石窟佛教造像藝術的美學意義》、《宋明道學新論——本體論建構與主體性轉向》、《祁山遺恨——三國政治哲學初探》、《李贄哲學思想研究》等專著，在國內外專業期刊上發表學術論文50多篇。

（廖秋滿）

《朱子語類》經學思想研究

《《朱子語類》經學思想研究》 楊燕著 北京市：東方出版社 377頁 2010年8月

朱熹是宋代著名的思想家，其思想體系的建構，多根植於傳統經學。藉由對經典的重新詮釋，朱熹建立了一條以「義理」為內涵的經學研究道路，後人多以「理學」一詞名之。楊燕教授的《《朱子語類》經學思想研究》一書，側重在朱熹理學的根源——儒家傳統經典，即從文獻的角度入手，來探討朱熹的經學思想，並指出在客觀的歷史實際中舍「經學」無「理學」的情況。

楊教授認為，要研究朱熹的經學思想，除了朱熹自著的《四書章句集注》、《周易本義》、《詩集傳》和《朱子文集》之外，記載朱熹日常教學及生活言論的《朱子語類》也是相當重要的研究對象。本書透過對《朱子語類》的詳細剖析，分別從五個面向來討論其中的經學思想。

第一章「《朱子語類》經學思想的文獻基礎」，從文獻的角度來統計《朱子語類》中稱引和闡述「五經」和「四書」文獻的情況，並且旁及其他儒家學者的著作與部分佛道文獻。第二章「《朱子語類》經學思想的典籍重構」，說明朱熹藉由推尊《四書》、《近思錄》和《小學》等書來建構他的「新典籍體系」，以及這個「新典籍體系」建構之後的影響與它對「傳統典籍體系」的揚棄。第三章「《朱子語類》經學思想的闡釋理論」，談到了有關「心理闡釋」（闡釋者的心理狀態）、「語法闡釋」（文本的釋經方式）和「實踐闡釋」（個人修為的實踐過程）三個方面的闡釋問題，並點出了朱熹窮理與窮經的兩難。第四章「《朱子語類》經學思想的概念發微」，則著重討論「天理人欲」、「止」、「仁」三組概念在《朱子語類》中的代表性。第五章「《朱子語類》經學思想的宗教意蘊」，則是分析朱熹的「修養論」與「天命觀」，及其中所包含的「宗教內涵」。 （陳韋哲）

章太炎與章門弟子

《章太炎與章門弟子》 劉克敵、盧建軍著 鄭州市：大象出版社 296 頁 2010 年 10 月

中國的二十世紀是一個天翻地覆、波瀾壯闊的世紀，在這個現代百年裡，湧現出為數不少的改變歷史和文化的偉人和大師，他們的出現不僅重塑了中國形象，而且對此後中國人的思維方式、價值觀念、文化信仰等產生了深刻的影響。《二十世紀文化大師與學術流派叢書》力圖以現代文化大師及其弟子們的文化、政治、學術活動為中心，梳理近現代知識分子的精神譜系，描繪現代中國的文化地圖，在對歷史的回顧中，理解現在，展望未來。本叢書可以說是對以師徒關係為中心形成的現代知識群體的研究。

本書以章太炎和他的弟子為中心，探討章太炎與弟子如何聚在一起？他們有哪些理論和學說？又是怎樣對二十世紀中國文化的發展產生影響？全書目錄如下：引言、第一章〈「大國手」之師與「大國手」之弟子〉、第二章〈章太炎之學探源〉、第三章〈徘徊於學術與革命之間〉、第四章〈章門弟子大觀〉、第五章〈章門高足的恩恩怨怨〉、第六章〈一個門派成就一所大學〉、第七章〈鏗鏘四人行〉、第八章〈周氏兄弟與許壽裳、曹聚仁〉、第九章〈學在民間與最後的知識分子之消失〉、後記。

劉克敵，1997 年畢業於華東師範大學，獲文學博士學位，同年評為副教授，1999 年評為教授。現在杭州師範大學人文學院任教。主要學術領域為：陳寅恪與二十世紀中國學術思想研究；現代文學與現代教育關係研究；知識分子問題以及大眾文化與傳媒關係研究等。已出版著作有：《陳寅恪與中國文化》、《永遠流浪——三毛傳》、《花落春仍在——吳宓與〈學衡〉》、《百年文學與大學》、《梁漱溟的最後 39 年》、《陳寅恪和他的同時代人》、《陳寅恪與中國文化精神》和《那些翻譯大師們》等。此外，在各類學術期刊發表論文數十萬字。 （廖秋滿）

周予同經學史論

《周予同經學史論》 周予同著，朱維錚編校 上海市：上海人民出版社 681 頁

2010 年 2 月

周予同（1898－1981）先生是近代研究「中國經學史」的重要學者。清光緒33 年（1907）刊刻的皮錫瑞《經學歷史》，是中國第一部「經學史」著作，皮氏以其今文學家的觀點撰成此書，目的在以此宣揚其「今文家學說」，而非真正去疏通「經學研究史」本身的種種問題與事實，因此影響力遠不及其後出版的《經學教科書》（劉師培）。然而在 1928 年，周先生出版的《經學歷史》注釋本，卻奠定了皮氏著作在經學史研究上的地位。周先生用相對客觀的觀點，來疏解皮氏的《經學歷史》，並在該注釋本的序言中，清楚勾勒出了中國經學史上的三大派別——西漢今文學、東漢古文學、宋學，一掃皮氏「獨尊今文學」的刻板印象。

除了《經學歷史》的注釋本外，周先生尚有許多經學史研究的專著和單篇論文，朱維錚教授為完整呈現乃師周予同先生的「經學史」成就，特地編成此書（收錄標準是只收周先生撰寫的專書、論文，不收注釋書，因此《經學歷史》注釋本與《漢學師承記》選注本並不收入其中）。此書原名《周予同經學史論著選集》，1983 年 11 月由上海人民出版社出版。此後在 1996 年 7 月於同一出版社出版「增訂版」，排版方式和 1983 年相同，但增收了《中國經學史講義》一書（近 8 萬字）。《中國經學史講義》是周先生的另一名學生許道勳教授當時上課的課堂筆記（還參考了劉修明先生的筆記），當年周先生在上海復旦大學講授「中國經學史」課程時曾編有講義，後佚毀於文革，所幸從這增收的《中國經學史講義》一書中，尚可一窺周先生授課之情況。

此次再版，內容一如「增訂版」，只是重新打字排版，閱讀起來比較舒服。周、朱二位先生的「經學史」研究，正好經歷了近代中國最動盪的兩個毀斥經學的時段：一是從清末一直到五四運動以來之「抑經尊史」的時段，教育部明令中小學廢除讀經（詳〈普通教育暫行辦法〉），一般知識分子也視經學研究為封建的復辟（如袁世凱與軍閥們的提倡讀經）；一是「文化大革命」的徹底否定。因此書中文字（周先生的文章及朱教授的序文、後記等）不斷地強調他們研究的是「經學史」，即以「史學」的角度研究「經學」，並極力地排除讀者冠以他們「經學家」的稱號。這是我們在閱讀這本書時必須事先理解的地方。（陳韋哲）

經史問答校證

《經史答問校證》 〔清〕朱駿聲著、樊波成校證 上海市：華東師範大學出版社 451頁 2010年12月

《經史答問》是清代著名文字學家朱駿聲一部指導初學的學術專著，經史重要問題，均有詳細闡釋，現在詳細加以校正，以饗讀者。

《經史答問》四卷。清朱駿聲（1788－1858）撰。朱駿聲曾受業於錢大昕之門，為學長於經訓、小學，撰《說文通訓定聲》，為治《說文解字》之名著。其考訂經史，皆以六書貫穿經義。嘗與汪文台、俞正燮、程鴻沼及弟子程朝鉦、程朝儀等就經史質疑問難，朱駿聲為之解答，此書即其記錄。

原稿散佚頗多，其子朱孔彰輯為四卷，問答五百條，涉及《詩》、《書》、《易》、《左傳》、《論語》、《周禮》、《禮記》、《孟子》、《戰國策》、《史記》、《漢書》等經史書籍中的疑難問題，而以經傳為多，也涉及近人的解經著作，包括字的詮釋、人物的考證等，由於朱駿聲長於《說文》，善於訓解，故其所答頗能切要。如問「古人一字有數讀何與」，駿聲答謂「字有數音也，方言也。如《易》彖像是陝西音，彖傳、象傳是山東音，推之經史百家皆然，而各有之注經史者，又各操土音，不能齊同」。又如訓《禮記》「壹戎衣」，謂當從《康誥》作「殷」，衣、殷一聲之轉，今徽州黟縣人語猶如此，皆為後世學者所稱道。此書為朱氏經史雜考筆記，皆為心得之語，朱氏以《說文通訓定聲》知名，而此書猶可概見其解經證史之學。有光緒二十年（1894）金陵書局刊本。

本書目錄分為：弁言、經史答問敘、經史答問卷一、經史答問卷二、經史答問卷三、經史答問卷四。

（廖秋滿）

經義考新校

《經義考新校》 〔清〕朱彝尊編纂，林慶彰、蔣秋華、楊晉龍、馮曉庭主編 上海市：上海古籍出版社 十冊 2010年12月

本書點校部分，以中央研究院歷史語言研究所傅斯年圖書館藏盧見曾補刻本為底本，加上新式標點；以文淵閣《四庫全書》本（簡稱「《文淵閣四庫本》」）、文津閣《四庫全書》本（簡稱「《文津閣四庫本》」）、《四庫備要》本（簡稱「《備要本》」），詳加校勘。補正部分，則據廣文書局影印之翁方綱《經義考補正》（簡稱「《補正》」）、臺灣商務印書館景印文淵閣《四庫全書總目》（簡稱「《四庫總目》」）、廣文書局影印之羅振玉《經義考目錄校記》（簡稱「《校記》」）。

若《補正》、《四庫總目》、《校記》有辨正《經義考》著錄書名、撰者、篇卷、存佚、敘錄之疏誤時，則將辨正、補充之文字列於該目之後，並加上「《補正》」、「《總目》」、「《校記》」字樣，以與《經義考》正文區別，其排列亦較《經義考》本文低一格。

若《補正》、《四庫總目》、《校記》對《經義考》著錄之某書皆有辨正文字時，則依以上諸書成書先後，依序排列。

《補正》、《四庫總目》、《校記》諟正《經義考》者，僅摘錄其諟正部分之文字，並詳錄其卷數、頁數於該段文字之下；然《四庫總目》著錄之書名與《經義考》所著錄者，由名異實同之現象，如《經義考》著錄魏了翁《春秋要義》，《四庫總目》作《春秋左傳要義》，故引《總目》文字之後，注明：「卷二十七，頁二十一－二十二，《春秋左傳要義》三十一卷提要。」另外，《四庫總目》辨正《經義考》所著錄之經書，如辨正陳傅良之《左氏章指》，卻在《春秋後傳》提要論及之，如此類者，則以《春秋後傳》提要注明之。

《校記》列《經義考》著錄亡佚之書若干後，則提「馬國翰均有輯本」或「黃奭均有輯本」，凡《校記》提示有輯本者，本書皆分別陳敘其文於《經義考》著錄該書亡佚部分之後。

標點方式，以新式標點符號為準，書名、篇名用書名號，人名、地名、朝代、年號等用專名號。

《經義考》所錄諸家文字，若為全引，則以引號識之，如為約引，則僅加以標點，不加引號。

盧氏補刻本有不少俗字，除部分引文為保留原書字樣外，皆改為現行通行字，如「蓋」改為「蓋」、「偹」改為「備」、「据」改作「據」、「槩」改作「概」等。

盧氏補刻本原有盧氏所編《總目》二卷，因僅列卷目，不列書名、作者，茲刪去。另重編有書名、作者之目次，列為首冊。

為方便讀者檢索，本書編有著錄書目之書名和作者索引，附於首冊目次之後。

（廖秋滿）

經解入門

《經解入門》 〔清〕江藩撰，周春健校注 上海市：華東師範大學出版社 183 頁 2010年2月

1977 年，臺灣廣文書局印行《國學珍籍彙編》，精心選取清代至民初國學著述 28 種，影印出版，作為古代經典的輔翼讀物。內容涉及經史子集，匯集了眾多一流學者，如顧炎武、王夫之、陸瓏其、萬斯大、李漁等。惜《國學珍籍彙編》多為清刻本之影印本，既無標點，又無注釋，不便於如今大學生習讀。為此，湖北大學古籍研究所從中擇取涉及經史的著述十五種，進行整理，所選諸種主要涉及經史，且多為短制，取名為《清人經史遺珠叢編》，《經解入門》即為叢書之一，由周春健先生校注。

《經解入門》，舊題清代學者江藩所撰，是為初學者寫的啟蒙讀物，以淺出方式全面介紹閱讀國學經學書籍的基本常識和方法。全書 52 章，有如 52 條讀書規章，是當今學子瞭解經學的很好入門。阮元嘗為其作序，評價甚高。整理方式為：繁體橫排，施加現代標點，針對難解詞語、人物職官、典章制度、重要事件下簡明註釋。

周春健，1973 年 7 月生，山東陽信人。自 1992 至 2004 年，分別就讀於濱州師專、山東師範大學、湖北大學、華中師範大學，歷獲文學學士、文獻學碩士、歷史學博士學位。2001－2009 年任教於湖北大學古籍所，2009 年 4 月起，任中山大學哲學系、中山大學古典學中心副教授。碩士階段主要從事先秦文獻典籍的學習與研究，學位論文《左傳引詩考析》。畢業留校後，主要從事中國古代學術史籍的整理與研究，迄今，發表論文四十餘篇，出版學術著作四部，編著十餘種。

（廖秋滿）

經學卮言

《經學卮言》 〔清〕孔廣森撰，楊新勛校注 上海市：華東師範大學出版社 156頁 2010年7月

上世紀八十年代初，中華書局推出《十三經清人注疏》，計畫出版中國歷代經典二十餘種，刊行十餘種，嘉惠學林，功莫大焉。惜乎這一計畫未竟而終，且未囊括的十三經注疏不在少數，令人惋惜。中國中山大學古典學中心「清人十三經注疏直解」小組承繼前輩心力，繼續整理十三經清人注疏，出版《清人十三經注疏直解叢編》，《經學卮言》即為叢書之一。整理方式為：繁體橫排，施加現代標點，針對難解詞語、人物職官、典章制度、重要事件下簡明註釋。

孔廣森（1752－1787），字眾仲、撝約，號顨軒，山東曲阜人。孔子的第六十八代孫，清代著名的經學家、音韻學家和數學家。少年師從戴震，又拜莊存與為師，精研《公羊》學。後師從桐城派姚鼐，創作駢文。著述宏富，有《顨軒孔氏所著書》，包括《春秋公羊經傳通義》十二卷、《大戴禮記補注》十四卷、《詩聲類》十三卷、《經學卮言》六卷、《禮學卮言》六卷等；又有《儀鄭堂文集》二卷、《儀鄭堂遺稿》一卷等。

《經學卮言》是孔廣森撰寫的一部群經總義類著作，涉及《易》、《書》、《詩》、《爾雅》、《論語》、《孟子》和《左傳》，自問世以來，產生了較為廣泛的影響，但從未有單行本。此書由楊新勛整理、校注，以南京圖書館藏嘉慶二十二年（1817）刊《顨軒孔氏所著書》本為底本，《清經解》和《續修四庫全書》本為參校本，詳作校勘；並對文中部分疑難字詞、人名地名以及引文出處等稍作注釋，以便於今天讀者閱讀和理解。（廖秋滿）

經學傳統與中國古代學術文化型態

《經學傳統與中國古代學術文化型態》 邊家珍著 北京市：人民出版社 320頁 2010年8月

經學是中國封建社會意識形態的重要載體，在中國古代學術文化發展中一直居於核心地位。本書在廣泛參酌古今學人有關論述的基礎上，以宏通的學術視野，從經學視角觀照中國古代不同於西方亦不同於現代的學術風貌、學術品格、思維方式等，考察分析了經學傳統形成的歷史文化淵源、通經致用與中國古代學術文化發展的內在動力、經學傳統與中國學術文化的現代轉型等重要問題，對今文經學、古文經學的學術文化影響及優劣得失做出了較為客觀的評價，提出了不少富於開拓性的新見解，說服力強，對於理解、把握經學傳統及中國古代學術文化都具有重要的參考價值，書中的一些論述對當代學術文化建設也不乏啟示意義。

邊家珍，1965 年生，文學博士。主要從事先秦兩漢文學與文化的教學與研究工作。兼任中國詩經學會理事、遼寧省國學研究會常務理事等。著有《詩經詮譯》（合作，大象出版社 1997）、《漢代經學發展史論》（中國文史出版社 2003）、《漢代經學與文學》（華齡出版社 2005）等。在《光明日報》理論版、《人民日報》理論版、《文史哲》、《孔子研究》等報刊上發表學術論文四十餘篇，一些學術觀點為海內外研究者引述。主持國家社科基金項目、全國高校古委會項目、省社科基金項目等多項。

本書目錄分為〈導論〉、第一章〈經學傳統形成的歷史文化淵源〉、第二章〈經學思維方式與中國古代學術品格及方法論特點〉、第三章〈通經致用與中國古代學術文化發展的內在動力〉、第四章〈今文經學的得失及其學術文化影響〉、第五章〈經學的考證、疑辨傳統及其學術價值評估〉、第六章〈從經學傳統看中國學術文化的現代轉型〉、結語、主要參考文獻、後記。 （廖秋滿）

經學輯佚文獻彙編

《經學輯佚文獻彙編》 古風主編 北京市：國家圖書館出版社 22 冊 2010 年 7 月

本書是以傳統經學分類為原則，利用前人輯佚成果，通過影印方式蒐集整理的傳統經學輯佚文獻。

以傳統經學分類為綱目，即易類、書類、詩類、三禮類、樂類、春秋類、論語類、孝經類、爾雅類、孟子類等。

各種佚經，以類相從。另有群經考證類，不可分，單作一類。

同一類佚經，按傳統方式劃分子目，如春秋類分左氏傳、穀梁傳、公羊傳等。

原作者不同的佚經，原則以作者時代先後為序。

若同一種佚經，不同輯佚者所輯，則一併收入，按輯佚者排序。

同一輯佚者所輯同一種佚經，若不同版本有差異，則一併收入，以存學術線索。若內容無差別，比較選擇優者。

考證、索引類著作，所含經學佚文甚豐，凡係本書蒐集對象者，一併收入。

古書版本繁雜，故本叢書所用古籍底本，不以年代久遠者為唯一標準，而以諸本互校，則其校勘精良者為尚。

每種佚經，均單列成篇，各具提要。

此次所收集佚經，並未完全包含所有輯佚文獻，還需要進一步整理完善。

第一冊有全套二十二冊總目錄、前言、凡例、書名筆畫索引及周易類（一），第二冊周易類（二），第三冊周易類（三），第四冊周易類（四），第五冊尚書類（一），第六冊尚書類（二），第七冊尚書類（三），第八冊尚書類（四），第九冊詩經類（一），第十冊詩經類（二），第十一冊詩經類（三），第十二冊詩經類（四），第十三冊周禮類、儀禮類、禮記類（一），第十四冊禮記類（二）、通禮類、樂類，第十五冊春秋左傳類（一），第十六冊春秋左傳類（二），第十七冊春秋左傳類（三）、春秋公羊傳類、春秋穀梁傳類，第十八冊論語類（一），第十九冊論語類（二）、孟子類、孝經類，第二十冊爾雅類（一），第二十一冊爾雅類（二）、群經總義類（一），第二十二冊群經總義類（二）。（廖秋滿）

焦竑與晚明會通思潮

《焦竑與晚明會通思潮》　劉海濱著　上海市：華東師範大學出版社　165 頁　2009 年 10 月

在中國歷代，明代晚期算是一個大時代。此一時期思想文化的發達及社會經濟的繁華活躍，與國家政治的灰暗衰弱形成強烈的對比，也因此有許多探討比較的空間。本書以一位此時期的代表人物——焦竑的生平來透視晚明的歷史背景與文化現象。

晚明社會思潮，「王學會通派」的思想是一種重要的概念與趨勢。所謂的王學會通派，指的是王陽明後學之中公開提倡會通三教的一種思想派別。此派別的成員們或許來自不同的地域，卻擁有共同的思想宗旨與特點，即倡導無善惡論，追求超越生死精神之境與會通入世出世概念。本文所謂的「會通思潮」，指的是晚明社會的各種領域之中受到王學會通派的影響，以會通的思想與態度而在各自所屬的領域內進行學術理論創造的思潮的總稱。

晚明的焦竑是王學會通派的代表人物之一，其博覽群書，在治學方面極廣泛，無論在經學、史學、考據學、目錄學等諸領域裡多有建樹，具有重要的歷史地位。

本書由導論、正文、餘論及附錄等部分共同組成。導論分為三節，敘述焦竑的研究史、王學會通派與會通思潮。正文部分共有六章，以焦竑個人生平經歷為線索來探討王學會通派與會通思潮的興盛對於晚明學術界的影響，以及對於中國學術思想的啟示與意義。餘論則是探討了晚明至清代的學術思潮轉變的過程之中，會通思想所帶來的作用與影響。附錄有焦竑年表，之後則是本書徵引書目與作者後記，以便讀者參考。（莊喬惠）

黃宗羲的經學與史學

《黃宗羲的經學與史學》 吳海蘭著 廈門市：廈門大學出版社 327 頁 2010 年 3 月

中國傳統學術是以儒家經典為主要結構，而所謂儒家經典，現今一般來說就是指十三經，亦即周易、尚書、詩經、周禮、儀禮、禮記、春秋左氏傳、春秋公羊傳、春秋穀梁傳、論語、孝經、爾雅、孟子。經學在每個時代都有其獨特的面貌，如漢代的今古文經學、隋唐的義疏學、宋代與明代的理學及清代的漢學等都是經學在每個時代所展現出的不同形態。

黃宗羲是明末清初的經學家、思想家、史學家、教育家、天文曆算學家，與顧炎武、王夫之並稱明末清初三大思想家。其學識淵博，治學力主陽明心學，亦著重史學研究，為浙東學派的領導人物。著作《明夷待訪錄》與《明儒學案》是中國思想史與史學史的重要名著，對後世的研究有深遠的影響。

本書是廈門大學國學研究院資助出版叢書之十三，全書內容分為緒論、正文與附錄、參考文獻及後記。緒論先討論了中國經史關係的流變發展與黃宗羲的經史思想研究；其次正文的部分則是分為五章，第一章是「天崩地解」的時代與學術思潮，討論明末清初的學術演變過程與經史之學的崛起，第二章是黃宗羲經史之學的淵源流變，探討浙東學派的主張與黃宗羲的生平交誼與經史之學規模，第三章是黃宗羲的經學與史學，敘述黃宗羲的經學與歷史、社會史及學術史交流的思想觀，第四章是黃宗羲經史之學的特徵，第五章是黃宗羲與浙東後學的經史之學。附錄的部分列出明末清初的學術大事年表，後是參考文獻與著者後記，以供參考研究。本書對於黃宗羲的經學與史學有著精闢的研究，也是研究黃宗羲時重要的參考資料。

（莊喬惠）

鄭樵研究

《鄭樵研究》　吳懷祺著　廈門市：廈門大學出版社　256 頁　2010 年 11 月（廈門大學國學研究院資助出版叢書之二十）

鄭樵（1104－1162），字漁仲，號溪西先生。南宋興化軍莆田人，世稱夾漈先生。畢生從事學術研究，十年為經旨之學，三年為禮樂之學，三年為文字之學，五六年為天文地理之學，為蟲魚鳥木之學，為方書之學，八九年為討論之學，為圖譜之學，為亡書之學。其學博洽，重視實學。然其著作亡佚者八九成，僅存《通志》兩百卷、《通志二十略》、《爾雅注》、《夾漈遺稿》，及民國顧頡剛所輯《詩辨妄》。縱觀八百年來，鄭樵在歷史中的地位一直是隱而不顯，直至二十世紀初，為因應時代的求新求變，符合近代新文化提倡的科學性、懷疑性及民主性精神，鄭樵的學說才重新被檢討與提倡。加以民國時期章學誠、梁啟超等人楬櫫宋鄭樵為具有近代新史學精神的代表，而掀起胡適、顧頡剛、白壽彝等人之研究熱潮。

本書係作者早年之作，將《鄭樵文集》及其附錄〈鄭樵年譜稿〉（北京：書目文獻出版社，162 頁，1992 年）、《鄭樵評傳：融會百家，貫通古今》（中華歷史文化名人評傳・史學家系列，南寧市：廣西教育出版社，160 頁，1997 年）三書合為一書，重版付梓，除了結構上稍做調整外，對原書重新校勘，改正不少訛誤，同時增補一些缺漏。綜觀本書，實屬研究鄭樵學說之集大成者，除了對鄭樵全面性的探究外，也反省了八百年來鄭樵學說研究概況。並且重新輯佚鄭樵文稿，對於散佚在各文集中的資料，盡可能蒐集完備，為研究鄭樵學說者，重要之案頭資料。

吳懷祺（1938－），安徽廬江縣人，師從史學大師白壽彝。1961 年畢業於安徽師範大學歷史系，1981 年畢業於北京師範大學歷史系研究生，獲碩士學位。後留校為北京師範大學史學研究所講師、副教授、教授、博士生導師。研究領域以中國史學史研究為主，相關著作有《宋代史學思想史》、《中國史學思想史》、《鄭樵的史學思想》、《中國近代考據學和王國維的古史新證》、《歷史學、歷史觀與20世紀社會變動》。（吳玫燕）

漢代經學與文學

《漢代經學與文學》 侯文學著 北京市：人民出版社 264頁 2010年4月（高等社科文庫）

兩漢是經學昌明與極盛的時代，因此若要討論漢代文學的發展與特色，就必須釐清漢代經學對於文學的影響。本書參考一系列的相關著作成果，援引借鑒，有條不紊的處理兩者關係。全書共分五章，書前有李炳海序，第一章〈關於經學與文學若干概念的說明〉，旨在釐定經與經學、經術、漢代經學、文學、文章、詩賦等相關概念的內涵，並說明本書列為考察對象的經學文獻（如：詩經與左傳）。第二章〈漢代經學與文學的文化發生背景〉，從天人感應與先秦兩漢的生命意識論述漢代經學與文化的發展脈絡與時代氛圍影響。第三章〈漢代經學視閾與文學空間——從意象角度考察〉，針對經學與文學共同關注對象中的女性、山水、紅蜺、音樂、田獵五個意象進行分析，探討兩者審美觀的異同與淵源。第四章〈漢代經學視閾與文學空間——從範疇角度考察〉，從奇與正、情與志兩範疇，進行具體分析，梳理漢代經學與文學各自的獨特性。第五章〈對漢代作家的文化生態考察〉，對於漢代作家所受的教育情況、作家入仕途徑等問題考察，作為文學史中重要的參考資料之一。

綜觀全書，以文學的立場，由點帶面，探討漢代經學與文學的關係。以宏觀的多重視野，在經學與文學史中考察兩者的歷史文化根源，同時透過微觀辨析，從詞語、意象、範疇的具體比較，了解漢代文學並非全然受到經學的制約。本書之作，實屬佳作，對於漢代經學與文學的研究，更進一步，是值得參考的一本書。

侯文學（1972－），吉林省德惠縣人。2003 年畢業於東北師範大學，獲文學博士學位。現為吉林大學文學院副教授、碩士生導師，主要從事先秦兩漢文學的教

學與研究工作。（吳玫燕）

讀孔子

《讀孔子》 姚淦銘著 上海市：上海世紀出版公司、上海辭書出版社 316頁 2010年11月（讀國學書系）

孔子（前 551－前 479） 中國偉大的哲學家、教育家、文學家，為儒家學說的創始人。在世時，被譽為「天縱之聖」、「天之木鐸」，並且被後世統治者尊為聖人、至聖先師、萬世師表。孔子去世後，歷代帝王為彰顯對孔子的尊崇，不斷追封追諡。孔子學說也在中國周邊地區，形成了東亞儒家文化圈，對後世影響甚深。數千年來，孔子地位從尊孔－釋孔－貶孔－批孔－倒孔－新的釋孔－新的尊孔，在時代的潮流中起起伏伏。本書是作者立基於前作《孔子的智慧生活》一書加以提煉、深化之新作，以《論語》為經，生活為緯，學習用孔子的生活智慧擺渡人生，提升生命的境界。作者選擇先從孔子的生活切入，比如講孔子是怎樣吃飯、穿衣、坐車、交友、學習等，從孔子成聖之路、志學人生、政治才略、教育人生、珍愛生命、情趣生活、酷愛自然、財富智慧、音樂之魂、思辨睿智十大主題，發掘和還原了一個活生生的有血有肉的孔子。文中擺落孔子被聖化與神化的光環，活活潑潑的呈現孔子如何從一介布衣通過自立、自強，終於真誠與圓滿之精神。同時作者希望讀者能透過對孔子的認識，學習與借鑑，提升自己的生命品質。綜觀本書，淺顯易懂，擷取孔子儒學經典的智慧哲思，在這個充滿變數、繁雜、紊亂的社會中，提供生命的指標，讓人生達到圓滿的境界。

姚淦銘，1948年11月出生，江蘇吳江人。1984年畢業於南京大學中文系，獲文學碩士學位，後執教於蘇州鐵道師範學院，為中文系主任、教授。現任江南大學文學院教授，古代文獻研究所所長，兼任蘇州市語言學會副會長。其研究領域以古韻訓法、書學理論、王國維學術專題、古典文獻學、古代文化的研究為主。相關研究著作有：《王國維文獻學研究》、《漢字與書法文化》、《漢字心理學》、《哲思眾妙門——老子今讀》、《禮記譯注》、《趣談中國摩崖石刻》等書，已發表文獻學、語言文字學之論文160多篇。（吳玫燕）

《易經》語法分析

《《易經》語法分析》 趙榮珦著 上海市：上海古籍出版社 244 頁 2010 年 12 月

本書針對《周易》古經文作語法現象分析，不包含戰國以後成形的《易傳》「十翼」，也就是說，其深入探究筮辭（卦、爻辭）的語法，省略每卦卦象及爻象，黃玉順先生以為此作法，可以突顯西周初期乃至於殷周之際的語法研究，為漢語史研究的重要環節（黃序，頁 3）。首先作者在緒論中闡明《易經》對於研究殷周文化的重要性，並簡要敘述《易經》的流傳及注釋，最後舉《易經》中最易混淆的詞法與句法為例，說明語法分析能溝通古今，乃打開理解《易經》的鎖鑰。

全書在體例上，依六十四卦的卦辭、爻辭作系統的分析，經文中，原無卦題的「履」、「否」、「同人」、「大有」、「艮」等五卦，依高亨先生考證；在正文內容上，分述《易經》經文、詞法、句法、釋文及分析等五個部分，先確立語意，再分析語法。

在詞法分析上，主要分詞義和詞性兩個部分探討：字詞釋義，兼采成說，一卦之中，相同字詞釋義，只注明首次出現者，其後均只標明詞性；在詞性判別上，全由作者確定。並將經文分成若干單位，以字詞出現順序依序標明號碼，便於讀者檢索閱讀。

在句法判定上，分述主語和謂語兩部分說明：主語為卦爻題，只有主語和中心語，而無附加成分；謂語為卦爻辭，乃對卦辭的占斷，由短語（詞組）或者獨詞組成，有中心語（主語、謂語、賓語）及附加成分（定語、狀語、補語），但不全有，主謂分界以「‖」區隔。句法標誌符號依本書閱讀凡例所示，於句子成分間標明。

譯文部分，依照經文語義及語法層次關係，以現代漢語通俗譯出，以「（）」表示認為經文有省略成分或關聯詞。分析部分，說明謂語組成結構以及分句間語法層次關係，並說明每個分句的功用，明確彰顯語法在語句上的功能性作用。

趙榮珦，1936 年生，河南鎮平縣人，河南大學中文系畢業，曾任河南省重點高中語文教學教師，業餘從事河洛文化研究 45 年。曾任洛陽易經學會首屆副會長，洛陽市道教協會首屆副會長兼秘書長及二、三屆副會長。著有《河南省道教志》、《九都釋道》、《洛陽上清宮——道家道教發源地》、《中國第一比丘尼——淨檢傳》及《洛陽上清宮——劉成庄傳承南無拳》，並在《中國道教》等刊物發表論文數十篇。（蔡育儒）

戰國楚竹書《周易》研究

《戰國楚竹書《周易》研究》　陳仁仁著　武漢市：武漢大學出版社　404 頁　2010 年 3 月（楚地出土戰國簡冊研究之一）

近百餘年來，大量的出土文獻不僅帶來學術界的震撼，還填補了史料的空缺、驗證了某些傳世文獻，並幫助解決學術史上的爭議、糾正沿革多時的觀念，也豐富了我們的知識和生活；在經過三階段整理和研究的楚地出土簡冊中，由於多人日以繼夜的研究探索下，產生多彩豐碩的成果——《楚地出土戰國簡冊研究》；其主編為陳偉教授，而陳仁仁博士所寫的《戰國楚竹書《周易》研究》就是其中的耀眼傑作；其以出土簡帛《易》學文獻與資料為背景，結合傳世《易》學文獻，對戰國楚竹書《周易》進行綜合研究。

戰國楚竹書《周易》是目前所見最早的《周易》文本，雖其殘缺不堪，但在研究《易》學上的意義仍舊非凡，由此可知本書具有劃時代的創見。本書第一編〈概述與綜論〉包括了〈楚地出土簡帛易學資料概述〉和〈從楚地出土易類文獻看《周易》文本早其形態〉兩章，第二編〈戰國楚竹書《周易》的版本、特殊符號及卦序問題〉有〈戰國楚竹書《周易》是補抄本〉、〈戰國楚竹書《周易》特殊符號的分布及其思想概念〉及〈戰國楚竹書《周易》的分篇分區與早期卦序〉三章，第三編〈戰國楚竹書《周易》相異文句研究〉也有〈「斷辭類相異文句」分析與《周易》今古文本問題〉、〈「非斷辭類相異文句」解讀〉及〈「用」字異文及相關卦爻辭的解讀〉三章，第四編為校注，第五編為附錄。

陳仁仁，1975 年生。主要研究方向為中國哲學史，目前於湖南師範大學哲學系擔任副教授一職，於校內講授中國哲學史、宗教哲學導論、周易與中國文化……課程，並指導研究生論文。曾於《周易研究》、《中國哲學》、《中國社會科學文摘》上發表「陽三陰四說考論」等數篇論文，並於 2006 年獲頒湖北省優秀博士學

位論文獎。 （許秀貞）

《周易》、《春秋》的詮釋原理與應用

《《周易》、《春秋》的詮釋原理與應用》 林義正著 臺北市：國立臺灣大學出版中心 347頁 2010年12月

《《周易》、《春秋》的詮釋原理與應用》一書為作者近十二年內研究《周易》、《春秋》詮釋學方面成果的結集。其中三篇（第一、二、八章）為參與教育部卓越計畫「東亞近世儒學中的經典詮釋傳統」而作，一篇（第九章）為國科會計畫成果報告，其他五篇（第三、四、五、六、七章）則是餐與國內與國際學術研討會所發表的論文。本書共分為九章，分別是第一章〈論中國經典詮釋的兩個基型：直釋與旁通——以《易經》的詮釋方式為例〉，指出中國經典詮釋的二個基型，即直釋與旁通，並且正與《易經》中乾道與坤道二個普遍存在的原理符合；第二章〈論中國經典詮釋的目的與方法——以《春秋》的詮釋為例〉，以幾部較具代表性的《春秋》學著作為分析對象，說明經典詮釋在經學傳統中如何進行；第三章〈論《大易》與《春秋》的關係〉，認為《大易》與《春秋》的關係相當複雜，無法如自然科學般地追求一定的關係；第四章〈孔子對《周易》的詮釋方法〉，謂其特點在於即天道明人道，即人道見天道，構成天人相即的詮釋系統；第五章〈孔子晚年思想鈎沈〉，歸納出孔子晚年思想具有「憲章文武，仁禮相濟」、「由『從周』到『繼周』」、「撥亂反正，推致大道」、「引占歸德，性與天道」等特色；第六章〈論《列子・天瑞》的易道思想〉，除針對《列子・天瑞》作《易》學思想探究，並提出《易緯・乾鑿度》摘取〈天瑞〉以廣《易》說的新見；第七章〈李綱《易》說研究——兼涉其《易》與《華嚴》合轍論〉，李綱認為《周易》是聖人藉象數以明道之書，故反對純以義理或象數作解釋。又由於他精通三教，故縱使有《易》與《華嚴》相合的觀念亦不足為奇；第八章〈連雅堂思想中的《春秋》義——以《臺灣通史》為中心的考察〉，指出連雅堂所述《春秋》義有「謹正名，彰史德」、「嚴華夷，伸大義」、「崇仁勇，嘉復仇」、「重民事，貴獨立」四項特點；第九章〈成中英《易》說研究〉，成氏是以其所發明的「本體詮釋學」來詮釋《周易》，並非傳統依文解義的方式，而是重新返回《易》本體，再以當今哲學哲學語言表現。

林義正，男，1946 年生，臺灣彰化人。國立臺灣大學哲學研究所碩士，曾任國立臺灣大學哲學系副教授、教授兼系主任、研究所所長，國立臺灣大學哲學系副教授。主要著作有：《校補增集人天眼目》、《孔子學說探微》、《巴壺天先生追思錄》、《虛懷若谷》、《春秋公羊傳倫理思維與特質》、《孔學鈎沈》等書，發表論文四十餘篇。 （張圻清）

中國易學

（2002 年黃壽祺教授誕辰九十週年暨 2005 年黃壽祺教授逝世十五週年紀念文集合編）

《中國易學》 張善文、黃高憲主編 福州市：福建教育出版社 566 頁 2010 年 6 月

黃壽祺教授（1912－1990），字之六，號六庵，一度自號巢孫，霞浦縣鹽田人。民國元年生於清末秀才家庭，為清末桐城派後進曾國藩三傳弟子，及民初樸學大師章太炎在傳弟子；早年求學並執教於北平中國大學，後期南旋返閩，長期服務於福建各大學中；曾任福建師範大學教授、副校長，為一代著名易學專家。黃教授治學嚴謹，不僅學識淵博，還待人誠懇、誨人不倦、處事認真、操守清正。在六十年如一日的教學生涯，不但為後世的學術及教育術立下不朽的典範，對《周易》學說研究的精闢創見，更為彌足珍貴的文化遺產。

2002 年及 2005 年，是紀念黃壽祺教授的重要年代，福建師範大學文學院分別舉辦了黃教授的紀念大會暨中國易學研討會；海內外學者代表，包括黃教授生前的同事、學生、親友和家人，共襄與會，不僅藉以追思令人景仰的黃教授，也同時探討現今《周易》研究的熱門專題。本書所輯，即為參與會議代表前後提交的各類文章；全書分為上下兩編：上編為「2002 年黃壽祺教授誕辰九十週年紀念文集」，下編為「2005 年黃壽祺教授逝世十五週年紀念文集」。兩編所收之文章大致分為「紀念詩文」及「學術論文」兩大類，總題名為《中國易學》。

主編張善文教授，福建長樂人，1949 年生。現為福建師範大學易學研究所所長、文學院教授、博士生導師，兼任國家《續修四庫全書》經部特約編委、中國周易學會副會長、東方國際易學研究院學術委員。曾多次應邀赴美國、韓國、臺灣等地講學及出席國際會議。已在海內外出版《周易譯注》、《周易辭典》等著作，主編《周易研究論文集》、《十三經漫談叢書》等專書，發表學術論文 100 餘篇。

主編黃高憲教授，1948 年出生於福州，祖籍福建霞浦，為黃壽祺教授之後。現任閩江學院院長助理、教務處處長、院學位委員會副主席、中文系教授，並任福建省辭書學會副會長、福建省詩詞學會副會長等職。長期從事中國古典文學、《易》學的教學和研究；在國內外學術刊物上發表了《周易與中國辭書的起源》等論文 70 餘篇，著有《福建文學導讀》及《黃壽祺論易學》等書。　（許秀貞）

程頤《易》學思想研究——思想史視野下的經學詮釋

《程頤《易》學思想研究——思想史視野下的經學詮釋》　姜海軍著　北京市：北京師範大學出版社　319 頁　2010 年 5 月

北京師範大學在數代學者努力不懈之下，經過百餘年的持續發展，現今已成為史學研究的重要基地；近年在歷史學院教師的齊心研究中，陸續完成許多中青年學者的著作；其為集結教師們潛心探索的豐碩研究成果，也為中青年教師創造更好的研究及生存條件，於是組編了「北京師範大學史學探索叢書」，而本書為其叢書的第六本精心著作。

程頤（1033－1107），字正叔，學者稱其為「伊川」先生，世居中山（河北定州市），後徙居河南（河南洛陽市）；與其兄程顥（1032－1085）一生大都聚集在洛陽講學，故為宋代洛學的開創者。在《易》學史上，宋代是另一個重要的高峰；程頤不僅是宋代理學的奠基者，更是經學復興的推手，尤其在《易》學上成就非凡，《程氏易傳》即為其傑出作品，也是繼王弼《周易注》後的代表著作。

本書以程頤《易》學及其思想作為研究對象，進而對其《易》學的特點、思想、貢獻作有條理的梳理及分析；全書共分為七章，分別為〈程頤《易》學產生的學術思想背景與淵源〉、〈《程氏易傳》的成書及其結構〉、〈程頤《易》學詮釋的思想與方法〉、〈《易》學與《四書》學的互釋與會通〉、〈《程氏易傳》對部分概念範疇的新詮釋〉、〈程頤《易》學詮釋與理學建構〉、〈程頤《易》學的貢獻及其歷史地位〉。

姜海軍，1977 年生，寧夏青銅峽市人。2001 年至 2008 年分別於陝西師範大學、南開大學及北京大學，完成學士、碩士、博士學位；主要研究方向為歷史文獻學、經學史、儒家文獻與儒家思想，目前為北京師範大學歷史學院講師。因其為國家級重大攻關項目《儒藏》方向招收的第一批博士生，故參與過國家級項目《儒藏》的編纂與整理工作，並校點整理《論語全解》（合作）、《二程全書》。在《孔子研究》、《周易研究》、《北京大學中國古文獻研究中心集刊》、《中國典籍與文化》等刊物上發表學術論文 20 餘篇。2008 年 3 月，榮獲教育部全國高校古委會頒第十屆「中國古文獻學獎」博士生二等獎（一等獎空缺）。 （許秀貞）

尚書直解

《尚書直解》 〔明〕張居正著，王嵐、英巍整理 北京市：九州出版社 339 頁 2010 年 10 月

「經筵」是中國古代皇帝的教育，所受的課程內容無非是儒家經典，目的是希望透過大臣的進講，讓居於深宮的皇帝能懂得如何治理天下。《尚書直解》是明朝張居正為萬歷皇帝進講《尚書》課程的講章，《四庫全書總目》曰：「時神宗幼沖，故譯以常言，取其易解。」因此所謂「直解」就是以通俗的話解釋《尚書》，主要是讓年幼的神宗皇帝瞭解《尚書》中所蘊涵的安民治國之理，所以不同於儒者純為義理闡述，或訓詁等辨證的性質。

《尚書直解》的解釋方式，是先對經文中難懂的字詞作解釋，其次再依全文疏通，最後闡述其中道理，有類於「借事明義」。是故，雖然梅鷟已考出《尚書》古文部分為偽，但張居正旨在陳述經中大義，因此不分今、古文都有講授。

就詮釋的取向而言，主要是採用蔡沈的《書集傳》，例如：〈武成〉一篇，張居正就明言：「舊篇前後失序，今從蔡沈所定。」但也並非全然採用《書集傳》，也有部分採取唐代的《尚書正義》，例如：〈洪範〉的「皇極」一義，《尚書正義》解為「大中」，《書集傳》釋為「君極」，而張居正取「大中」義，並說：「人君有大中至正之極，以為之標準。」由此可以見得，作為帝王教本的《尚書直解》對於今、古文皆採，漢、宋義兼取的廣納氣象。

《尚書直解》並不同於儒者解經的作品，但有助於皇帝在治道的理解；換句話說，雖然影響經學史的發展非常有限，但在宮廷的帝王教育中起了相當的作用。像是清朝的康熙皇帝就曾盛讚此書，其曰：「朕閱張居正《尚書》、《四書》直解，篇末俱無支辭。」而事實上，康熙於早年也閱讀過《尚書直解》，後來的日講《尚書》（即《日講書經解義》）也是模仿張居正此書的體例而撰寫，甚至從此書尋章摘句；因此，可以說《尚書直解》也間接影響康熙的《尚書》教育。

本書以明萬曆元年刊本為底本進行整理、點校，藉此可窺得古代帝王經學教育的內容。

（簡承禾）

尚書詮譯

《尚書詮譯》　金兆梓著　北京市：中華書局　441頁　2010年8月

《尚書》於諸經或經學史的發展過程中，有許多明顯的問題，其中文句的佶屈聱牙，已為先儒所道出；此外，呂思勉先生指出：「《書》於各經中乃特殊之典，各經對於『經說』有問題，於經文則無問題——經文本身祗漢今古文略異數字耳——《書經》則不然，其經說固有問題，即經之本文，亦有真偽之別。」因此，欲全面認識《尚書》，則至少必須解決訓詁，以及真偽的問題。

作者撰寫此書，同樣也在試圖回答這千古以來的問題；作者在〈前言〉主要探討：⑴《尚書》辨名，本書網羅諸說，認為在伏生之時《尚書》還未見諸文字，只是口授而已。至於「尚書」一義，作者釋曰：「尚書者，上古之書，非其書名尚書也，漢以前抑未嘗成書。」之後以為書名，可能是伏生筆諸文字後所起的一個廣泛名稱。⑵《尚書》今古文問題，最先發生於漢代，是經學史的一個大問題，往往令人望之卻步；作者整理出二十八篇的夏侯《尚書》篇目，以及十六篇古文《尚書》的篇目，並於後面加以說明，可相互對照，以明白《尚書》今古文的問題。⑶古文《尚書》的真偽問題，漢代對十六篇古文《尚書》並沒有訓解，加上戰火的緣故，所以失傳，而後來出現的古文《尚書》多被視作偽造。本書徵引《小戴禮記》、《荀子》、《左傳》、《孟子》等書，試圖釐清古文《尚書》中哪些部分為真，哪些部分為偽；換言之，今行的古文《尚書》雖非漢代原貌，但也非全偽，有些字句還是有其根據的。

作者詳辨古文《尚書》出於偽作，因此不譯古文部分；而今文部分，司馬遷已寫入《史記》者也不譯。所以只選譯今文《尚書》較為難讀，又無訓解的部分。作者國學根柢深厚，又精通文法，所以訓解方式一如清儒的考證，博引先秦、兩漢典籍以證明該字義；對於虛字虛詞，則主《經傳釋詞》，並舉其他經書、史籍加以證明。最後，並有全篇的白話詮譯，不致因單獨解釋字句，而顯得支離。此外，還有一個特色：作者於訓解之時，也會討論歷來儒者的說法，例如〈康誥〉首四十八字，究竟是不是與〈梓材〉錯簡，作者在宋儒的基礎上有更進一步辨說。而後白話詮譯時，將〈康誥〉與〈梓材〉重作調整，解決經文錯簡難讀的情形。

金兆梓（1889－1975），字子敦，浙江金華人。光緒二十九年癸卯科進士，授翰林院編修，曾任京師大學堂提調。民國九年，任北京高等師範學校文科教授。後來擔任中華書局總編輯、主任。著有《國文法之研究》、《實用國文修辭法》、《中國史綱》等書。（簡承禾）

清代《詩經》新疏研究

《清代《詩經》新疏研究》　郭全芝著　合肥市：安徽大學出版社　263 頁　2010 年 3 月

清代為我國學術史上較受眾人矚目的階段，當中又尤以乾、嘉時期最為人所推崇，其貢獻普遍為世人肯定。自清初顧炎武開「通經致用，實事求是」的風氣，經乾、嘉時期戴震、惠棟等人的發揚光大，這種「無徵不信，以訓詁通經，以通經致用」的考據學風遂成為一代學術特色。在這股學風影響下，促使諸經新疏的產生。以《詩經》而言，梁啟超就認為陳奐《詩毛氏傳疏》、馬瑞辰《毛詩傳箋通釋》、胡承珙《毛詩後箋》三書足可成典範。本書即以三家《詩》說與「乾嘉之學」的領導人物戴震為研究對象，探討清代《詩經》新疏的情況。

全書共分三章，第一章〈清代《詩經》新疏概論〉，介紹陳奐、馬瑞辰、胡承珙三家的《詩經》研究，內容包含解經成就、研究特色、撰述原因等相關問題，並揭示清代《詩經》新疏存在的問題與原因；第二章〈戴震的《詩經》研究〉，作者指出戴震解《詩》時有「考釋經典，主張字義與經義相結合」、「以『比』解《詩》，兼持喻意有限」、「根據『思無邪』，推論《詩經》篇義」三個特徵；第三章〈胡承珙等三家的《詩經》新疏〉，前二節針對胡承珙《毛詩後箋》的訓詁成就及得失作探討，並於第三節和陳奐《詩毛氏傳疏》作異同比較。第四、五節則將《詩毛氏傳疏》分別與《詩集傳》、宋人《詩》說加以比對，企圖破除前人認為陳奐堅守門戶、將宋人《詩》說「置於不議不論」之刻板印象。第六節論述馬瑞辰《毛詩傳箋通釋》的語言學傾向；最後為附錄〈《詩》學論叢〉，內容較為龐雜而無共同主題，總共收錄〈《詩》作為喻體〉、〈《毛詩後箋》整理略說〉、〈《詩》、《騷》句法傳承〉、〈漢四家著錄《詩經》異字淺說〉、〈《說文》引《詩》考論〉、〈也談《詩經・卷耳》諸「我」〉、〈歐陽修《詩本義》的經學立場〉、〈傳統《詩》學與當代日本學者的《詩經》研究〉八篇文章。本書雖對戴震、陳奐、馬瑞辰、胡承珙四人《詩》說有詳細分析，卻不免與「《清代《詩經》新疏研究》」之名不盡相符，作者若能全面搜羅相關著述並加以考察，定能使此論題的研究臻於完善。

郭全芝，女，1958 年 10 月生，安徽省蕭縣人。安徽淮北師範大學（原淮北煤炭師範學院）教授。主要從事清代《詩經》學研究，發表論文四十餘篇。

（張圻清）

楚簡與先秦《詩》學研究

《楚簡與先秦《詩》學研究》　曹建國著　武漢市：武漢大學出版社　298 頁　2010 年 3 月

本書為教育部哲學社會課學研究重大課題攻關項目「楚簡綜合整理與研究」成果之一，收入《楚地出土戰國簡冊研究》，由陳偉教授主持。《楚簡與先秦《詩》學研究》一書原為作者的博士論文，畢業後，作者在授課之餘完成，除了一、二三、四、七章基本上保持論文原貌，其餘部分皆有所修正。本書除〈緒論〉外，共分為七章，分別是第一章〈《孔子詩論》文字校釋與簡序編聯〉，針對《孔子詩論》前人釋文疑義處重新加以討論，並提出自己對於簡序編聯的看法，作為之後立論的基礎；第二章〈孔子與《孔子詩論》〉，先從孔子論《詩》主張談起，之後分別以孔子論智、孔子的時命觀、孔子《詩》學思想闡釋為論題，與上博《詩論》作綜合比較，透過現有紙本與出土文獻相互對照，重新建構孔子的《詩》學主張；第三章〈子游學派與《孔子詩論》〉，作者認為《孔子詩論》的寫定出自子游後學，與《性自命出》、《五行》等儒學簡帛佚籍屬於同一知識譜系，彼此之間有著密不可分的關係；第四章〈《孔子詩論》論詩與漢代《詩》學比較〉，進行了《孔子詩論》與《詩序》、漢儒《詩說》異同的比較，藉以突顯《孔子詩論》學說的特點；第五章〈上博四逸詩《多薪》、《交交鳴烏》考論〉，考釋《多薪》、《交交鳴烏》二篇文字，指出二者為楚詩，其詩句有明顯模仿《詩經》的痕跡；第六章〈從出土楚簡看「詩言志」〉，整理出土楚簡中涉及「詩言志」的相關材料，探查此一命題於先秦時的發展情形；第七章〈先秦《詩》本與今傳《詩》本關係考論〉，作者認為《孔子詩論》的記載與季札觀樂相同，證明孔子並無刪詩之事，今本《詩經》之所以與古本不同，原因在於漢初曾重新編定；最後附錄了〈闡釋的立場與意義的生成——談竹書《性情論》與《詩論》的關係〉一文。

曹建國，男，1969 年生，安徽霍邱人。畢業於復旦大文學院，獲文學博士學位，現為武漢大學文學院講師、武漢大學簡帛研究中心兼職教授。主要從事先秦兩漢文學與文論研究，發表論文十數篇。（張圻清）

《詩經》文化人類學

《《詩經》文化人類學》　王政著　合肥市：黃山書社　681 頁　2010 年 3 月

《詩經》一書記載許多上古人類文化，其中包括傳說、神話、巫術、禮儀、祭典、信仰、藝術原型、語言表象、名物制度、生活習俗、社會家庭組織型態等，內容可謂包羅萬象。然由於對《詩經》做全面性文化人類學考察，實非一人學力與精力所能及，故此書僅選擇原形喻象、習俗巫術、祭典三方面討論，以聞一多、孫作雲、陳子展、高亨、白川靜、葉舒憲等學者的研究成果為基礎，從人類文化學的角度詮釋《詩經》。

本書共分為上、中、下三篇，茲將目錄羅列如下：第一章〈《詩經》中的鳥與婚愛〉、第二章〈《詩經》中〈蝃蝀〉、〈候人〉與虹文化背景〉、第三章〈《詩經》中的船與婚媾人類學〉、第四章〈《詩經》與琴瑟之喻〉、第五章〈《詩經》中的「纏附」意象〉、第六章〈《詩經》之梧桐：由「嘉木」到「鬼樹」〉、第七章〈《詩經》之狐：淫媚與不祥〉、第八章〈《詩經》中的原形喻象叢〉，屬於上編原型論；第九章〈《詩經》之婚期、約會之期及「生命律動」〉、第十章〈《詩經》與古醫俗〉、第十一章〈《詩經》與古代中國的「誓」〉、第十二章〈《詩經》之神靈的聽覺、視覺及眼睛巫術〉、第十三章〈《詩經・魚麗》與秦漢以前生態觀念〉、第十四章〈《詩經》風俗及巫術事象種種〉，屬於中編民俗論；第十五章〈《詩經》與路神祭奉〉、第十六章〈《詩經》與「植物祭」〉、第十七章〈《詩經》與軍旅祭典〉、第十八章〈《詩經》禋祭與《舊約》燔祭〉、第十九章〈《詩經》女子參祭與女性不潔的祭祀禁忌〉、第二十章〈《詩經》與人神交流的「對話框」〉、第二十一章〈《詩經・雲漢》與瘞祭、禜祭〉、第二十二章〈《詩經》雜祭考〉屬於下編祭典論；書末為附編，收錄〈戴震《毛詩補傳》釋詩特點及意義〉、〈姚際恆《詩經通論》詩學理論價值〉、〈由《田間詩學》二南邶衛風鄘〉、〈讀《詩》瑣記〉四文。

王政，男，1965 年生，安徽壽縣人。曾任安徽省皖西博物館館長，現為淮北師範大學（原淮北煤炭師範學院）人事處處長、文學院教授。主要代表著作有：《中國戲劇美學史論綱》、《中國民俗文化美學》、《美學與宗教人類學》、《戰國前考古學文化譜系與類型的藝術美學研究》，發表論文一百二十餘篇。

（張圻清）

《詩經》名物的文學價值研究

《《詩經》名物的文學價值研究》　呂華亮著　合肥市：安徽大學出版社　242 頁　2010 年 4 月

《詩經》中載錄許多草木鳥獸蟲魚等名物，這些雖看似與全書義理推闡無太大關聯，但若能正確地掌握理解，對於詩文涵義就能有更深入認識，實具有其重要性。故孔子除了肯定《詩》具有「興」、「觀」、「怨」、「事父」、「事君」的作用，又特別強調可以「多識於鳥獸草木之名」。然由於這些名物索解不易，需要加以補充說明，因而促成這類著作的產生，自漢代《毛詩詁訓傳》、三國陸璣《毛詩草木鳥獸魚蟲疏》、乾嘉學者大量的《詩經》名物研究專著，以至於現、當代的許多學者，皆對《詩經》名物研究傾注大量心力，並獲得輝煌的成果。綜觀前人研究方向，清朝以前的的學者用考證方式使「名」、「實」相符，現、當代學者則從文化包含的意蘊著手，各有側重。但名物與《詩經》藝術成就關係的研究卻仍相當缺乏，而《《詩經》名物的文學價值研究》的撰成恰可補足。

本書原為作者的博士論文，經作者將原論文修改而成。在〈緒論〉外，分別為第一章〈《詩經》的時代背景〉，從科技發展狀況、禮樂文化與遠古「遺留」、周人的主導思想三方面作扼要論述，說明《詩經》中名物即受這些背景影響而產生；第二章〈《詩經》名物的特點及生成原因〉，認為《詩經》名物的運用呈現豐富性、選擇性、多用草木鳥獸蟲魚等特點，而這些特點對於《詩經》藝術成就的取得與審美特徵的形成具有不小的影響；第三章〈《詩經》名物與周人的時代精神〉，指出周人時代精神有三：君子人格、尚武、以農為本；第四章〈《詩經》名物與周人的生活畫面〉，選擇婚戀家庭生活與宴飲生活做論述，以名物角度觀察周人生活方式；第五章〈《詩經》名物與《詩經》審美特徵〉，分別就名物與周人關係、名物自身的物性展現、名物與詩人情感關係三方面作考察，歸納出質樸、靈動、含蓄等審美特徵；第六章〈《詩經》名物與《詩經》的藝術成就〉，敘述《詩經》的藝術特色；最後附錄〈從《詩經》名物的研究糾正今人對詩意的誤解（三則）〉一文，可作為讀者閱讀《詩經》時的補充資料。

呂華亮，男，1970 年生，安徽省壽縣人。畢業於山東大學，獲古代文學專業博士學位。安徽淮北師範大學（原淮北煤炭師範學院）教授。主要從事先秦兩漢文學與文化研究，發表論文十餘篇。（張圻清）

詩經異文輯考

《詩經異文輯考》　程燕著　合肥市：安徽大學出版社　362 頁　2010 年 6 月

漢代傳《詩經》者主要有四家：齊、魯、韓、毛。其中，齊、魯、韓三家合稱三家《詩》，其文本與詩說分別亡佚於魏、西晉與南、北宋之間。儘管如此，仍有許多學者投入三家《詩》輯佚的工作，力圖恢復原本面貌，如南宋王應麟《詩考》、清代阮元《三家詩補遺》、馮登府《三家詩異文疏證》、陳壽祺與陳喬樅《三家詩異說考》、陳喬樅《詩經四家異文考》、黃位清《詩異文錄》、李富孫《詩經異文釋》、王先謙《詩三家義集疏》、江瀚《詩經四家異文考補》等書，皆為《詩經》異文研究的代表作品。清代學者雖已對三家《詩》進行大量研究，然由於其觀點多有偏頗以及近年來許多地下文物的出土，更加突顯這類研究的不足，因此有必要重新考察三家《詩》相關問題。

本書原為作者的博士論文，後經作者加以刪改補充，列入《安徽大學漢語言文字研究叢刊》系列之一。在取材來源上，除了朱廷獻《詩經異文集證》所收唐石經，陸錫興《詩經異文研究》所收中山王器、阜陽漢簡、武威漢簡、馬王堆帛書、漢石經、漢銅鏡、敦煌卷子三卷、吐魯番義熙文書，于茀《金石簡帛詩經研究》所收中山器、郭店簡、上博簡一、阜陽漢簡、漢石經、漢銅鏡、馬王堆帛書外，還包括其他若干銅器銘文、石鼓文、信陽簡、香港簡、上博簡二、上博簡四、敦煌卷子二十卷、日本所藏唐抄本等，材料儘量求全、求新。至於所說異文類型，作者以陸志韋、林燾、王彥坤、吳辛丑等學者研究成果為基礎，將異文類型劃分為古今字、通假字、訛字、異體字、俗體字、同意字或近義字、衍文、脫文、倒文九大類，並套用於詩句異文的分析。本書的面世，不僅使三家《詩》的研究成果更為豐碩，同時也對於《詩經》文本的重新認識，或者是古文字學界、聲韻學界的發展都有不小貢獻。

程燕，女，1977 年 10 月生。安徽大學中文系漢語言文字學專業博士，現爲安徽大學古文字學研究生導師。曾先後發表〈戰國古文字典訂補〉、〈望山楚簡考釋六則〉、〈獸叔盨新釋〉、〈郭店老子校釋（甲）〉、〈釋厄〉、〈滬簡周易選釋〉等單篇學術論文。

（張圻清）

《詩經》與宗周禮樂文明

《《詩經》與宗周禮樂文明》　江林著　上海市：上海古籍出版社　304 頁　2010 年 3 月

《《詩經》與宗周禮樂文明》為作者博士論文修改出版，全書分為十章，目錄內容如下：〈序〉、〈引言〉、第一章〈《詩經》時代與周禮社會〉、第二章〈《詩經》中的祭祀詩與周代祭禮〉、第三章〈《詩經》中的農事詩與禮樂文化〉、第四章〈《詩經》與周代婚禮習俗〉、第五章〈《詩經》中的飲食與相關禮制〉、第六章〈《詩經》與周代饗宴之禮〉、第七章〈《詩經》與周代射禮〉、第八章〈《詩經》與周代賓禮〉、第九章〈《詩經》中的周代軍禮〉、第十章〈《詩經》與周代凶禮〉、〈主要徵引與參考文獻〉、〈主要參考書目〉、〈後記〉。

本書最大特色，是將《詩》學與《禮》學相互結合研究，「採用《詩》、《禮》雙向交流的研究視角與互解互證的研究方法」：一方面以《詩》探禮，從《詩經》中的記載對周代各類禮典的實行作考察與還原；一方面以《禮》探詩，從周代社會實行的禮典對《詩經》各篇內容作新的闡釋。基於上述方向，作者將《詩經》與《周禮》等傳統禮學資料對比參照，對《周禮》等書記載的真偽作辨析，揭露周代社會諸多禮典原貌。並以《周禮》等禮學書籍為參考資料，深入挖掘《詩經》各篇所反映的周代社會諸多典禮情況，對《詩經》各篇做出新的闡釋，藉以突破《毛序》的傳統說法和超越宋儒、清儒的考說。本書的撰成可說是一次新的嘗試，屬於拓荒性的研究工作，以往相關著作很少見到。然由於是一種新的嘗試，難免有些不足。本書主要不足在於書後參考文獻部分，作者以漢語拼音為次序，不同類別的書目混同雜處，稍嫌零亂，且所徵引的學術論著，臺灣方面的研究成果及重要單篇論文似乎較為缺乏。

江林，男，1975 年生。畢業於浙江大學古籍研究所，獲文學博士學位，主要論著有：〈《太平廣記》中所見唐代婚禮、婚俗略考〉、〈《詩經》傳本及各編之編次定名新探〉、〈《詩經・木瓜》與其同類詩的禮文化視角〉等多篇論文。

（張圻清）

《詩經》與《楚辭》音樂研究

《《詩經》與《楚辭》音樂研究》　梁志鏘著　上海市：上海古籍出版社　276 頁　2010 年 6 月

《詩經》是中國最早的詩歌總集，其篇章內容分為《風》、《雅》、《頌》。《風》是來自各地的民間詩歌；《雅》是王公貴族之樂；《頌》則是宗廟祭祀之歌。《楚辭》則是戰國晚期南方新興的獨特文學，有別於《詩經》的樸實風格，《楚辭》沉鬱瑰麗，熱情奔放，保留著楚地的文化與浪漫神祕的文學精神。兩者皆是中國古代詩歌發展的源流，不僅具有音樂之美與豐富的藝術性，也是中國文學史上重要的經典瑰寶與珍貴的文化遺產。

本書分成《詩經》篇與《楚辭》篇兩大部分。著者著重於現今已定譜出版的歷代《詩經》與《楚辭》的音樂評鑑，以及現當代作曲家的作品，並且藉由《詩經》

與《楚辭》的文學內涵與音樂創作，來認識古典文學的藝術之美。在《詩經》篇前有著者自序與導論，先概述詩歌的起源。《詩經》篇正文共四章，第一章是《詩經》與音樂；第二章是歷代《詩經》音樂舉隅；第三章是《詩經》及其音樂解讀之一——《風》；第四章是《詩經》及其音樂解讀之二——《雅》、《頌》；後有小結與《詩經》參考資料。《楚辭》篇正文也是四章，章節名接續《詩經》。第五章是《楚辭》文化背景；第六章是屈原及相關音樂作品；第七章是《楚辭》的音樂特徵；第八章是《楚辭》及其音樂解讀；後有小結與《楚辭》參考資料；附錄的部分附有《詩經》與《楚辭》作品現當代作曲家簡介及現代作曲家對照表與錄音目錄。此外，本書還附上今人演奏的《詩經》、《楚辭》的音樂光碟，以供相互參考。

梁志鏘，為一指揮家、作曲家與音樂教育家，先後於美國、香港與澳洲接受音樂教育並獲得文憑與學位。其研究領域為音樂課程教育、文化藝術的創作與評估。其著作有 2008 年與今田匡彥、葉麗慈合編的《音樂教育政策與實踐：國際視野》一書等。（莊喬惠）

儀式與歌詩：《詩經‧大雅》研究

《儀式與歌詩：《詩經‧大雅》研究》 黃松毅著 北京市：中國傳媒大學出版社 232頁 2009年6月

《詩經》是中國最早的詩歌總集，除了代表春秋以前中國詩歌的重要成就之外，也是包含先民歌唱藝術的樂歌作品。《詩經》的篇章內容分為《風》、《雅》、《頌》，各自有其獨特的風貌。《大雅》是周代宮廷的樂歌，與國家政治緊密，是《詩經》歌詩的重要部分。若從儀式樂歌的角度來進行研究，可以開拓《詩經》研究的新一種途徑，並且揭示《大雅》詩歌的具體形態與其獨特的歌詩藝術。

本書為著者修改後出版的博士論文，共有緒論、正文、結語、參考文獻與後記等部分。緒論首先說明選題的意義與《大雅》研究情況的回顧與總結。正文共有四章，每章再分節詳細探討。第一章是《大雅》的儀式性質及歌詩分類，從儀式樂歌的角度來揭示《大雅》篇章的性質與內涵；第二章是頌祖德歌詩研究，對《大雅》史詩問題的再思考；第三章是頌時王歌詩研究，從《大雅》詩歌的藝術性來討論；

第四章是美刺時政歌詩研究，探討美刺時政詩歌的藝術特徵與形式。後有結語、參考文獻與後記，可以看出著者努力研究的心路歷程，值得感佩。

黃松毅教授，2003 年進入首都師範大學攻讀博士班，後取得文學博士學位。黃教授為中國傳媒大學出版社編輯，研究領域為編輯出版學與古典文學，著作有《儀式與歌詩：《詩經・大雅》研究》。（莊喬惠）

詩經別意

《詩經別意》　錢紅麗著　桂林市：廣西師範大學出版社　181 頁　2010 年 1 月

《詩經》是中國最早的詩歌總集，在久遠之前的時代就影響著上層社會的政治與文化儀節。《詩經》也具有多種學科性質，包含經學、文學、史學、語言藝術學等文化內涵。歷代以來相關《詩經》研究著述迭出，《詩經》成為專門之學，富有歷史價值，對於發揚民族文化及各種學科的研究等都具有重要的意義。

本書內容分為上、下兩部。在每篇章之前會先列出《詩經》的原文，其後才是著者的想法與見解。而本書的著者以身為文學作家所擁有的細膩心思與文筆，將傳統的《詩經》篇章作獨特的詮釋，富於情意妙趣，自然隨性，有時盡現瑰麗，有時點到為止，極富深意。書中古與今融合，幽遠清淨，以隨筆的形式，將傳統的《詩經》以現代作家的觀點解讀出人世的溫馨，不刻板艱澀，傳達出著者的心意，也牽引出讀者的共鳴。部分篇章附有水墨畫彩圖，有人物圖或者是花鳥山水圖，如〈燕燕〉、〈七月〉、〈伯兮〉、〈谷風〉等篇，於視覺效果上更為優美，更詩情畫意。

錢紅麗，生於二十世紀七〇年代，成長於安徽安慶，後遷居蕪湖，現居合肥。曾從事過多種職業，九〇年代開始創作，為知名作家。著有《華麗一杯涼》、《低眉》、《風吹浮世》、《詩經別意》、《讀畫記：錢紅麗讀畫隨筆》等。

（莊喬惠）

詩經問答

《詩經問答》　翁麗雪著　臺北市：里仁書局　326 頁　2010 年 9 月

本書為研究《詩經》之入門讀本，深入淺出，亦兼具學術價值之參考書籍。書分上下兩編：

上編總結《詩經》十六個基本議題，以扼要精簡之問答方式論述。針對《詩經》的起源、名稱、時代、作者、採集、內容、應用、四始、《詩》之六藝、正變問題及《詩經》的一般常識考證辨析，旁及孔子刪《詩》與《詩經》之關係，對漢代四家《詩》，齊、魯、韓、毛在《詩》學史中之流變脈落，探本溯源，梳理彼此間錯綜複雜之問題。其中作者以微觀方式掌握《詩》學史中細節問題，立足於寬廣的視野，將《詩經》學的研究與影響，置於世界文學史中。從《詩經》對於中華文化的影響與價值，擴及對於世界之影響；從《詩經》東傳西域與中亞各國、越南與印度支那半島、朝鮮半島、日本；西傳歐洲、美國，來說明《詩經》在中國與世界文化史中不朽的貢獻與價值，仍然屹立不搖，歷久彌新。

下編針對《詩經》十二類主題重新解讀，分思慕、期會、定情、婚嫁、征夫思婦、生育、棄婦、婦女、怨刺、周代民族史詩、農事詩、戰爭詩等各類，選讀最具代表性之詩篇。配合原文、注釋呈現，篇前有題解，篇後《詩經》點評，一問一答，以簡潔有力方式，令讀者通曉明白。綜觀全書，廣泛吸納前人研究成果，並以宏觀視角，微觀詮解，對篇章詩義、義理內涵、文化象徵、名物音韻，全面性的考究，是值得參考的一部學術專著。

翁麗雪，現任嘉義大學人文藝術學院中文系副教授。師從黃錦鋐，研究東漢經術與士風，1983 年取得臺灣師範大學中國文學研究所碩士學位。相關研究著作有：《東漢經學之政治致用論》、《東漢經術與士風》等書。　（吳玫燕）

三家詩遺說

《三家詩遺說》　〔清〕馮登府撰，房瑞麗校注　上海市：華東師範大學出版社　154 頁　2010 年 10 月（十三經清人注疏叢編）

本書收入「十三經清人注疏叢編」，由上海華東師範大學出版社賡續八十年代中華書局「十三經清人注疏」整理計畫，希能透過新式標點與校注，承接清代學人的學術統緒，進而嘉惠學林，為初學者提供入門之津梁。

《詩經》是中國最早的詩歌總集。秦火後，漢代傳《詩》有齊、魯、韓、毛四家《詩》。齊、魯、韓《詩》為今文家，毛《詩》為古文家。至漢鄭玄融和三家箋釋毛《詩》後，毛《詩》大顯於世。而齊、魯、韓三家《詩》則因自身學說的弊端與流傳過程中的諸多問題，漸漸亡佚。《齊詩》亡於魏，《魯詩》亡於西晉，《韓詩》至北宋尚存，後不見傳者，現僅存《韓詩外傳》。由於三家《詩》的亡佚，三家《詩》的輯佚也隨著《詩經》研究而展開。南宋王應麟《詩考》，首開其端。至清中後期，三家《詩》輯佚全面復興，有范家相《三家詩拾遺》、阮元《三家詩補遺》、王先謙《詩三家義集疏》、魏源《詩古微》、陳壽祺《齊詩遺說考》、《魯詩遺說考》、《韓詩遺說考》等大作。馮登府《三家詩遺說》則在此學風下輯佚而成，同時也是清人學者輯佚三家《詩》說的一部重要著作，作為探尋三家《詩》義及其三家《詩》研究的總結。此次由房瑞麗整理校注，出版單行本，將有助於學界深入理解和研究三家《詩》。綜觀本書，體例簡明，校對詳實。除了對馮登府《三家詩遺說》重新整理，施加新式標點外，同時也針對難解詞語、人物官職、典章制度等處簡明註釋，透過這註釋，使典籍可以在現代學術語境中被運用與承接，對於了解《三家詩遺說》的詩旨，功莫大焉。

馮登府（1783－1841），一作登甫，字雲伯，號勺園，又號柳東，嘉興人。一生以著書立說為業，對經史百家無不廣博聞記，尤以三家詩之研究與輯佚，用功甚深。著有《三家詩異字詁》、《三家詩異文釋》、《三家詩異文疏證》、《詩異文釋》等書。

房瑞麗（1978－），河南夏邑人。2004 年畢業於河南大學古代文學專業，獲文學碩士學位。2007 年 7 月，畢業於復旦大學中文系古代文學專業，獲文學博士學位。現為商丘師範學院文學院副教授。主要研究方向：先秦兩漢文學與文論、中國經學史。相關研究期刊論文有：〈陳壽祺陳喬樅父子《三家詩遺說考》考論〉、〈清代三家《詩》研究現狀述略〉、〈清代三家《詩》輯佚研究論略〉等；相關研究著作有：《清代三家詩論稿》。

（吳玫燕）

上博館藏楚竹書《緇衣》綜合研究

《上博館藏楚竹書《緇衣》綜合研究》　虞萬里著　武漢市：武漢大學出版社
581 頁　2009 年 12 月（楚地出土戰國簡冊研究之一）

《緇衣》一篇，西漢戴聖編入《禮記》之前曾經單行一、二百年，目前發現有郭店簡和上博簡《緇衣》二種。本書以上海博物館於 1994 年從香港購回一千二百餘支竹簡、九十餘種古籍中之一篇，占簡二十四支，所藏楚竹書《緇衣》為主，荊州博物館所藏郭店楚簡《緇衣》為副，結合傳本、石經《緇衣》及唐宋以前經史子集中所引錄之字詞、章句，進行綜合性研究，通過辨析辭義，梳理簡冊內在聯繫，釐清許多學術史中難解之謎。

全書共分十一章，書前有陳偉〈序〉，說明「楚地出土戰國簡冊研究」之整理現況。第一章〈《緇衣》研究引論〉，詳細的論述竹簡形制、前人研究概況及本書研究旨要。第二至四章〈緇衣簡本與傳本、石經異同疏證〉，比較上博簡、郭店簡、傳世文本等文句資料，針對字形異同、字辭差異、經文多寡、簡文殘闕，選擇必要字辭加以疏證，以明版本異同。第五章〈緇衣詩本事、詩旨與禮記緇衣之關係〉，從《緇衣》各家詩旨、緇衣形制及其用途、鄭國開國歷史看《緇衣》詩旨及其孔子眼中的《緇衣》詩旨與《禮記》〈緇衣〉命名論述《緇衣》的時代性與意義。第六章〈緇衣簡本與傳本章次文字錯簡異同考徵〉，立足於各傳本章節的分章及章次的比較，並由章節內容分析簡本與傳本的序次差異，以釐清今傳本二十五章之形成歷史，對於《緇衣》傳世，能有一系統性的脈絡。第七章〈緇衣正文與孔子之關係〉，從《緇衣》文句「夫子曰」、「子言之」、「子曰」與文獻中孔子言語的比對校勘，得知《緇衣》係本著孔子之言論思想敷演而成章。第八章〈緇衣引詩引書〉，從簡本、傳本徵引《詩》、《書》用詞、次序之比對，梳理《緇衣》與《詩》、今古文《尚書》之關係。第九章〈緇衣作者與成書年代〉，由《緇衣》與《表記》、《坊記》、《孝經》及從《緇衣》引《詩》推測《緇衣》作者與成書時代。第十章〈緇衣與先秦君臣、君民關係索隱〉，由「好賢惡惡」、「刑辟繁省」、「禮德刑政」、「上行下效」、「導言禁行」、「私惠不留」、「行以成信」七大主題說明《緇衣》與先秦君臣、君民關係。第十一章〈傳本緇衣第九、十兩章解析〉，由先秦禮制中的「爵」、「服」、「德」一體論九、十兩章之章旨；並從簡本《緇衣》論〈都人士〉詩之綴合，來追溯《緇衣》傳抄與詩文本流傳變異過程，解決〈都人士〉小序與句式、文字上之問題。書末附錄〈郭店簡緇衣「人苟言之」之「人」旁點號解說——兼論古代塗抹符號之演變〉。

綜觀本書，為一綜合性研究，先從新材料進行隸定文字、考釋年代，以及探索思想屬性等研究，進而深入到經學、經義層面，對於《詩經》學、《尚書》學，以及文獻之校勘等多種學科進行綜合之研究，是值得參考的一部專著。

虞萬里（1956－），浙江紹興人，現任上海社會科學院歷史研究所研究員。主要從事經學、小學、中國古代避諱學及版本目錄學、出土與歷史文獻考徵、清代學術史，兼及道教文獻等研究。著有《榆枋齋學術論集》一書，相關期刊論文研究有〈避諱與古音研究〉、〈正續清經解編纂考〉、〈上博簡、郭店簡緇衣與傳本合校補證〉、〈春秋釋例諡法篇輯說〉、〈清代的兩部小爾雅義證〉等篇。（吳玫燕）

禮記訓纂

《禮記訓纂》 〔清〕朱彬撰，沈文倬、水渭松整理 杭州市：浙江大學出版社 913 頁 2010 年 7 月

作者朱彬（1751－1834），字武曹，號郁甫，江蘇寶應人，為清代中期乾隆、道光年間「揚州派」學者，一生為學不倦，鑽研經義，於經傳文字、名物等校勘考證上用力尤勤。「承其鄉先進王氏懋宏經法，又與劉端臨台拱、王石臞念孫、伯申引之父子切劘有年，析疑辨難」（林則徐〈序〉）。其學問承繼漢學，亦兼採宋學，既重考證，亦不廢義理，此書為晚年經學的著作，另有中年所著而被收錄於《皇清經解》的《經義考證》八卷，可以互相參證。

本書以鄭注、孔疏為基礎，擷其精要，集眾說之長，書中以王懋宏、劉台拱、王念孫、引之父子之說為多，又摘引歷代文字音韻各家考證成果，並針對經文及注疏作仔細的校勘和訓詁，頗能一展清中葉考據學成就。

另外，對於唐以後釋《禮》著作多所耙梳，頗重南宋朱熹之說，多見摘引，而以為宋末衛湜《禮記集說》「詳於議論而略於訓故」（《禮記訓纂》自序），元代吳澄《禮記纂言》割裂刪并，又病陳澔《禮記集說》之疏略，故能在採掇各家精華的同時，附論己意，辨各家闕失，補其瑕間，能「發前人所未發，不薄今而愛古，不別戶而分門」（林則徐〈序〉）。

在體例上，於書前有林則徐〈序〉與作者〈自序〉，全文共 49 卷，依《禮記》卷次編纂。正文大字經文，小字作訓解，所引書名及人名，均清楚標示。釋音依例置於每段訓纂之後，以○隔開。各卷末附有沈文倬先生的《校勘記》，對明顯錯字，逕改而不出校，沈蓓〈後記〉言「朱氏的寫作意圖與其他清人注疏書不盡相同，尤其體例『最為別裁』；校勘時先摸透了這一點，故校勘記中有『依例當改（或當補、當刪）』者，即指按照作者自定的意圖和體例來補正其疏忽之處。」可見其獨到見解。正文後附朱士達、朱念祖兩篇〈序〉，說明此書的流傳校定。書後附沈蓓〈後記〉，概述其父沈文倬在禮學及校勘上的成就，並簡述《禮記纂言》的內容以及校勘體例。

整理者沈文倬及水渭松二位先生，以上海中華書局據咸豐本校刊的《四部備要》本為底本，共同合作校點，沈文倬先生撰寫校勘記，於 1983 年已成稿，然因故沒有出版。沈文倬先生對於校點古書有細緻的體會，整理校點古籍，並非滿足於文字的校訂，而是綜合運用各種學問，訂正古書。本書由水渭松先生於 2008 年應出版社要求，再對標點體例、文字作校讀，得以在沈文倬先生逝世周年付梓。

（蔡育儒）

禮記集說

《禮記集說》 〔元〕陳澔注，万久富整理 南京市：鳳凰出版社 493 頁 2010 年 1 月

作者陳澔，字可大，號雲莊（一說雲住），又號北山叟，元南康路都昌縣（今江西省都昌縣）人。生於南宋景定元年（1260），宋亡後不仕，卒於元至正元年（1341）。其潛心經術，深有所得，尤精《易》、《書》、《禮》，學者稱其為經歸先生。《禮記集說》以簡便淺近著稱，版本眾多，有十六卷本（1328）、三十卷本（1465－1487）及十卷本（1504）三種，在臺灣、中國、韓國、日本、越南均有流傳。

本書採用十卷本體例，分 49 篇，依《禮記》次序編排。此書早在明代胡廣等人編纂《禮記大全》時，即多有參考，因而在明清科舉考試影響極大，為學校書院的標準教材，然而因其淺顯，清儒多據此而批評其疏舛。《四庫全書總目提要》「特禮文奧賾，驟讀為難，因其疏解，得知門徑，以漸進而古。於初學之士，固亦不為無益。」算是比較肯實的評語。

雖名為「集說」，實乃陳澔兼採漢唐注疏與宋儒義理後，有所取捨的《禮記》

注解，「欲以坦明之說，使初學讀之即了其義，庶幾章句通，則蘊奧自見」（〈禮記集說序〉）。換句話說，其撰作是書的目的並不在自鑄高玄義理，而是在前人訓故之辭中，薈萃衍譯，集合多達 31 家著名學者觀點，達到「促進儒家典籍的普及與推廣」（万九富〈整理說明〉）。

書中文字訓詁多引孔疏，而在疑經改經、異文校對及篇章結構的敘述上，則多引用同鄉石梁王氏的見解。釋音材料上或者與陸德明《經典釋文》相異，應是陳氏及後人所為，今本也存有陳澔之後學者的案語。在體例上，陳澔引用各家說法常欠缺嚴密規範，致使層次錯亂，對於注家的稱呼也不統一，然而其「刪其繁雜，取其淺近」，不失為當時童蒙課讀理解《禮記》的理想教材。

整理者万九富，為南通大學文學院教授，著有〈魏晉人物品評的語言特色〉等文章。整理上以四庫全書本與武英殿本互校，並參考清阮元十三經注疏本與陸元甫《禮記集說補正三十八卷》（通志堂本），於異文、衍文及脫字部分，依文理擇善而從之，明顯錯誤則徑改，兩可或不識者則擇其一。本書採用新式標點符號，簡體字排版，然而限於一些文句難以理解，或者在標點、文字的使用上，存在些問題，讀者在閱讀時需特別留意。（蔡育儒）

文化記憶與禮儀敘事——《儀禮》的文化闡釋

《文化記憶與禮儀敘事——《儀禮》的文化闡釋》　荊云波著　廣州市：南方時報出版社　242 頁　2010 年 8 月

本書為葉舒憲先生主編的「神話歷史叢書」之一，編者長期致力於中國神話學與人類學研究，並嘗試突破文學本位的侷限，以跨領域地整合各學科知識為出發點，力求在新視域觀照下，能夠解讀中國文化與神話歷史的原型。作者攻讀博士期間，得益編者運用文化人類學理論與方法闡釋文化原典的啟發，以《儀禮的文化記憶與儀式敘事》為題，完成博士論文，本書即在此基礎下進一步修改完成。

全書從文化人類學的角度重新省視《儀禮》，企圖從源頭和觀念層面挖掘禮儀文化的發展過程、功能價值與象徵意義。於目錄前，有本書閱讀圖譜，將本書的思考架構以簡明的圖示作清晰呈現，本文除前言與結論外，共分六章，分別為「永恆回歸的神話」、「《士昏禮》的神話闡釋」、「《儀禮》中的巫術」、「玉器的象徵與中國禮文化」、「《儀禮》的權力話語敘事」、「作為表演的禮儀」等章，透過文本、器物與實行層面的習俗等不同的面向，詮釋「儀式敘事」的全新概念，並通過《儀禮》的結構與符號，推導出「安身立命的禮儀文化」的結論。

本書另收錄〈儀式敘事與歷史書寫〉與〈「熊」與「能」的認同與變異〉兩篇文章，前者為作者博士指導教授葉舒憲先生先前發表在〈百色學院學報〉（2009年第 2 期）的文章，除了闡明儀式研究的文化意義外，並舉赴臺灣講學參訪的經驗說明儀式敘事、文化認同與歷史書寫的重要性，而在「從『儀式敘事』看中國禮經的文化內涵」中，總結此書修訂前的博士論文，「突破解經學的範式、探索禮書的人文闡釋新方向而言，本論文在中華古禮文化的現代研究中實乃具有承前啟後的學術開拓意義」（頁 226）。後篇乃作者發表於〈世界宗教文化〉（2007 年第 3 期）的文章，可以看出作者紹繼其師文化人類學的研究方法。

荊云波，生於 1966 年，先後就讀於河南大學、四川大學，專攻漢語言文學、現當代文學和比較文學與世界文學，於 2008 年獲得文學博士學位。現任鄭州航空工業管理學院副教授，主要從事比較文學、外國文學以及文化人類學的教學與研究工作，曾在重要學術期刊發表論文 20 餘篇，並主持有省、廳級別課題 5 項。

（蔡育儒）

制禮作樂——先秦儒家禮學的形成與特徵

《制禮作樂——先秦儒家禮學的形成與特徵》 張煥君著 北京市：中國社會科學出版社 299 頁 2010 年 1 月

禮，一直是儒家傳統文化的核心，也是維護社會秩序、教化人心重要的指標存在。本書從時間上的縱線，以西周初期的周公為代表和春秋中晚期為代表的孔子為研究核心，結合大時代環境對於禮所造成的影響，論述西周至戰國禮制與禮學發展情況。其次以儒家禮學思想內涵，通過具體禮儀的形成及常禮與變禮的轉化，考察內在禮義精神是與時遷移，因以損益，說明禮對傳統文化、現今社會的重要性。本書書前有導論，說明作者寫作意旨，並梳理禮學在傳統與現代之際的轉化與延續、禮教樂化的精神對於傳統文化的影響。正文分三章，第一章〈殷周革命與周公制禮作樂〉，以周公制禮作樂為核心，辨證周代禮制的特點與形成的背景，透過禮制的建立，君君、臣臣、父父、子子，形成儒學傳統中的典範。第二章〈禮制與禮學〉，立基於孔子及其後學對於禮學的發展。從孔子身處禮壞樂崩的時代，為何以仁釋禮，其後儒家後學承繼孔說，最終如何創立一套完整的禮學體系。第三章〈常禮與變禮〉，旨在論述禮學本身的發展與演變，以冠禮、婚禮、喪禮、祭禮四大人生重要禮儀為分析對象，探討長期在經與權、常與變下的禮是如何變動，進而說明禮對生命的啟發與重要。

綜觀全書辨別源流，對於禮的思想內涵、制度與社會間的互動，鉅細靡遺的分析，有助於理解儒家禮學的形成、文化轉型時期的禮學思想，是研究先秦儒家禮學重要的參考資料之一。

張煥君（1972－），山西靈丘人。2005 年畢業於清華大學歷史系，獲專門史博士學位。現為山西師範大學歷史與旅遊文化學院副教授。主要研究方向有禮學史、思想史。相關研究期刊論文有：〈禮制與人情的調適——以魏晉時期前母的服喪問題為中心〉、〈從鄭玄、王肅的喪期之爭看魏晉時期經典與社會的互動〉、〈武威漢簡〈儀禮〉研究四十年綜述〉等篇；相關研究著作有《武威漢簡儀禮整理與研究》等書。（蔡育儒）

禮記解讀

《禮記解讀》　丁鼎撰　北京市：中國人民大學出版社　609 頁　2010 年 10 月

本書乃作為國學經典教育而編寫的「國學經典解讀系列教材」之一，為「985工程」重大攻關項目，基於中國人民大學國學院教學方案，目的在於使學生掌握經典中的國學知識與基礎，是故全書主要架構由經文、注釋與解讀三部分組成。

在卷首有編寫體例說明本書主要內容，書中經文以阮元《十三經注疏》本為底本，若文字據他本改動，則於注釋中說明。另加新式標點符號，依文意分節，並加上阿拉伯數字編號；注釋則著重各種名物以及禮儀制度的解釋，生僻字加以漢語拼音，並參考現代學者的白話譯注；解讀則置於每篇選讀下，篇分上下者如〈曲禮〉、〈檀弓〉，則置於下篇，概略性敘述各篇含義、作者與成篇時代，並說明內容架構與思想價值，除參考鄭玄的《注》與孔穎達《禮記正義》之外，也參酌宋人衛湜的《禮記集說》、元人陳澔《禮記集說》，與清孫希旦的《禮記集解》、乾隆欽定《禮記義疏》、朱彬《禮記訓纂》等書。

在導言部分，分別探討《禮記》的編纂成書、各篇的作者與寫作年代、各篇的篇名內容及其分類、《禮記》學的發展和演變、怎樣學習《禮記》等問題，有著提綱挈領的系統認識。受限於篇幅，本書僅在《禮記》49 篇中擇 24 篇進行解讀，分別為〈曲禮〉上下、〈檀弓〉上下、〈王制〉、〈月令〉、〈禮運〉、〈禮器〉、〈郊特牲〉、〈內則〉、〈玉藻〉、〈明堂位〉、〈大傳〉、〈學記〉、〈樂記〉、〈祭義〉、〈經解〉、〈仲尼燕居〉、〈坊記〉、〈中庸〉、〈表記〉、〈緇衣〉、〈儒行〉、〈大學〉等篇章。書後附有主要參考文獻，提供讀者進一步學習研究《禮記》的門徑。

作者丁鼎，本名程奇立，山東萊西人，為歷史學博士。多年來致力於儒家經學史以及中國古代文化史方面的教學與研究工作。現為中共教育部人文社會科學重點研究基地山東師範大學齊魯文化研究中心常務副主任，並擔任教授以及博士生導師，曾獲國家及省部級科研成果獎 6 項。主要著作有《〈儀禮・喪服〉考論》、《孔子與六經》、《新定三禮圖》、《中國古代讖言研究》、《牛僧孺年譜》等，另有學術論文百餘篇。

（蔡育儒）

禮記講讀

《禮記講讀》 呂友仁著 上海市：華東師範大學出版社 246 頁 2009 年 9 月

作者在此著作出版之前，整理有《禮記正義》（上海：上海古籍出版社，2008）並與呂詠梅合著有《禮記全譯・孝經全譯》一書（貴陽：貴州人民出版社，1998 年第一版，2009 年修訂版），對於禮學研究以及《禮記》的譯注均有相當的心得。本書作為華東師範大學出版的「國學名著講讀系列」其中一本，分為「導讀」與《禮記》選讀兩部分，具體而微的介紹《禮記》的重要價值，書後附有主要參考文獻，主要參考清代以降學者研究禮學的成果。

在「導讀」部分，主要探討《禮記》的名稱、內容、成書，以及《禮記》在儒家經典中的地位、價值、怎樣學習《禮記》，作者善舉史實記載與生活中的例子，深入淺出地將《禮記》作了有系統的介紹，並以自身體會提供學習《禮記》的建議與有用的參考書籍。而在選讀部分，節選有〈曲禮〉、〈檀弓〉、〈王制〉、〈月令〉、〈禮運〉、〈內則〉、〈樂記〉、〈祭義〉等，全選有〈大傳〉、〈學記〉、〈經解〉、〈坊記〉、〈中庸〉、〈三年問〉、〈儒行〉、〈大學〉、〈昏義〉等篇章。

各篇選文後附有注釋，供讀者查索，值得關注者為作者依照各篇探討的內容，設計有「問題分析」、「由本篇產生的新詞、成語」、「由本篇產生的典故」、「文化史擴展」、「集評」與「思考與討論」等議題。值得注意的是作者除了駁正《漢語大詞典》釋義的錯誤，另外對於禮學、經學史乃至於文化史等相關問題，予以辨析與探討，以題材而言，頗為新穎生動，有助於讀者瞭解各篇章旨，便於思考延伸的相關問題。

作者呂友仁教授，河南省滎陽市人，生於一九三九年，一九六二年畢業於河南大學外語系，一九八一年獲得上海師範大學古籍整理研究所碩士學位。點校有《潛研堂集》、《澠水燕談錄》、《禮記正義》等書，著有《周禮譯注》、《禮記全譯・孝經全譯》（與呂詠梅合著）、《國學經典——周禮》（與李正輝合著）、《國學經典——禮記》（與李慧玲合著）。（蔡育儒）

武威漢簡《儀禮》整理與研究

《武威漢簡《儀禮》整理與研究》　張煥君、刁小龍著　武漢市：武漢大學出版社　353頁　2009年11月

1959 年 7 月，在武威縣磨咀子六號漢墓中發現大量漢代竹簡，對照文獻，為《儀禮》七篇，次年經由中國科學院考古研究所整理，將其分為甲、乙、丙三本。其中甲本木簡保存最好，包含今本《儀禮》七篇，即〈士相見禮〉、〈服傳〉、〈特牲〉、〈少牢〉、〈有司〉、〈燕禮〉、〈泰射〉，相當於半部《儀禮》；乙篇木簡字小簡窄，僅〈服傳〉一篇；丙本為竹簡，僅〈喪服〉一篇，在書寫材料及內容上，三本各有不同。

作者感於有必要為武威漢簡《儀禮》四十年來的研究狀況作一統整，故以合著的〈武威漢簡《儀禮》研究四十年綜述〉代序（原載《中國史研究動態》2005 年第 2 期），分述「文字考釋」、「簡本的鈔寫年代」、「簡本的篇題和篇次」、「簡本的家法與師法」、「簡本的今古文的問題」、「簡本〈服傳〉的性質」、

「經傳合編和雜糅今古文」、「簡本《儀禮》的學術價值」等論題，討論學者提出的不同觀點，總結目前的研究成果。

本書以陳夢家《武威漢簡》為底本，釋文及校記體例依陳著，而釋文中標點符號依據彭林點校、北京大學出版社出版的標點本《十三經——儀禮》，簡本溢出今本之文，由編者以義斷之。校記部分，以簡文《儀禮》與阮元《十三經注疏》附《校勘記》本為主要校本。關於本書體例，於凡例有詳係說明（頁 1－2）。全書編次以甲本順序為主，而乙本〈服傳〉及丙本〈喪服〉，次序於甲本〈服傳〉之後〈特牲〉之前。另附有田中利明著、刁小龍譯的〈儀禮中「記」的問題——關於武威漢簡〉和相關研究論著，能對武威漢簡《儀禮》有一個廓清的認識架構。

在文字考釋上，主要參考陳夢家先生的《武威漢簡》、劉文獻先生的《武威漢簡儀禮校補》（臺灣東亞學術研究計畫委員會印行，1965 年）、王關仕先生的《儀禮簡本考證》（臺灣師範大學國文研究所集刊第 11 號上冊，1967 年）以及沈文倬先生的《讀漢簡異文考》（文史第 33－36 輯，後收入《宗周禮樂文明考論》，杭州大學出版社，1999 年）等書籍。

作者張煥君，生於山西靈丘，畢業於清華大學歷史系，獲專門史博士學位，並在該校哲學系做博士後研究。曾協助編纂《儒藏》，著有《制禮作樂：先秦儒家禮學的形成與特徵》等書。現為山西師範大學歷史與旅遊文化學院副教授。

刁小龍，武漢大學日語系日本語言與文學專業畢業，北京清華大學歷史系專門史碩士、博士，曾應日本國際交流基金邀請，赴早稻田大學文學部研究。著作有〈評《清代《儀禮》文獻研究》〉、〈〈喪服〉「報服」考述〉等，現為中國人民大學國學院講師。

（蔡育儒）

《左傳》修辭研究

《《左傳》修辭研究》　李華著　上海市：上海古籍出版社　247頁　2010年12月

本書為趙逵夫先生主編的《先秦文學與文化研究叢書》之一，此叢書旨在上下貫通、溯源辨流，消除經學、舊史學的束縛，同時又打通學科的界線，對先秦文學、文化現象作新的審視。（趙氏〈先秦文學與文化研究叢書序〉，頁 7）作者在其指導下，獲得博士學位，而此書即在其博士論文的基礎上修改完成。

本書針對《左傳》的修辭藝術作了全面性地研究，在緒論中概述《左傳》成書及性質與修辭的界定，並回顧《左傳》修辭研究史，藉此突顯選題的意義。

正文共分八章：一、二章探討《左傳》辭格的運用，分述引用、比喻、意境上的辭格（夸張、避諱、婉轉、反語），以及探討布置上的辭格（排比、對偶、頂真、互文、對比）與其他類型的辭格。除此之外，並以《左傳》為主，結合先秦詩歌散文修辭的整體情況，作全面研究。

第三章分析《左傳》詞語錘鍊的方式，分析同義詞的選擇與反義詞的使用。第四章則從句式選擇上分析《左傳》，從語氣的選擇與形式的變換兩個角度分述之。第五章則探討《左傳》的篇章布局，探討其敘事方式與場面安排。第六章則以「文體風格」及「語言風格」兩個角度探討《左傳》的獨特風格。

第七章則全面地討論《左傳》的修辭觀，由言語表達功用的理論、表現形式，與人物言語表達的評價、寫作風格的闡釋等四方面分析修辭理論；而以「解經、傳經文字中蘊含的鮮明立場」、「遣詞用句過程中習用的表達方式」與「對言語表達效果的其他輔助形式的看法」歸納出《左傳》的修辭意識。

最後一章，則討論《左傳》修辭在修辭學史上的地位及影響，分論其對後世散文與小說的繼承與發展，並舉《韓非子》、《呂氏春秋》、《晏子春秋》、《史記》、《新序》、《說苑》、《淮南子》為例，以取材布局與《左傳》相似篇章制成圖表，說明後世散文與小說，均從《左傳》汲取營養。

李華，生於 1970 年，甘肅天水人，2008 年畢業於西北師範大學文史學院中文系古典文獻學專業，獲文學博士學位。現為西北師範大學文史學院副教授、碩士生導師。主要研究方向為訓詁學，發表相關學術論文數十篇。（蔡育儒）

讀《左傳》悟人生

《讀《左傳》悟人生》　高坊清編著　成都市：四川大學出版社　435 頁　2010 年 10 月

中國有悠遠的歷史，中華民族亦極為重視歷史。記取過去好與不好的經驗，作為待人處事的參考，即所謂「以史為鑑」的觀念，是老祖宗代代相承的諄諄叮嚀。《讀《左傳》悟人生》一書，就是這麼一部繼承發揚「以史為鑑」傳統的出版品。

本書編著者以為：《左傳》是歷史畫卷、文學鼻祖、道德全書、智慧寶庫、治國箴典，適合廣大讀者閱讀收藏。然而現代社會生活節奏快速，真正能靜下心來細讀如此大部頭的典籍者甚少。為了使更多人了解《左傳》的價值，遂由其中精選 70 多個故事片段，設計 65 個主題，另擷取嘉言警句，予以編譯疏解，並從教育的角度提出個人見解，希望刺激讀者深入思考。欲將經典文化傳承與現實生活觀照相結合，體現學以致用、古為今用的精神。

本書性質屬國學要籍選讀，並非專門的研究著作，因此不宜以學術的標準審視之；但既為正式出版品，編輯與校對的品質仍應嚴格講求。如本書將《春秋》十二公分為六部分，當中第三部分「文公、宣公、成公」收入〈襄公三年〉「祁奚舉善」一節（頁 188），第四部分「襄公」收入〈文公四年〉「甯武子來聘」一節（頁 201），未免張冠李戴。又如頁 429「佳句擷英」錄〈哀公二十六年〉所引《詩・大雅・抑》「無競惟人，四方其順之」（今本《詩經》「惟」作「維」，「順」作「訓」）二句，脫一「其」字，且「無競」簡化字應作「无竞」，乃誤為「天竟」，此皆足以貽誤讀者，不可不注意。

編著者高坊清，1956 年生，江西瑞昌人。曾先後就讀於九江學院中文系及江西師範大學教育系，現為瑞昌市橫港完全中學教師、中國語文報刊協會課堂教學專業委員會研究員。編著有本書，並曾參與編寫《高中文言文隨堂伴讀》（第一、二冊）、《高中語文課文名篇教學設計》、《高中語文知識與能力訓練》等語文教育著作，另發表有教育教學論文二十餘篇。（游鎮壕）

公羊學與漢代社會

《公羊學與漢代社會》 宋艷萍著 北京市：學苑出版社 298 頁 2010 年 11 月

今流傳的《春秋》三傳，其中《公羊傳》在漢代時就已發揮相當的影響力，原因是漢人深信孔子作《春秋》是為漢制法，而《公羊傳》在漢景帝以前都是口耳相傳，最後才由公羊壽與胡毋生著於竹帛上，後經董仲舒的提倡，逐漸形成體系，其在〈賢良對策〉中說：「《春秋》，大一統者，天地之常經，古今之通誼也。」所指的就是《公羊傳》。

本書分為兩個部分：上編是〈公羊學學術精論〉，主要討論《公羊》學在漢代的發展；下編是〈公羊學與漢代社會研究〉，討論《公羊》學對漢代社會的作用。合而觀之，本書是《公羊》學在漢代的發展與實踐。上篇首先解釋《春秋》三傳的異同。眾所皆知，《左傳》以記事為主，《公羊》、《穀梁》以義理為主，作者則更進一步分析《公羊》與《穀梁》的不同，同時也道出《公羊》所具備的三大特色：善變通、尊王亦限王，以及譏世卿、興選舉，而仔細觀察，所舉的三種特色，正與漢代的思想與制度層面有關。

雖然《春秋》三傳本來就有相異處，同時也是本身具有的特色，但真正發揮《公羊傳》學說的是董仲舒及何休。本書分析董仲舒闡發《公羊傳》並不止於依循傳文，而是在傳文之外有更進一步的理論，因此《公羊傳》在董仲舒的發揮下，具有大一統、三世說、天人思想。大一統強調尊王、攘夷，在現實層面是加強天子承擔天下事的重任；在思想上，則形成「獨尊儒術，罷黜百家」的局面。三世說，更為何休所繼承，而發展為「三科九旨」。天人思想，則主張人君法天之則，限制了君權無限度的擴張。此外，本書討論東漢《公羊》學的衰退，原因在於：章句的繁複、與讖緯相結合，使神學色彩更加濃厚、成為政治的附庸等。

《公羊》學與漢代社會，書中以漢昭帝時所召開的鹽鐵會議來討論，就《鹽鐵論》與董仲舒的理論相比較，會議中的大臣多引董仲舒關於《公羊傳》的闡發，換句話說，當時民生的取決，與《公羊》學有很大的關係。東漢之時，章帝召開的白虎會議，可說是漢代文化的結晶；會議中，《公羊》家李育「以《公羊》義難賈逵，往返皆有理證，最為通儒」，是故作者也針對《白虎通議》與《公羊》學進行討論。此外，像是董仲舒的《春秋》決獄、復仇風氣等，與《公羊》的內在經義，作者也逐一探討。

要之，漢代《公羊》學的發展，影響漢代政治、社會等各層面，這樣的議題不容忽視，而此書一一指陳，吾人可以更深入瞭解漢代文化的內涵。　　（簡承禾）

王夫之《春秋稗疏》研究

《王夫之《春秋稗疏》研究》　招祥麒著　上海市：上海古籍出版社　606 頁　2010 年 5 月

明末清初大儒王夫之（船山，1619－1692）的《春秋稗疏》，是一部研考《春秋》經書法、典制、名物、天文曆法、地理的著作，凡 122 條目。船山讀書宏富，引據廣博，《四庫全書總目》於本書提要謂其「在近代說經之家，尚頗有根柢」，對船山學術功力亦頗為推許。

本書為作者的博士論文，專研船山此部較罕人深究的考據著作。書分導論、本論、結論三部分：導論略述船山《春秋》學之淵源，及其四部《春秋》學著作；本論為全書重心所在，以 514 頁的篇幅，將《稗疏》122 條逐一考索，論其得失影響；結論則順承前文，總結《稗疏》一書的內容、特點、缺失及地位。書前有作者指導教授單周堯（1947－）先生的序文，以為本書貢獻有四：一者統計《稗疏》考證地理的條目約佔 58.2%，修正了《四庫全書總目》「居十之九」的說法；二者認定《稗疏》為船山早歲之作，惟其後又有所訂補，此說可供學界參考；三者指出《稗疏》有「補苴杜《注》，糾正其失」、「廣覽博採，淵源有自」、「創立新說，增益經解」三大特點；四者點明《稗疏》有「好疑高論，未得其當」、「引文不確，影響論斷」兩大缺失。給予本書研究成果極高的肯定。

作者招祥麒博士，1956 年生，香港人。珠海學院文學博士、香港大學哲學博士，現任培僑中學校長，兼任珠海學院中國文學系副教授。兼通經學、史學、文學，熱愛詩文創作及朗誦藝術。著有《明初對安南之經略及棄守》、《劉勰《文心雕龍》詩論之研究》、《潘尼賦研究》、《風蔚樓叢稿》及本書，另發表有相關單篇論文十數篇。

（游鎮壕）

春秋三傳書法義例研究

《春秋三傳書法義例研究》　趙友林著　北京市：人民出版社　312 頁　2010 年 8 月

孔子曰：「知我者其惟《春秋》乎！罪我者其惟《春秋》乎！」司馬遷又曰：「筆則筆，削則削，子夏之徒不能贊一辭。」因此後人皆相信孔子作《春秋》有筆削之法，也就是孔子據魯春秋而依「大義」進行文辭的刪改及增補，遂成為《春秋》。但由於《春秋》大義過於隱晦，於是傳至後世有「傳」為其說明，其中流傳至今的是《公羊》、《穀梁》、《左傳》，合稱為《春秋》三傳。而三傳對於《春秋》的筆削之法，都有各自的解釋，因此發展出「書法義例」。例如：《春秋．隱公元年》：「元年春王正月。」經文沒有寫「公即位」，因此三傳都針對「不書公即位」作解釋。《公羊傳》曰：「公何以不言即位，成公意也。何成乎公之意？公將平國而反之桓。」《穀梁傳》曰：「公何以不言即位，成公志也。焉成之？言君之不取為公也。」《左傳》則曰：「不書即位，攝也。」《公羊》、《穀梁》二傳都認為「不書公即位」，是因為魯隱公有讓位給桓公的意願，只是暫居於位而已；而《左傳》則認為是魯隱公是攝位。前者是就隱公的意願而言，後者是從隱公的行為來說。這是三傳對《春秋》經文所進行的不同解釋，也成為解釋《春秋》何以不書，何以如此書的「書法義例」。

本書探討《春秋》三傳書法義例的形成，書中設有五章：三傳書法義例的構建、三傳之「注」對書法義例的彌縫與深化、書法義例的層累效應及注疏對書法義例的調整、《春秋》三傳及注疏闡發書法義例的羅輯方法考察、三傳及注疏之書法義例對後世《春秋》學的影響。作者認為三傳的書法義例起初是漢代經師所為，後來的注疏家又據以為學說，以進一步闡發《春秋》的大義；最後，經過不斷累加與修正的書法義例，影響後人對《春秋》大義的解讀。換句話說，作者以為書法義例是經過儒者不斷修正與堆疊所造成的，而同時也使《春秋》大義更為有條理、邏輯。在書法義例的形成過程中，最重要的階段應屬於「彌縫與深化」，以及「層累效應與調整」。書中指出，何休在《公羊傳》中，特別針對「為尊者諱，為賢者諱，為親者諱」進行辯說和回護。因為《公羊傳》雖然有此說，但未必真的處處做到，何休則據自己所理解加以解釋。像是莊公十三年，齊國滅遂，何休注曰：「不諱者，桓公行霸，不任文德而尚武力。」何休在《公羊傳》「避諱」的特色下尋求之所以不避諱的理由，同時也顯示孔子的《春秋》大義是尚德不尚武。不僅《公羊傳》經過這樣的過程，《穀梁》、《左傳》也是如此。本書對《春秋》三傳的書法義例之形成過程進行詳細考察，提供吾人在經學之外，以歷史的角度觀察而有另一面的啟發。

（簡承禾）

春秋三傳與經學文化

《春秋三傳與經學文化》　方銘主編　長春市：長春出版社　552頁　2010年1月

《春秋》三傳在經學史的洪流中，其地位往往因學術風氣、政治風尚等因素而彼此升降。西漢時，《公羊傳》不僅立於學官，更受君臣的愛好，《左傳》時常被認為不解《春秋》而遭抵制。東漢以後，《左傳》在古文學家的研究中才逐漸受到廣泛的重視，甚至到了唐代成為《春秋》的代表。宋、元、明時期，除少數儒者作為「尊王攘夷」及部分研究外，《春秋》三傳普遍不受關注。進入清代，由於考證之風盛行，因此《左傳》再度被儒者留意，但《公羊》、《穀梁》二傳依然不受重視；直到清代中葉，由於劉逢祿等人的闡發，才又受到青睞，最後成為救國之方，相較之下，《左傳》始終被認為沒有「微言大義」，而與孔子作《春秋》的關係隔了一層。至民國以後，因為史學的發達，研究者將《左傳》視為史書，甚至是史料而已，而《公羊》、《穀梁》則成為「荒誕不經」之書。簡單說，《公羊》、《穀梁》、《左傳》雖然並稱為《春秋》三傳，但在經學史中，終究沒有並立，更鮮少有研究者同時關注《春秋》三傳。

2009 年 8 月在北京語言大學舉辦「2009 年兩岸四地《春秋》三傳與經學文化學術研討會」，共有七十餘位學者參加，這本論文集就是這場學術研討會的成果。《春秋》三傳雖然與孔子作《春秋》的關係尚有討論的空間，但不可否認的是，欲瞭解《春秋》，三傳都必須同時重視，不可偏頗，這場會議的舉辦，正可說明這點。論文集將文章分為四個議題：《春秋》三傳研究、孔子與《春秋》研究、三傳與經學文化研究、《國語》研究。雖然部分學者僅選取其中一傳為論文主題，但也有不少三傳一起討論，像是中國社會科學院歷史所的吳銳先生，撰寫〈春秋三傳之「諸夏」與後世「漢族」的斷裂〉一文，文中探討文化語詞中的「中國」、「夏」在《尚書》、《詩經》等書出現，顯示出當時人已有的觀念。但完整成為一個國家、文化，乃至明顯的意識，是漢代的《春秋》三傳才發揮影響力。江蘇教育學院的姚曼波先生，則撰〈孔子春秋及其「春秋大義」辯正——兼談儒學的正本清源〉一文，透過三傳以尋求孔子的《春秋》大義，表示事與義全面觀察，才能深知孔子的「口授傳旨」。其他也有專門討論《公羊傳》的問題，如：方銘先生的〈公羊三世說與孔子的政治智慧〉、何新文先生的〈試論春秋公羊傳的「賢賢」思想〉等；探究《左傳》與文獻的問題，如：李學勤先生的〈左傳是研究古代歷史文化的基礎〉、張鶴先生的〈國語、左傳比較略論〉等文章。由此可見，本論文集從多方面視野討論《春秋》三傳的問題，在在探發《春秋》之幽微。（簡承禾）

春秋繁露新注

《春秋繁露新注》 〔漢〕董仲舒著，曾振宇、傅永聚注 北京市：商務印書館 363頁 2010年6月

清儒蘇輿指出，《漢書・藝文志》中並不見《春秋繁露》之名，只有《董仲舒》、《公羊董仲舒治獄》，及至《隋書・經籍志》以後，才著有《春秋繁露》十七卷，應是後人採輯而編，雖然有人懷疑〈繁露〉、〈玉杯〉等已非其實，但無論如何，《春秋繁露》仍存在著董仲舒的「微詞要義」。此外，蘇輿認為西漢書有兩體：一是注經體，例如《毛公詩傳》；二是說經體，像是《韓詩外傳》與《春秋繁露》，而西漢說經，《春秋繁露》是第一書！原因在於《公羊》學可說是西漢的顯學，董仲舒是當時的《公羊》學大家，其說《公羊傳》往往「依經專義，尤為精切」。因此，從《春秋繁露》可以看見董仲舒的經義要旨，以及當時如何經術國家。

由於東漢以後，《公羊》學沒落，《春秋繁露》逐漸不受重視；曾為西漢第一書，卻要到清代才由凌曙作注。凌曙學出劉逢祿，深得《公羊》大義，但對董仲舒之義未能闡發，於是蘇輿進一步撰成《春秋繁露義證》。本書即是以蘇輿的《義證》本為主，而著重於通讀，因此不在名物訓詁上做討論。

本書在正文之前，有「解題」概述該篇的大意，接著是「原文」，最後是「注釋」，其訴求是使《春秋繁露》能成為人人易讀的書，所以不在義理上多作闡發。雖然如此，但是能讓非專業領域的讀者在短時間內迅速瞭解專有用辭，例如：〈竹林〉：「《春秋》之常辭也，不予夷狄而予中國為禮，至邲之戰，偏然反之」一句，蘇輿除引《公羊・宣公十二》年的經、傳文，以及的何休注外，最後案語：「偏然反之，用〈棠棣〉詩義。」若非從事《公羊》的研究者，很難體會蘇輿的說法。而本書除引《春秋》經文外，並作一簡單明瞭的解釋：「對晉人直呼其名，對楚人稱爵號，表明《春秋》於此贊許楚人為君子，貶斥晉人為夷狄。」前者重在闡發義理，而本書則能馬上知道「偏然反之」的背後歷史與意思；意思既然能通讀，就可以更進一步求其義理。要之，本書是提供讀者快速瞭解《春秋繁露》的最佳讀本。

（簡承禾）

清代春秋左傳學研究

《清代春秋左傳學研究》 羅軍鳳著 北京市：人民出版社 420頁 2010年5月

《春秋左傳》在漢代就被認為不傳孔子《春秋》而未被立於學官，更明白說，《公羊》、《穀梁》兩家，都有「微言大義」，而《左傳》未嘗有。雖然《左傳》不被官學重視，但在民間卻廣為流傳，到了東漢，其勢更勝過《公》、《穀》兩傳。之後，晉人杜預為《左傳》作注時，發凡起例，替《左傳》發五十凡例，更為唐人所重視，終於立於學官，成為《五經正義》之一：《左傳正義》。及至宋、明，當時儒者由於不依經說經，時常針對時事而發，並不重視《左傳》的義例，因此又隨之被束之高閣，少人聞問。

清代考證學風的盛行，對《左傳》才開始重視。過去吾人多以為清儒重視《左傳》是在於能尋找「文獻有徵」，本書則詳細指出，清儒反對宋儒以高談為義理的風氣，而轉向從考證求義理；換言之，「考證」這一行為本身被乾嘉學風下的儒者視為義理。作者將清代《左傳》學分為三個階段：⑴清初至乾隆年間，攻擊胡安國的《春秋胡氏傳》，此時著重於《左傳》為《春秋》經義的根據，同時兼顧《公》、《穀》，企圖取代宋儒高談經義的學風。⑵乾嘉時期，戴震入四庫館，大舉《左傳》之學，影響甚廣。加上清初學者的努力，發現漢注的優點，於是搜羅輯佚漢注；及嘉道年間，於是有劉文淇祖孫三代的《春秋左氏傳舊注疏證》。⑶受到劉逢祿等人的影響，以及如何與今文家對話，此時期的學者，例如陳澧、俞樾也採用《公》、《穀》二傳的微言大義，以求《左傳》中的微言大義；但是，後來的學者，如劉師培、章太炎便開始嚴守「家法」，闡釋《左傳》義例，以與今文學家形成對抗。

此外，作者還探究《左傳》講官方的地位，雖然康、雍、乾對《左傳》進行不少關於「夷狄」字眼的刪改，但從康熙二十四年將《左傳》、《公羊》、《穀梁》、《戰國策》等書合編成《古文淵鑑》來看，正表示清廷對《左傳》刪而不廢的態度。原因在於《左傳》載有朝會、邦交、君臣等事實及處理事情的原則，都可以為帝王的借鑑。乾隆也是重視《左傳》故事，並參以《公》、《穀》，以求《春秋》的微言大義。雖然帝王將《左傳》視為如《資治通鑑》一類的書，但也讓《左傳》繼唐代以後，再度成為官方所重視的經書。

《左傳》在清代不僅為儒者所闡發，也為官方所重視，而本書則有脈絡地道出《春秋左傳》學在有清一代的發展。（簡承禾）

明代閩南四書學研究——以宗朱學派爲中心

《明代閩南四書學研究——以宗朱學派為中心》　周天慶著　北京市：東方出版社　422 頁 210 年 9 月

南宋以來，朱熹所建立的以《四書章句集注》為中心的「四書系統」，逐漸形成與傳統「五經系統」並駕齊驅的局面。然而明代的四書學，尤其是宗朱一派之學者，一向被認為是「謹守朱子法度而無創新」，因為評價不高，大部分的研究者也就無暇措意了。周天慶教授所著《明代閩南四書學研究——以宗朱學派為中心》，則彌補了這項不足。周教授認為「明代閩南四書學」有研究的必要，主要可以從三個方面來進行觀察。

一是「時代性問題」。周教授以為明代閩南學者多以闡揚朱子宗旨為己任，但並不是完全繩墨於朱子。如陳真晟偏重於發揮朱子思想體系中所包含的心學因素，蔡清則在本體論、工夫論等關鍵問題上與朱子有明顯的區別。此外，這些時代性問題，更是表現在朱子學派四書學與科舉制度結合的過程中，所產生的歷史現象與影響。

二是「地域性特徵」。周教授認為，自朱熹創立四書學後，福建一帶一直是朱子四書學的主要傳播地。因此明代中期前後閩南四書學在福建朱子學中有什麼樣的地位？它對後來福建學術的變遷又有什麼樣的影響？諸如此類的問題，似有系統化研究之必要。

三是「心學背景因素」。周教授指出，明代閩南一帶的學者是在明代心學興起的背景中發展起來的，與心學論辯並維護朱子宗旨，是明代閩南絕大多數學者的重要學術取向。因此，了解明代宗朱學者在整個時代心學背景下的發展，也有助於認識南宋以後四書學演變的軌跡。

本書共分為六章，前四章分別介紹陳真晟、周瑛、蔡清和張岳等四位具有代表性的明代閩南四書學學者，主要著重在他們對朱子四書學的承繼與衍變。第五章

「明代閩南四書學特點」，則指出了堅守朱子宗旨、修正發展朱子四書學和突出「四書」的踐履精神等三項特點。第六章「明代閩南四書學的意義」，則分別針對朱子學派內部、明代閩南四書學的文化教育意義，以及它在明代理學史中的意義等三個方面進行分析。（陳韋哲）

四書直解

《四書直解》　〔明〕張居正著，王嵐、英巍整理　北京市：九州出版社　569頁　2010年6月

《四書直解》，原名《四書集注直解》，是明朝宰相張居正（1525－1582）為了教育年幼的神宗萬曆皇帝而替他量身訂做的讀本。神宗繼位之時，年僅 10 歲，當時身為首輔（宰相）的張居正，一方面要掌管國家的軍政大事，一方面還要負責教育神宗，使他成為一位明君。這種為皇帝講授經書學問，使其致用於政事的教育方式稱作「經筵」，而這名講授的大臣便稱為「講官」。中國的「經筵」制度，漢唐時已有所聞，到北宋時已成為定制，到了明清則更加完備落實了。像這種以皇帝為教育對象的經書詮釋方式，不同於一般讀書人對經書的理解。一般讀書人讀經除了通曉義理之外，有一個現實的問題，那就是要面對科舉考試；但皇帝不用考試，因此講官在教育皇帝時，可以不必理會細瑣的考訂、辯證，而直接點出經書中所蘊含的修身、治國之理。當然，這其中也可能含有講官自己的政治思想與政策訴求。以《四書直解》來說，其體例是先引一段原文，然後在其下作白話直解。如《論語》〈子罕〉有云：「後生可畏，焉知來者之不如今也？四十、五十而無聞焉，斯亦不足畏也已。」此章的直解在解釋完文義之後便說道：「古語說，少壯不努力，老大徒傷悲。是以大禹惜寸陰，高宗務時敏，欲為聖帝明王者尤所當汲汲也。」字裡行間，透露出的盡是張居正對萬曆皇帝的期勉。誠如康熙在讀過此書之後所批之語：「篇末俱精實之義，無泛設之詞。」

此次點校，是以清八旗經正書院刻本（徐本）的《四書集注直解》27 卷本為藍本進行整理。全書改正體豎排為簡體橫排，有疑義的通假字則保留正體原貌，各章順序也根據徐本而不加以更動，以保存該書之原貌。（陳韋哲）

朝鮮儒者丁若鏞的四書學：以東亞爲視野的討論

《朝鮮儒者丁若鏞的四書學：以東亞為視野的討論》 蔡振豐著 臺北市：國立臺灣大學出版中心 351 頁 2010 年 2 月

丁若鏞（1762－1836），號茶山，朝鮮京畿道廣州郡人，祖籍全羅道羅州。茶山在李氏朝鮮時期曾任十多年官職，後因其天主教信仰，而在「辛酉教獄」一案中遭受到迫害。茶山是朝鮮著名的思想家與實業家，因此他的著作也涵蓋了經學與經世學兩大領域。一般而言，朝鮮的朱子學研究大抵區分為「主理」與「主氣」兩大學派，前者以「退溪學派」為代表，後者以「栗谷學派」為代表，爭論延續了數百年。而茶山則多因其西學（天主教）和實學（即反性理學）的背景，而被視為是反朱子學的一派。然蔡振豐教授在本書中，卻透過對茶山著作的詳細考察，發現茶山雖然反對朱子的「理」、「氣」架構，但並不反對朱子所提出的「人心」、「道心」的區分，且在許多方面，茶山也都大致遵從朱子對四書的判斷，因此蔡教授認為，將茶山視為「後朱子學」一派，當更能合乎實情。此外，在對四書文獻的詮釋上，蔡教授判斷茶山的四書學理論，當更接近洙泗舊學，而遠於天主教的教義。這項判斷，有助於釐清西學在茶山思想中的角色。

本書分為八章。第一章「問題與方法」，第二章「丁若鏞與朱熹四書詮釋取向之異」，第三章「丁若鏞人性論與洙泗學、朱子學及西學間的距離」，第四章「人性論的延伸：丁若鏞四書詮釋中『仁』、『心』、『性』、『天』的理論意義」，第五章「主體性與交互主體性的開展：丁若鏞的文質論」，第六章「丁若鏞《中庸》詮釋之特色：與日本古學派的對比」，第七章「丁若鏞的《大學》詮釋及其四書學架構」，第八章「結論」。書前有黃俊傑教授替本書寫的序，書後附有「參考書目」、「人名索引」和「名詞索引」，以便讀者參考利用。 （陳韋哲）

論語輯釋

《論語輯釋》 陳大齊著，周春健校訂 北京市：華夏出版社 267 頁 2010 年 1 月

陳大齊（1886－1983），字百年，浙江海鹽人。先生幼年曾入私塾，後來到日本和德國留學，先後取得了東京帝國大學文科哲學門與柏林大學西洋哲學研究兩個學位。在大陸時期，曾任教於北京政法專門學校與北京大學哲學系、心理學系等，還擔任過北京大學的代理校長；1949 年來到臺灣，先後任教於臺灣大學、臺灣師範大學、政治大學等校，並且曾經擔任過政治大學的校長。先生一生鑽研心理學與哲學，並用其所擅長的邏輯、解析能力，來分析《論語》、《孟子》等傳統經典。著有《論語臆解》、《孔子學說論集》、《孔子學說》、《孔子言論貫通集》等，與《論語》或孔子思想有關的著作。

《論語輯釋》是陳大齊先生的遺稿，為其友人整理先生的手稿而刊行於世。內容旨在摘錄阮元《皇清經解》中，涉及《論語》之句讀、校勘、訓詁、文法、考證等文字，並間輯部分宋儒和近人的說法，以便讀者查閱。根據陳治世替先生寫的序當中表示，先生輯《輯釋》，意在效法何晏作《集解》、朱熹撰《集注》之舉，為彙集眾說以成書者也。

本書今由廣州中山大學哲學系古典學研究中心的周春健教授點校出版。周教授與所屬單位近年來點校了不少古籍，對學術界貢獻良多。《論語輯釋》的點校，是以 1990 年臺灣商務印書館出版的刊本為底本進行校訂，並施加新式標點符號，以方便讀者閱讀。此外，《輯釋》原稿中有僅輯錄注解而不抄錄《論語》原文者（或抄錄不完全），周教授都予以補錄；而原稿所錄《皇清經解》中，偶有筆誤或脫文者，也都根據《經解》本文補正。（陳韋哲）

論語本解

《論語本解》 孫欽善著 北京市：三聯書店 368 頁 2009 年 4 月

孫欽善，1934 年生，山東乳山人，現任北京大學中文系教授暨博士生導師。曾出版過《論語注譯》（巴蜀書社，1990 年）、《插圖本中國文學小叢書——論語、孟子》（孫教授撰寫《論語》部分；春風文藝出版社，1999 年）、《正平版《論語集解》校點》（收入《儒藏》104 冊；北京大學出版社，2007 年）和《定州漢墓竹簡《論語》校點》（收入《儒藏》281 冊；北京大學出版社，2007 年）等與整理《論語》文獻有關的著作。《論語本解》一書，是孫教授在《論語注譯》的基礎上補充修訂而成的。

全書分作「注譯」和「附論」兩個部分。「注譯」部分是逐篇逐章地對《論語》的本文進行校點、注解與翻譯。孫教授表示，歷來注解《論語》的著作可謂汗牛充棟，近世以來的翻譯讀本亦不在少數，但卻仍有不少缺憾。古代的《論語》注釋，因為時代的隔閡（歷史侷限性），已不能普及於大多數的讀者。而今人的譯注又往往偏重於語言文字的解釋，而缺乏對思想內容的闡釋；或者只是進行思想內容的闡釋，而忽略了字詞的準確音義與時代背景的考述。孫教授以他多年來整理《論語》文獻的經驗，希望能在本書中同時達到闡明字詞本義與發揮孔子思想兩方面的作用，並且主張「以經證經」，特別是用《論語》裡頭他章的話來證成此章的觀點、解釋。例如〈子罕〉中有「子罕言利與命與仁」一章，孫教授認為《論語》中的「連詞」沒有在幾個並列成分間接連出現的情況，如「子見齊衰者、冕衣裳者與瞽者」（〈子罕〉），「與」字只一見，而非作「子見齊衰者與冕衣裳者與瞽者」，是知「與命」、「與仁」之「與」，不作「連詞」解。又《論語》中有「與其進也，不與其退也」（〈述而〉）和「吾與點也」（〈先進〉）的「與」字皆作「贊同」解，是知此章當斷作「子罕言利，與命，與仁」，「與」亦作「贊同」解，表示孔子雖罕言利，但對於命、仁這些概念卻是「贊同」而非「罕言」的。

「附論」部分則是收錄了五篇文章，分別是：〈孔子的時代和生平〉、〈《論語》的成書流傳和整理〉、〈《論語》和孔子的思想內涵及其歷史影響、現實意義〉、〈《論語》的語言價值和文學價值〉、〈《春秋》及三傳中有關孔子和《論語》史料的文獻價值〉。這些文章可以充實我們的背景知識，也可以幫助我們更深刻地讀好《論語》。

（陳韋哲）

日本人讀《論語》：澀澤榮一《論語》言習錄

《日本人讀《論語》：澀澤榮一《論語》言習錄》　〔日〕澀澤榮一著，李均洋、〔日〕佐藤利行譯審　北京市：中國工人出版社　437頁　2010年10月

《論語》一書，在漢代已頗受重視，雖然還沒有被提升到「經」的地位，但其重要性已僅次於「六藝」，這從《漢書》〈藝文志〉中的排序便可見得一斑。《論語》是一部記載孔子與弟子、時人言談問答的語錄，當中充滿了孔子修身、處世的智慧。該書在西元第三、四世紀左右先後傳到了朝鮮、日本等國，也對這些國家的政治、社會，乃至於文化產生了重大的影響。尤其在聖德太子（574－622）參考《論語》來制定《十七條憲法》之後，《論語》中的價值觀念更是深烙在日本民眾的心中。澀澤榮一（1840－1931）是日本近代著名的實業家，被譽為「日本資本主義之父」，著有《論語與算盤》、《日本人讀《論語》》等書。澀澤在《論語與算盤》一書中企圖建立「義利合一」的觀念，教人若要從商，便必須以道德作為準則，來謀取適當的利益，導正了以往對於「仁義與富貴必然衝突」的誤解。而在《日本人讀《論語》》中，澀澤更進一步地去詮釋《論語》中的各個章節，對生難字詞加以「注釋」。「注釋」之外還有「講義」，「講義」的部分是本書的重點，也是表達澀澤思想的核心。他往往在注解完《論語》的一章之後，會再以日本的社會、文化，甚至自己的工作、生活為例，來重新闡釋該章。如「君子喻於義，小人喻於利」一章，他便認為想要創業或擴大經營，卻把利潤置之度外，這是不被允許的。但是如果只考慮利潤，沒有利潤就不去做，那麼原本該是社會需要的事業也就無從發展了。因此，所謂的「喻於義」，便是在「道義」上應該去做的事，就要想辦法制訂出一套使該事業興盛的計畫，而不是倒果為因，只看利潤之有無來決定做或者不做。

本書由李均洋、佐藤利行二位負責全書的譯審與統稿，參與翻譯的尚有張立新、王璇、楊姍、孔繁志、胡聰、徐萌、王麗娜、張漫、曾苗苗、霍瑞欣、李濯凡、劉靜、夏鵬翔、邱岭、吳芳玲等人。（陳韋哲）

經學、制度與生活——《論語》「父子相隱」章疏證

《經學、制度與生活——《論語》「父子相隱」章疏證》 陳壁生著 上海市：華東師範大學出版社 271頁 2009年10月

本書旨在打破過去傳統的、僵化的學科分類，從中國典籍對生活、社會、政治制度所產生的影響，探討中國政治哲學的意義、內涵和詮釋、運用。《論語・子路》：「葉公語孔子曰：『吾黨有直躬者，其父攘羊，而子證之。』孔子曰：『吾黨之直者異於是。父為子隱，子為父隱，直在其中矣。』」全書以《論語》的這段話為主軸，從經學、制度、生活三個層面對這則話所體現的「父子相隱」觀念進行分析。直躬證父的故事在諸子學說中經過數百年的嬗變，到漢代，「父子相隱」思

想進入《春秋公羊傳》與《白虎通》中，成為帝國政制的大經大法。同時，在制度儒學化的過程中，「父子相隱」思想不斷用於政治建構，到了唐代，則制度化為刑律中「同居相為容隱」，並延續到清末。在生活層面裡，制度化的「父子相隱」影響了傳統華夏的社會生活，並塑造了人們的思想方式。總之，本書以「父子相隱」為例，描述了一個傳統觀念從生活世界中發生，走向制度化，最後隨著制度的變遷而消失的過程。

全書分為十章，第一章〈經學、制度與生活〉在定義今天我們該如何面對華夏古典學問，也就是如何重新認識經學。第二章〈解釋〉，闡述歷代《論語》解釋者如何看待「父子相隱」這段話，並如何通過對這則對話的重新解釋來復活經典的精神。第三章〈倫理〉，作者是從直與隱、父與子、家與國三組關係來討論孔子思想中的「父子相隱」。第四章〈故事〉，從知識社會學的角度證明，春秋戰國禮崩樂壞之後，幾本經典著作透過「直躬證父」的故事梗概，發展出完全不同的故事情節，並在其中建構了不同的思想。第五至七章分別為〈經學〉、〈政治〉、〈刑法〉，兩漢時期，孔子的「父子相隱」思想，進入政治生活中，對政治生活產生巨大影響，這種影響分三個層面：一是經學的微言大義，二是政治層面的鹽鐵會議，三是刑律的《春秋》決獄。第八章〈律典〉，孔子的「父子相隱」思想，經過漢代政治中的不斷言說，最終在《唐律》中確立，並由後世刑律所傳衍，乃至成為古代中國傳統思想富有特色的一種性格。第九章〈生活〉，本章探討了「親親相隱」與「大義滅親」在制度的設計和道德的要求上，所分別扮演的角色；以及「誅不避親」和「大義滅親」在皇權敘事與民間敘事作用。第十章〈終結〉則回顧了近代的中國變局對中國「父子相隱」制度所產生的衝擊，而後，在強調階級鬥爭的年代，社會結構從國家本位轉向階級本位，「家」的意義被「階級」意義覆蓋，親情的意義被「革命」的標準覆蓋，從而導致「父子相隱」及其在古代、現代兩次建制，都成為落後的思想觀念和制度，最終隨著「家」的意義淡化，而完全被拋棄。

陳壁生，1979 年 10 月出生於廣東潮陽。本科就讀於汕頭大學行政管理專業，中山大學哲學系博士，現任教於中國人民大學國學院。著有《激變時代的精神探尋》（北京大學出版社 2005 年 9 月出版），編有《2004：人文中國》、《2005：人文中國》（與林賢治先生合編，分別由廣東人民出版社於 2005 年 1 月、2006 年

1 月出版），在《書屋》、《社會科學論壇》、《鳳凰週刊》等刊物發表文章多篇。 （張琬瑩）

大學衍義

《大學衍義》 〔宋〕真德秀著，朱人求校點 上海市：華東師範大學出版社 784 頁 2010 年 9 月

真德秀（1178－1235），號西山，福建浦城人。西山為南宋著名的理學家，私淑朱熹之學，人稱「小朱子」，與同時代的魏了翁（鶴山）「志同氣合」。朱子之學在寧宗慶元年間曾遭禁絕，後來在西山與其他朱門弟子的努力之下，才逐漸重拾其學術發言權，因此西山於朱學實功不可沒。

《大學衍義》一書為西山學術之代表作，書中紹承程朱，標舉帝王之學，並確立了程朱理學在官方的正統地位。此書是西山罷官復出後，上呈理宗皇帝的著作。全書以君王為預設的讀者進行創作，期望理宗以《大學》的精神勵精圖治。《大學》原為《禮記》中的一篇，至宋代始為司馬光所表彰，後二程、朱子將之視為理學的核心文本，朱子更是以《大學》初入德之門，而設想以《大學》的架構去審視其他經典。朱子的這個設想，最終實現在西山的《大學衍義》之上。《大學衍義》遵從宋人「以義求經」的詮釋原則，先確立了「帝王為治之序」、「帝王為學之本」二綱，承之以「格物致知」、「正心誠意」、「修身」、「齊家」四目，四目之下又有子目。根據這個詮釋框架和義理脈絡，去尋找經典中相符合的證據，即變孔子「以《大學》衍六經」為「以六經衍《大學》」（明人丁辛語）。《大學》原是以修身為本的內聖之學，西山將之轉化，而在《大學衍義》中彰顯出《大學》的外王特質。書中既以經證史，以明道體；復以史證經，以知其功用。表達上，為吸引君主的閱讀，而增加了故事體例的篇幅，更多了其可看性。

本書由朱人求教授點校，書前附有〈點校說明——《大學衍義》的思想及其影響〉，書後附有諸家對於《大學衍義》的序跋、提要，大大增加了這個點校本的學術價值。 （陳韋哲）

大學類解

《大學類解》　于文斌編著　長春市：吉林出版社　159 頁　2010 年 10 月

作者于文斌，1952 年生，吉林省梨樹縣人。作者自 2002 年以來，先後撰寫了《論語類解》、《孟子類解》、《大學類解》和《中庸類解》四本書，以弘揚和普及儒家文化。2006 年，作者應吉林大學校長周其鳳院士之邀，到吉林大學作了「儒家的思想精髓與中國的道德建設」的學術演講，得到了該校師生相當的好評。

《大學》是儒家的重要經典，與《論語》、《孟子》、《中庸》合為「四書」。《大學》原是《禮記》中的一篇，在北宋前未曾有過單行本行世。北宋仁宗天聖八年（1030），賜進士王拱辰《大學》之後，凡是考試及第者，或賞賜《大學》，或賞賜《中庸》，或賞賜《儒行》，於是方有《大學》單行本問世，自此為單行本《大學》作注者有之，但都沒有使《大學》地位顯赫。直到朱熹采納二程之說，對《大學》加以整理、增刪，成《大學章句》之書，給其與《論語》、《孟子》、《中庸》相同的地位，其後《四書》列入考試標準教材，至此《大學》就成為士子登途入仕的必讀書目，而風行天下。朱熹的《大學章句》與《禮記》原本內容次第有所不同，是朱熹自己改訂的。《禮記》中的《大學》原本不分「經」和「傳」，朱熹則將原本分為「經」一章、「傳」十章，「傳」的次序也作了改動，並且增補了「格物致知」一章。這種改動雖然引起了後儒的批評，但是其流傳已久，世人更覺朱熹的改本讀來條理暢明。

本書即是以朱熹的本子為基礎，結構分為五個方面：首先是一章的導言，主要說明通章的大義；其次是引用原文；其三是針對原文的個別字詞逐一注釋；其四則是將原文作白話的譯解；其五是評析一章的要旨、思想和影響等方面，較屬於作者的個人闡發和論述。作者認為《大學》的中心論述主要是「教育」的問題，因此本書「附錄」也本著這個中心安排，附錄了《論語》、《孟子》、《中庸》關於教育的記述。此外，還附錄了「《學記》解讀」一篇，由於《大學》和《學記》同出於《禮記》，兩篇互有補充，對於完整系統地了解古代的教育方針、原則和具體操作方法有所裨益。

（張琬瑩）

中庸類解

《中庸類解》 于文斌編著 長春市：吉林出版社 209頁 2010年10月

《中庸》的作者過去一般認為是孔子之孫孔伋（子思）。《史記·孔子世家》說：「子思作《中庸》。」程頤也說：「此篇乃孔門傳授心法，子思恐其久而差也，故筆之於書以授孟子。」朱熹也說：「《中庸》何為而作也，子思憂道學之失其傳而作也。」對於《中庸》注疏的整理，貢獻最大者為宋代的朱熹，主要在三個方面：第一是將其從《禮記》中抽出後，將其列為「四書」之一，從而鞏固了《中庸》的地位，提升了《中庸》的影響力；第二是在《中庸》原著的基礎上，進行審慎的整理，他並沒有改動原文的次序，也沒有像對《大學》那樣，既調整了順序又作了增寫，而是按找《中庸》內容劃分為 33 章，從而使《中庸》全書的脈絡層次更為清楚；第三是朱熹對《中庸》的注疏，不單單只作文字注釋，而是廣采前人研究成果，側重闡發其義理，從而化解了《中庸》的艱澀與深奧，為《中庸》思想的普及和傳播創造了條件。

本書則是作者根據前人研究成果，在不改變原書編排順序的前提下（朱熹的順序），依其結構作了再「清晰」的編排，分為：宗旨篇（一章）、明道篇（二至十一章）、行道篇（十二至二十章）、成道篇（二十一至三十二章）、叮嚀篇（三十三章）。結構上則與《大學類解》一樣，分為五個方面：首先是一章的導言，主要說明通章的大義；其次是引用原文；其三是針對原文的個別字詞逐一注釋；其四則是將原文作白話的譯解；其五是評析一章的要旨、思想和影響等方面，較屬於作者的個人闡發和論述。本書還根據「中庸」這一中心主題，附錄了《大學》、《論語》、《孟子》、《荀子》關於「中庸」的論述。《中庸》是明道之書，孔子說：「道者，所以明德也；德者，所以尊道也。」明其道而升其德，做一個道立身修、澡身浴德的君子，是《中庸》的目的。但《中庸》所論，重點是「道」，而「德」並沒有做具體詳盡的展開，因此本書為補充這一方面的內容，還附錄了《儒行》一篇，使讀者可以相互參考。 （張琬瑩）

古文孝經解讀

《古文孝經解讀》 刑祖援、陳景新著 上海市：上海三聯書店 207頁 2010年8月

孝經是《十三經注疏》中篇幅最小的一部經典。漢代有今文、古文兩種版本，分別由鄭玄作注和孔安國作傳。至唐代唐玄宗李隆基融合今古文兩家，親自為《孝經》作注，並命元行沖作疏後，頒行天下，鄭、孔兩家之注逐漸消亡。

本書《古文孝經》全篇一千八百多字，由三百八十三個不同的齊魯古文字組成，試圖以原初文章《孔壁孝經》的形式呈顯。由臺灣刑老搜集孔壁古文字體重新書寫，試圖還原古文孝經的原貌。其底本採用《四庫全書》唐明皇李隆基欽定御批《孝經》，同時參考許慎《說文解字》中所收藏的兩百四十一字古文，並於甲骨、竹簡、青銅器等材料上加以蒐集整理相關字體，前後增補一百四十二字。書前除了由陳景新為之序及解讀《古文孝經》基本經義外，以淺顯易懂的方式，結合時事，對海峽兩岸、近代事件，重新反省。作者旨在藉由經書新解，弘揚儒家的孝道觀念。書末附錄有其三：其一〈十六幅賀表的說明〉（附小篆體原文），由刑老親筆書寫十六個不同字形的篆文福字，並由陳景新釋義和排列順序，十六個福圍成的圓叫做福地，可作為消災祈福之用。其二〈千古唯一的狀元卷：問政之心與帝王之心〉，選用明萬曆二十六年第一甲狀元趙秉忠的殿試卷，陳景新為之注，藉此卷說明孝治與聖治之間的關係，進而反省時事，弘揚孝說。其三〈西方之孝是「丁」，東方之孝是是「十」〉，陳景新認為中國「十」字之孝與西方「丁」字之孝，最大的差別在於歷史長河的認識方法，中國的孝是家法、宗族以至家國天下，西方的孝則偏重個人主義，以肯定的態度對中國模式發展的核心價值觀，重新給予評價。

綜觀全書，旨在弘揚孝道。以孝治身，以孝治家，以孝治國，以孝平天下。

以從俗就簡的方式，重新解讀《孝經》，以達教化人心之用。

邢祖援，江蘇淮陰人，原黃埔軍校十期生，畢業於陸軍官校、步兵學校、指參學院、國防大學。曾任營、團長、港口司令、指揮官；國防部副司、廳、局長；行政院參事、主任、處長、主秘、國安會研究委員；兼任大學教授。性嗜翰墨，尤長篆書著。相關著作有《後支量、攜行量、補給量》、《現代管制考核制度》、《計

畫理論與實務》、《整體規劃探微》、《篆文研究與考據》、《規劃與控制》、《中文聖經字辭釋義》、《邢氏源流及世系概述》、《志趣、論政、懷舊》、《篆書研究與習作選輯》、《古文孝經》等書。陳景新，祖籍胡埭，無錫市第一中學1966屆初三乙班畢業生。

（吳玫燕）

生民之本：《孝經》的哲學詮釋及英譯

《生民之本：《孝經》的哲學詮釋及英譯》　〔美〕羅思文、安樂哲著，何金俐譯　北京市：北京大學出版社　170頁　2010年6月

「孝」是中國儒家思想中核心價值之一，也是發展傳統倫理的根本條件。而《孝經》是儒家思想中講解孝道的重要典籍，在中國的十三經中，《孝經》雖然字數最少，大約只有一千八百多字，內容也淺顯不艱澀，卻是流傳影響最深遠的著作。《孝經》之本義，在於孝悌父母兄弟，進而推行於天下，而成仁義大道。故〈開宗明義章〉言：「夫孝，始於事親，中於事君，終於立身。」

本書是北京大學出版社所出版的海外中國哲學叢書的系列之一。在全球化的世界中，中國傳統經典文化的研究也隨之無國界，而本書的兩位著者都是海外研究中國哲學的大家，對於《孝經》有詳細精湛的研究。

本書前有著者的序言與致謝感言；其次正文共分為第一部分：導論與第二部分：《孝經》譯解；後有參考書目、索引與譯者後記。導論的部分首先將《孝經》的歷史、哲學與宗教等背景作敘述探討，其後《孝經》譯解的部分則是將《孝經》總共十八章的內容以中文原文與英文譯文並列，以供讀者參考。

著者羅思文，是馬里蘭大學聖瑪麗學院的教授，主要著作有《中國之鏡》、《理性與宗教體驗》等。

著者安樂哲，是夏威夷大學哲學系教授，於1987年獲得倫敦大學哲學博士學位，曾擔任夏威夷大學中國研究中心主任。安樂哲教授是著名的中國經典翻譯家，曾將中國一些重要的典籍翻譯成英文，例如《論語》、《道德經》等。並且還出版了一系列國際知名的中國哲學專著，例如《通過漢代而思》、《通過孔子而思》等。

（莊喬惠）

爾雅普通語詞研究

《爾雅普通語詞研究》 李冬英著 石家莊市：河北人民出版社 425頁 2010年10月

本書係作者博士論文修改後付梓。共分七章，書前有〈自序〉、〈凡例〉，書末有〈參考文獻要目〉、〈後記〉。首章〈爾雅概說〉，根據《爾雅》一書的淵源、作者、成書、內容、傳本以及研究現況等基本問題作一梳理；次章〈爾雅普通語詞的義訓〉，從釋詞與被訓詞的對應關係、鄰近釋條釋詞義的差異以及透由追溯古籍相應的用例三方法來分析《爾雅》中的義訓；三章〈爾雅普通語詞的用字現象〉，將《爾雅》中所存在的古今字、通假字、通用字、異體字等用字現象進行整理，以利於學者對於釋條義訓內容的掌握；四章〈爾雅普通語詞的釋義條例〉，筆者按被訓詞語的性質與數量，兼顧說解方式，將《爾雅》釋義條例歸納為「獨詞為訓」、「多詞為訓」、「輾轉為訓」、「摘句為訓」四類，說明其釋義條例中的特色；五章〈爾雅普通語詞的結構層次〉，力圖從理論上闡述劃分其條例原則，以還原《爾雅》釋條原始面貌，並針對《爾雅》解例與形態、〈釋詁〉、〈釋言〉、〈釋訓〉的編排加以分析其特色；六章〈爾雅普通語詞的價值〉，試從解讀古籍、遺惠注疏、沾溉學林、開創雅學、推衍同義五大面向去說明《爾雅》的重要性與其價值性；末章〈爾雅普通語詞的歷史局限性〉，總結《爾雅》一書的時代限制，從義訓偶有失誤、義訓有時不到位、義訓有時寬泛、義訓有時難求、義訓有時重複、收詞偶爾不合理六大面向去反省《爾雅》所受時代的約束，雖《爾雅》一書編排收錄時，仍有許多闕漏，但置於當時代背景中，有其價值與意義，不應受限於時代而否定本書的存在。

綜觀全書，對於《爾雅》普通語的研究由面及點，全面性的探討《爾雅》普通語詞中所隱藏的問題。其中將歷來注家郭璞、邢昺、邵晉涵、郝懿行以及近人徐朝華、胡奇光等人對《爾雅》普通語詞釋條劃分的分歧，從理論上重新闡釋劃分釋條的原則，定其分合標準，總結了歷來釋條劃分的混亂情況，試圖展示釋條的原貌，是值得研究者參考！

李冬英（1981－），河北臨西人。2007 年獲得河北師範大學文學院碩士學位，2011 年山東大學和語言文字專業博士學位，主要研究方向為漢語史。相關期刊發表有：〈爾雅解釋詩經語句〉、〈說文解字「某與某同意」淺析〉、〈陸佃爾雅新義管窺〉等篇。 （吳玫燕）

經　學　研　究　論　叢
第　十　九　輯　　頁439～446
臺灣學生書局　2011 年 11 月

2010 年度經學期刊目次

一、本專欄收錄 2010 年 1 月－2010 年 12 月國內外最出版之經學專門期刊目次，以供研究者檢索查閱。

二、各期刊之著錄項，分別依期刊名、卷期、主編者、出版地及機構、頁數（冊數）、出版年月等項排列。

三、歡迎各界人士提供與本專欄性質相符之著作，以便推介，來書請寄臺北市和平東路一段 75 巷 11 號臺灣學生書局《經學研究論叢》編輯部收。

中國經學　第六輯

彭林主編　桂林市：廣西師範大學出版社　194 頁　2010 年 6 月

中國經學 第七輯

彭林主編 桂林市：廣西師範大學出版社 238 頁 2010 年 10 月（紀念沈文倬先生逝世周年專輯）

孔子學刊　第一輯

楊朝明主編　上海市：上海古籍出版社　243頁　2010年12月

詩經研究叢刊　第十七輯

中國詩經學會、河北師範大學編　北京市：學苑出版社　385 頁　2009 年 6 月

（第八屆『詩經』國際學術研討會論文選刊之二）

詩經研究叢刊　第十八輯

中國詩經學會、河北師範大學編　北京市：學苑出版社　286 頁　2010 年 5 月

《經學研究論叢》撰稿格式

本《論叢》為方便編輯作業，謹訂下列撰稿格式：

一、各章節使用符號，依一、(一)、1.、(1)……等順序表示；文中舉例的數字標號統一用 (1)、(2)、(3)……。

二、所有引文均須核對無誤。各章節若有徵引外文時，請翻譯成流暢達意之中文，於註腳中附上所引篇章之外文原名，並得視需要將所徵引之原文置於註腳中。

三、請用新式標號，惟書名號改用《 》，篇名號改用〈 〉。在行文中，書名和篇名連用時，省略篇名號，如《莊子・天下篇》。若為英文，書名請用斜體，篇名請用 “ ”。日文翻譯成中文，行文時亦請一併改用中文新式標號。

四、獨立引文，每行低三格；若需特別引用之外文，也依中文方式處理。

五、注釋號碼請用阿拉伯數字隨文標示。

六、注釋之體例，請依下列格式：

(一)引用專書：

1. 王夢鷗：《禮記校證》（臺北市：藝文印書館，1976 年），頁 102。
2. 孫康宜著，李奭學譯：《陳子龍柳如是詩詞情緣》，增訂本（西安市：陝西師範大學出版社，1998 年），頁 21－30。
3. Mark Edward Lewis, *Writing and Authority in Early China* (Albany: State University of New York Press, 1999), pp. 5-10.
4. René Wellek and Austin Warren, *Theory of Literature*, 3rd ed. (New York: Harcourt, 1962), p. 289.
5. 西村天囚：〈宋學傳來者〉，《日本宋學史》（東京都：梁江堂書店，1909 年），上編（三），頁 22。
6. 荒木見悟：〈明清思想史の諸相〉，《中國思想史の諸相》（福岡市：中國書店，1989 年），第二篇，頁 205。

(二)引用論文：

1. 期刊論文：

(1) 王叔岷：〈論校詩之難〉，《臺大中文學報》第 3 期（1979 年 12 月），頁 1－5。

(2) 林慶彰：〈民國初年的反詩序運動〉，《貴州文史叢刊》1997 年第 5 期，頁 1－12。

(3) Joshua A. Fogel, "'Shanghai-Japan': The Japanese Residents' Association of Shanghai," *Journal of Asian Studies* 59.4 (Nov. 2000): 927-950.

(4) 子安宣邦：〈朱子「神鬼論」の言說的構成——儒家的言說の比較研究序論〉，《思想》792 號（東京都：岩波書店，1990 年），頁 133。

2. 論文集論文：

(1) 余英時：〈清代思想史的一個新解釋〉，《歷史與思想》（臺北市：聯經出版事業公司，1976 年），頁 121－156。

(2) John C. Y. Wang, "Early Chinese Narrative: The *Tso-chuan* as Example," in *Chinese Narrative: Critical and Theoretical Essays*, ed. Andrew H. Plaks (Princeton: Princeton University Press, 1977), pp. 3-20.

(3) 伊藤漱平：〈日本における『紅樓夢』の流行——幕末から現代までの書誌的素描〉，收入古田敬一編：《中國文學の比較文學的研究》（東京都：汲古書院，1986 年），頁 474－475。

3. 學位論文：

(1) 吳宏一：《清代詩學研究》（臺北市：臺灣大學中文研究所博士論文，1973 年），頁 20。

(2) Hwang Ming-chorng, "*Ming-tang*: Cosmology, Political Order and Monument in Early China" (Ph.D. diss., Harvard University, 1996), p. 20.

(3) 藤井省三：《魯迅文學の形成と日中露三國の近代化》（東京都：東京大學中國文學研究所博士論文，1991 年），頁 62。

(三)引用古籍：

1. 原書只有卷數，無篇章名，註明全書之版本項，例如：

(1) 〔宋〕司馬光：《資治通鑑》（〔南宋〕鄂州覆〔北宋〕刊龍爪本，約西元 12 世紀），卷 2，頁 2 上。

(2)〔明〕郝敬：《尚書辨解》（臺北：藝文印書館，1969 年《百部叢書集成》影印《湖北叢書》本），卷 3，頁 2 上。

(3)〔清〕曹雪芹：《紅樓夢》第一回，見俞平伯校訂，王惜時參校：《紅樓夢八十回校本》（北京市：人民文學出版社，1958 年），頁 1－5。

(4) 那波魯堂：《學問源流》（大阪市：崇高堂，寬政十一年〔1733〕刊本），頁 22 上。

2. 原書有篇章名者，應註明篇章名及全書之版本項，例如：

(1)〔宋〕蘇軾：〈祭張子野文〉，《蘇軾文集》（北京市：中華書局，1986 年），卷 63，頁 1943。

(2)〔梁〕劉勰：〈神思〉，見周振甫著：《文心雕龍今譯》（北京市：中華書局，1998 年），頁 248。

(3) 王業浩：〈鴛鴦塚序〉，見〔明〕孟稱舜撰，〔明〕陳洪綬評點：《節義鴛鴦塚嬌紅記》，收入林侑蒔主編：《全明傳奇》（臺北市：天一出版社影印，出版年不詳），王序頁 3a。

3. 原書有後人作註者，例如：

(1)〔魏〕王弼著，樓宇烈校釋：《老子周易王弼注校釋》（臺北市：華正書局，1983 年），上編，頁 45。

(2)〔唐〕李白著，瞿蛻園、朱金城校注：〈贈孟浩然〉，《李白集校注》（上）（上海市：上海古籍出版社，1998 年），卷 9，頁 593。

4. 西方古籍請依西方慣例。

(四)引用報紙：

1. 余國藩著，李奭學譯：〈先知・君父・纏足——狄百瑞著《儒家的問題》商榷〉，《中國時報》第 39 版（人間副刊），1993 年 5 月 20－21 日。

2. Michael A. Lev, "Nativity Signals Deep Roots for Christianity in China," *Chicago Tribune* [Chicago] 18 March 2001, Sec. 1, p. 4.

3. 藤井省三：〈ノーベル文學賞に中國系の高行健氏：言語盜んで逃亡する極北の作家〉，《朝日新聞》第 3 版，2000 年 10 月 13 日。

(五)再次徵引：

1. 再次徵引時可隨文注或用下列簡便方式處理，如：

註 1 王叔岷：〈論校詩之難〉，《臺大中文學報》第 3 期（1979 年 12 月），頁 1。

註 2 同註 1。

註 3 同註 1，頁 3。

2. 如果再次徵引的註不接續，可用下列方式表示：

註 9 王叔岷：〈論校詩之難〉，頁 5。

3. 若為外文，如：

註 1 Patrick Hanan, "The Nature of Ling Meng-ch'u's Fiction," in *Chinese Narrative: Critical and Theoretical Essays*, ed. Andrew H. Plaks (Princeton: Princeton University Press, 1977), p. 89.

註 2 Hanan, pp. 90-110.

註 3 Patrick Hanan, "The Missionary Novels of Nineteenth-Century China," *Harvard Journal of Asiatic Studies* 60.2 (Dec. 2000): 413-443.

註 4 Hanan, "The Nature of Ling Meng-ch'u's Fiction," pp. 91-92.

註 5 那波魯堂：《學問源流》（大阪：崇高堂，寬政十一年〔1733〕刊本），頁 22 上。

註 6 同前註，頁 28 上。

(六)注釋中有引文時，請註明所引註文之出版項。

(七)注解名詞，則標註於該名詞之後；注解整句，則標註於句末標點符號之前；惟獨立引文時放在標點後。

七、徵引書目：

文末所附徵引書目依作者姓氏排序，中文在前，外文在後；中文依筆畫多寡，日文依漢字筆畫，若無漢字則依日文字母順序排列，西文依字母順序排列。若作者不詳，則以書名或篇名之首字代替。若一作者，其作品在兩種以上，則據出版時間為序。如：

王叔岷：〈論校詩之難〉，《臺大中文學報》第 3 期，1979 年 12 月，頁 1－5。

王汎森：〈明末清初的一種道德嚴格主義〉，收入郝延平、魏秀梅編：《近世中國之傳統與蛻變——劉廣京院士七十五歲祝壽論文集》，臺北市：中央研究院近代史研究所，1998 年。

尤侗：《西堂雜組三集》，《尤太史西堂全集》，收入《四部禁燬書叢刊・集部》第 129 冊，北京市：北京出版社，2000 年。

余英時：《歷史與思想》，臺北市：聯經出版事業公司，1976 年。

———：《宋明理學與政治文化》，臺北市：允晨文化實業公司，2004 年。

《清平山堂話本》，收入《古本小說集成》，上海市：上海古籍出版社，1993 年。

西村天囚：《日本宋學史》，東京都：梁江堂書店，1909 年。

伊藤漱平：〈日本における『紅樓夢』の流行——幕末から現代までの書誌的素描〉，收入古田敬一編：《中國文學の比較文學的研究》，東京都：汲古書院，1986 年。

Sommer, Matthew. *Sex, Law, and Society in Late Imperial China*. Stanford, CA: Stanford University Press, 2000.

Zeitlin, Judith. "Shared Dreams: The Story of the Three Wives' Commentary on *The Peony Pavilion*." *Harvard Journal of Asiatic Studies* 54.1(1994): 127-179.

八、其他體例：

(一)年代標示：文章中若有年代，儘量使用國字，其後以括號附註西元年代，西元年則用阿拉伯數字。

1. 司馬遷（145－86 B.C.）
2. 馬援（14B.C.－49 A.D.）
3. 道光辛丑年（1841）
4. 黃宗羲（梨洲，1610－1695）
5. 徐渭（明武宗正德十六年〔1521〕—明神宗萬曆十一年〔1593〕）

(二)若文章中多次徵引同一本書之材料，為清耳目，可不必作註，而於引文下改用括號註明卷數、篇章名或章節等。

九、徵引資料來自網頁者，需加註網址。

十、英文稿件請依 *Harvard Journal of Asiatic Studies* 之最新格式處理。

十一、投稿注意事項：

(一)文稿檔案一律請附：篇名、作者姓名（含學校職級），以利作業。

(二)來稿請另紙註明中文姓名、服務機構、職稱、通訊地址、電話（含行動電話）或傳真號碼、電子信箱，以便聯繫。

(三)請務必附上 WORD 文字電子檔案，若未附者，恕無法刊登；如有特殊造字，請另附 PDF 檔。

(四)為提昇「本論叢」正確度及學術性，爾後「二校稿」一律由作者自校，並請務必依上揭撰稿格式撰稿，若投稿人無法配合，來稿恕無法刊登。

十二、投稿方式：

(一)逕交或寄送（以下二處擇一）：

1. [10643] 臺北市大安區和平東路一段 75 巷 11 號 1 樓
臺灣學生書局經學研究論叢編輯部

2. [11529] 臺北市南港區研究院路二段 128 號
中央研究院中國文哲研究所經學研究室。

(二)或以電子郵件寄送至以下位址：

cltwst@gmail.com

請在「主旨」中註明「經學研究論叢投稿稿件」。

國家圖書館出版品預行編目資料

經學研究論叢・第十九輯

林慶彰主編.— 初版.—臺北市：臺灣學生，2011.11
面；公分

ISBN 978-957-15-1554-0 (平裝)

1. 經學 2. 文集

090.7 100024339

經學研究論叢・第十九輯 (全一冊)

主編者：林慶彰
執行編輯：馮曉庭
出版者：臺灣學生書局有限公司
發行人：楊雲龍
發行所：臺灣學生書局有限公司
臺北市和平東路一段七十五巷十一號
郵政劃撥帳號：00024668
電話：(02)23928185
傳眞：(02)23928105
E-mail：student.book@msa.hinet.net
http：//www.studentbook.com.tw
本書局登記證字號：行政院新聞局局版北市業字第玖捌壹號
印刷所：長欣印刷企業社
新北市中和區永和路三六三巷四二號
電話：(02)22268853

定價：平裝新臺幣七〇〇元

西元二〇一一年十一月初版

09021

ISBN 978-957-15-1554-0 (平裝)